MEGA

KARL MARX
FRIEDRICH ENGELS
GESAMTAUSGABE
(MEGA)
ZWEITE ABTEILUNG
"DAS KAPITAL" UND VORARBEITEN
BAND 3

Redaktionskommission der Gesamtausgabe:
Günter Heyden und Anatoli Jegorow (Leiter),
Rolf Dlubek und Alexander Malysch (Sekretäre),
Heinrich Gemkow, Lew Golman, Erich Kundel, Sofia Lewiowa,
Wladimir Sewin, Richard Sperl.

Redaktionskommission der Zweiten Abteilung:
Alexander Malysch (Leiter),
Larissa Miskewitsch, Roland Nietzold, Hannes Skambraks.

Bearbeitung des Bandes:
Artur Schnickmann (Leiter),
Hannelore Drohla, Bernd Fischer, Jürgen Jungnickel, Manfred Müller,
unter Mitarbeit von Jutta Laskowski.
Gutachter: Larissa Miskewitsch und Witali Wygodski.

경제학 비판을 위하여(1861~63년 초고)
제1분책
ZUR KRITIK DER POLITISCHEN ÖKONOMIE
(MANUSKRIPT 1861~63)
TEXT · TEIL 1

경제학 비판을 위하여 · 2

카를 마르크스 지음 | 김호균 옮김

동아대학교 맑스 엥겔스 연구소

도서출판 길

경제학 비판을 위하여(1861~63년 초고) 제1분책
경제학 비판을 위하여 · 2

2021년 5월 10일 제1판 제1쇄 펴냄
2021년 5월 20일 제1판 제1쇄 펴냄

지은이 | 카를 마르크스
옮긴이 | 김호균
펴낸이 | 박우정

기획 | 이승우
편집 | 이현숙
전산 | 한향림

펴낸곳 | 도서출판 길
주소 | 06032 서울 강남구 도산대로 25길 16 우리빌딩 201호
전화 | 02) 595-3153   팩스 | 02) 595-3165
등록 | 1997년 6월 17일 제113호

ISBN 978-89-6445-238-7 94320
ISBN 978-89-6445-237-0(전2권)

이 저서는 2018년 대한민국 교육부와 한국연구재단의 지원을 받아 수행된 연구임(NRF-2018S1A5B4060558).

서문

MEGA 제2부 제3권에는 카를 마르크스가 1861년 8월부터 1863년 7월 G7*
까지 집필한 『경제학 비판을 위하여』 초고가 실려 있다. 약 1,500쪽에 달하는 가장 방대한 마르크스의 이 유고는 자본주의 사회의 경제적 운동법칙의 연구 및 서술과 부르주아 경제학의 분석에서 중요한 단계를 기록했다.

런던으로 이주한 후 마르크스는 1850년에 재차 경제학에 관심을 기울였다. 그는 영국박물관에서 방대한 양의 경제학 문헌들을 탐구했다. 그는 수십 권의 발췌 노트를 작성하여 훗날 자신의 이론을 정립할 때 반복해서 이용했다. 1857년 10월부터 1858년 5월까지 그는 자신의 경제학 연구 결과를 노트 일곱 권에 요약했다. 『경제학 비판 요강』(MEGA² II/1을 보라)으로 알려진 이 초고는 직접 출판하기 위해서 집필된 것이 아니라 마르크스의 자기이해를 위한 것이었다. 『경제학 비판을 위하여』라는 제목으로 계획된 방대한 경제학 저서는 여러 권으로 나누어 비정기적으로 출판하는 것으로 되어 있었다. "상품"과 "화폐 또는 단순유통"의 두 장(章)이 실린 제1분책은 1859년에 출판되었다(MEGA² II/2를 보라). 자본주의 경제학에서 가장 추상적인 이 부분에서 이미 부르주아 생산양식의 기초에 관한 설명이 이루어졌다. 여기에서 마르크스는 이 생산양식 특유의 사회적인, 결코 절대적이지 않은 성격을 설명했다(마르크스가 1859년 7월 22일 엥겔스에게 보낸 편지를 보라). 이제 자본과 임노동 사이의 적대적 모순을 이론적으로 정확하게 증명함으로써 — G8*
잉여가치론을 체계적으로 서술함으로써 자본주의적 착취관계 자체를 밝혀낼 필요가 있었다. 그럼으로써 비로소 자본주의의 무덤을 파는 자이자 새로운 공산주의 사회의 창설자로서 노동자계급의 세계사적 사명에 대한 과학적 논증이 완성된다. 그렇기 때문에 마르크스는 잉여가치론의 출판을 혁명과업으로 생각했다.

　1861∼63년 초고는 2년 전에 출판된 제1분책의 직접적인 속편으로 시작되었다. 그렇기 때문에 제목이 동일하며 제1노트와 제2노트에는 추가로 "제3장. 자본 일반"이라는 표제가 붙었다. 이 초고는 당초 제2분책 인쇄를 위해 정서된 원고로 생각되었다. 1861년 여름에 정해진 집필계획 초안에 따라서 마르크스는 설득력 있고 성숙한 서술방식을 추구했다. 자신의 이론적 인식에 최종적인 형태를 부여하고자 노력하는 과정에서 우려와 새로운 구상이 계속 떠올랐다. 이에 대해 그 스스로 이렇게 쓰고 있다. "게다가 다 썼다고 해도 4주 후에 보았을 때 그것이 불충분하다고 느껴지면 완전히 다시 수정하는 내 성격도 있습니다."(1862년 4월 28일 페르디난트 라살Ferdinand Lassalle에게 쓴 편지) 이 "성격"으로 인해 초고는 마르크스의 집중적인 연구 작업을 강하게 반영했다. 작업이 진척되면서 초고는 중요한 이론적, 방법론적 문제에 관한 자기이해에 갈수록 큰 도움이 되었다.

　초고는 23권의 노트로 구성되어 있다. 처음 다섯 권의 노트에는 자본의 생산과정에 속하는 다음과 같은 주제가 서술되고 있다. 1. 화폐의 자본으로의 전화, 2. 절대적 잉여가치, 3. 상대적 잉여가치.

　제6노트부터 제15노트까지 실린 『잉여가치론』은 초고의 약 절반을 차지한다. 마르크스는 여기에서 부르주아 고전경제학 대표자들의 잉여가치론을 서술하는 데 그치지 않고 수많은 인접 문제에도 접근하여 결정적 사항에서는 자신의 이론을 설명하고 있다.

　이후의 노트들에서는 다양한 주제를 다룬다. 여기에는 훗날 『자본』의 제2권과 제3권에서 논의된 개별적인 문제들 이외에 무엇보다도 이전에 논의했던 주제들에 대한 보충이 포함되어 있다. 제16노트에는 "자본과 이윤" 절의 초안이 실려 있으며, 제17노트에는 제15노트에서 시작된 상인자본에 관한 연구가 계속되고 자본의 유통과정 문제들이 논의된다. 제18노트는 『잉여가치론』에 관한 보충을 실었다. 이 노트에서 특히 흥미로운 것은 『자본』의 집필계획 초안들로서 여기에서는 훗날 집필되는 『자본』의 제1권과 제3권의 목차가 대부분 예정되어 있다. 제19노트와 제20노트에서는 상대적 잉여가치 절이 계속되고 완성된다. 초고의 마지막 세 노트에는 수많은 인용이 실려 있다. 그 밖에 제21노트는 자본에 의한 노동의 형식적, 실질적 포섭에 관한 상세한 연구를 담고 있고, 제22노트에서는 무엇보다도 자본축적 과정의 문제들이 논의되고 있다.

마르크스는 자신의 경제이론의 몇몇 근본적인 요소를 이 초고에서 처음으로 전개하고 있다. 이를테면 그는 잉여가치 생산과정과 가치법칙 사이의 일치에 관해 상술하고 최저임금론을 비판하며, 그럼으로써 노동력 상품에 관한 자신의 이론을 본질적으로 완성하고 있다. 그는 자본에 의한 노동의 형식적 포섭과 실질적 포섭에 관한 명제를 제시하고, 협업, 매뉴팩처에서의 분업, 기계류를 부르주아 생산양식의 발전 단계로서 특징짓는다. 그는 자본주의에서의 생산적 노동과 비생산적 노동에 관한 자신의 이론을 개진한다. 가치의 생산가격으로의 전화에 관한 이론이 포괄적으로 설명된다. 이 이론은 경쟁의 이중적 작용(부문 내 경쟁과 부문 간 경쟁을 의미함 — 옮긴이)에 관한 설명을 포함하는데, 이 작용은 두 가지 상이한 종류의 자본이동(자본의 부문 내 이동과 부문 간 이동을 의미함 — 옮긴이)을 초래하고 동시에 이중적 가격 균등화 운동(부문 내 경쟁을 통한 시장가치의 형성과 부문 간 경쟁을 통한 생산가격의 형성을 의미함 — 옮긴이)을 야기한다. 마르크스는 노동자계급에 의해 창출된 잉여가치가 개별 자본가들 내지 다양한 자본가 집단 사이에서 분배되는 일반 원칙을 설명하고 있다. 가치의 생산가격으로의 전화에 관한 자신의 이론에 기초해서 마르크스는 자신의 절대지대론을 발전시키고 차액지대론을 완성하고 있다. 그는 상업자본과 화폐자본을 상세히 서술함과 동시에 이들 자본의 특수한 가치증식 조건들을 상술하고 있다.

이 초고에서 마르크스는 잉여가치를 순수한 형태로 연구할 뿐 아니라 파생된, 전화한 형태 — 산업이윤, 지대, 이자 — 로도 연구하는 단계로 이행하고 있다. 부르주아 경제학자들은 잉여가치와 이윤을 동일시하거나 혼동했고, 그로 인해 일련의 비일관성과 모순이 발생했다. 일반적인 것으로서의 잉여가치가 다양하고 특수한 현상형태로 등장함으로써 잉여가치의 진정한 원천이 신비화되고 이윤이 자본의 자손으로, 지대가 토지의 결실로, 이자는 화폐에 의해 산출된 것으로 나타나게 된다. 마르크스는 부르주아 경제학의 이론적, 방법론적 입장을 근본적으로 분석하고 일반적 형태와 특수한 형태들 사이의 연관을 규명하고 있다. 일반적 형태(잉여가치)가 서술된 다음에 비로소 이로부터 특수한 형태들(이윤, 지대, 이자)이 파생될 수 있다. 마르크스는 잉여가치를 다층적으로 분화시켜서 연구하고, 그럼으로써 그가 유물론에 기초하여 발전시키고 적용한 추상화 방법의 원칙적 우월성을 설득력 있게 증명하고 있다.

무엇보다도 마르크스는 이 초고를 집필하는 동안 사회적 생산이 두 부문

G10*

으로 구분됨을 발견하고 있다. 생산수단을 생산하는 제1부문과 소비수단을 생산하는 제2부문이 그것이다. 그는 사회적 총자본의 비례적 발전을 위해서 어떤 조건이 충족되어야 하는지 증명하고 있다. 그렇지만 동시에 그가 강조하는 것은 자본주의에서는 발전의 비례성이 끊임없이 침해되며 부단한 불비례성을 통해서만 실현된다는 사실이다. 이는 무엇보다도 경제위기 때 극명하게 드러나는데, 이 경제위기에 관해서 마르크스가 이룩한 중대한 발견은 그의 공황론을 더한층 발전시키는 데 기여하게 된다.

마르크스의 새로운 인식은 그가 『잉여가치론』에서 부르주아 경제학자들의 저술을 집중적으로 연구하는 동안에 성숙해진다. 이 역사적-이론적 연구는 제임스 스튜어트와 중농주의자들의 견해를 분석하는 것에서 시작한다. 이어서 이 연구는 부르주아 고전경제학의 탁월한 대표자인 애덤 스미스와 데이비드 리카도의 저술에 집중된다. 끝으로는 다른 수많은 저술 이외에 리카도 체계에 대한 부르주아적 비판과 부르주아 경제학의 몰락을 반영하는 문헌에 대한 연구가 이루어진다. 마르크스는 자신의 인식에 의해서 변증법적으로 지양되는 진정한 과학적 발견들의 진가를 인정한다. 동시에 그는 부르주아 경제학의 연구방법에 대해 원칙적 비판을 가한다. 그는 부르주아 경제학으로 하여금 잘못된 결론에 이르게 할 수밖에 없었던 형식적이거나 강압적인 추상화를 지적하고 있다.

부르주아 경제학자들은 사회적 관계인 자본의 특수성을 파악하지 못했다. 그들은 생산수단이 특정한 조건하에서만 자본으로 전화한다는 사실을 간과했다. 그렇기 때문에 그들은 부르주아 생산양식을 조화롭게 발전하는 영원한 생산양식으로 간주했다. 이러한 비역사적 관찰방식은 본질과 현상을 동일시하는 것과 관련된다. 부르주아 경제학은 "구체성을 추상성에 직접 포섭하고 곧바로 적응시킴으로써 일반적 법칙과 더한층 발전된 구체적 관계들 사이"(제14노트, 793쪽)의 모순을 해결하고자 했다.

G11*   이와는 반대로 마르크스는 본질과 현상형태를 의식적으로 구별하고 있다. 그는 현실을 실재의 직접적으로 가시적인 외적 형태와 이 실재의 본질적 내용 사이의 변증법적 관계로서 이해한다. 이는 가치와 생산가격을, 잉여가치와 그 특수한 형태들인 산업이윤, 지대, 이자를 구별해서 고찰하는 데서 표현된다. 마르크스는 본질과 현상형태의 모순적 일치를 일련의 매개범주로 설명하고 있다. 본질적 내용이 어떻게 경험적 실재의 형태로 발전하고 변형되는지가 이들 범주에 의해 분명해진다. 그렇기 때문에 초고에서 마르크

스가 인식과정을 위해서 매개고리들이 차지하는 중요성을 여러 차례 언급한 것은 우연이 아니다. 이러한 연구방법 덕분에 비로소 마르크스는 자본주의 사회의 기본모순을 폭로하고 자본주의 사회의 역사적 위상을 규정할 수 있었다.

경제적 범주는 인식과정의 연결점이다. 그것들은 동시에 현실의 역사적 과정을 표현한다. 두 측면은 서로 불가분하게 연결되어 있다. 그러므로 가치와 잉여가치 — 일반화되고 근본적이며 순수한 형태들 — 가 자본주의 체제의 이론적 전개를 위한 논리적 출발점인 반면에, 역사적으로 출발점이었던 특수한 형태들은 발전 결과로 나타난다. 매개고리들에서는 자본이 생산의 모든 요소를 복속시키고 이들을 자신의 과정의 계기로 전화시키면서 진행되는 저 역사적 과정이 표현된다. 그렇기 때문에 마르크스가 산업이윤, 지대, 이자에서 증명하는 바와 같이 구체적인 현상규정들이 더한층 발전된 관계를 확정한다. 이는 가치의 생산가격으로의 전화에도 마찬가지로 적용된다. 이 전화는 "자본주의적 생산이 발전한 결과일 뿐"(제12노트, 614쪽)이다. 현실의 역사적 과정을 분석함으로써 마르크스는 자본주의의 본질과 현상형태의 모순적 일치를 규명하고 있다.

1857년부터 1863년에 걸친 마르크스의 경제학 연구에서는 **자본 일반** 개념이 중요한 역할을 한다. 인식론적 이유에서 마르크스는 자본 일반을 연구하면서 자본들의 현실적 운동인 경쟁을 사상한다. 경쟁은 자본주의적 생산양식의 관계들을 전도하여 현상하므로 자본 일반 개념이 명확하게 확정된 다음에 비로소 서술되어야 한다는 것이다. 마르크스는 "경쟁은 자본들의 상호 행위이며, 따라서 이미 자본 일체의 발전을 전제로 하기 때문"에 "여기에서 모든 것을 경쟁과 관련짓는 것은 피하고자"(G286쪽) 노력했다. 자본 일반 개념은 부르주아지와 프롤레타리아트 사이의 비타협적 계급모순, 착취 관계를 순수한 형태로 표현한다. 그런 만큼 이 개념은, 마르크스가 쓴 바와 같이, 정수(Quintessenz)에 해당하며(마르크스가 1860년 1월 30일 페르디난트 라살에게 보낸 편지와 1862년 12월 28일 루이스 쿠겔만Louis Kugelmann에게 쓴 편지를 보라), 따라서 훗날 『자본』의 핵심을 구성하기도 한다.

1861~63년 초고에서 마르크스는 부르주아 경제학의 자본 개념을 상세히 분석하고 있다. 몇몇 경제학자들은 자본을 소재적 규정성에서만 고찰하는 반면, 다른 경제학자들은 자본을 보존되고 증식되는 가치로, 비물질적인 것으로 설명했다. "손에 잡히는 사물이나 관념밖에 모르는 경제학자 — 그

G12*

에게 관계는 존재하지 않는다 — 의 관점"에서 보면 자본은 단순한 관념이라고 마르크스는 논박한다(G133쪽). 자본 일반은 "손에 잡히는 사물"도 물질적으로 실존하는 것도 아니며, 여기에서는 물질적 외피 속에 은폐된 인간관계가 표현되고 있음은 의심할 나위가 없다. 관계와 사회적 관계 일체를 물질적 연관으로 규정한 것은 마르크스의 탁월한 업적이다.

마르크스는 자본 일반에 포함된 계기들이 더한층 발전하고 경쟁하는 근본적 현상들을 이미 『경제학 비판 요강』에서 추적한 바 있지만 1861~63년 초고에서는 그 정도가 더 강화되었다. 이러한 방식으로 많은 "삽화" 또는 "여록"이 등장했다(이를테면 G280~G284쪽을 보라). 여기에서 이루어지거나 정식화된 몇몇 발견은 경제이론을 풍부하게 만들었고 완성했으며, 이를 통해 가치론과 잉여가치론이 성숙되었다.

마르크스가 집중적으로 수행한 이 초고 작업은 마침내 그가 1863년 1월 제18노트에서 약술한 새로운 집필계획 초안에서 정점에 이르렀다. 이로써 본질적으로 장래 『자본』의 구조가 발견되었다. 평균이윤과 생산가격에 관한 이론을 서술에 포함함으로써 이전에 의도했던 자본 일반과 경쟁의 분리는 지양되었고 자본 일반이라는 표현은 그 후 더는 쓰이지 않았다. 이미 1862년 말에 마르크스는 『자본』이라는 제목을 처음으로 거론했으며, 결국 그의 주저는 이 제목으로 출판되었다(마르크스가 1862년 12월 28일 쿠겔만에게 보낸 편지를 보라). 『자본』을 위한 기초적인 전제들은 1861~63년의 경제학 초고로 마련된 것이다.

이 제1분책에는 1861년 8월부터 1862년 3월까지의 작업 기간에 쓰인 최초의 노트 다섯 권의 내용이 실려 있다. 1861년 여름에 세워진 집필계획에 따르면 자본 일반에 관한 제3장은 다음 3개 절로 구성될 예정이었다. I. 자본의 생산과정, II. 자본의 유통과정, III. 자본과 이윤. 제1노트부터 제5노트까지 마르크스는 자본의 생산과정에 관한 절의 세 가지 주제를 논했다. 즉 1. 화폐의 자본으로의 전화, 2. 절대적 잉여가치, 3. 상대적 잉여가치가 그것이다. 이들 주제는 『자본』 제1권에서도 동일한 순서로 등장하고 있다. 이 책의 서술에 특별히 관심을 기울여야 하는 이유는 마르크스의 이론이 어떻게 발전했는지를 『자본』에서보다 더 분명하게 인식할 수 있기 때문이다.

1861~63년 초고의 맨 앞부분을 집필하면서 마르크스는 1857/58년에 쓴 『경제학 비판 요강』에 대체로 의존했다. 그러나 『요강』을 집필하는 작업

G13*

을 시작할 때에는 아직 세부적인 집필계획이 없었던 반면에 이제는 직전에, 1861년 여름에 세워진 집필계획에 따라 이들 주제의 체계적인 서술이 이루어졌다. 훗날『자본』의 문장과 일치하거나 매우 유사한 문장도 많다.

아직 자본관계를 상술하지 않았던, 1859년에 출판된 상품 및 화폐에 관한 장에 연이어서 이제 마르크스는 첫째 항목에서 화폐가 어떻게, 어떤 조건에서 자본으로 전화하는지를 연구하고 있다. 그는 단순상품생산관계와 자본주의적 생산관계 사이의 질적 차이를 밝혀낸다. 전자는 정식 W — G — W 를, 후자는 정식 G — W — G를 특징으로 한다. 이는 단순히 형식적인 차이만이 아니다. 오히려 여기에서 표현되는 것은 단순상품생산에서는 사용가치가 우선되는 반면 자본주의 조건하에서는 가치증식, 잉여가치의 생산이 생산의 목표라는 사실이다. 마르크스가 설명하기를 "단순상품유통 — W–G–W — 에서는 화폐가 자신의 모든 형태에서 항상 유통의 결과로서만 나타난다. G — W — G에서는 화폐가 유통의 결과로서만이 아니라 출발점으로서도 나타나기 때문에 교환가치는 첫 번째 유통형태에서처럼 단지 사라지는 상품유통형태 … 가 아니라 유통의 목적, 내용, 추동하는 영혼이다."(G12/13쪽) 이러한 맥락에서 마르크스는 자본을 자기증식하는, 잉여가치를 정립하는 가치로 정의한다(G14쪽).

자본 개념을 마르크스가 최초로 사용한 것은 아니다. 그러나 부르주아 경제학자들과는 달리 마르크스는 자본 연구에 처음부터 역사적으로 접근했다. 그는 저술의 이 부분에서 자본주의의 형성, 발전, 궁극적 몰락을 연구하려는 목표를 세우지는 않았지만 자본주의의 과도적 성격을 부단히 강조하고 있다. "자본관계의 형성은 처음부터 이 관계가 사회의 경제적 발전 — 사회적 생산관계와 생산력 — 의 특정한 역사적 단계에서만 등장할 수 있다는 사실을 보여준다. 자본관계는 처음부터 역사적으로 특정한 경제적 관계로서, 경제적 발전과 사회적 생산의 특정한 역사적 시대에 속하는 관계로서 나타난다."(G33쪽)

G14*

자본주의적 생산과정을 상세히 분석하면서 마르크스는 잉여가치 생산이 가치법칙에 의거해서 이루어진다는 사실을 증명하고 있다. 마르크스가 명시적으로 언급한 바와 같이 마르크스 이전의 경제학자들은 바로 이 문제에서 실패했다. "경제학자들은 잉여가치를 그들 스스로 설정한 등가법칙과 결코 조화시킬 수 없었다. 사회주의자들은 교환가치를 창출하는 활동을 사용가치로 갖는 노동능력(이 초고에서 마르크스는 주로 노동능력Arbeitsvermögen

을 썼으나 이후에 노동력Arbeitskraft으로 쓰게 된다. ─옮긴이)이라는 이 상품의 특유한 본성을 이해하지 못하고 이 모순을 끊임없이 고수하면서 그 주위를 맴돌았다."(G79쪽)

그렇기 때문에 마르크스는 노동력 상품의 모든 측면을 상세하게 연구했다. 그의 분석에서 대단히 중요한 것은 노동력 상품의 가치와 그것의 화폐 표현인 임금의 크기를 결정하는 것이다. 마르크스가 확인하는 바와 같이 그 가치는 "다른 모든 상품과 마찬가지로 그것[노동자](MEGA 편집자의 설명으로, 실제 본문에서는 노동능력을 가리킴 ─옮긴이)에 포함된, 따라서 그것을 재생산하는 데 필요한 노동의 양과 같고 … 노동자를 유지하기 위해 필요한 생활수단을 산출하는 데 필요한 노동시간으로 정확하게 측정된다."(G46쪽) 마르크스는 노동자를 육체적으로 유지하는 데 필요한 생활수단의 일단 주어진 수량의 가치에 의해서 임금의 크기가 결정된다고 주장하는 최저임금론을 극복했다. 노동능력의 가치는 "단순한 자연적 욕구에 의해서가 아니라 일정한 문화 상태에서 역사적으로 변경되는 자연적 욕구로 해석"(G46쪽)된다고 마르크스는 설명한다. 노동자가 자신의 노동력을 유지할 수 있으려면 어떤 소비수단을 필요로 하느냐 문제에 마르크스는 크게 주목한다. 초고의 다른 부분에서 마르크스는 다음과 같은 요약 설명을 제시하면서, 필요한 생활수단과 그로 인한 임금 수준은 자연적으로뿐 아니라 역사적으로도 결정된다는 점을 강조한다. "노동자가 노동자로서 살아가기 위해서 필요한 생활수단은 상이한 나라들과 상이한 문화 상태에서는 당연히 상이하다. … 이른바 일차적 생활욕구의 범위와 그 충족방식도 사회의 문화 상태에 상당 부분 좌우되므로 ─ 그 자체가 역사적 산물이므로 어떤 나라나 어떤 시대에는 필요생활수단에 속하는 것이 다른 나라 또는 다른 시대에서는 그것에 속하지 않는다."(G39쪽) 노동자계급에게 이 인식은 매우 중요하다. 노동력 상품의 가치, 따라서 임금이 최종적으로 고정되어 있는 크기가 아니라면 임금을 인상하기 위해서 투쟁하는 것은 노동자계급에게 이익이 될 뿐 아니라 필연적인 것이기 때문이다.

다른 모든 상품과 마찬가지로 노동력 상품은 가치뿐 아니라 사용가치도 갖는다. 그 사용가치는 노동과정에서 실현된다. 노동력 상품의 특수성은 그 자신이 보유한 것보다 더 많은 가치를 생산과정에서 창출하는 능력이다. 그렇기 때문에 생산과정의 분석은 경제학에 결정적으로 중요하다. 본질적인 것은 (노동력) "상품의 특수한 사용가치와 그것의 사용가치로서의 실현은

G15*

경제적 관계, 경제적 형태규정성 자체와 관련되며, 따라서 우리의 고찰 범위에 포함된다"(G47쪽)는 것을 마르크스는 강조하고 있다.

자본주의적 생산과정은 노동과정 자체일 뿐 아니라 동시에 가치증식과정이다. 자본가들은 언제나 노동자들로부터 더 많은 노동, 그리하여 더 큰 잉여가치를 추출하기 위해서 노력한다. 이는 노동일을 연장하거나 노동력의 가치를 하락시킴으로써 이루어진다. 이미『요강』에서 마르크스는 전자의 방식으로 산출되는 잉여가치를 위해서 절대적 잉여가치라는 용어를 만들었다. 후자의 방식으로 얻어지는 잉여가치를 그는 상대적 잉여가치라 불렀다. 잉여가치를 증대하기 위한 이 두 가지 방법이 1861~63년 초고에서 처음으로 체계적으로 서술되고 있다. 마르크스는 이들의 특유성과 둘의 연관성을 설명하면서, 첫 번째 방법은 특히 자본주의 초기에 사용된 반면에 자본주의가 발전함에 따라 상대적 잉여가치가 갈수록 전면에 부각된다는 사실을 증명하고 있다.

1861~63년 초고에서 처음으로 마르크스는 자본주의 생산양식에 기초하여 노동의 생산력이 상승하는 세 가지 역사적 단계에 대해 자세히 설명하고 있다. 1. 협업, 2. 매뉴팩처에서의 분업, 3. 기계류 및 과학의 응용.

마르크스에 따르면 협업은 "**기본 형태** … 사회적 노동의 생산성을 증대하기 위한 모든 사회적 배치에 기본이 되고 각각의 사회적 노동에서는 단지 추가적인 세부화가 부여되는 **일반적 형태**이다."(G229쪽) 마르크스는 "협업을 매개로 해서 개별자의 노동이 고립된 개별자의 노동으로는 얻을 수 없는 생산성을 획득하는 한에서 협업을 사회적 노동의 자연력"(G231쪽)으로 표현하고 있다. 협업이 나타내는 사회적 노동의 이 생산력이 자본주의적 조건하에서는 "노동의 생산력이 아니라 자본의 생산력"(G234쪽)이 된다. 여기에서는 자본주의적 생산과정이 노동과정일 뿐 아니라 가치증식과정이기도 하다는 사실이 표현된다. 이와 관련해서는 자본에 의한 사회적 생산력의 전유는 협업에만 국한되지 않는다는 사실이 확인된다. "이러한 전위는 자본주의적 생산 내에서 사회적 노동의 모든 생산력과 관련하여 이루어진다."(G234쪽)

자본주의적 매뉴팩처에서의 분업은 협업의 한층 발전된 형태로서, 노동생산성을 향상하고, 그럼으로써 상대적 잉여가치를 증대하기 위한 강력한 수단으로 규정된다. 마르크스는 처음으로 분업을 두 가지 유형으로 구분하고 있다. 1. 생산물이 상품으로서 교환되는 사회적 분업, 2. 한 상품의 매뉴

G16*

팩처에서의 분업, "요컨대 사회에서의 분업이 아니라 동일한 작업장 내에서의 사회적 분업"(G243쪽). 첫 번째 형태의 분업은 상품관계 일체에 조응하는 반면에 작업장 내에서의 분업은 특수한 자본주의적 형태이다. 분업의 두 가지 형태는 서로 조건 지으면서 맞물려 있다. 마르크스는 이 상호관계를 상세히 연구하면서 분업이 "어떤 의미에서 경제학의 모든 범주 중의 범주"(G242쪽)라고 언급한다. 마르크스는 "자본의, 자본주의적 생산의 기초 위에서만 상품은 사실상 부의 일반적인 기본 형태가 된다"(G287쪽)고 확인하고 있다. 그는 자본주의적 매뉴팩처의 특징은 다양한 노동과정을 노동자들에게 분배하는 것이 아니라 그 반대로 노동자들을 다양한 노동과정에 분배하는 것이며 "각 과정은 … 그들의 배타적 생활과정이 된다"(G252쪽)는 것을 증명하고 있다. 노동자들은 매뉴팩처에서 단순한 "구성요소들"이 될 뿐이다. 노동자가 자본주의적 생산과정에서 어떤 지위를 차지하는가에 대해 마르크스는 이렇게 특징을 요약하고 있다. "이 결합노동의 **사회적 형태**는 노동자에 맞서는 자본의 현존이다. 이 결합은 그를 압도하는 숙명으로 그에게 맞서고, 전체 메커니즘에서 분리되면 아무것도 아닌, 따라서 전체 메커니즘에 전적으로 의존하는 완전히 일면적인 기능으로 그의 노동능력이 위축됨으로써 그는 이 결합에 사로잡혀 있다. 그 자신이 단순한 세부가 되어버린 것이다."(G254쪽) 마르크스는 자본주의 생산양식이 이미 여기에서 노동의 실체를 장악했고 변화시켰다고 강조하고 있다. "그것은 이제 단순히 노동자의 자본으로의 **형식적 포섭** … 이 아니다."(G253쪽)

G17*

자본주의 생산양식을 그것의 발전에서 연구하고 언제나 이행에 큰 관심을 보였던 마르크스는 처음에는 형식적이다가 훗날 비로소 실질적이 되는 자본에 대한 노동의 종속(Unterordnung)(마르크스는 포섭Subsumtion 개념과 함께 종속Unterwerfung, Unterordnung 개념을 같은 의미로 사용하고 있다. — 옮긴이)에 관한 명제를 이 초고에서 처음으로 개진하고 있다. 이미 제1노트에서 다음과 같은 서술을 발견할 수 있다. "사실 역사적으로 발견되는 사실은, 자본이 형성되는 초기에는 노동과정 일체를 자신의 통제 아래 놓을 뿐 아니라, 기술적으로 완성되어 주어진 것으로서 발견하고 비자본주의적 생산관계에 기초해서 발전한 바와 같은 특수한 실제적 노동과정도 자신의 통제 아래 놓는다(자신에게 포섭한다)는 것이다. 자본은 실제적 생산과정 — 특정한 생산방식(마르크스가 사용하는 Produktionsweise는 '생산양식'의 의미뿐 아니라 '생산방식'의 의미로도 사용된다. 이를 구별하는 것은 문맥에 따를 수밖에 없다. ― 옮긴이) ― 을 주어진 것으로 발견하고, 처음에는 이 생산방식의 기술적 규정성을 변화시키지 않은 채 그것을 **형식적으로**만 자신에게 포섭한다. 자본은 자신의 발전이 진행되면서 비로소 노동과정을 형식적으로 포섭할 뿐 아니라 노동과정을 개조하고 생산방식 자체를 새롭게 구성하며, 그리하여 비로소 자신만의 독특한 생산방식을 창출한다."(G83쪽) 이 초고 작업의 마지막 국면인 제21노트에서 마르크스는 이 문제를 다시 거론하면서 이에 별도의 절을 할애하고 있다.

분업에 관한 절에서는 마르크스가 어떻게 경제학에서 언제나 선배들과 논쟁하면서 자신의 이론을 발전시켰는지를 아주 잘 보여준다. 마르크스는 고대 사상가들 ― 호메로스, 투키디데스, 플라톤, 크세노폰, 디오도로스 ― 부터 부르주아 시대의 이론가들에 이르기까지 분업에 관한 견해의 발전을 『자본』에서보다 훨씬 더 상세하게 추적한다. 여기에서 그는 애덤 퍼거슨과 애덤 스미스의 상론을 부각한다. 그는 특히 스미스와 논쟁하고 있다. 마르크스는 스미스가 분업을 "전면에 내세우고 게다가 노동의(즉 자본의) 생산력으로서 직접 강조한다"(G249쪽)는 것을 부각하고 있다. 그렇지만 스미스에 대한 이러한 인정보다 더 중요한 것은 스미스의 견해에 대한 마르크스의 비판이다. 여기에서부터 마르크스 자신의 이론이 정밀해지고 더욱 발전하기 시작하기 때문이다.

마르크스가 여기에서 스미스를 비판하는 주된 이유는 그가 분업의 두 가지 형태를 구별하지 않았기 때문이다. "A. 스미스가 **분업**을 자본주의 생산양식에 고유한 것으로 … 파악하지 않았다"(246쪽)고 그는 확인하고 있다. 이때 마르크스는 스미스가 "근대적 공장과는 아직 크게 상이한 당시 **매뉴팩처**의 발전 단계"에 좌우되었음을 고려하고 있다. 그렇기 때문에 스미스 이론에서는 분업의 비중이 기계류에 비해 상대적으로 우세하며 기계류는 단지 분업의 부속물로 나타날 뿐이다(G249쪽).

자본주의적 생산에 적합한 생산방식은 기계제 대량생산이다. 제5노트에 서 마르크스는 이를 연구하기 시작했다. 이미 예전에 마르크스가 확인한 바에 따르면 "인간 노동능력의 발전은 특히 … 가장 단순한 도구나 용기에서부터 가장 발달한 기계류 체계에 이르는 … **노동수단** 또는 **생산도구**의 발전에서 드러난다."(G49, G50쪽) 기계류에 관한 절이 시작되면서 바로 이것에 선행하는 자본주의적 생산 단계들과의 본질적인 차이가 적시된다. 단순협업과 분업에 의한 생산력의 증대는 자본가들에게 아무런 비용도 들지 않았

G18*

고 "사회적 노동의 무상의 자연력"(G294쪽)이었다. 기계류가 도입되면서 노동수단의 규모는 현저하게 증가하며, 그럼으로써 노동과정과 가치증식과정의 차이가 "생산력 발전과 생산의 성격에서 중요한 계기"(G298쪽)가 된다. 여기에서 자본주의적 생산과정에서의 노동과정과 가치증식과정의 통일이 특히 명확하게 표현된다. 자본주의적 생산의 목표는, 따라서 기계류 도입의 목표 또한 사용가치 생산이 아니라 이윤이다. 기계가 사용되는 것은 단지 이윤을 증대하기 위해서이지 노동을 경감하거나 사용가치 생산을 증가시키기 위한 것이 아니다. 마르크스는 상대적 잉여가치를 획득하기 위한 이 방법을 다음과 같은 말로 특징짓는다. "실제로 중요한 것은 … 자본주의적 기초 위에서 이루어지는 모든 생산력 발전과 마찬가지로 노동자가 자신의 노동능력을 재생산하는 데, 바꿔 말하면 자기 임금을 생산하는 데 필요한 노동시간, 즉 그가 자신을 위해 노동하는 노동일 부분, 그의 노동시간에서 **지불** 부분을 단축하고, 이를 단축함으로써 노동일 중에서 그가 자본을 위해서 무상으로 노동하는 또 하나의 부분, **비지불** 부분, 그의 **잉여노동시간**을 연장하는 것이다."(G292쪽) 마르크스는 기계 사용의 기본 원칙은 "숙련노동을 **단순**노동으로 대체하는 것이다. 따라서 … 노동능력의 생산비를 단순한 노동능력의 생산비로 축소하는 것"(G294쪽)이라고 규명하고 있다.

마르크스는 자본주의적 조건하에서 기계제 대량생산이 노동자에게 미치는 영향을 자세히 연구하면서 기술 진보의 본질적 결과로 기계에 의한 살아 있는 노동의 대체를 지적한다. 이와 관련해서 노동자 수의 절대적 증가와 동시에 나타나는 상대적 감소 경향을 다음과 같이 적시하고 있다. "노동자의 수는 절대적으로는 증가하지만 상대적으로는 이들의 노동을 흡수하는 불변자본에 비해서뿐 아니라 물적 생산에 직접 종사하지 않거나 생산에 전혀 종사하지 않는 사회 부분에 비해서도 감소한다."(G277쪽)

G19*

기계 사용은 노동생산성의 향상뿐 아니라 노동강도의 현저한 강화도 초래한다. 오늘날에도 매우 중요한 자본주의 생산양식의 이러한 경향에 대해 마르크스는 여기에서 처음으로 자세히 설명하고 있다. 기계류는 노동시간의 응축을 초래하는데 그것은 "각각의 시간 부분이 더 많은 노동으로 채워짐으로써, 노동강도가 증가함으로써, 즉 기계류의 사용을 매개로 해서 노동생산성(요컨대 질)이 증가할 뿐 아니라 주어진 시간 내의 **노동량**이 증가함으로써 … 가능하다. 시간 공백이 말하자면 노동의 압축을 통해 축소된다."(G307쪽) 그 결과는 노동자의 수명 단축, 적어도 활동할 수 있는 생애의

단축이다. "그리하여 노동능력은 동일한 노동시간에 더 빨리 소모"(G307쪽)
되기 때문이다.

당연히 노동자들은 이러한 강화된 착취에 저항한다. 마르크스는 임금 인
하에 반대하거나 임금 인상이나 표준노동일의 확정을 요구하는 노동자들
의 파업투쟁에 대해 기술하고 있다. 자본가들은 무엇보다도 기계 도입으
로 파업에 대응했다. 이에 대해 마르크스는 기계가 여기에서는 직접 "노동
의 어떠한 자립성 요구도 분쇄하기 위한, 자본의 형태 ─ 자본의 수단 ─ 자
본의 권력 ─ 노동에 **대한** 자본의 권력으로서" 나타난다고 설명하고 있다.
"여기에서 기계류는 **의도에서도 노동에 적대적인 자본형태로서 승부에 들어온
다.**"(G312쪽)

마르크스는 노동자들의 물질적 상태가 개선될 수 있다는 것을 결코 배제
하지 않았지만 이로 인해 "**상대적 잉여가치의 본질과 법칙**"이 변하는 것은
결코 아니라는 것, "생산성이 향상된 결과 노동일 중에 더 큰 부분이 자본
에 의해 전유된다는 것"을 강조했다. 마르크스는 "노동생산력이 발전한 결
과로서 노동자의 물질적 상태가 여기저기에서, 이런저런 비율로 개선되었
다는 통계적 증거를 통해 이 법칙을 반박하려는" 시도들을 "어리석은 짓"
(G226쪽)이라 표현하고 있다. 이러한 서술들을 보면 마르크스가 노동자계
급의 절대적 궁핍화론을 주장했다는 것이 얼마나 빗나간 것인지 알 수 있다.

마르크스는 스스로 연구한 모든 문제에서 언제나 사실에서 출발했다. 그
는 수많은 문헌, 보고서, 통계를 동원했고 이것들에 포함된 사실의 신뢰성을
평가했으며, 그렇게 해서 실제 상황에 관한 정확한 상을 마련했다. 그에게
진정한 보고(宝庫)는 영국의 공장감독관들이 반년마다 작성한 보고서들이
었다. 여기에는 영국 산업의 상태와 발전이 기술되어 있다. 이 자료들은 마
르크스의 이론을 증명했고 동시에 예시하기도 했다.

G20*

1861 ~ 63년 초고 작업은 마르크스 자신이나 가족의 질병은 물론 생계 걱
정과 가난으로 여러 차례 중단되었다. 이 모든 것이 마르크스의 집필 작업을
방해하고 한동안 정체시켰다. 이 제1분책에 반영되고 있는 첫 번째 작업 국
면의 후반인 1861년 말부터 1862년 초까지 마르크스는 특히 심각한 재정적
어려움에 빠졌다. 게다가 아내와 딸 예니가 중병에 걸렸다. 이러한 부담으
로 인해 친구인 엥겔스와의 빈번했던 서신 교환조차 몇 주간 중단되었다는
사실은 마르크스의 상태가 얼마나 심각했는지를 보여준다. 재정 상태를 개
선하기 위해서 마르크스는 《뉴욕 데일리 트리뷴》에 수십 차례 논설을 실었

다. 그러나 이 수입원마저도 완전히 막혀버렸다. 1862년 4월 28일 마르크스는 당시를 회고하면서 이 상황에서 자신이 미치지 않은 것이 기적이라고 라살레에게 말했다. 그는 "굶어 죽지 않기 위해서 보잘것없는 공구를 만들어야" 했기 때문에 "간혹 몇 달 동안 이 '대업'을 한 줄도 쓸 수 없었다"고 술회했다.

초고의 어느 곳에서 얼마나 오랫동안 집필이 중단되었는지를 하나하나 증명하는 것은 불가능하다. 그러나 이 첫 번째 작업 국면의 마지막 노트인 제5노트에서는 이러한 중단이 있었다는 것이 확실하다. 이 노트에서는 생산적 노동에 관한 비교적 긴 여록도 발견된다. 이 여록에서 마르크스는 자신의 작업을 어떻게 계속할지에 관한 생각을 제시했다(G285쪽). 이를 통해 1861년 여름에 세운 집필계획이 보완되고 세밀해졌다. 직후에 서술된 기계류에 관한 절이 보여주는 바와 같이 마르크스는 이후 이 계획을 따랐다.

제5노트를 완료하지 않고 마르크스는 1862년 3월에 그가 제5항이라 번호를 붙인 『잉여가치론』을 제6노트에서 시작했다. 제4항은 무엇보다도 "절대적 잉여가치와 상대적 잉여가치의 결합"을 위해 보류되었다. 1863년 1월에 비로소 마르크스는 제3항 "상대적 잉여가치"에 속하는 기계류에 관한 절을 다시 집필하기 시작했다. 그는 제5노트에서 비어 있던 마지막 몇 쪽에 그것을 쓰고 제19노트에서 이어서 집필했다. (MEGA 제2부 제3권의 ─ 옮긴이) 제6분책으로 출판되는 초고의 마지막 부분에서 마르크스는 재차 자본의 생산과정을 논했다. 그는 그 직전에 (제18노트에서) 이 집필 부분에 대해 변경했던 집필계획을 고려하면서 이 문제를 보완했다. 훗날 『자본』 제1권에서 논의되는 거의 모든 문제가 이로써 이미 해결되었다.

편집자 일러두기*

1861~63년 초고는 범위가 방대하기 때문에 제3권(MEGA 제2부 제3권 —옮긴이)은 여섯 부분, 즉 6책으로 발행된다. **제1분책**에는 1861년 8월부터 1862년 3월까지 집필된 제1노트~제5노트(211쪽까지)가 실린다. 내용은 자본의 생산과정으로서 1. 화폐의 자본으로의 전화, 2. 절대적 잉여가치, 3. 상대적 잉여가치 등 세 가지 항목이 포함된다.

제2분책에서 **제4분책**까지는 마르크스가 1862년 3월부터 1862년 말까지 집필하고 제5항으로 명명한 『잉여가치론』이 실려 있다. **제2분책**은 제6노트부터 제10노트(444쪽까지)를 담고 있다. 여기에서 마르크스는 데이비드 리카도 이전의 경제학자들, 특히 중농주의자들과 애덤 스미스를 논하고 있다. 제10노트(445쪽부터)~제13노트(752쪽까지)가 포함된 **제3분책**에서는 리카도가 논의되며 여기에서는 지대이론에 많은 지면이 할애되었다. **제4분책**은 제13노트(753쪽부터)~제15노트(944쪽까지)가 포함되어 있다. 여기에서는 주로 리카도 이후의 이론들이 연구되고 있다.

제5분책에는 1862년 12월과 1863년 1월에 집필된 제16노트~제18노트가 실려 있다. 여기에서는 주로 훗날 『자본』 제2권과 제3권의 문제들이 논의된다. 제16노트에는 마르크스가 여기에서 제3장이라 부른 "자본과 이윤"에 관한 절의 초안이 포함되어 있다. 제17노트와 제18노트는 이전에 논의했던 문제들 또는 『잉여가치론』에 대한 다양한 보유를 실었다.

• MEGA 제2부 제3권은 하나의 원고(1861~1863년 초고)를 6권의 분책으로 편집한 것으로, 일러두기 내용이 거의 동일하게 반복되고 있기에 한국어판 편집위원회에서 통일하였음 — 옮긴이.

마르크스는 제18노트 여러 곳에서 『자본』을 위한 새로운 집필계획을 수립했고 1862년 12월 28일 쿠겔만에게 보낸 편지에서 이미 새로운 초고의 정서를 1월부터 시작하겠다고 표명했지만, 이 계획을 곧장 실행에 옮기지는 않았으며 먼저 제5노트를 완성하고 1863년 7월까지 특히 잉여가치에 관한 절에 대한 다양한 보충이 포함된 노트를 다섯 권 더 집필했다. 제5노트(211쪽부터)와 제19노트부터 제23노트까지가 **제6분책**을 이룬다.

본문은 초고의 배열에 그대로 따랐다. 보충설명들은 각각 마르크스가 지정해놓은 위치에 배열했다. 마르크스가 나중에 초고에 써놓고 특정한 위치를 지정하지 않은 문장들은 가능한 한 쓰인 순서대로 배열하고, 그렇지 않은 경우에는 해당 항이나 절의 마지막에 배열했다. 텍스트 위치 변경은 변경사항 목록(부속자료에서 (v)로 시작됨 — 옮긴이)에 수록했다. 맞춤법을 통일하거나 원문을 현대식으로 고쳐 쓰지는 않았지만 명백한 잘못을 없애기 위한 본문의 수정은 있었다.

명백히 틀리게 쓴 부분은 바로잡아 고쳐 썼다. 의미가 달라지는 편집상의 수정은 교정사항(부속자료에서 (k)로 시작됨 — 옮긴이) 목록에 모두 수록했다. 틀리게 쓴 부분 가운데 여러 가지 방식으로 수정할 수 있거나 명백한 오류라고 확정할 수 없는 부분은 많은 사람들이 하나의 정해진 의미로 읽는 경우에만 수정했고 그것이 명확하지 않은 경우에는 수정하지 않았다. 이들 두 가지 처리방법은 모두 교정사항 목록에 표기했다.

자필 원고의 구두점은 모두 그대로 유지했다. 구두점이 빠진 부분은 본문의 이해를 위해 반드시 필요하다고 생각되는 경우에만 보충했다. 교정사항 목록에는 보충된 쉼표와 줄표가 모두 표기되었고 기타 문장부호(마침표, 닫는 괄호, 인용부호 등이 빠져서 이를 보충한 경우)는 보충될 위치를 다른 곳으로 생각할 수도 있는 경우에만 목록에 포함시켰다.

사실에 대한 기술이 잘못되었거나 계산이 틀린 것은 수정했고 이를 모두 교정사항 목록에 표기했다. 거론된 사실관계가 분명하지 않거나 마르크스가 틀린 수치를 계속해서 사용한 경우에는 고치지 않고 그대로 두었다. 주석이 필요하다고 생각되는 부분은 해설(부속자료에서 (e)로 시작됨 — 옮긴이)을 달거나 교정사항 목록에 본문에 대한 비판적 주석을 달아두었다.

약어나 단축 표기된 것은 별도의 표기 없이 모두 완전한 표기로 풀어 썼는데 그렇게 풀어 쓸 필요가 없는 것들(혹은bzw., 즉d.h., 기타etc., 등등usw., 예를 들어z. B.)은 예외로 했다. 다르게 풀어 쓰기가 가능한 경우에는 약어를 그대로 두었다. 인명이나 참고문헌 인용에서 사용된 약칭은 그대로 두었다. 수학 기호는 그것이 말로 되어 있을 경우 모두 기호로 수정했다. 불분명한 철자는 작은 글자로 표기하고 아예 알아볼 수 없는 철자는 x로 표기했다. 초고의 종 이가 찢어지거나 더럽혀져서 원문이 손실된 부분은 꺾쇠괄호 안에 말줄임 표를 써서([…]) 표시하고 원문을 확실하게 복원할 수 있는 부분은 꺾쇠괄호 로 묶어 복원했다. 편집자가 보충한 곳은 편집자 서체(고딕체)로 쓰고(한국 어판에서는 본문과 같은 서체 — 옮긴이) 꺾쇠괄호 안에 넣었다.

마르크스가 잉크로 밑줄을 친 부분은 다음과 같은 방식으로 표기했다. 즉 외줄은 이탤릭체로(한국어판에서는 굵은 글씨 — 옮긴이), 두 줄은 자간 간격 을 띄워서(한국어판에서는 굵은 글씨+방점 — 옮긴이), 세 줄은 이탤릭체로 자 간 간격을 띄워서(한국어판에서는 굵은 글씨체+방점+이탤릭체 — 옮긴이) 표 기했다. 연필과 빨간 연필로 밑줄을 친 부분은 나중에 추가로 작업한 부분을 나타내는 것으로 이 책에서도 밑줄을 그어서, 즉 연필 밑줄, 빨간 연필 밑줄 의 방식으로 표시했다. 외곽선도 마찬가지 방식으로 잉크 |, 연필 ¦, 빨간 연 필 ⋮, 갈색 연필 ¦과 같이 각기 다르게 표시했다. 그 외에 난외의 여러 가지 기호는 각각의 양식에 맞는 형태로 재현했다(한국어판에서는 외곽선을 비롯 하여 난외의 기호는 표기하지 않았음 — 옮긴이).

처리 완료, 즉 수직이나 사선으로 지운 표시는 마르크스가 해당 구절을 이 후의 경제학 초고에 옮겨 쓸 때 표시한 것인데 이것들은 무시하고 그대로 두었다. 이것들은 변경사항 목록의 말미에 따로 실었다.

행 바꿈이 자필 원고와 달라진 부분들은 교정사항 목록에 담았다.

이 책에서는 초고 각 쪽의 처음과 끝을 모두 표시했다. 이때 마르크스의 쪽수 표기를 그대로 옮겼다(부속자료의 "약어, 약호, 부호 목록"을 보라). 각 노 트가 시작되는 곳에 노트의 번호도 함께 표시했다.

이 책의 학술적 부속자료는 (원문자료에 대한 기록을 포함하여) 집필과정과 전승과정, 변경사항 목록(처리 완료 목록 포함), 교정사항 목록, 해설로 구성 되어 있다.

변경사항 목록에는 마르크스가 본문을 내용 면에서 혹은 집필방식에서 계속 발전시켜나가면서 변경한 내용을 모두 담았다. 이들 변경사항에는 텍 스트 축소(본문의 원형을 해치지 않는 삭제), 텍스트 보충(삽입, 추가), 텍스트 대체와 위치 변경이 담겨 있다. 따라서 다음 사항들은 여기에 수록되지 않았 다. 즉 마르크스가 수정한 오자, 아예 알아볼 수 없거나 혹은 필자의 원래 의

도를 대강이라도 도저히 읽어낼 수 없는 필적, 초고를 쓰면서 그때그때 문법이나 문체에서의 실수를 바로잡은 것으로서 내용상 본문의 서술을 바꾸는 것이 아닐 뿐 아니라 전체 서술의 문체에서도 전혀 변화를 수반하지 않는 수정이 바로 그런 것들이다.

변경사항 목록은 편집상의 모든 변경사항을 담았다. 해당 위치에서 이루어진 초고 집필 중의 변경 내용은 구별할 수 있는 형태로 뒷부분에 붙이거나 행을 바꾸어 나란히 병기하는 방식으로 수록했다(한국어판에서는 이러한 방식을 쓰지 않고 변경 내용이 있는 곳마다 주를 달아서 표시했음—옮긴이). 변경사항 목록은 본질적으로 논증적인(추론적인) 방식을 사용하였다. 다시 말해 텍스트 변경은 해당 부분의 내용에 맞추어 이루어졌고 그것의 형태에 따르지는 않았다.

텍스트 축소, 보충, 대체, 위치 변경 등은 구별될 수 있는 기호들을 사용하여 표시했다("약어, 약호, 부호 목록"을 보라). 집필 중 곧바로 변경한 것은 종종 '쓰다 만 것'의 형태로 나타나고 있다. 이렇게 쓰다 만 것들은 저자가 생각을 멈추고 생각을 새롭게 (대개 단어나 단어의 일부를 삭제하거나 바꾸고 활용어미를 바꾸거나 삽입하는 방식으로) 시작하는 형태의 텍스트 변경에 해당한다. 쓰다 만 형태의 이들 텍스트 변경이 지니는 그때그때의 의미는 현재의 본문과 비교해 보면 분명하게 드러난다. 외관상 단순하게 덧붙여 쓴 부분은 내용에서 보면 대부분 텍스트 연장에 해당한다. 잘못된 해석을 피하기 위해 자필 원고의 조사 결과에 따라 이러한 서술의 변경은 쓰다 만 것임을 표시했다. 자필 원고에서 쓰다 만 것이 완전히 삭제된 부분은 다음과 같은 형태로 표시했다. 즉 본문의 해당 부분에서 삭제된 부분을 홑화살괄호로 묶고 쓰다 만 부분이라는 것을 부호로 표기했다(MEGA의 변경사항 목록에서 쓰인 〈 〉/ 부호를 말한다. 한국어판에서는 부호를 쓰지 않고 문장으로 풀어 썼다.—옮긴이). 본문에서는 이 부분을 이어 붙여 새로운 문장으로 만들어놓았다. 쓰다 만 것 가운데 일부가 바로 다음 서술 부분으로 옮겨져 쓰였을 경우에는 원칙적으로 이를 빠짐없이 표기했다. 이때 마르크스가 문장의 어느 위치에서 중단하고 변경한 것인지를 확실하게 식별하기 어려운 경우가 종종 있기 때문에 대개 가장 늦게 변경된 본문의 위치에 중단된 부분임을 표기했다. 따라서 이런 경우에는 처음에 중단된 문장 부분을 홑화살괄호로 처리한 본문에, 자필 원고에서 지워지지 않고 새로운 본문에 삽입된 단어나 단어의 일부가 포함되어 있다. 이 경우 홑화살괄호는 그 전체가 지워진 본문 부분임을 나타낸다

(한국어판에서는 이러한 변경을 'B ← A' 형식으로 나타내거나 문장으로 풀어 설명했다. ─ 옮긴이).

여러 곳에 걸친 텍스트 변형, 특히 텍스트를 대폭 교체한 것은 행을 나란히 배치하는 방법으로 표기했다. 이때 해당 위치의 변경된 부분들은 각각 시간적 순서에 따라 오선지 악보와 비슷한 형태로 차례대로 행을 바꾸어 나란히 표기했는데, 왼쪽에 숫자가 표기된 각 행은 다음 행에 의해 대체된 것임을 나타낸다. 제일 마지막 행이 본문과 일치한다. 바뀌지 않은 단어는 반복해서 쓰지 않고 중복 기호(")로 표기했다. 가로로 그은 직선은 앞의 행에 대한 텍스트 축소를 나타내거나 다음 행에서 텍스트를 연장하기 위한 여백을 만들기 위해 그은 연장선일 뿐이다. 각 행은 서로 관련된 것으로 (수평으로) 읽을 수도 있고 해당 부분이 어떻게 변경되어갔는지를 행과 행을 통해 (수직으로) 개괄할 수도 있게 되어 있다. 한 행 내에서의 부분적인 텍스트 변경은 a, b, c 등으로 분리하여 표시했다. (한국어판에서는 이러한 방식을 쓰는 것이 번역상 불가능하여 'B ← A' 형식으로 나타내거나 문장으로 풀어 설명했다. ─ 옮긴이)

구문상으로 서로 연결되지 않고, 따라서 행을 나란히 배치하는 것으로는 일목요연하게 제시될 수 없을 정도로 텍스트 변경이 광범하게 된 경우에는 복수의 행을 나란히 배치했다. 변경사항 몇 군데는 각각 로마 숫자의 번호를 단 행들이 쓰인 순서대로 겹쳐 놓여 있다. 각각의 복수의 행은 뒤이은 복수의 행으로 대체된다. 마지막 복수의 행(또는 마지막 층)은 본문과 일치한다.(한국어판에서는 'B ← A' 형식으로 나타내거나 문장으로 풀어 설명했다. ─ 옮긴이)

해설은 본문을 이해하는 데 필요한 설명과 참조사항이다. 이들은 마르크스가 어떤 문헌을 이용했는지를 보여준다. 마르크스가 어떤 판본을 이용했는지 알 수 없거나 마르크스가 이용한 판본을 구하지 못한 경우에는 해설에서 그에 대해 언급해두었다. 마르크스의 인용이 인용된 원전과 다를 경우에는, 그것이 내용상 논란의 여지가 있을 때 혹은 본문의 수정(이미 완료되었거나 이후 있을지도 모르는)과 관련하여 중요하다고 판단되면 모두 표시해두었다. 그 밖에 인용된 원전에서 마르크스가 강조 표시를 한 것은 그대로 따랐다. 세계문학 저작이 인용된 경우에는 특정 판본을 표기하지 않았다. 마르크스가 원본이 아니라 번역본을 이용한 경우에는 번역본을 표기했고 나머지 다른 경우에는 모두 원본을 표기했다.

마르크스가 번역한 인용문들은 모두 해설에서 원전의 해당 부분을 수록했다(이 책에서는 번역이 원문과 차이가 있는 경우에만 수록했다. ―옮긴이). 그리스어와 라틴어 본문과 인용문은 독일어로 번역했다.

마르크스가 이미 스스로 손질을 해놓은 자료들에서 인용을 한 경우에는 그것을 해설에서 지적해두었다. 이 책에서는 1857/58년 초고인 『요강』과 1859~61년에 작성한 「인용문 노트」, 즉 두 번째 가공 단계의 「발췌 노트」가 이에 해당된다. 자료의 첫 번째 가공 단계에 속하는 「발췌 노트」에 대해서는 문헌 찾아보기에서 언급했다.

G26* 인용하는 과정에서 마르크스는 특히 자신이 직접 해당 내용을 설명하는 경우에는 사소하게 변경을 하기도 하고, 인용문을 단축하거나 일부 또는 전체를 번역하기도 하고 때로는 강조 부분을 바꾸기도 했다. 부속자료 해설 부분 분량을 줄이기 위해서 단지 형식적으로만 달라진 부분들은 일일이 표시하지 않았다.

문헌 찾아보기는 본문에서 직접 혹은 간접적으로 인용되고 언급된 모든 문헌(도서, 소책자, 잡지, 신문기사, 기록자료)을 수록했다. 익명으로 출판된 자료는 관사를 뺀 첫 글자의 알파벳순으로 배열했다(한국어판에서는 가나다순 ―옮긴이). 마르크스는 대부분 자신의 「발췌 노트」에서 문헌을 인용했기 때문에 문헌 찾아보기에서도 이 노트를 표기했다.

인명 찾아보기는 (변경사항을 포함한) 본문에서 직접 혹은 간접으로 거명된 사람들의 이름을 수록했는데 찾아보기에는 문학 작품과 신화에 나오는 이름도 모두 포함되었다. 본문에서 직접 거명되지는 않았더라도 저작이 직접 혹은 간접으로 거명되거나 인용된 경우 해당 문헌의 저자도 함께 수록했다. 이름은 알파벳순(한국어판에서는 가나다순 ―옮긴이)으로 배열했는데 본인의 표기방식에 따랐고 그리스 문자와 키릴 문자는 변환철자법에 따랐다. 본인의 표기방식과 다른 것은 모두 둥근 괄호 안에 본문에서의 표기를 넣었다. 부호로 된 이름은 해설에서 설명을 덧붙였다.

책 전체에 대한 사항 찾아보기는 마지막 분책의 부속자료에 실릴 것이다.

이 분책의 작업은 독일 사회주의통일당 중앙위원회 마르크스레닌주의 연구소의 아르투어 슈니크만(Arthur Schnickmann)(책임자), 하넬로레 드롤라(Hannelore Drohla), 베른트 피셔(Bernd Fischer), 위르겐 융니켈(Jürgen Jungnickel), 만프레트 뮐러(Manfred Müller)에 의해 이루어졌다. 자필 원고의 판독은 유타 라스코프스키(Jutta Laskowski)가 대조했다. 외국어 문장은 마들렌 부르갈레타(Madeleine Burgaleta)(프랑스어), 한스울리히 라부스케 (Hansulrich Labuske)(그리스어와 라틴어), 게르다 린트너(Gerda Lindner)(영어)가 검토를 맡았다. 과학기술 관계의 일은 크리스티네 바그너(Christine Wagner)가 진행했다.

이 제1분책은 편집위원회의 위임을 받아 롤란트 니촐트(Roland Nietzold)와 리하르트 슈페를(Richard Sperl)이 감수했다. 소련 공산당 중앙위원회 부속 마르크스레닌주의연구소의 감수자는 라리사 미스케비치(Larissa Miskewitsch)와 비탈리 비고츠키(Witali Wygodski)였다.

편집자들은 소장하고 있던 자필 원고를 이용하게 해준 암스테르담 국제 사회사연구소와 이 책의 작업을 지원해준 모든 과학자와 학술기관에 감사를 표한다.

차례

일러두기

1. 이 책은 『카를 마르크스 프리드리히 엥겔스 전집』(*Marx/Engels Gesamtausgabe*, 이하 MEGA),
   제2부 제3권 제1분책(Berlin: Dietz, 1976)을 번역한 것이다. 제1분책은 마르크스의 『경제학
   비판을 위하여』 1861~63년 초고 중에서 제1노트~제5노트를 편집한 것이다.

2. MEGA 편집자는 마르크스가 고치거나 삭제하거나 위치를 바꾼 부분은 변경사항 목록으로,
   편집상 수정한 부분은 교정사항 목록으로 모아서 싣고, 설명이 필요한 부분은 해설을 달았다
   (자세한 내용은 편집자 일러두기에 있다). 이 목록들은 모두 부속자료(별책)에 있다. MEGA
   에는 각 목록별로 실려 있지만 이 책은 MEGA와 달리 해당 부분이 책에 나오는 순서대로 싣
   고, 변경사항은 (v), 교정사항은 (k), MEGA 편집자의 해설은 (e)로 표시했다.

3. 본문의 G1, G2, G3… 은 MEGA의 쪽수를 가리킨다.

4. 아래 부호들은 MEGA 편집자가 초고 노트를 편집하면서 사용한 방식과 마찬가지로 이 책에
   서도 사용했으며(MEGA 편집자가 사용한 약호와 부호에 대해서는 부속자료의 "약어, 약호,
   부호 목록" 참조), 그 의미는 각각 다음과 같다.

〔 〕	마르크스가 표기한 꺾쇠괄호
[ ]	MEGA 편집자가 보충한 부분
|1|	원본 쪽수의 시작
|I|	원본 노트의 시작
|	원본 쪽수의 마지막
||2|	원본 쪽수가 끝나고 이어서 다음 쪽수가 시작됨
/16/	편집과정에서 일부가 삭제되었거나 다른 원본으로 옮겨졌기 때문에 중간 부분에서 시작하는 쪽수를 가리킴

5. 마르크스가 외줄을 그은 경우는 굵은 글씨로(예: **상품보유자**), 두 줄을 그은 경우는 굵은
   글씨와 방점(예: **자체**), 세 줄을 그은 경우는 굵은 글씨와 방점과 이탤릭체를 함께 써서
   (예: *1859년*) 표기했다. 연필 밑줄은 실선 밑줄(예: 좋았는지)로, 빨간 연필 밑줄은 점선 밑줄
   (예: 그것의)로 표기했다. 단, 소제목의 강조는 이 책에서는 표기하지 않았다.

6. 인용된 원전에서 마르크스가 강조 표시를 한 것은 그대로 따랐으며 이 밖에 인용에 관계된 사
   항은 편집자 일러두기에 설명되어 있다.

7. 옮긴이의 주는 본문의 괄호 안에 작게 쓰고 '— 옮긴이'를 붙였다.

경제학 비판을 위하여(1861~63년 초고) 제1분책

Zur Kritik der politischen Ökonomie (Manuskript 1861~ 63) Teil 1

|II 경제학 비판을 위하여[1]

제3장
자본 일반|

G4 [1] |A|[2] **1861년 8월. 제3장 자본 일반.**

I) 자본의 생산과정.

1) 화폐의 자본으로의 전화.

a) 자본의 가장 일반적인 형태. b) 난제. c) 자본과 노동능력의 교환. d) 노동능력의 가치. e) 노동과정. f) 가치증식과정. g) **자본주의적 생산.**(여기에 쓴 제목들은 실제 본문에서 쓴 제목들과는 차이가 있음 ― 옮긴이)

|II–A|[3] I. 1) h) **전화과정의 두 가지 구성요소.**

|1|I) 자본의 생산과정

1) 화폐의 자본으로의 전화

a) G—W—G. 자본의 가장 일반적인 형태[1]

화폐는 어떻게 자본이 되는가? 또는 화폐보유자(즉 **상품보유자**)는 어떻게 자본가가 되는가?

먼저 **G—W—G** 형태 ─ 상품을 다시[2] 화폐와 교환하기 위해서, 즉 **판매하기** 위해서 화폐를 상품과 교환하기, 즉 **구매하기**를 고찰해보자. 유통형태 W—G—W에서 양극단의 W, W는 가치크기가 동일하지만 질적으로는 상이하며, 따라서 이 형태에서는 실제적인 물질대사가 이루어진다(상이한 사용가치들이 서로 교환된다)는 것, 요컨대 그 결과인 W—W ─ 상품과 상품의 교환, 사실상 사용가치들의 상호 교환 ─ 는 자명한 목표를 갖는다는 것을 이미 언급한 바 있다.[3] 반면에 G—W—G 형태(판매하기 위해 구매하기)에서는 양극단의 G, G가 질적으로 **동일한** 화폐이다. 그러나 내가 만일 상품(W)을 다시 G(화폐)와 교환하기 위해서 G(화폐)를 W(상품)와 교환한다면, 즉 판매하기 위해서 구매한다면 그 결과는 내가 화폐를 화폐와 교환했다는 것이다. 실제로 유통 G—W—G(판매하기 위해 구매하기)는 다음과 같은 행위들로 분할된다. 첫째 **G—W**, 화폐를 상품과 교환하기, 즉 구매하기.[4] 둘째로 **W—G**, 상품을 화폐와 교환하기, 즉 판매하기. 이 두 행위의 통일, 또는 두 단계의 통과로서 G—W—G, 상품을 화폐와 교환하기 위해서 화폐를 상품과 교환하기, 판매하기 위해서 구매하기. 그러나 이 과정의 결과는 G—G, 화폐를 화폐와 교환하는 것이다. 내가 100탈러에 면화[5]를 구

a) G—W—G. 자본의 가장 일반적인 형태 **33**

매하고 다시 이 면화를 100탈러에 판매한다면 나는 과정이 시작할 때와 마찬가지로 이 과정이 끝날 때 100탈러를 갖게 된다. 전체 운동은 내가 구매를 통해 100탈러를 지출하고 판매를 통해 다시 100탈러를 벌어들인다는 것이다. 요컨대 결과는 G —G, 내가 사실상 100탈러를 100탈러와 교환했다는 것이다. 그러나 그러한 작업은 무의미하며 따라서 어리석은 짓이다.++ 나는 과정이 시작할 때와 마찬가지로 과정이 끝날 때 [7]화폐를, 질적으로 동일한 상품이고 양적으로 동일한 가치크기를 갖게 된다. 과정(운동)의 출발점과 종점은 화폐이다. 동일한 인물이 판매자로서 화폐를 돌려받기 위해서 구매자로서 화폐를 지출한다. 이 운동에서 화폐가 출발하는 지점은 화폐가 돌아오는 지점과 동일하다. 판매하기 위해서 구매하는 과정인 G —W —G에서는 양극단 G, G가 **질적으로** 동일하기 때문에 이 과정은 **양적으로** 상이한 경우에만 내용과 목적을 얻을 수 있다. 내가 면화를 100탈러에 구매하고 동일한 면화를 110탈러에 판매한다면 나는 사실상 100탈러를 110탈러와 교환하거나 100탈러로 110탈러를 구매한 것이 된다. 요컨대 판매를 위한 구매인 유통형태 ||2| G —W —G는 양극단 G, G가 비록 질적으로는 동일하게 화폐이지만 두 번째 G가 첫 번째 G보다 더 많은 가치크기, 더 큰 가치액을 나타냄으로써 양적으로 상이하게 되면서 내용을 얻는다. 상품은 더 비싸게 판매되기 위해서 구매되거나 판매된 것보다 저렴하게 구매된다.

먼저 G —W —G 형태(판매하기 위해 구매하기)를 고찰하고, 이를 앞서 고찰한 유통형태 W —G —W(구매하기 위해 판매하기)와 비교하자. 첫째, 유통 G —W —G는 유통 W —G —W와 마찬가지로 두 가지 상이한 교환행위[8]로 분할된다. 유통은 이 둘의 통일이다. 즉 G —W, 화폐를 상품과 교환하기 또는 구매하기. 이 교환행위[9]에서는 구매자 한 명과 판매자 한 명이 마주 서 있다. 둘째, W —G, 판매,[10] 상품을 화폐와 교환하기. 이 행위에서도 마찬가지로 두 명의 개인, 구매자와 판매자가 마주 서 있다. 구매자는 한 사람에게서 구매해서 다른 사람에게 판매한다. 이 운동을 시작하는 구매자는 두 행위를 통과한다. 그는 먼저 구매한 다음 판매한다. 또는 그의 화폐

++ 이는 전적으로 옳다. 그럼에도 불구하고 이 형태는 실제로 발견된다(이때 목적은 상관없다). 이를테면 어떤 구매자가 상품을 그가 구매했던 것보다 비싸게 판매할 상황이 아닐 수 있다. 그는 구매했던 것보다 더 싸게 판매해야 할 수도 있다. 두 경우에 작업의 결과는 목적에 모순된다. 그렇다고 해서 이 작업이 목적에 부합하는 작업과 공통된 형태 G —W —G 를 갖는 것을 방해하지는 않는다.[6]

제1노트 1쪽

가 두 단계를 통과한다. 이 화폐가 첫 번째 단계에서는 출발점으로 나타나고 두 번째 단계에서는 결과로서 나타난다. 반면에 그의 교환 상대가 되는 두 사람은 각자 한 가지 교환행위만을 이행한다.[11] 그가 먼저 교환하는 상대는 상품을 판매한다. 그가 마지막으로 교환하는 다른 상대는 상품을 구매한다. 요컨대 한 명이 판매하는 상품과 다른 한 명이 구매하는 데 사용하는 화폐는 상반되는 두 유통국면을 통과하는 것이 아니라 각자가 한 가지 행위만을 수행할 뿐이다. 이들 두 사람이 수행하는 판매와 구매라는 두 가지의 일면적 행위는 우리에게 새로운 현상을 제공하지는 않는다. 그러나 과정의 출발점이 되는 구매자가 통과하는 총과정은 그렇지 않다. 앞의 것과 비교하여, 다시 판매하게 되는 구매자가 통과하거나 그가 작업을 개시하는 데 사용하는 화폐가 통과하는 전체 운동을 고찰하자.

G—W—G. 출발점은 화폐, 상품이 전화한 형태이다. 이 형태에서 상품은 언제나 교환 가능하며, 상품에 포함된 노동은 일반적인 사회적 노동의 형태를 가지거나, 상품은 이 형태에서 **자립적인 교환가치**이다. 요컨대 이 유통형태, 이 운동의 출발점 자체가 이미 상품유통의 산물이거나 유통에서 유래한다. 왜냐하면 유통에서, 그리고 유통에 의해서 비로소 상품은 화폐의 모습을 얻고 화폐로 전화하거나 또는 자신의 교환가치를, 즉 화폐의 상이한 형태규정으로서 나타나는 일정한 자립적 형태들을 발전시키기 때문이다.[12] 둘째, 이렇게 유통에서 유래하고 화폐형태로 자립한 가치는 다시 유통으로 들어가고 상품이 되지만, 상품형태에서 다시 가치의 화폐형태로 되돌아가면서는[13] 동시에 그 가치크기가 증가했다.

이 운동을 통과하는 화폐는 **자본**이거나, 또는 이 과정을 통과하는, 화폐로 자립한 가치는 일단 자본이 나타나거나 현상하는 형태이다.

우리는 G—W—G 형태를 이렇게 번역할 수 있다.[14] 즉 화폐로 자립한 가치(우리가 **가치**라는 단어를 더 상세한 설명 없이 사용할 때는 언제나 **교환가치**를 의미한다), 즉 유통에서 유래하고 유통으로 다시 들어가는,[15] 유통 속에서 보존되고 배가되어[16] 다시 유통 밖으로 되돌아 나오는 가치. (보다 큰 가치크기로서 유통에서 되돌아온다.) 화폐가 언제나 새로 이 순환을 거치는 한, 화폐는 유통에서 나와서 유통으로 다시 들어가고 유통에서 영속화(보존)되고 배가되는 가치이다.|

|3|과정의 제1단계에서는 화폐가 상품이 되고 제2단계에서는 상품이 다시 화폐가 된다. 과정이 출발하는 극[17]은 화폐 — 그 자체가 이미 유통에서

기원하는 상품형태이며, 이 형태에서 상품은 교환가치로서의 규정으로 자립해 있다 — 이고, 출발점은 동시에 귀착점이다. 요컨대 가치는 그것이 통과하는 과정 속에서 보존되고 이 과정의 마지막에서는 다시 자신의 자립적 형태로 되돌아간다. 그러나 동시에 이 운동이 화폐라는 이 (가치)형태[18]에는 아무런 변화도 주지 않은 반면에 운동의 결과는 가치의 크기가 증가했다는 것이다. 요컨대 가치는 가치로서 보존될 뿐 아니라 동시에 증가하고 이 운동에서 가치크기로서 배가되며 증대된다. [19]("자본 … 영원히 배가되는 가치." 시스몽디*Sism*, 『신경제학 원리』, 제1권, 89[20]쪽)[21]

G10

G — W — G에서 교환가치는 유통의 전제일 뿐 아니라 결과로서도 나타난다.

유통에서 적절한 교환가치(화폐)로서 유래하고 자립적이지만 다시 유통으로 들어가는, 유통 속에서 유통에 의해서 보존되고 배가되는(증대되는) 가치(화폐)가 **자본**이다.[22]

G — W — G에서는 교환가치가 유통의 내용이자 자기목적이다. 구매하기 위한 판매하기, 사용가치가 목적이다. 판매하기 위한 구매하기(, — 옮긴이) 가치 자체(가 목적이다 — 옮긴이).

여기에서 두 가지를 강조해야 한다. 첫째, G — W — G는 **과정을 거치는 가치**, 상이한 교환행위나 유통단계를 거치고 동시에 이것들을 총괄하는 (übergreifen) 과정으로서의 교환가치이다. **둘째,** 이 과정에서 가치는 보존될 뿐 아니라 자신의 가치크기를 증대하고, 배가되고 증대되거나 또는 이 운동에서 **잉여가치**를 창출한다. 이처럼 가치는 보존될 뿐 아니라 **증식되는** 가치, **가치를 정립하는 가치**이다.

첫째, 먼저 G — W — G를 형태 면에서[23] 고찰하자. [24]두 번째 G가 첫 번째 G보다 더 큰 가치크기라는 정황은 배제한다. 가치는 먼저 화폐로서, 다음에는 상품으로서, 그러고는 다시 화폐로서 존재한다. 가치는 이들 형태변화에서 보존되고 이들 형태에서 자신의 원래 형태로 되돌아온다. 그것은 형태변화를 통과하지만 그 속에서 보존되고, 따라서 이 형태변화의 주체로서 나타난다. 따라서 이들 형태변화는 가치 자신의 과정으로 나타난다. 또는 여기에서 나타나는 바와 같은 가치는 과정을 거치는 가치, 과정의 주체이다. [25]화폐와 상품은 각각 한 형태로부터 다른 형태로 이행하고 언제나 자신의 자립적인 형태인 화폐로 되돌아옴으로써 보존되는 가치의 특수한 현존형태들로서 나타날 뿐이다. 그리하여 화폐와 상품은 과정을 거치는 가치의, 또는 자본의 현존형태로서 나타난다. 이로부터 자본에 대한 여러 가지 정의가 나온다. 한편으로는 앞에서 언급한 시스몽디의 정의. 자본은 보존되는 가치이다. "소재가 아니라 이 소재[26]의 가치가 자본을 형성한다."(J. B. 세, 『경제학 개론』, 제3판, 파리, 1817년, 제2권, 429쪽[27])[28] 다른 한편으로, 운동 전체로서가 아니라 — 자본이 그때그때 존재하는 — 각각의 현존형태로 파악한다면, 자본은 화폐이고 자본은 상품이다. "자본은 **상품**이다."(J. 밀, 『경제학 요강』, 런던, 1821년, 74쪽)[29] "생산적 목적을 위해서 사용된 **통화**는 **자본**이다."[30](매클라우드, 『은행업의 이론과 실제』, 런던, 1855년, 제1권, 제1장)

유통형태 W — G — W에서는 상품이 두 차례 형태변화를 통과하는데 그 결과는 상품이 사용가치로서 잔류한다는 것이다. 이 과정을 거치는 것은 상품 — 사용가치와 교환가치의 통일로서의, 또는 사용가치로서의 — 이며, 교환가치는 이 상품의 단순한 형태, 곧 사라지는 형태[31]이다. 그러나 G — W — G에서는 화폐와 상품이 교환가치의 상이한 현존형태들로서 나타날 뿐인데, 이 교환가치는 한 번은 화폐로서 일반적 형태로, 다른 한 번은 상품으로서 특수한 형태로 나타나며, 동시에 두 형태에서 총괄자(das Übergreifende)이자 자기 관철자로서 나타난다.[32] ||4| 화폐는 즉자대자적으로 교환가치의 자립적 현존형태이다. 그러나 상품도 여기에서는 단지 교환가치의 합체(Incorporation)의 담지자로서만 나타날 뿐이다.

/16/ 상품생산에 참여하지 않음에도 불구하고 상품 또는 화폐(상품형태에 지나지 않는)를 보유한 계급들이 존재한다면 이들은 여기에서 자세히 설명할 수 없는 어떤 법률적 내지 강권적(Gewalt) 명목에 의한 명의에 의해서 상품의 지분을 교환하지 않고 보유하는 것임을 잘 알 수 있다. 이들에게 상품보유자 또는 생산자 — 우리는 잠정적으로 상품보유자를 상품생산자라고 생각할 수 있다 — 는 자신들의 상품 일부를, 또는 상품을 판매하고 받은 화폐의 일부를 제공해야 한다. 그러면 이들 계급은 판매자가 된 적도 없이, 자신들이 등가물을 주지 않고 얻은 이 화폐를 매개로 해서 소비자, 구매자가 될 것이다. 그러나 이 구매자들은 여기에서는 설명할 수 없는 과정을 통해서 얻는 판매자의 상품에 대한 참여자(공동보유자)로서만 설명될 수 있을 뿐이다. 말하자면 그들이 상품을 구매한다면 그들은 다른 상품과, 그들이 교환 없이 받은 상품과 교환하면서 상품 일부만을 상품보유자와 생산자에게 돌려주는 것이 된다. 모든 상품생산자가 상품을 그 가치 이상으로 판매한다면,

이들 구매자에게 준 것보다 더 많은 것을 돌려받는 것이지만, 더 많은 것이라고 해도 원래 그들의 것인 가치액에서 돌려받을 뿐이라는 것은 분명하다. 어떤 사람이 내게서 100탈러를 훔치고 내가 그에게 90탈러 가치밖에 없는 상품을 100탈러에 판매한다면 나는 그에게 10탈러 이익을 본다. 이는 생산자가 아니면서 소비자인 이 구매자로부터 원래 내 것인 가치액 100탈러의 일부를 상거래를 통해서 다시 빼앗는 한 가지 방법이다. 그가 나에게서 매년 100탈러를 빼앗아 가고 나도 마찬가지로 매년 90탈러짜리 상품을 100탈러에 판매한다면, 나는 그에게서 매년 10탈러를 벌기는 하지만 그것은 내가 매년 100탈러를 그에게 잃기 때문이다. 이처럼 그가 10탈러를 빼앗아 가는 것이 하나의 제도라면 이후의 거래는 이 제도를 부분적으로, 여기에서는 $\frac{1}{10}$만큼 취소하는 수단이다. 그렇지만 그렇게 해서 잉여가치는 발생하지 않으며 내가 이 구매자를 사취할 수 있는 규모, 즉 내가 그에게 90달러짜리 상품을 100탈러에 판매할 수 있는 거래 수는 그가 어떤[33] 등가물도 주지 않으면서 나에게서 100탈러를 빼앗아 가는 행위의 수에 좌우된다. 요컨대 이러한 거래는 자본을, 유통 속에서 보존되고 증대되는 가치를, 하물며 자본의 잉여가치를 설명할 수는 없다. 그러나 토런스뿐 아니라 **맬서스**조차 그러한 경솔한 짓을 한다고 리카도주의자들은 도덕적 분노를 터뜨리면서 맬서스를 비판했다.[34] 말하자면 맬서스는 — 그리고 이는 주어진 전제하에서는 옳다 — 단순한 소비자, 단순한 구매자의 소득이 증대되어야 생산자가 이들에게서 이윤을 실현할 수 있고, 생산이 고무될 수 있다고 주장한다. "'소비를 고무할' 열의는 거래 일반을 위해서 필요하다고 생각되는 것과 마찬가지로, 특정 거래[35]의 판매자에 대하여 그것이 실제로 유용하다고 생각되는 데서 유래한다.(60쪽) [36] '우리가 원하는 것은 우리 물건을 사줄 사람들이다.' … 그러나 그들은 당신이 그들에게 먼저 준 것을 제외하고는 당신의 물건을 받고 당신에게 줄 것이 세상에 아무것도 없다. 어떤 재산도 그들 수중에서 유래할 수 없다. 그것은 당신의 수중에서 나와야 한다. 지주, 하급 관리, 주주, 하인 등 누구든 간에 그들이 하는 일이 무엇이든 당신의 물건을 구매하는 그들의 수단은 모두 한때는 당신의 수단이었고 당신이 그들에게 넘겨준 것이다."([61/]62쪽) "당신이 물건을 판매하는 목적은 일정량의 돈을 버는 것이다. 당신이 그만큼의 돈을 아무 대가 없이 다른 사람에게 나누어 주는 것을 설명할 수는 없다. 그가 그 돈을 당신에게 다시 가져와서 그 돈으로 당신 물건을 구매한다고 할지라도. 당신은 당신 물건을 한꺼번에 태워버리는 편이

낫다. 그래도 당신은 똑같은 상황에 놓일 것이다."(63쪽)(『최근 ||17| 맬서스가 주장하는 수요의 성질과 소비의 필요에 대한 원리 연구』, 런던, 1821년)[37]

"맬서스 씨는 종종 두 가지 상이한 기금, 자본과 소득, 공급과 수요, 생산과 소비가 있어서 이들이 서로 보조를 맞추어야 하고 어느 것도 다른 것을 초과할 수 없는 것처럼 말한다. 생산된 상품 총량 이외에 이들을 구매하기 위해서는 다른, 추측건대 하늘에서 떨어진 수량이 필요한 것처럼 … 그가 요구하는 바와 같은 소비기금은 생산을 희생함으로써만 가질 수 있다."(같은 책, 49, 50쪽) "어떤 사람이 **수요**가 필요할 때 맬서스 씨는 그에게, 당신의 물건을 떼버리기 위해서 다른 사람에게 지불하라 권고할 것인가?"(55쪽)|[38]

/4/ 상품의 총형태변화로서 고찰하면 유통형태 W—G—W에서는 비록 가치도 처음에는 상품가격으로서, 다음에는 실현된 가격으로서 화폐에, 마지막으로는 다시 상품가격(또는 교환가치 일체)에 존재하지만 여기에서는 단지 사라지는 것으로서 나타날 뿐이다. 화폐를 매개로 교환된 상품은 사용가치가 된다. 교환가치는 상품의 무차별적인 형태로서 사라지고 이 상품은 유통에서 완전히 떨어져 나간다.

단순상품유통 — W–G–W — 에서는 화폐가 자신의 모든 형태에서 항상 유통의 결과로서만 나타난다. G —W —G에서는 화폐가 유통의 결과로서만이 아니라 출발점으로서도 나타나기 때문에 교환가치는 첫 번째 유통형태에서처럼 단지 사라지는 상품유통형태 — 상품교환 내에서 형성되고 다시 사라지는 상품형태 자체 — 가 아니라 유통의 목적, 내용, 추동하는 영혼이다.

이 유통의 출발점은 화폐, 자립적인 교환가치이다. 역사적으로도 자본형성은 어디에서나 화폐자산에서 출발한다. 자본에 관한 첫 번째 견해는 그것이 화폐이되 일정한 과정을 통과하는 화폐라는 것이다.

유통형태 G —W —G 또는 [39]과정을 거치는 화폐, 증식되는 가치는 단순유통 W —G —W의 산물인 화폐에서 출발한다. 따라서 그것은 [40]상품유통뿐 아니라[41] 모든 화폐형태를 이미 발전시킨 상품유통을 전제로 한다. 따라서 상품유통 — 상품으로서 생산물의 교환과 화폐 및 그것의 다양한 형태에서의 교환가치의 자립 — 이 이미 발전한 곳에서만 자본형성은 가능하다. 교환가치가 출발점이자 결과로서 나타나는 과정을 통과하기 위해서는 교환가치가 사전에 이미 화폐로 자신의 자립적인 추상적 형체를 획득하고 있어야 한다.

G13

G ─ W ─ G 형태의 첫 번째 행위, 즉 구매 G ─ W는 W ─ G ─ W 형태의 마지막 행위, 즉 마찬가지로 G ─ W이다. 그러나 후자의 행위에서는 상품을 사용가치로서 소비하기 위해서 상품이 구매되었고 화폐는 상품으로 전화했다. 화폐는 **지출된다**. 반면에 G ─ W ─ G의 첫 번째 단계로서 G ─ W에서는 상품을 다시 화폐로 전화시키기 위해서, 화폐를 돌려받기 위해서, 상품을 매개로 다시 유통에서 꺼내기 위해서[42] 화폐가 상품으로 전화하고 상품과 교환되었을 뿐이다. 따라서 화폐는 되돌아오기 위해서 지출되었을 뿐이고 상품을 매개로 해서 유통에서 다시 벗어나기 위해서 유통에 던져졌을 뿐이다. 따라서 그것은 **선대되었을** 뿐이다. "어떤 사물이 다시 판매되기 위해서 구매될 때 사용된 금액은 **선대된** 화폐라 불린다. 판매되기 위해서 구매된 것이 아닐 때 그것은 **지출된다**고 말할 수 있을 것이다."(제임스 스튜어트, 『경제학 원리 연구』,[43] 『저작집』, 그의 아들 제임스 스튜어트 장군 등 엮음, 제1권, 런던, 1805[44]년, 274쪽)

[45]W ─ G ─ W 형태를 고찰하면, 이의 첫 번째 행위 W ─ G에서 상품은 판매자에게 교환가치의 단순한 질료(Materiatur)로서 (따라서 단순한 교환수단으로서) 나타난다. 상품의 사용가치는 그 ─ 판매자 ─ 자신을 위한 사용가치가 아니라 제삼자, 구매자를 위한 사용가치이다. 따라서 그가 상품을 판매하고 상품을 화폐로 전화시키는 것은 화폐로 자신을 위한 사용가치인 상품을 구매하기 위해서이다. 그가 구매하는 상품의 가격이 그에게 가치를 갖는 것은 그 상품이 척도를, 그가 자신의 화폐로 획득할 수 있는 척도 ─ 사용가치들의 척도 ─ 를 결정하는 한에서이다. 따라서 이때 **구매에서는** 상품의 교환가치가 상품의 사라지는 형태로서만 나타난다. 이는 화폐에서 이 교환가치의 자립이 사라지는 형태로서만 나타나는 것과 마찬가지이다. 반면에 여기 G ─ W ─ G에서는 ||5| 구매가 유통이나 교환과정의 두 번째 행위가 아니라 첫 번째 행위가 되고 화폐가 전화한 상품이 마찬가지로 구매자를 위한 교환가치의 질료, 화폐의 이른바 위장된 형태일 뿐이다. 여기에서 G와 W는 모두 교환가치의 특수한 형태들, 현존방식들로 나타날 뿐이며, 교환가치는 전자에서 후자로 번갈아 가면서 이행한다. 화폐는 교환가치의 [46]일반적 형태로서, 상품은 특수한 형태로서. 전자의 현존방식에서 후자의 현존방식으로 이행하면서 교환가치는 상실되지 않으며, 다만 자신의 형태를 변경할 뿐이고, 따라서 언제나 자신의 일반적 형태에서 자신에게로 되돌아온다. [47]교환가치는 자신의 두 가지 현존방식인 화폐와 상품에 대한 총괄자(das

G14

Übergreifende)로서 나타나고, 그렇기 때문에 교환가치는 한 번은 전자로서, 다른 한 번은 후자로서 등장하고, 바로 그렇기 때문에 **과정을 거치는 화폐** 또는 **과정을 거치는 가치**로서 등장하는 과정의 주체로서 나타난다.

둘째. 그렇지만 앞서 언급한 바와 같이 G—W—G에서 질적으로 동일한 양극단의 G와 G가 양적으로 상이하지 않다면, 즉 이 과정에서 동일한 가치액을 화폐형태로 유통에서 꺼내기 위해서 일정한 가치액이 화폐로서[48] 유통에 던져진다면, 그리하여 이중적이고 상반되는 교환행위를 통해서 모든 것이 원래대로 운동의 출발점에 놓인다면 이는 무의미한 운동일 것이다. 이 과정에서 특징적인 것은 오히려 양극단의 G, G가 질적으로는 동일하지만 양적으로는 상이하다는 것이다. 일반적으로 이는 교환가치 자체 — 그리고 화폐의 형태로 존재하는 것은 교환가치 자체이다 — 가 본성상 능력이 있는 유일한 것이 양적인 차이 일체인 것과 같다. 구매와 판매의 두 가지 행위, 화폐의 상품으로의 전화와 상품의 화폐로의 재전화를 통해서 운동이 종료되면 더 많은 화폐, 증대된 화폐액, 요컨대 처음에 유통에 던져진 것보다 증가된 가치가 유통에서 나온다. 이를테면 화폐가 원래 운동이 시작될 때[49] 100탈러였는데 운동이 끝날 때는 110탈러이다. 요컨대[50] 가치는 보존되었을 뿐 아니라[51] 새로운 가치, 또는 우리가 명명하고자 하는 바와 같이, **잉여가치**(*surplus value*)[52]를 유통 안에서 정립했다. 가치가 가치를 생산했다. 또는 여기에서 처음으로 가치는 우리에게 **자기증식하는** 것으로 나타난다. 그리하여 G—W—G 운동에서 나타나는 가치는 유통에서 나오고 유통으로 들어가는, 유통에서 보존되고 스스로 **증식하는**,[53] 잉여가치를 정립하는 가치인 것이다. 그러한 것으로서 가치는 **자본**이다.

여기에서 생각날 수도 있을 화폐축장에서는 가치가 증식되지 않는다. 상품이 화폐로 전화하고 판매되며 이 형체로 유통에서 이탈되어 보관된다. 이전에 상품형태로 존재하던 동일한 가치크기가 이제는 화폐형태로 존재한다. 상품은 가치크기를 증대하지 않았다. 단지 교환가치의 일반적 형태, 화폐형태를 취했을 뿐이다. 이는 단지 질적 변화일 뿐이지 양적 변화가 아니다.

그러나 여기에서 상품은 이미 화폐형태로 과정의 출발점으로서 맨 앞에 놓였다. 상품은 오히려 이 형태를 잠정적으로 포기했다가 나중에 증대된 가치크기로서 최종적으로 다시 취한다. 반면에 자립한 교환가치의 형태에서 [54]보화로서 고수되는 화폐는 **증식되기**보다는 유통에서 이탈된다. [55]교환가치로서 작용하는 화폐의 힘은 미래를 위해 비밀로 간직되고 당분간 보류

된다. 그것의 가치크기가 불변인 채로 있을 뿐 아니라 — 보화로 남아 있는 한 — 화폐로서 기능하지 않음으로써, 구매수단으로서도 지불수단으로서도 기능하지 않음으로써 이 화폐는 그것의 기능, [56]교환가치로서의 자질을 상실한다. 그 밖에 이 화폐는 화폐로서 아무런 직접적인 사용가치를 갖지 않으므로 더욱이 그것이 상품으로서 가졌던 사용가치도 상실했고, 이 사용가치는 그것이 ||6| 화폐로서 작용하자마자, 유통에 던져지자마자, 그럼으로써 다시 교환가치의 현존으로서 자신의 성질을 포기하자마자[57] 비로소 다시 얻을 수 있다. 화폐축장에서 일어나는 유일한 것은 상품이 자신의 가격에 판매됨으로써 교환가치의 적절한 형태인 화폐형태가 상품에 주어진다는 것이다. 그러나 증식 — 즉 원래 가치의 증대 — 대신에 보화로 고정된 화폐는 전혀 사용되지 않고 가능성에서 보면 가치를 갖지만 현실적으로는 가치를 갖지 않는다. 요컨대 증식되는 가치 즉 자본의 이러한 관계와 화폐축장은, 둘 다 교환가치와 관계가 있다 — 그러나 화폐축장은 교환가치를 증대하기 위해 망상적인 수단을 이용한다 — 는 점 외에는 아무런 공통점도 없다.

W — G — W 형태, 구매하기 위한 판매하기에서는 사용가치, 따라서[58] 욕구 충족이 최종 목적이고, [59]이 형태 자체에는 과정을 통과한 다음의 갱신조건이 직접[60] 들어 있지 않다. 상품은 화폐를 매개로 해서 다른 상품과 교환되었고 이 상품은 이제 사용가치로서 유통에서 탈락한다. 그럼으로써 운동은 종료된다. 반면에 G — W — G 형태에서는 운동의 종료가 없고 종료는 이미 그것의 반복 갱신의 원리[61]와 충동을 포함한다는 사실이 이미 이 운동의 단순한 형태에 들어 있다. 그 까닭은 화폐, 추상적 부, 교환가치[62]가 운동의 출발점이고 그것의 배가가 목적이기 때문이다 — 출발점과 마찬가지로 결과가 질적으로 동일한, 과정의 처음과 마찬가지로 양적 한계가 다시 일반적 개념의 제약으로 나타나는 [63]화폐액 또는 가치액이기 때문이다 — 그 까닭은 교환가치 또는 화폐가 그 양이 커지면 커질수록 자신의 [64]개념에 부응하기 때문이다(화폐 자체는 모든 부, 모든 상품과 교환될 수 있지만 그것이 교환될 수 있는 정도는 자신의 수량 또는 가치크기에 좌우된다) — 자기증식은 과정을 개시한 화폐와 마찬가지로 과정에서 나오는 화폐에도 필요한 활동이다 — [65]운동이 종료되면서 이미 운동 재개의 원리도 주어진다. 화폐는 시작할 때 있던 것이 종료될 때에도 다시 동일한 운동의 전제로서 동일한 형태로 나온다.[66] 이것 — 부를 일반적 형태로 손에 넣으려는 이러한 절대적인[67] 치부(致富) 충동 — 이 화폐축장과 이 운동의 공통점이다.

〔이 자리에서 아리스토텔레스의 『정치학』 제1권 제9장에 대해 더 상세히 서술할 것이다.〕[68]

자신의 화폐 또는 화폐형태로 보유된 가치가 G —W —G 과정을 통과하도록 하는 것은 화폐보유자(또는 상품보유자, 왜냐하면 화폐는 상품의 전화한 형체일 뿐이므로)이다. 이 운동이 그의 활동 내용이고, 따라서 그는 이렇게 정의된 자본의 화신으로서, **자본가**로서 나타날 뿐이다. 그의 인격(또는 차라리 그의 지갑)이 G의 출발점이자 귀착점이다. 그는 이 과정을 의식적으로 수행하는 담지자이다. 이 과정의 결과가 가치의 보존과 증대 — 가치의 자기증식 — 인 것처럼 운동의 내용으로 나타나는 것이 그에게서는 의식적 목적으로서 나타난다. 요컨대 **그가 보유한 가치의** [69]**증대**가, 일반적 형태의 부(富)인 **교환가치**의 언제나 끊임없이 증가하는 전유[70]가 그의 유일한 목적으로서 나타나며, 이 증대와 전유가 그의 유일한 동기로서 나타나는 한에서만 그는 자본가이거나 G —W —G 운동의 의식적 주체이다. 요컨대 사용가치는 그의 직접적인 목적으로 간주될 수 없으며 그렇게 볼 수 있는 것은 교환가치뿐이다. 그가 충족하는 욕구는 치부 자체이다. 덧붙여 말하자면, 그럼으로써 그가 현실적인 부, 사용가치 세계에 대한 그의 지휘권[71]을 끊임없이 증대한다는 것은 자명하다. 그 까닭은 노동의[72] 생산성이 어떠하든 어떤 주어진 생산단계에서 더 많은 교환가치는 더 적은 교환가치보다 언제나 더 많은 양의 사용가치로 나타나기 때문이다.|

우리는 자본을 먼저 우리가 관찰할 때 직접 드러나거나 나타나는 형태로 고찰했다. 그렇지만 G — W — G 형태는 — 유통으로 다시 들어가고 유통 G17 에서 보존되고 증식되는 가치는 화폐, 상품, 가치, 유통 자체의 본성과 전혀 양립할 수 없는 것처럼 보이고 이것은 쉽게[1] 증명될 수 있다.

상품이 한 번은 상품으로서 나타나고 다른 한 번은 화폐로서 나타나는 유통은 상품의 형태변화를 보여준다.[2] 상품의 교환가치가 자기를 표시하는 방식은 변화하지만 교환가치 자체는 불변으로 남아 있다. 그것의 가치크기는 이 형태변화에 의해 변하지 않으며[3] 영향을 받지 않는다. 상품, 이를테면 철 1톤에서 그것의 교환가치는 가격, 이를테면 3파운드스털링으로 표현된(드러난), 상품에 포함된 노동시간이다. 이제 그것이 판매되면, 그것은 3파운드스털링으로, 동일한 노동시간을 포함하는 그것의 가격으로 표시되는 화폐량[4]으로 전화한다. 이제 그것은 상품으로서가 아니라 화폐로서, 자립적 교환가치로서 존재한다. 후자의 형태에서와 마찬가지로 전자의 형태에서도 가치크기는 불변이다. 동일한 교환가치가 존재하는 형태만이 변했다. 유통을 구성하는 상품의 형태변화, 즉 구매와 판매는 즉자대자적으로 상품의 가치크기와 아무 상관이 없으며, 이 가치크기는 오히려 주어진 것으로 유통에 전제되어 있다. 화폐형태는 상품 자체의 다른 형태일 뿐이며, 여기에서는 이제 교환가치가 자립적 형태로 나타난다는 점을 제외하고 교환가치에는 아무런 변화가 없다.[5]

그러나 유통 W — G — W[6](구매하기 위한 판매하기)에서는 상품보유자들만이 마주 서 있는데 이 중 한 명은 원래 모양의 상품을 보유하고 다른 한 명은 화폐로 전화한 모양의 상품을 보유한다. 유통 W — G — W와 마찬가지로 유통 G — W — G도 판매와 구매의 두 행위만을 포함한다. 전자의 유통은 판매로 시작되어 구매로 종료된다. 후자의 유통은 구매로 시작되어 판매로 종료된다. 이 순서가 각각의 교환행위의 본성을 변화시킬 수 없다는 것은 두 교환행위를 따로 고찰하기만 하면 알 수 있다. 우리가 자본이라 부른 것이 첫 번째 행위 G — W에서는 화폐로서만 존재하고, 두 번째 행위 W — G에서는 상품으로서만 존재한다. 요컨대 두 행위에서는 화폐와 상품의 작용만 있을 수 있다. 전자에서 화폐는 다른 상품보유자에게 구매자, 화폐보유자로서 마주 서 있고 후자에서는 판매자, 상품보유자로서 마주 서 있다. 설명할 수 없는 어떤 사정에 의해 구매자가 더 저렴하게 구매할 수 있게 된다고, 즉 상품을 가치 이하로 구매하고 그 가치대로 또는 그 이상으로 판매할 수 있게 된다고 가정하면 첫 번째 행위에서 우리의 행위자는 구매자이고(G — W에서), 따라서 상품을 가치 이하로 판매하겠지만 두 번째 행위에서 그는 판매자이고(W — G)[7] 다른 상품보유자가 구매자로서 그와 마주 서 있다. 요컨대 이 구매자도 상품을 그로부터 가치 이하로 구매할 특권을 갖게 된다.

G18 그는 한 손으로 얻는 것을 다른 손으로는 잃을 것이다. 다른 한편으로 [8]상품을 [9]그 가치 이상으로 판매하는 것이 판매자의 특권이기 때문에 그가 그렇게 판매한다고 가정한다면 그가 스스로 상품을 다시[10] 판매하기 위해서 구매하기 이전인 첫 번째 행위에서는 그를 상대하는 다른 판매자가[11] 상품을 너무 비싸게 판매한 것이다. 모두가 이를테면 10퍼센트 비싸게 — [12]즉 가치보다 10퍼센트 높게 — 상품을 판매한다면 그들이 상품을 상품형태로 보유하든 화폐형태로 보유하든 여기에서는 상품보유자들만이 서로 마주 서 있을 뿐이므로 그들 각자는 오히려[13] 전자의 형태와 후자의 형태를 번갈아 가면서 보유하게 된다 — 그러면 이것은 이들이 상품을 서로에게 실제 가치대로 판매한[14] 것과 똑같다. [15]모두가 상품을 이를테면 10퍼센트만큼 가치 이하로 구매한다고 해도 마찬가지이다.[16]

[17]상품의 단순한 사용가치가 고찰되는 한에서는 쌍방이 교환을 통해서 이익을 얻을 수 있다는 것은 [18]분명하다. ||8| [19]이러한 의미에서 "교환은 쌍방이 이익만을 얻는 거래이다"라고 말할 수 있다. (데스튀트 드 트라시, 『이데올로기의 기본 원리. 의지와 그 작용에 관한 고찰』(제4부와 제5부), 파리, 1826년, 68쪽. 여기에는 이렇게 쓰여 있다. "교환은 계약 당사자 두 사람이 **언제나 이익을 얻는** 놀랄 만한 거래이다.")[20] [21]유통 전체가 상품을 상품과 교환하기 위한 매개 운동에 지나지 않는 한 각자는 자신이 사용가치로서 필요로 하지 않는 상품을 양도하고 자기가 사용가치로서 필요로 하는 상품을 획득한다. 요컨대 이 과정에서 쌍방은 이익을 얻으며, 또한 이익을 얻기 때문에 이 과정에 들어가는 것이다. 또 다른 것도 있다. 철을 판매하고[22] 곡물을 구매하는 A는 아마도[23] 농부 B가 동일한 노동시간에 생산할 수 있는 것보다 더 많은 철을 주어진 노동시간에 생산하고, B도[24] 동일한 노동시간에 A가 생산할 수 있는 것보다 더 많은 곡물을 생산할 수 있을 것이다. 요컨대 교환을 통해서, 그것이 화폐에 의해 매개되든 매개되지 않든, 교환이 일어나지 않을 경우보다 A는 동일한 교환가치를 주고 더 많은 곡물을 얻을 것이고, B는 동일한 교환

가치를 주고 더 많은 철을 얻을 것이다. 요컨대 사용가치인 철과 곡물이 고찰되는 한에서 양자는 교환을 통해서 이익을 얻는다. 구매와 판매라는 두 교환행위를 각각 독립적으로 고찰하는 경우에도 사용가치를 고려한다면 양자 모두 이익을 얻는다. 자신의 상품을 화폐로 전화시키는 판매자는 이제 상품을 비로소 일반적으로[25] 교환 가능한 형태로 보유하고, 그리하여 비로소 상품이 그에게 일반적 교환수단이 됨으로써 이익을 얻는다. 화폐를 상품으로 재전화시키는[26] 구매자는 유통을 위해서만 필요하고 그 밖에는 쓸모없는 형태로부터 화폐를 대자적 사용가치로 전환함으로써 이익을 얻는다. 요컨대 [27]사용가치에 관한 한 교환에서 쌍방이 각각 이익을 본다는 사실을 인식하는 데는 아무런 문제도 없다.

그렇지만 교환가치의 경우는 전혀 다르다. 여기에서는 반대로 다음과 같다. "평등이 있는 곳에 이익은 없다."("Dove è eguaglità non è lucro." 갈리아니, G19 『화폐에 대하여』, 쿠스토디 엮음, 『이탈리아 경제학 고전 전집』, 근세 편, 제4권, 밀라노, 1803년, 244쪽)[28] A와 B가 등가물을 교환한다면,[29] 즉 동일한 양의 교환가치 또는 대상화된 노동시간을 교환한다면, 양자는 화폐형태로든 상품형태로든, 그들이 교환에 던져 넣은 것과 동일한 교환가치를 교환에서 꺼낸다는 것은 분명하다. A가 자신의 상품을 그 가치대로 판매한다면 이제 그는 이전에 그가 상품형태로 보유했던 것과 동일한 양(또는, 사실상 그에게는 똑같은 것이지만, 동일한 양에 대한 어음)의 대상화된 노동, 즉 교환가치를 화폐형태로 보유하게 된다. 이와는 반대로[30] 자신의 화폐로 상품을 구매한 B도 마찬가지이다. 이제 그는 이전에 그가 화폐형태로 보유했던 것과 동일한 교환가치를 상품형태로 보유한다. 두 교환가치의 총액은 변함없이 같고 각자가 보유하는 교환가치도 마찬가지이다. A가 B에게서 상품을 가치 이하로 구매하고 따라서 그가 B에게 화폐로 준[31] 것보다 더 많은 교환가치를 상품으로 돌려받는 것, 동시에 B가 상품을 그 [가치] 이상으로 판매하고 따라서 B가 A에게 상품형태로 준 것보다 더 많은 교환가치를 A[32]에게서 화폐형태로 돌려받는다는 것은 불가능하다. ("A가 동일한 양의 직물로 더 많은 곡물을 B에게서 받고 동시에 B가 동일한 양의 곡물로 더 많은 직물을 A에게서 받는 것은 불가능하다.")(『가치의 성질, 척도, 원인에 관한 비판적 고찰』, 런던, 1825년. [65쪽]) (이 책의 익명의 저자는 베일리이다.)

상품들이 **그 가치대로** 교환되거나 또는 유통과정에서 생겨나는 교환의 특수한 형태를 고려할 때 판매되고 구매된다는 것은, 단지 **등가물**, 동일한 가치크기가 교환된다는 것, 서로 대체된다는 것, 즉 상품들이 그것들의 사용가치가 동일한 양의 [33]노동시간에 가공되어 포함되어 있는 비율에 따라서 교환된다는 것, 동일한 양의 [34]노동의 현존이라는 것을 의미할 뿐이다.[35]

한쪽이 잃는 것을 다른 한쪽이 얻기 때문에 두 교환자가 **비등가물**을 교환하는 것, 한쪽이 자신이 던져 넣은 것보다 더 많은 교환가치를, 그것도 다른 한쪽이 교환에서 빼내는 교환가치가 교환에 던져 넣는 교환가치보다 적을수록 그만큼 많은 교환가치를 교환에서 빼내는 것은 물론 가능하다. 면화 100파운드의 가치가 100실링[36]이라고 가정하자. 이제 A가 면화 150파운드를 B에게 100실링에 판매한다면 B는 50실링의 이익을 얻겠지만 이는 단지 A가 50실링[37]을 잃었기 때문이다.|

|9| 150실링의 가격(여기에서 가격은 화폐로 표현되고 측정된 가치일 뿐이다)을 갖는 면화 150파운드가 100실링에 판매된다면 두 가치의 총액은 판매 전[38]과 같은 250실링이다. 따라서 유통에 놓여 있는 가치의 총액은 증대되지 않았고, **증식되지 않았고**, 잉여가치를 정립하지 않았고, 불변인 채로 있다. 교환 내에서 [39]또는 판매에 의해서는 그것에 **전제된**, 그것에 앞서 이미 존재하고 그것과는 무관하게 존재하는 가치의 분배에서 변동[40]이 일어났을 뿐이다. 50실링이 한편에서 다른 편으로 옮겨 갔다. 따라서 어느 한편에 의한 사취가, 구매자 측에 의해서든 판매자 측에 의해서든 이루어지고 유통에 놓여 있는 교환가치의 총액(상품형태로 존재하든 화폐형태로 존재하든)은 증대되지 않고 다양한 상품보유자들에 대한 분배만이 변경된다(변화된다)는 것은 분명하다. 위의 사례에서 150실링의 가치를 갖는 면화 150파운드를 A가 B에게 100실링에 판매하고 B는 C에게 150실링에 판매한다고 가정하면 B는 50실링의 이익을 얻는다. 또는 그의 가치 100실링이 150실링의 가치를 정립한 것처럼 보인다. 그러나 실제로는 거래 이전과 마찬가지로 거래 이후에도 A가 보유한 100실링, B가 보유한 150실링, C가 보유한 150실링 가치의 상품이 존재한다. **전부 합하면** 400실링. 원래 존재했던 것은 A가 보유한 150실링 가치의 상품, B가 보유한 100실링, C가 보유한 150실링이었다. **전부 합하면** 400실링. A, B, C 사이에 400실링의 분배의 변화 이외에 아무런 변화도 일어나지 않았다. 50실링이 A의 호주머니에서 B의 호주머니로 이동했고 B가 부유해진 바로 그만큼 A는 가난해졌다. 한 번의 판매와 한 번의 구매에 대해서 해당되는 것은 마찬가지로 어떤 임의의 시간대에 모든 상품보유자 사이에서 이루어지는 모든 판매와 구매의 총액, 간단히 말해 모든 상품

의 총유통에도 해당된다. 상품보유자 한 사람 또는 일부가 다른 일부를 [41]사취함으로써 유통에서 빼 간 잉여가치는 다른 일부가 유통에서 빼낸 과소가치(Minderwerth)[42]에 의해서 정확하게 측정된다. 어떤 사람들이 던져 넣은 것보다 더 많은 가치를 유통에서 빼내는 것은 오로지 다른 사람들이 던져 넣은 것보다 더 적은 가치를 유통에서 빼내고 처음에 투입한 가치의 차감, 축소를 감수하기 때문이며, 감수하는 한에서이다. 그럼으로써 [43]존재하는 가치 총액은 변하지 않았고 그것의 분배만이 변했다. ("동일한 두 가치의 교환은 사회에 존재하는 가치의 양을 증대하지도 감소시키지도 않는다. 부등한 두 가치의 교환도 … 한 사람의 재산에서 빼앗은 것을 다른 사람의 재산에 부가하는 것에 불과하기 때문에 사회적 가치의 총액을 마찬가지로 변화시키지 않는다." **J. B. 세**, **『경제학 개론』, 제3판**, 제2[44]권, 파리, 1817년, 443쪽, 444쪽)[45] 어떤 나라의 자본가 전체와 이들 사이의 1년간 판매와 구매 총액을 예로 들자면, 어떤 자본가가 다른 자본가를 사취해서 자신이 유통에 던져 넣은 것보다 더 많은 가치를 빼낼 수는 있지만 이 작업에 의해서 유통하는 자본가치의 총액은 한 푼도 증대되지 않았다. 달리 말하자면, 자본가 계급 전체가 한 사람이 잃는 것을 다른 사람이 얻음으로써 계급으로서 부유해질 수는 없고 그들의 총자본을 증대하거나[46] 잉여가치를 생산할 수는 없다. 계급 전체가 스스로를 사취할 수는 없다. 유통하는 자본의 총액은 이 자본의 개별 구성요소들이 보유자들 사이에 상이하게 배분되는 것에 의해서는 증대될 수 없다. 요컨대 그러한[47] 작업에 의해서는 아무리 다양하게 생각할지라도 가치 총액의 증대, 새로운 가치 또는 잉여가치, 유통되고 있는 총자본에 대한 이윤은 발생할 수 없다.

등가물이 교환된다는 것은 사실 상품들이 교환가치로 교환된다는 것, 교환가치로 구매되고 판매되고 구매된다는 것을 의미할 뿐이다. "등가물은 사실 다른 상품의 사용가치로 표현된 어떤 상품의 교환가치이다."(I, 15)[48] 그러나 교환이 유통형태로까지 발전하는 한에서는 상품은 자신의 교환가치를 가격에서 화폐(가치의 척도로서, 따라서 화폐로서 기여하는 상품의 재료)로 표현해서 드러낸다. 상품의 가격은 화폐로 표현된 상품의 교환가치이다. 요컨대 상품들이 화폐 등가물을 받고 판매된다는 것은 상품이 그 가격대로, 그 가치대로 판매된다는 의미에 지나지 않는다. 마찬가지로 구매에서는 화폐가 상품을 가격대로 구매한다는 것, 즉 여기에서는 동일한 화폐액으로 구매한다는 것. ||10| [49]상품들이 **등가물**과 교환된다는 **전제**는 그것들이 그 가치대로 교환된다는 것, 그 가치대로 구매되고 판매된다는 것과 같다.

이로부터 두 가지가 도출된다.

첫째. 상품들이 그 **가치대로** 구매되고 판매되면 **등가물**이 교환된다. 각자에 의해서 유통에 던져지는 가치는 유통으로부터 다시 같은 수중으로 되돌아간다. 그러므로 가치는 교환행위에 의해서는 증대되지 않고 전혀 영향을 받지 않는다. 상품들이 그 가치대로 구매되고 판매된다면 자본, 즉 [50] 유통에서 또한 유통에 의해서 증식되는, 즉 증대되고 잉여가치를 정립하는 가치는 불가능할 것이다.

둘째. 그러나 상품들이 그 가치대로 판매되거나 구매되지 않는다면 이때 가능한 것은 다음과 같은 경우뿐이다 ─ 비등가물이 교환될 수 있는 것은 한쪽이 다른 한쪽을 사취할 경우, 즉 교환에서 한쪽이 스스로 투입한 가치보다 더 적게 얻는 만큼 다른 한쪽이 스스로 투입한 가치보다 더 많이 얻는 경우뿐이다. 그러나 그렇게 교환된 가치 총액은 불변이고, 따라서 교환에 의해서는 새로운 가치가 생성되지 않는다. A는 100실링의 가치가 있는 면화 100파운드를 보유하고 있다. B는 그것을 50실링에 구매한다. B는 A가 50실링을 잃었기 때문에 50실링의 이익을 얻었다. 교환 이전에 가치 총액은 150실링이었다. 교환 이후에도 마찬가지이다. 다만 교환 이전에 B는 이 총액의 $\frac{1}{3}$을 보유했지만 교환 이후에는 $\frac{2}{3}$를 보유한다. 그러나 교환 이전에 $\frac{2}{3}$를 보유했던 A는 교환 후에는 $\frac{1}{3}$만을 보유한다. 요컨대 150실링이라는 가치액의 분배에서 변화가 일어났을 뿐이다. 가치액 자체는 변하지 않았다.

이에 따르면 한편에는 증가하는 가치가 있고 다른 한편에는 감소하는 가치가 있기 때문에, 따라서 가치 자체는 증가하지 않았기 때문에 자본, 즉 증식되는 가치가 부의 일반적 형태로서는 첫 번째 경우와 마찬가지로 다시 불가능할 것이다. 한편의 가치가[51] 유통에서 증대되는 것은 다른 한편의 가치가 유통에서 감소하기 때문, 요컨대 보존되지도 못하기 때문이다.

요컨대 직접적인 물물교환 형태에서든 유통형태에서든, 교환은 그에 던져진 가치를 즉자[대자]적으로 변화시키지 않고 가치를 추가하지 않는다는 것은 분명하다. "교환은 생산물에 가치를 전혀 부여하지 않는다."(웨일랜드, 『**경제학 요강**』, 보스턴, 1843[52]년, 169[53]쪽)[54]

그럼에도 불구하고 잉여가치를 구매한 것보다 비싸게 판매하는 것으로 설명하려는 어리석음은 유명한[55] 근대 경제학자들에게서조차 발견된다. 예를 들면 토런스 씨가 그러하다. "유효 수요는 직접적 교환이나 간접적 교환을 통해서 자본의 전체 구성요소 가운데 생산비보다 더 큰 부분을 그 상품에 대한 대가로 주는 소비자 측의 능력과 성향에 있다."(**토런스,『부의 생산에 관한 고찰』**, 런던, 1821년, 349쪽)[56] 여기에서 우리는 단지 판매자와 구매자를 마주하고 있다. 상품보유자(판매하는 자)만이 상품을 생산한 반면 다른 한편의 구매자(그러나 그의 화폐도 상품 판매로부터 발생한 것이고 상품이 전화한 형태일 뿐이다)가 상품을 소비하기 위해서 구매하려는지,[57] 즉 소비자로서 상품을 구매하려는지의 사정은 상황을 전혀 변화시키지 않는다. 판매자는 언제나 사용가치를 대표한다.[58] 이 구절을 그 본질적인 내용으로 환원하고 우연한 표현법을 삭제한다면 이 구절이 의미하는 바는 모든 구매자가 상품을 가치 이상으로 구매한다는 것,[59] 요컨대 판매자는 자신의 상품을 가치 이상으로 판매하고 구매자는 언제나 자신의 화폐의 가치 이하로 구매한다는 것뿐이다. 생산자와 소비자를 도입하더라도 사태는 전혀 변하지 않는다.[60] 교환행위에서는 그들이 소비자와 생산자가 아니라 판매자와 구매자로서 마주서기 때문이다. 그러나 개인들이 상품보유자로서만 교환하는 경우에 각자는 생산자일 뿐 아니라 소비자이기도 해야 한다. 하나가 될 수 있으려면 다른 하나이기도 해야 한다. 각자는 판매자로서 얻은 이익을 구매자로서 잃게 될 것이다.

요컨대 한편으로는, 우리가 여기에서 모든 이윤형태에 붙일 수 있는 명칭인 **잉여가치**가 교환[61]에서 나와야 한다면 G — W — G 정식에서는 볼 수도 인식할 수도 없는 어떤 행위에 의해서 교환 이전에 이미 존재하고 있어야 한다. "**이윤**(잉여가치의 특수한 형태)은 통상적인 시장조건에서 **교환에 의해 만들어지지 않는다. 이 거래 전에 존재하지 않았다면** 그것은 이 거래가 있은 후에도 존재할 수 없을 것이다."(G. 램지,『**부의 분배에 관한 고찰**』, 에든버러, 1836년, 184쪽)[62] 같은 곳에서 램지는 이렇게 말하고 있다. "이윤이 소비자에 의해 지불된다는 생각은 확실히 매우 어처구니없다. 누가 소비자라는 말인가?" 등(183[63]쪽). 상품보유자들만이 마주 서 있고 이들 각자는 소비자일 뿐 아니라 생산자이기도 하다. 그리고 후자인 한에서만 전자일 수 있다. 그러나 미리 논의하건대, 생산하지 ||11| 않으면서 소비하는 계급들을 생각하면 이들의 부는 생산자들의 상품에 대한 몫으로 구성될 수 있을 뿐이며, 가치 증대는 가치를 무상으로 받는 계급들이 재교환[64]에서 이 가치를 사취당한다는 사실로 설명되지 않는다. (맬서스[65]를 보라.)[66] 잉여가치 또는 가치의 자기 증식은 교환, 유통으로부터 유래할 수는 없다. 다른 한편으로, 그 자체로서 가치를 산출하는 가치는 교환, 유통의 산물일 수밖에 없다. 가치는 교환에서

G23

만 교환가치로서 작용할 수 있기 때문이다. 가치는 대자적으로 고립되면 보화이고, 보화로서 가치는 사용가치로 쓰일 수 없듯이 증식될 수도 없다. 또는 이렇게 말하고자 한다면, 즉 [67]화폐보유자가 상품을 구매해서 가공하고 생산적으로 사용해서 상품에 가치를 추가한 다음 다시 판매한다고 말하고자 한다면 이 경우에 잉여가치는 전적으로 그의 노동에서 유래할 것이다. 가치 자체는 작용하지 않았고 증식되지도 않았을 것이다. 그가 더 많은 가치를 획득하는 것은 그가 **가치**를 갖기 때문이 아니라 노동의 추가에 의해 가치가 증대했기 때문이다.[68]

어쨌든 자본이 부의 자체적인 형태이고, 가치의 증식력(Potenz)이라면 그것은 [69]등가물들이 교환된다는 기초, 즉 상품들[70]이 가치대로 판매된다는, 즉 상품에 포함된 노동시간에 비례해서 판매된다는 기초 위에서 전개되어야 한다. 다른 한편으로 이는 불가능해 보인다. G — W — G에서, G — W 행위에서만이 아니라 W — G 행위에서도 등가물들이 서로 교환된다면 [71]과정에 들어간 것보다 더 많은 화폐가 어떻게 이 과정에서 나올 수 있는가?

따라서 잉여가치가 어떻게 나오는가는 중농주의자들에서부터 최근에 아르기까지 경제학에서 가장 중요한 문제였다. 이것은 사실상 화폐(또는 상품 — 화폐는 상품이 전화한 형체이므로)가, 가치액 일체가 어떻게 자본으로 전화하는가, 어떻게 자본이 등장하는가 하는 문제이다.

이 문제에 — 이 과제의 조건들에 들어 있는 외견상의 모순에 대해 프랭클린은 이렇게 진술하고 있다.

G24

"국부를 증가시키는 방법은 세 가지밖에 없다. 첫째는 전쟁에 의한 것이다. 그것은 강탈이다. 둘째는 상업에 의한 것이다. 그것은 속임수이다. 셋째는 농업에 의한 것이다. 이것이야말로 유일하게 단정하고 정직한[72] 방법이다."[73](『프랭클린 저작집』, 스파크스 엮음, 제2권, 『국부에 관해 검토되어야 할 몇 가지 견해』)[74](영어 인용문에 이어 독일어 번역문이 실려 있다. — 옮긴이)

여기서 알 수 있는 것은, 통상적인 자본 관념에 가장 근접하고 사실상 역사적으로 자본의 가장 오랜 현존형태[75]인 자본의 두 가지 형태 — 이것은 두 가지 기능을 하는 자본이고, 어떤 형태로 기능하느냐에 따라 특수한 종류의 자본으로 나타난다 — 가 왜 우리가 자본 그 자체를 문제로 삼는 여기에서 전혀 고려되지 않고, 오히려 파생된 이차적 자본형태로서 나중에 설명되어야 하느냐는 것이다.

본래의 상인자본에서는 G —W—G 운동이 가장 분명하게 드러난다. 상인자본의 목적이 유통에 던져진 가치, 화폐의 증대라는 점, 그것이 이를 달성한 형태가 다시 판매하기 위해서 구매하기[76]라는 점이 예로부터 눈에 띄었다. "모든 종류의 상인에게 공통적인 것은 그들이 **다시 판매하기 위해서 구매한다**는 것이다."(튀르고, 『**부의 형성과 분배에 대한 고찰**』(1766년[77] 출판), 『**튀르고 저작집**』, 제1권, 파리, 1844년, 외젠 데르 엮음, 43쪽)[78] 다른 한편으로 여기에서는 판매하는 것보다 저렴하게 구매해서든(상품을 가치보다 낮게 구매하고 이를 가치대로 또는 가치보다 높게 판매해서든), 가치대로 구매하되 가치보다 높게 판매해서든, 잉여가치가 순수하게 유통에서 등장하는 것으로 나타난다.[79] 그는 어떤 사람에게서 상품을 구매해서 다른 사람에게 판매하고, 전자에 대해서는 화폐를 대표하고 후자에 대해서는 상품을 대표한다. 그리고 운동을 새로 시작함으로써 그는 마찬가지로 구매하기 위해서 판매한다. 그렇지만 상품 자체가 결코 그의 목적은 아니며, 따라서 그에게 구매라는 후자의 운동은 판매라는 전자의 운동의 ||12| 매개로서 기여할 뿐이다. 그는 구매자와 판매자에 대하여 번갈아 가면서 유통의 상이한 측면(국면)들을 대표한다. 그의 전체 운동은 유통에 속하거나 또는 그가 차라리 유통의 담지자로서, 화폐의 대표자로서 나타난다. 이는 단순상품유통에서 전체 운동이 유통수단에서, 유통수단으로서의 화폐에서 출발하는 것처럼 보이는 것과 같다. 그는 상품이 유통에서 거쳐야 하는 상이한 국면들의 매개자로서 나타날 뿐이고, 따라서 주어진 극들, 주어진 상품과 주어진 화폐를 나타내는 주어진 판매자들과 구매자들[80] 사이를 매개할 뿐이다. 여기에서는 다른 어떤 과정도 유통과정에 추가되지 않기 때문에 상인이 — 그의 모든 작업이 판매와 구매로 귀결되므로 — 판매와 구매를 번갈아 가면서 수행함으로써 거두어들이는 잉여가치(이윤), 즉 그에 의해 유통에 들어온 화폐 또는 가치의 증대는 순수하게 그가 번갈아 가면서 관계를 맺는 상대방으로부터[81] 사취하는 것으로, 부등가물의 교환으로, 그럼으로써 그가 언제나 유통에 던져 넣은 것보다 더 많은 가치를 유통에서 꺼내는 것으로 설명되는 것처럼 보인다. 그래서 그의 이윤 — 교환으로 가져온 그의 가치가 그에게 산출해 주는 잉여가치 — 은 순수하게 유통에서 유래하고, 따라서 그와 거래하는 자들의 손실만으로 구성된[82] 것처럼 보인다. 실제로 상인자산은 순수하게 이러한 방식으로 형성될 수 있고, 산업이[83] 덜 발전한 민족들 사이에서 중개무역을 행하는 상업민족들의 치부는 대부분 이런 방식으로 이루어졌다.[84] 상인자본은

G25

생산이, 그리고 사회의 경제적 구조가[85] 상이한 단계에 있는 민족들 사이에서 활동할 수 [있다]. 따라서 상인자본은 자본주의 생산양식이 나타나지 않은 민족들 사이에서, 따라서 자본의 주요 형태들이 발전하기 오래전에[86] 활동할 수 있다. 그러나 상인이 거두는 이윤 또는 상인자산의 자기증식[87]이 오로지 상품보유자들의 사취에 의해서 설명되는 것이 아니라 사전에 존재하는 가치액[88]의 단지 다른 분배 이상이어야[89] 한다면 그것은 분명히 상인자본의 운동, 그 고유한 기능에서는 나타나지 않는 전제에서만 도출될 수 있으며, 그 이윤, 자기증식은 근원을 다른 데서 찾아야 하는 단지 파생된, 이차적 형태로 나타난다. 오히려 그 고유한 형태가 대자적으로 자립적으로 고찰되면 상업은 프랭클린이 말한 바와 같이 단순한 속임수로 나타나며, 등가물들이 교환되거나 상품들이 그 교환가치대로 판매되고 구매된다면 상업은 전혀 불가능한 것으로 나타난다. "불변의 등가물의 규칙 아래에서는 상업은 불가능할 것이다."(**G. 옵다이크**, 『**경제학 소고**』, **뉴욕**, 1851년, **67쪽**)[90] (따라서 엥겔스는 1844년 파리에서 발간된 《독일-프랑스 연보》에 실린 「경제학 비판 개요」에서, 유사한 의미에서 교환가치와 가격의 차이를 상품들이 가치대로 교환되면 상업은 불가능하다는 사실로 설명하고자 한다.)[91]

    마찬가지로 매우 오래되었고, 자본 개념에 관한 통속적 견해[92]의 연원을 이루는 자본의 다른 형태는 이자를 받고 빌려주는 화폐의 형태, 이자를 낳는 화폐자본 형태이다. 여기에서 우리가 보는 것은 화폐가 먼저 상품과 교환되고 나서 상품이 더 많은 화폐와 교환되는 G — W — G 운동이 아니라 G — G 운동의 결과, 화폐가 더 많은 화폐와 교환되는 것뿐이다. 화폐가 자신의 출발점으로 되돌아오되, 증대되어서 되돌아온다. 원래 100탈러였다면 이제는 110탈러이다. 100탈러에 표현된 가치가 보존되고 증식되었다. 즉 10탈러의 잉여가치를 정립했다. 아무리 사회의 생산양식이 낮고 아무리 경제구조가 덜 발전되었을지라도 우리는 거의 모든 나라와 역사 시대에 이자를 낳는 화폐,[93] 화폐를 정립하는 화폐, 요컨대 형식적인 **자본**을 발견한다. 여기에서 자본의 한 측면은 상인자산에서보다 더욱 상상에 가깝다. ||13| (그리스인들의 케파라이온 κεφάλαιον은 어원 형성을 볼 때도 우리가 말하는 자본이다.)[94] 말하자면 **가치 자체가 증식되고** 잉여가치를 정립하는 것은 그것이 가치로서, 자립적 가치(화폐)로서 (유통에 들어가고) 사전에 이미 존재하기 때문이고, 또한 가치가 전제되어 있기 때문에, 가치가 가치로서, 자기증식하는 것으로서 작용하기 때문에 가치가 산출되고 가치의 보존과 증대가 일어난다

G26

는 것. 여기에서는 다음과 같이 언급하는 것으로 충분하다. (이에 대해서는 다른 곳에서 재론할 것이다.)[95] **첫째.** 화폐가 근대적 의미에서의 자본으로 대부된 다면 이는 화폐 — 가치액 — 가 즉자적으로 자본이라고 이미 가정하는 것이 된다. 즉 화폐를 빌린 자는 화폐를 생산적 자본으로서, 증식되는 가치로서 사용할 수 있거나[96] 또는 사용할 것이며, 그에게 화폐를 자본으로 대부한 자에게 그렇게 창출된 잉여가치 일부를 지불한다고 가정하는 것이 된다. 요컨대 여기에서 이자를 낳는 화폐자본은 분명히 자본의 파생된 형태 — 특수한 기능의 자본 — 일 뿐 아니라,[97] 자본이 이미 충분히 발전된 것으로 가정되므로 이제는 가치액 — 화폐형태이든 상품형태이든 — 이 화폐와 상품으로서가 아니라 자본으로서 대부될 수도, **자본** 자체가 독특한(sui generis) **상품**으로서[98] 유통에 던져질 수도 있다. 여기에서 자본은 화폐 또는 상품의, 가치 일체의 증식력(Potenz)[99]으로서 전제되고 완성되어 있으므로 이러한 증식력 있는(potenziert) 가치로서 유통에 던져질 수 있다. 요컨대 이런 의미에서 이자를 낳는 화폐자본은 이미 자본의 발전을 가정한다. 이런 특수한[100] 형태로 나타날 수 있기 전에 자본관계[101]가 이미 완성되어 있어야 한다. 여기에서는 자기증식하는 가치의 본성이 가치에 뿌리내린 것으로 이미 전제되어 있으므로 어떤 가치액은 증식되는 가치로서 판매되고, 제삼자에게 [102]일정한 조건으로 양도될 수 있다. 그러면 이자도 마찬가지로 잉여가치의 특수한 형태이자 지류로서 나타날 뿐이다. 이는 잉여가치가 나중에 이윤, 지대, 이자와 같은 상이한 소득을 구성하는 상이한 형태로 분할되는 것과 마찬가지이다. 따라서 이자의 크기 등에 관한 모든 문제도 주어진 잉여가치가 다양한 종류의 자본가들에게 어떻게 분배되는가에 관한 문제로 나타난다. 잉여가치 일체의 존재[103]가 여기에서는 **전제되어** 있다.

화폐 또는 상품, 가치액 일체가 **자본**으로 대부될 수 있으려면 자본이 이미 증식력 있는 특수한 가치형태로 전제됨으로써, 화폐와 상품이 소재적 요소로서 자본 일체에 대하여 전제되어 있듯이 여기에서는 가치의 자본형태가 화폐와 상품의 동일한 내적 속성으로 전제되어 있고, 그리하여 화폐나 상품이 자본으로서 제삼자에게 양도될 수 있다. 상품이나 화폐는 유통에서 자본으로 발전될 수 없고 완성된 자본, **즉자적 자본**으로서, 특수한 양도형태도 갖는 **특수한 상품**으로서 유통에 던져질 수 있기 때문이다. G27

따라서 자본주의적 생산 자체의 기초 위에서는 이자 낳는 자본이 파생적, 이차적 형태로 나타난다.

둘째. 화폐 일체가 자본형성의 출발점으로 나타나는 것과 마찬가지로 이자 낳는 화폐는 이자 낳는[104] 자본의 최초의 형태로 나타난다. 그 까닭은 가치가 먼저 화폐에서 자립하고, 즉 화폐의 증대가 먼저 즉자적 가치의 증대로 나타나며, 화폐에는 처음에는 모든 상품의 가치를, 다음에는 가치의 자기 증식을 측정하는 척도가 존재하기 때문이다. 생산이 노예제에 기초해서 이루어지든, 또는[105]잉여 수확이 지주에게 속하든(아시아와 봉건시대에서처럼), 또는 수공업이나[106]농민경제 등이 이루어지든, 아직 자본이 생산을 장악하지 않고 자본주의적 생산이, 즉 탁월한 의미에서의 자본이 존재하지 않더라도 화폐는 이제 생산적인 목적을 위해서, 요컨대 형식적으로는 **자본**으로[107] 대부될 수 있다. 요컨대 상인자산과 마찬가지로 이 자본형태도 생산단계의 발전과 무관하다(다만 상품유통이 화폐형성까지 진전된 것으로 전제된다면). 따라서 역사적으로 자본주의적 생산이 발전하기 이전에 나타나고 자본주의적 생산의 기초 위에서는 부차적 형태를 이룰 뿐이다. 상인자산과 마찬가지로 그것은 단지 **형식적인** 자본, 그것이 생산을 장악하기 전부터 존재할 수 있는 기능을 가진 자본이면 된다. 그리고 생산을 장악하는 자본만이 사회의 자체적인 역사적 생산양식의 기초이다.|

|14| **셋째**. 화폐는 (상품과 똑같이) **구매하기** 위해서,[108] 생산적으로 이용되기 위해서가 아니라 소비하기 위해서, 지출하기 위해서 대부될 수 있다. 이때는 잉여가치 형성이 이루어지는 것이 아니라 주어진 가치의 단지 다른 분배, 이동이 이루어질 뿐이다.

넷째. 화폐는 **지불하기** 위해서 대부될 수 있다. 화폐는 지불수단으로서 대부될 수 있다. 소비 채무를 상환하기 위해서 이것이 이루어진다면 셋째 경우와 같으며, 다만 한 가지 차이점은 셋째 경우에서는 사용가치를 구매하기 위해서 화폐가 대부된다면 넷째 경우에서는 소비된 사용가치를 지불하기 위해서라는 점이다.

G28 그러나 지불은 자본의 유통과정의 행위로서[109] 필요할 수 있다. **할인**. 이 경우에 대한 고찰은 신용이론에 속한다.

이제 부연설명을 마치고 본론으로 돌아가자.

자본을 설명할 때는 유일한 전제 — 우리가 출발하는 유일한 재료는 상품유통과 화폐유통, 상품과 화폐이고 개인들은 상품보유자로서만 등장한다는 사실을 고수하는 것이 중요하다. 두 번째 전제는, 상품이 유통에서 통과하는 형태변화는 형식적일 뿐이라는 것, 즉 각 형태에서 가치는 변하지 않는다는 것, 상품이 한 번은 사용가치로, 다른 한 번은 화폐로 존재하지만 그것의 가치크기는 변하지 않는다는 것, 요컨대 상품들이 **가치**대로, 그것들에 포함된 노동시간에 비례해서 구매되고 판매된다는 것, 달리 말하자면 등가물만이 교환된다는 것이다.

W—G—W 형태를 관찰하면 물론 여기에서도 가치는 보존된다. 가치는 먼저 상품형태로, 다음에는 화폐형태로, 그리고 다시 상품형태로 존재한다. 이를테면 3파운드스털링의 철 1톤, 다음에는 동일한 3파운드스털링이 화폐로 존재하다가 3파운드스털링의 밀로 존재한다. 요컨대 이 과정에서 3파운드스털링이라는 가치크기는 보존되었으나 곡물은 이제 사용가치로서 유통에서 소비로 빠져나가고, 그럼으로써 가치가 소멸된다. 여기에서도 — 110 상품이 유통에 놓여 있는 동안에는 — 가치는 보존되지만 이것은 순전히 형식적으로 그렇게 나타난다.

[1]α[2]에 대한 보충설명[3]

[4]자본 개념을 규명하기 위해서는 노동이 아니라 **가치**에서, 그것도 이미 유통의 운동에서 발전된 교환가치에서 출발할 필요가 있다. 다양한 인종에서 은행가로, 또는 자연에서 증기기관으로 직접 이행하는 것이 불가능하듯이 노동에서 자본으로 직접 이행하는 것도 불가능하다.

화폐는 (화폐축장에서처럼) 유통에 대해 자립할 뿐 아니라 유통에서 보존되는 교환가치로 정립되자마자 더는 화폐가 아니라 — 그 까닭은 화폐는 화폐로서 부정적 규정을 넘어서지 않기 때문이다 — **자본**이다. 그러므로 화폐는 교환가치가 자본의 규정으로 진전하면서 취하는 첫 번째 형태이기도 하고 역사적으로 자본의 첫 번째 **현상형태**이며, 따라서 역사적으로도 자본 자체와 혼동되었다. 자본에게 유통은 화폐의 경우처럼 교환가치가 사라지는 운동으로 나타날 뿐 아니라 교환가치가 보존되고 스스로 화폐와 상품이라는 두 규정의 교체가 이루어지는 운동으로 나타난다. 반면에 단순유통에서는 교환가치가 그러한 것으로서 실현되지 않는다. 그것은 언제나 그것이 사라지는 순간에 실현된다. 상품이 화폐가 되고 그 화폐가 다시 상품이 되면 상품의 교환가치 규정은 사라진다. 이 규정은 첫 번째 상품을 위해서 두 번째 상품의 적절한 척도를(두 번째 상품을 적절한 척도만큼) 유지하는 데 기여했을 뿐이고, 그럼으로써 두 번째의 상품은 사용가치로서 소비에 귀속된다. 상품은 이러한 형태에 무관심하고 다만 욕구의 직접적 대상일 뿐이다. 상품이 화폐와 교환되면 화폐라는 교환가치 형태는 교환의 **밖에서**, 유통에 대하여 부정적으로 행동하는 한에서만 유지된다. 화폐가 유통에 대하여 부정적으로 행동하면서 추구하는 불멸성을 자본은 유통에 자신을 맡김으로써 보존되면서 달성한다.|

가치가 유통에 들어가 있는 동안, 즉 상품형태와 화폐형태를 번갈아 가면서 취하는 동안 G —W —G 과정에서는 가치(주어진 가치액)가 보존되고 증대되어야 한다. 유통이 단순한 형태변화여서는 안 되고 가치크기가 증가하고 기존의 가치에 새로운 가치나 잉여가치가 추가되어야 한다. 자본으로서의 가치는 말하자면 제곱의 가치, 증식력 있는 가치여야 한다.

상품의 교환가치는 그것의 사용가치에 대상화된 동일한 사회적 노동의 양, 또는 사용가치에 체화되고 사용된 노동의 양이다. 이 양의 크기는 시간으로 측정된다. 사용가치를 생산하기 위해서 필요한, 따라서 그것에 대상화된 노동시간.

화폐와 상품은 이 대상화된 [1]노동이 표현되는 형태에 의해서만 구분된다. 화폐에는 대상화된 노동이 (일반적으로) 사회적 노동으로, 따라서 동일한 양의 노동을 포함하고 있는 정도[2]에 따라 다른 모든 상품과 직접 교환될 수 있는 노동으로 표현되어 있다. 상품에는 그것에 포함된 교환가치나 그것에 대상화된 노동이 그것의 **가격**으로, 즉 화폐와의 등식으로, 관념적 화폐(화폐재료이자 가치척도)로 표현되어 있다.[3] [4]그러나 두 가지 형태는 동일한 가치크기의 형태이며, 실체의 관점에서 관찰하면 동일한 양의 대상화된 노동의 형태, 요컨대 일체의 대상화된 노동이다. (앞서[5] 본 바와 같이 화폐는 구매수단으로서만이 아니라 지불수단으로서도 국내 유통에서 가치표지, 자기 자신의 표지로 대체될 수 있다. 표지는 동일한 가치, 화폐에 포함된 동일한 노동시간을 나타내므로 사태의 본질에는 아무런 변화가 없다.)

G —W —G 운동, 자본 개념 일체에서는, 화폐에서 출발한다는 것은 상품에 포함된 가치, 또는 상품에 포함된 노동이 취하는 자립적 형태에서 출발한다는 의미이다. 이 형태에서 상품은 — 노동시간이 원래 체화된 사용가치와 무관하게 — 일반적 노동시간으로서의 노동시간의 [6]현존이다. 가치는 화폐형태에서뿐 아니라 상품형태에서도 **대상화된** 노동량[7]이다. 화폐가 상품으로, 또는 상품이 화폐로 전환되면 가치는 자신의 형태만을 변화시킬 뿐이지 자신의 실체 — 대상화된 노동 — 나 일정량의 대상화된 노동으로 나타내는 자신의 크기는 변화시키지 않는다. 요컨대 모든 상품은 형식적으로만 화폐와 상이하다. 화폐는 상품이 유통에서, 유통을 위해서 취하는 상품의 특수한 존재형태일 뿐이다. 대상화된 노동으로서 그것들은 동일한 것, 가치

G30

이고 [8]형태변화 — 이 가치가 때로는 화폐로, 때로는 상품으로 현존한다는 것 — 는 전제에 따라서, 즉 자본은 이 형태들 각각에서 보존되는 가치라는 전제[9]에 따라서, 자본과는 아무 상관도 없는 것이다. 이 전제는 화폐와 가치 일체가 비로소 자본이 되게 하는 전제이다. 그것은 동일한 내용의 형태변화 일 뿐이다.[10]

대상화된 노동에 대한 유일한 대립물을 구성하는 것은 대상화되지 않은, **살아 있는 노동**이다. 전자는 공간에, 후자는 시간에 존재하는 노동이고, 전자는 과거이고 후자는 현재이며, 전자는 사용가치에 체화되어 있고 후자는 인간의[11] 활동으로서 과정을 거치면서 비로소 대상화되는 과정에 놓여 있으며, 전자는 가치이고 후자는 가치를 창출한다. 기존의 가치가 가치창출 활동과 교환되면, 대상화된 노동이 살아 있는 노동과 교환되면, 간단히 말해 화폐가 노동과 교환되면 이 교환과정을 매개로 해서 주어진 가치가 보존되거나 증대될[12] 가능성이 있는 것처럼 보인다. 요컨대 화폐보유자가 노동을 구매한다고, 즉 판매자가 상품이 아니라 노동을 판매한다고 가정하자. 이 관계는 상품보유자들만 마주하고 있던 상품유통 관계에 관한 지금까지의 고찰로는 ||16| 설명되지 않는다. 여기에서는 당분간 이 관계의 전제에 관한 질문을 제기하지 않으며 단지 사실로서 전제한다. 우리의 화폐보유자가 노동을 구매하는 목적은 오직 [13]그가 보유한 가치를 증대하는 것뿐이다. 따라서 어떤 [14]특수한 종류의 노동을 구매하든 그에게는 상관없으며, 단지 특수한 사용가치를 생산하는 유용노동, 즉 특수한 종류의 노동, 이를테면 아마포 직공의 노동을 구매해야 한다. 이 노동의 가치에 대해서 — 또는 노동 일체의 가치가 어떻게 결정되는지에 대해서 우리는 아직 아무것도 모른다.[15]

/17/ 어떤 주어진 노동량이 한 번은 화폐 — 다른 모든 상품이 그것으로 자신의 가치를 측정하는 상품 — 의 형태로, 다른 한 번은 다른 어떤 임의의 사용가치로 존재함으로써, 달리 말하자면 한 번은 화폐형태로, 다른 한 번은 상품형태로 존재함으로써 자신의 가치크기를 변화시킬 수 없고 **증대하기**는 더더욱 할 수 없다[16]는 것은 분명하다. 그러한 형태변화를 통해서 어떤 주어진 가치액, 일정량의 대상화된 노동이 어떻게 자체로서 **보존되는** 것인지는 알 수 없다. 화폐형태에서 상품의 가치는 — 또는 상품이 교환가치, 일정량의 대상화된 노동인 한에서 상품 자체는 — 불변의 형태로 존재한다. 화폐형태는 바로 상품의 가치가 가치로서 또는 일정량의 대상화된 노동으로서 보존되고 유지되는 형태이다. 내가 화폐를 상품으로 전화시키면 나는 가치

G31

를 그것이 보존되는 형태에서 보존되지 않는 형태로 전화시킨다. 그리고 판매하기 위해서 구매하는 운동에서 가치는 자신의 불변의 형태에서 그것이 보존되지 않는 형태로 먼저 전화했다가 다시 불변의 형태인 화폐로 재전화할 것이다 ─ 유통에서 성공할 수도 있고 성공하지 않을 수도 있는 변형. 그러나 그 결과는 내가 가치액, 대상화된 노동을 과정 이전과 마찬가지로 이후에도 일정한 화폐액이라는 불변의 형태로 보유하고 있다는 것이다. 이는 전혀 쓸모없고 스스로 목적에 반하는 작업이다. 그러나 내가 화폐를 화폐로서 고수한다면 그것은 보화이고 다시 사용가치를 갖고, 교환가치로서 보존되는 것은 단지 그것이 교환가치로서는 작용하지 않기 때문이다. 유통 밖에 머물고 유통에 대하여 부정적인 관계를 가짐으로써 마치 화석화된 교환가치처럼. 다른 한편으로 상품형태에서 가치는 자신이 숨어 있는 사용가치와 함께 사라진다. 사용가치는 덧없이 사라지는 것이고 그러한 것으로서 자연의 단순한 물질대사에 의해 분해될 것이다. 그러나 그것이 실제로 사용가치로서 사용되면, 즉 소비되면 사용가치와 함께 그에 포함된 교환가치도 사라진다.

[17]가치 증대란 다름 아니라 대상화된 노동의 증대이다. 그러나 대상화된 노동이 보존되거나 증대될 수 있는 것은 오직 살아 있는 노동에 의해서만 가능하다.|[18]

|[18]| 가치는, 화폐형태로 존재하는 **대상화된** 노동은 교환가치를 증대하는 것을[19] **사용가치**로 갖는 상품, 그 소비가 가치창출 또는 노동의 대상화와 같은 의미를 갖는 상품과 교환됨으로써만 증가할 수 있을 것이다. (증식되어야 하는 가치에서는 **어떤** 상품도 그 사용 자체가 가치창출인 경우, 가치 증대를 위해서 사용할 수 있는 경우를 제외하고는 직접[20] 사용가치를 갖지 **않는다**.) 그러나 그러한 사용가치를 갖는 것은 **살아 있는 노동능력**뿐이다. 따라서 가치, 화폐는 살아 있는 노동능력과의 교환을 통해서만 자본으로 전화할 수 있다. 가치, 화폐의 자본으로의 전화는 한편으로는 노동능력과의 교환을, 다른 한편으로는 노동능력의 대상화를 전제로 하는 물적 조건과의 교환을 필요로 한다.

G32

여기에서 우리는 교환자들을 구매자와 판매자로서만 구별할 뿐, 유통과정 자체에 의해서 주어지는 의존관계 이외에는 교환자들 사이에 전혀 아무런 의존관계도 전제되지 않는 상품유통의 기초 위에 서 있다. 이에 따르면 화폐는 노동능력이 상품 자체로서 공급되는 한에서, 그 보유자 즉 노동능력의 살아 있는 보유자에 의해서 판매되는 한에서 **노동능력**을 구매할 수 있을 뿐이다. 그 조건은 첫째로 [21]노동능력의 보유자가 자신의 노동능력을 자유롭게 사용할 수 있다는 것, 상품으로서 처분할 수 있다는 것이다. 나아가 이를 위해서 그는 [22]노동능력의 소유자여야 한다. 그렇지 않으면 그는 노동능력을 상품으로 **판매할** 수 없을 것이다. [23]그러나 첫째 조건에 이미 포함된 둘째 조건은 그가 자신의 노동능력 **자체**를 시장에 상품으로 가져가서 판매해야 한다는 것이다. 왜냐하면 그는 이미 자신의 노동을 교환에 내놓을 수 있는 다른 상품의 형태로, 여타의 사용가치에 **대상화된**(자신의 주체성 밖에 존재하는) 노동의 형태로 갖고 있지 않고, 그가 제공할 수 있는 것으로서, 판매할 수 있는 것으로서 갖고 있는 유일한 상품이 바로 자신의 살아 있는 신체 안에 존재하는, 살아 있는 노동능력이기 때문이다. (여기에서 **능력**Vermögen은 재산fortuna, fortune이 아니라 증식력Potenz, 뒤나미스δύναμις[24]의 의미로 이해해야 한다.)(이러한 설명이 붙은 이유는 노동능력으로 번역되는 독일어 Arbeitsvermögen에서 Vermögen이 능력이라는 의미뿐 아니라 재산, 자산이라는 의미도 있기 때문이다. ―옮긴이) 그가 자신의 노동이 대상화되는 상품 대신 노동능력을, [25]즉 [26]다른 모든 상품 ― 상품형태로 존재하든 화폐형태로 존재하든 ― 과는 특유하게 상이한 상품을 판매하도록 강제되기 위해서는, 그의 노동능력을 실현하기[27] 위한 대상적 조건들, 그의 노동을 대상화하기 위한 조건들이 결여되어 있고 가지고 있지 않으며 그 조건들이 오히려 부의 세계, 대상적 부의 세계로서 타인의 의지에 종속되어 있고, 유통에서 그에게는 상품보유자의 소유로서 타인의 것으로, 타인의 소유로 마주 선다는 사실이 전제되어 있다. 그의 노동능력을 실현하기 위한 조건들이 어떤 것인지, 다시 말해 사용가치로[28] 실현되는 활동으로서의 노동,[29]과정을 거치는 노동의 대상적 조건이 무엇인지는 나중에 상술할 것이다.

요컨대 화폐가 자본으로 전화하기 위한 조건이 화폐와 살아 있는[30] 노동능력과의 교환이라면, 또는 살아 있는 노동능력을 그 보유자로부터[31] 구매하는 것이라면, 화폐보유자가 상품시장에서, 유통 내에서 자유로운 노동자를 **주어진 것으로 발견하는** 한에서만 화폐는 자본으로, 화폐보유자는 자본가로 전화할 수 있다. 자유로운 노동자는 한편으로는 자신의 노동능력을 상품으로서 마음대로 처분할 수 있는 한에서, 다른 한편으로는 다른 어떤 상품도 마음대로 처분할 수 없거나 자신의 노동능력을 실현하기 위한 모든 대상적 조건을 상실한 한에서 자유롭다. 따라서 화폐보유자가 대상화된 노동의, 자신을 고수하는 가치의[32] 주체이자 담지자로서 **자본가**인 것과 똑같은 의미

G33

62

에서 노동능력의 보유자는 자신의 노동능력의 단순한(blose: 벌거벗은, 아무 것도 갖지 못한 ― 옮긴이) 주체, 단순한 화신으로서 **노동자**이다.

그러나 이 자유로운 노동자는 ― 따라서 화폐보유자와 노동능력 보유 자, 자본과 노동, 자본가와 노동자 사이의 교환은 ― 선행하는 역사적 발전 의 결과, 수많은 경제적 변혁의 요약임이 분명하며 다른 사회적 생산관계 의 몰락과 사회적 노동의 생산력의 일정한 발전을 전제로 한다. 이러한 관계 의 ||19| 전제와 함께 주어진 특정한 역사적 조건들은 뒤에서 이 관계를 분 석하면서 저절로 밝혀질 것이다. 그러나 자본주의적 생산은 자유로운 노동 자 또는 자신의 노동능력 외에는 판매할 것이 없는[33] 판매자가 유통 내에서, 시장에서 **주어진 것으로 발견된다**는 전제에서 출발한다. 요컨대 자본관계의 형성은 처음부터 이 관계가 사회의 경제적 발전 ― 사회적 생산관계와 생산 력 ― 의 특정한 역사적 단계에서만 등장할 수 있다는 사실을 보여준다. 자 본관계는 처음부터 [34]역사적으로 특정한 경제적 관계로서, 경제적 발전과 사회적 생산의 특정한 역사적 시대에 속하는 [35]관계로서 나타난다. 우리는 가장 단순한 경제적 관계로서, 부르주아적 부의 요소로서 부르주아 사회의 표면에 나타나는 상품에서 출발했다. 상품의 [36]분석은 또한 그것의 현존에 내포된 특정한 역사적 조건들을 보여주었다. 이를테면 생산물이 생산자에 의해서 단지 사용가치로서만 생산되면 그 사용가치는 상품이 되지 않는다. 이것은 사회 구성원들 사이의 역사적으로 특정한[37] 관계를 전제로 한다.[38] 어떤 여건하에서 생산물이 일반적으로 상품으로 생산되는가, 또는 어떤 조 건하에서 상품으로서 생산물의 현존이 모든 생산물의 일반적이고 필연적 인[39] 형태로 나타나는가 하는 문제를 우리가 계속 추적했더라면 이는 전적 으로 특정한 역사적 생산양식인 자본주의적 생산양식[40]에 기초해서만 이루 어질 수 있다는 점이 발견되었을 것이다. 그러나 그러한 고찰은 상품 자체 의 분석과는 거리가 있다. 그 까닭은 우리가 이 분석을 할 때는 사회의 어떤 경제적 토대 위에서 모든 생산물이 상품으로서 나타나야 한다[41]는 것은 어 떤 사회적, 경제적 토대 위에서인가 하는 문제가 아니라 상품으로서 나타 나는 생산물들, 사용가치들에만 관계하기 때문이다. 오히려 우리는 부르주 아적 생산에서는 상품이 그처럼 부의 일반적인 기초형태로 주어지는 것으 로 발견된다는 사실에서 출발한다.[42] 그러나[43] 대부분의 생산물이 직접적 인[44] 자기수요를 위한 사용가치로서 생산되고, 따라서 결코 상품형태를 취 하지 않을지라도, 상이한 공동체들 사이에서나 동일한 공동체의 상이한 기

G34

관들[45] 사이에서는 상품생산, 따라서 상품유통이 이루어질 수 있다. 다른 한편으로 화폐유통, 따라서 화폐의 다양한 기초적 기능과 형태에서의 발전이 다시 전제로 하는 것은 상품유통 자체, 그것도 미발달한 상품유통뿐이다. 물론 이것도 역시 상품의 본성에 따라 사회적 생산과정의 다양한 발전 단계에서 충족될 수 있는 역사적 전제이다. 개별적인 화폐형태들, 이를테면 보화로서의 화폐나 지불수단으로서 화폐의 발전을 자세히 고찰하면 사회적 생산과정의 매우 다양한 역사적[46] 단계들이 암시된다. 이들 다양한 화폐기능의 단순한 형태로부터 발생하는[47] 역사적 차이들. 또한 보화 또는[48] 지불수단으로서의 형태에서 화폐의 단순한 현존만 해도 어느 정도 발전된 모든 상품유통 단계에 마찬가지로 속하고, 따라서 [49]특정한 생산시대에 국한되지 않고 부르주아적 생산뿐 아니라 부르주아 단계 이전의 생산과정에도 고유한[50] 것임이 분명해질 것이다. 그러나 자본은 처음부터 특정한 역사적 과정의 결과일 수밖에 없고 사회적 생산양식에서 특정한 시기의 토대[51]일 수밖에 없는[52] 관계로서 등장한다.

이제 화폐형태로 노동능력에 맞서 있는 상품과 대립하는, 또는 대상화된 노동에 대립하는, 화폐보유자나 자본가로 인격화되고 이 개인에서 자기 의지, 대자존재, 의식적 자기 목적이 된 가치에[53] 대립하는 노동능력 자체를 고찰하자. 한편으로 노동능력은 **절대적 빈곤**으로 나타나는데, 그 까닭은 소재적 부의 세계 전체뿐 아니라 부의 일반적 형태인 교환가치도 타인의 상품과 타인의 화폐로서 노동능력에 마주 서지만 노동능력 자체는 단지 노동자의[54] 살아 있는 신체에 존재[55]하고 포함된, 노동하는 가능성에 불과하기 때문이다. 그것은 가능성이지만 그 실현을 위한 모든 대상적 조건, 요컨대 자신의 현실성과는 절대적으로 분리되고 대상적 조건에 자립적인 것으로 마주 서고 그것들을 박탈당한 채 존재하는 가능성이다. 실제 노동과정을 위한, 실제 G35 권유를 위한 모든 대상적 조건이 출현하는 한에서 — 노동의 대상화를 위한 모든 조건이 노동능력과 실제 노동 사이에서 매개를 이루는 한에서 이들 조건은 모두 **노동수단**으로 표현될 수 있다. ||20| 화폐보유자와 상품보유자에 의해 대표되는 대상화된 노동에 대해서, 노동능력에 맞서 자본가로 인격화된 가치에 대해서 노동능력이 자신의 노동능력 자체를 상품으로 판매해야 하는 노동자라는 자립적 형체를 갖는, 자체적인 요소로 맞설 수 있는 노동능력은 노동수단이 박탈된 노동능력[56]이다. **실제** 노동은 인간의 욕구를 충족하기 위한 자연성의 전유이고 [57]인간과 자연 사이의 물질대사를 매개하는

64

활동이므로 노동능력은 노동수단, 즉 노동에 의한 자연성 전유의 대상적[58] 조건을 박탈당함으로써, 마찬가지로 **생활수단**도 박탈당한다. 우리가 이미 앞서[59] 본 바와 같이, 상품의 사용가치는 일반적으로 **생활수단**으로 특징지을[60] 수 있다. 요컨대 노동수단과 생활수단을 박탈당한 노동능력은 절대적 빈곤 자체[61]이며, 노동자는 그런 노동능력의 단순한 화신으로서 실제로 자신의 욕구를 갖는 한편, 욕구를 충족하는 활동은 그 자신의 주체성에 포함된, 대상 없는 소질(가능성)로서 보유할 뿐이다. 그는 그러한 것으로서, 개념에 따라[62] 자신의 대상성으로부터 대자적으로 고립된 이 능력의[63] 화신이자 담지자로서 빈민이다. 다른 한편으로 소재적 부, 사용가치의 세계는 노동에 의해 변형된 자연소재로 구성되고, 따라서 노동에 의해서만 전유되므로, 그리고 이 부의 사회적 형태인 교환가치는 전적으로 사용가치에 포함된 대상화된 노동의 일정한 사회적 형태이므로, 그러나 노동능력의 사용가치, 실제 사용은 노동 자체, 즉 사용가치를 매개로 하여 교환가치를 창출하는 활동이므로 노동능력은 그만큼 소재적 부의 일반적 가능성이고, 부를 교환가치로서 보유하는 특정한[64] [65]사회적 형태에서는 부의 유일한 원천이다. 대상화된 노동으로서 가치는 바로 노동능력의 대상화된 활동일 뿐이다. 따라서 근대경제학[66]이 자본관계를 다룰 때 다음과 같은 전제에서 출발한다면, [67]근대경제학이 그 출발점으로 삼는 듯이 보이는 역설은 사태의 본질에 근거하고 있다. 그 전제는 화폐보유자 또는 상품보유자가 [68]유통에서 끊임없이 다음과 같은 인구 부분을, 즉 노동능력의 단순한 화신, 단순한(blose) 노동자이고 따라서 노동능력을 상품으로 판매[69]하고 시장에 끊임없이 팔기 위해 내놓는 인구 부분을 주어진 것으로 발견함으로써 대상화된 노동이 보존되고 증대된다 ─ 가치가 보존되고 증대된다 ─ 는 것이다. 근대경제학은 한편으로는[70] 노동을 소재적 내용에서만이 아니라 사회적 형태에서도, 사용가치만이 아니라 교환가치도 부의 원천으로 선언하면서, 다른 한편에서는 노동자의 절대적 빈곤의 필연성도 선언한다 ─ 이 빈곤은 노동자의 노동능력이 그가 판매할 수 있는 유일한 상품이라는 것, 그는 단순한 노동능력으로서 대상적, 실제적 부에 맞서 있다는 것[71]을 의미할 뿐이다. 이 모순은 가치가 상품형태로 나타나든 화폐형태로 나타나든, 노동능력 자체에 대하여 특수한 상품으로 맞섬으로써 주어져 있다.

또 하나의 대립은 다음과 같다. 살아 있는 주체의 능력인 노동능력은 **대상화된 노동**인 화폐(또는 가치 일체)에 대립해서 나타난다. 후자는 이미 발생한,

과거의 노동이고 전자는 미래의 노동으로서 이의 존재는 바로 살아 있는 활동, 살아 있는 주체 자신의 시간적으로 주어진 활동일 수밖에 없다.

자본가 측에게는 화폐에서 가치 자체가 그것의 사회적, 일반적으로 유효한 — 대상화된 노동으로서 일반적인 현존을 가지며, 이 현존에게는 각각의 특수한 현존형태 — 각각의 특수한 상품의 사용가치가 특수하고 즉자대자적으로 무관한 체현, 따라서 추상적 부로 간주되는 현존 — 를 가지는 가치 자체가 있는[72] 것처럼, 그것에게는 자본가가 어떤 특수한 종류의 실제 노동을 구매하든, 노등능력의 단순한 화신으로서의 노동자에서 노동 일체, 부의[73] 일반적 가능성, (능력으로서의) 가치창출 활동 일체가 맞선다. 노동능력의 이러한 특수한 방식은 그것의 사용가치가 노동 일체의 대상화, 요컨대 가치창출 활동 일체인 한에서만 유효하다. 가치 자체를 나타내는 자본가에 대해 노동자는 노동능력 일체로서, 노동자 일체로서 마주 서 있기 때문에 ||21| 자기증식하는 가치, 자기증식하는 대상화된 노동과 [74]가치를 창출하는, 살아 있는 노동능력 사이의 대립이 이 관계의 요점이자 본래의 내용을 이룬다. 그것들은 자본과 노동으로서, 자본가와 노동자로서 마주 선다. 이 추상적 대립은 이를테면 동직조합의 공업에서 볼 수 있는데, 거기에서 장인과 직인의 관계는 이것과 전혀 다르게 규정된다. 〔이 항과 아마도 이 구절 전체는 자본과 임노동 절[75]에 삽입할 것.〕

사용가치로서 노동능력은 다른 모든 상품의 사용가치와 특유하게 구별된다. 첫째 그것은 판매자인 노동자의 살아 있는 신체에 단순한 소질로서 존재한다. 둘째 전적으로 특색 있는, 다른 모든 사용가치와의 차이를 각인하는 것은 그것의 사용가치 ― 그것을 사용가치로서 실제로 이용하는 것, 즉 그것의 소비 ― 가 노동 자체라는 것, 요컨대 교환가치의 실체라는 것, 그것이 교환가치 자체의 창조적 실체라는 것이다. 그것의 실제 사용, 소비는 교환가치의 정립이다. 교환가치를 창출하는 것이 그것의 특유한 사용가치이다.

그렇지만 상품으로서 노동능력 자체는 **교환가치**를 가진다. 이 가치를 어떻게 결정하느냐는 문제가 제기된다. 어떤 상품이 교환가치의 관점에서 고찰되면 그것은 언제나 그것의 사용가치를 산출하기 위해 필요한[1] 생산적 활동의 결과로서 고찰된다. 그것의 교환가치는 그것에 사용된, 대상화된 노동의 양과 같으며, 그 척도는 노동시간 자체이다. 교환가치로서 각각의 상품은 다른 상품과 양적으로만 구별되며, 그 실체는 일정량의 사회적 평균노동, 주어진 일반적 생산조건하에서 이 특정 사용가치를 생산하고 또 재생산하는 데 필요한 일정량의 필요[2]노동시간이다. 요컨대 노동능력의 가치는 다른 어떤 사용가치의 가치와 마찬가지로[3] 그것에 사용된 노동의 양, (주어진 일반적 생산조건하에서) 노동능력을 생산하는 데 필요한 노동시간의 양과 같다. 노동능력은 노동자의 살아 있는 신체에 있는 소질로서만 존재한다.[4] 노동능력이 일단 주어진 것으로 전제되자마자 그것의 생산은 살아 있는 모든 것의 생산이 그러한 것과 마찬가지로 재생산으로, 보존으로 귀결된다. 요컨대 노동능력의 가치는 노동자가 오늘의 노동을 마치고 다음 날 아침에도[5] 동일한 조건하에서 동일한 과정을 반복할 수 있도록 노동능력을 보존하기 위해서, 즉 노동자가 노동자로서 살아 있도록 하기 위해서 필요한 생활수단의 가치로 일단 귀결된다. **둘째**. 노동자는 자신의 노동능력을 개발하기 전에, 노동할 수 있기 전에 살아 있어야 한다.[6] 요컨대 전제된 바와 같이 화폐가 자본으로 발전하려면, 자본관계가 이루어지려면, 자본이 시장에서, 유통에서 끊임없이 자기 자신의[7] 노동능력의 판매자를 주어진 것으로 발견해야 한다. 그러므로 ― 노동자는 언젠가는 죽게 되므로 ― 쓸모없어지거나 죽음으로 인해서 시장에서 빠져나간 노동능력이 신선한[8] 노동능력으로 대체되도록 노동자는 자기 자신의 생활수단 이외에 노동자 종족을 번식시키고, 증가시키   G38

거나 주어진 수준에서 최소한 유지하는 데 필요한 생활수단을 충분히[9] 받을 필요가 있다. 달리 말하자면, 그는 아이들이 스스로 노동자로 살 수 있을 때까지 부양하기에 충분한 생활수단을 받아야 한다. 노동자는 특정한 노동능력을 개발하기 위해서,[10] 자신의 일반적 본성[11]을 변화시켜 특정한 노동을 수행할 수 있게 되도록[12] 하기 위해서 교육 ─ 연습이나 수업 ─ 이 필요한데, 이 교육은 그가 습득하는 생산적 노동의 특수한 종류에 따라 그 스스로 얼마간 대가를 지불해야 하고,[13] 요컨대 이것도 노동능력의 생산비에 포함된다. 특수한 노동영역들의 ‖22‖ 다양한 가치를 전개하는 문제가 제기되면 마지막에 고찰한 것이 아무리 중요해진다 해도 여기에서는 상관없다. 왜냐하면 여기서 우리는 자본과 노동의 일반적 관계를 논의하고 있고, 따라서 우리가 마주하는 것은 통상적인 평균노동이고 모든 노동을 교육훈련비용이 미미한 이 평균노동의 증식력을 갖는 것으로 간주하기 때문이다. 어찌 되었든 교육훈련비용 ─ 노동자의 본성을 특정 노동영역의 능력과 숙련으로 개발하기 위해서 필요한 지출 ─ 은 어떤 경우에도 노동자가 자신의 아이들, 자신의 대체 인력을 다시 노동능력으로 양육하기 위해서 필요한 생활수단에 포함된다. 이것은 노동자가 노동자로서 번식하기 위해서 필요한 생활수단에 속한다. 요컨대 노동능력의 가치는 노동자가 노동자로서 유지되고, 노동자로서 살고[14] 번식하기 위해서 필요한 생활수단의 가치로 귀결된다. 이 가치는 다시 [15]노동능력의 유지와 번식을 위해서 필요한 생활수단 또는 사용가치[16]를 산출하는 데 필요한 특정한 노동시간 ─ 지출된 노동의 양 ─ 으로 귀결된다.

노동능력의 유지 또는 재생산을 위해서 필요한 생활수단은 모두 갖가지 상품들로 귀결되는데,[17] 이들 상품은 노동생산력의 변화에 따라 많거나 적은 가치를 갖고, 즉 그 생산에 짧거나 긴 노동시간이 필요하므로 동일한 사용가치가 많거나 적은 대상화된 노동시간을 포함한다. 따라서 노동능력을 유지하기 위해서 필요한 생활수단의 가치는 변화한다. 그러나 그것은 언제나 노동능력의 유지와 재생산을 위해서 필요한 생활수단을 생산하는 데 필요한, 또는 노동능력 자체를 유지하고 재생산하는 데 필요한 노동의 양으로 정확하게 측정된다. 그렇게 필요한 노동시간의 길이는 변화하지만 노동능력의 재생산에 [18]사용되어야 하는 ─ 길거나 짧은 ─ 특정한 노동시간은 언제나 존재하며, 노동능력의 살아 있는 현존 자체는 이 노동시간의 대상화로 간주될 수 있다.

G39

노동자가 노동자로서 살아가기 위해서 필요한 생활수단은 상이한 나라들과 상이한 문화 상태에서는 당연히 상이하다. 자연적 욕구(Bedürfnisse) 자체, 이를테면 식량, 의복, 주택, 난방[19]은 상이한 기후로 인해 더 크거나 작다. 마찬가지로 이른바 일차적 생활욕구의 범위와 그 충족방식도 사회의 문화 상태에 상당 부분 좌우되므로 ― 그 자체가 역사적 산물이므로[20] 어떤 나라나 어떤 시대에는 필요생활수단에 속하는 것이 다른 나라 또는 다른 시대에서는 그것에 속하지 않는다. 그렇지만 특정한 나라에서 특정한 시대에 이것 ― 즉 필요생활수단의 범위 ― 은 주어져 있다.

같은 나라에서 부르주아 시대의 상이한 국면들을 비교하면 노동의 **가치** 수준마저도 상승하거나 하락한다.[21] 그러나 끝으로 노동능력의 시장가격은 그 **가치** 수준 이상으로 상승하기도 하고 그 이하로 하락하기도 한다.[22] 이는 다른 모든 상품과 마찬가지로 적용되며, 여기에서 우리는 상품들이 등가물로 교환된다는, 또는 그것들의 가치를 유통에서 실현한다는 전제에서 출발하므로 아무런 상관이 없다. (상품들의 가치 일체는 노동능력의 가치와 마찬가지로 현실에서 상승하거나 하락하는 시장가격들이 상쇄되면서 형성되는 그것들의[23] 평균가격이고 따라서 상품들의 가치는 요컨대 시장가격의 이러한 변동 자체에서[24] 실현되고, 실증된다.) 노동자 욕구 수준의 이러한 운동에 관한 문제는 노동능력의 시장가격이 이 수준 이상 또는 이하로 상승 또는 하락하는 문제와 마찬가지로[25] 임금이론에 속하는 것으로 일반적 자본관계가 전개되는 여기에는 속하지 않는다. 노동자 욕구의 수준[26]을 높게 가정하든[27] 낮게 가정하든 결과에는 전혀 상관없다는 것이 연구가 진전됨에 따라 분명해질 것이다. 유일하게 중요한 것은[28] 그것이 주어진 것으로, 결정된 것으로[29] 간주된다는 것이다.[30] 그 수준에 주어진 크기가 아니라 가변적인 크기로 관계하는[31] 문제는 모두 ||23|[32] 특수한 임노동(Lohnarbeit im Besondren)에 관한 연구에 속하며, 임노동과 자본의 일반적인 관계에는 영향을 미치지 않는다.[33] 덧붙여 말하자면 이를테면 공장을 설립하고 사업을 시작하는 어떤 자본가든 반드시 임금을 그가 창업하는 장소와 시기에 주어진 것으로 간주한다.

〔"생명을 유지해주는 식량과 의복의 자연가격이 하락함으로써 인간의 생계비용이 감소하면 노동수요가 크게 증가할지라도 결국 임금은 하락할 것이다."(리카도, 『경제학과 과세의 원리』, 제3판, 런던, 1821년, 460쪽.)〕[34] 〔"**노동의 자연가격**은 노동자가 생존하고 증가나 감소 없이 종족을 영속화할 수 있기 위해서 필요한 가격이다. [35]자신과 자신의[36] 가족을 유지하는 노동자

G40

의 권능(Macht)은 그가 임금으로 받는 돈의 양이 아니라 이 돈으로 구매할 수 있는 식량, 필수품, [37]편의재의 양에 좌우된다. 따라서 노동의 자연가격은 … 식량, 필수품, 편의재의 가격에 좌우된다. 따라서[38] 식량과 필수품 가격의 상승과 함께 노동의 자연가격은 상승하고, 그것의 하락과 함께 하락한다.[39]"(리카도, 앞의 책, 86쪽))[40] 〔영국의 펙(곡물 척도)은 $\frac{1}{4}$부셸과 같다. 8부셸은 1쿼터가 된다. 표준 부셸의 부피는 $2218\frac{1}{5}$ 세제곱인치이고, 지름 $19\frac{1}{2}$인치, 높이 $8\frac{1}{4}$인치이다. 맬서스는 이렇게 말한다. "에드워드 3세 통치 이래 요컨대 500년간[41] 곡물가격과 임금의 개괄적인 비교에서 내려지는 결론은 이 나라에서 일일 노동의 소득이 밀 1펙보다 높은 경우보다 낮은 경우가 더 빈번하다는 것, 밀 1펙은 일종의 중점이라기보다 중간을 초과하며 이를 중심으로 노동의 곡물임금이 수요와 공급에 따라 변화하면서 오르내린다는 것이다."[42](맬서스, 『경제학 원리』, 제2판, 런던, 1836년, [240,] 254쪽)〕

수준 낮은 상품이 노동자의 주요 생활수단을 이루었던[43] 더 수준 높고 가치 있는[44] 상품을 대체한다면, 예를 들어 육류를 곡물인 밀이, 밀과 호밀[45]을 감자가 대체한다면 그의 욕구 수준이 낮아졌기 때문에 노동능력의 **가치** 수준은 당연히 하락한다. 반면에 우리의 연구에서는 생활수단의 양과 질, 요컨대 욕구의 범위[46]도 어떤 주어진 문화 단계에서는 결코 낮아지지 않는다고 가정한다. 수준 자체의 상승과 하락(특히 수준의 인위적인 인하)에 관한 연구는 일반적 상황에 관한 고찰에서 아무것도 변화시키지 않기 때문이다. [47]이를테면 스코틀랜드인 중에는 밀과 호밀 대신 귀리와 보리를 찧어 소금과 물로만 반죽해서 여러 달 동안, 이든이 『빈민의 상태』, 런던, 1797년, 제1권, 제2부, 제2장[48]에서 말하는 바와 같이 "매우 안락하게" 사는 가족들이 많다. [49]지난 세기말에 웃기는 박애주의자이자 작위를 받은 양키[50] 럼퍼드 백작은 낮은 평균을 인위적으로 창출하기 위해서 자신의 편협한 머리를 쥐어짰다. 『논집』은 노동자들에게 지금의 비싼 정상 요리에 대한 대용품을 주기 위해서 가장 값싼 종류의 온갖 사료를 이용한 조리법을 실은[51] 그럴듯한 요리책이다. 이 "철학자"[52]의 추천에 따르면 가장 싸게 조리할 수 있는 요리는 보리, 옥수수, 후추, 소금, 식초, 달콤한 야채, 청어 4마리를 물 8갤런에 넣어 끓인 스프이다. 이든은 앞서 인용한 저서에서 이 그럴듯한 사료를 노역소 소장들에게 강력 추천하고 있다. 보리 5파운드, 옥수수 5파운드, 청어 3펜스, 소금 1페니, 식초 1페니, 후추 2펜스, 야채 — 합계 $20\frac{3}{4}$ 펜스 — 로 64인분의 스프를 만들 수 있다. 곡물의 평균가격으로는 1인분당 $\frac{1}{4}$펜스[53]까지 비용을 감축할[54] 수 있다고 한다.

〔"자신의 팔과 근면 이외에 아무것도 갖지 않은 노동자는 자신의 노동을 타인에게 판매할 수 있는 경우에만 무엇인가를 갖게 된다. … 어떤 종류의 노동이든 노동자의 임금은 그의 생계 유지에 반드시 필요한 것으로 제한되어야 하고 실제로 그렇게 된다."(튀르고, 『부의 형성과 분배에 관한 고찰』(1766년 초판[55] 발행), 외젠 데르 엮음, 『저작집』, 제1권, 파리, 1844년, 10쪽)[56]〕|

/26/ [57]〔한편으로는 고급 생활수단을 값싸고 저급한 생활수단으로 대체하거나 또는 생활수단의 범위, 규모 일체를 축소함으로써 생활수단의 가치나 충족방식을 낮추기 때문에 [58]노동능력의 가치 수준을 낮추는 것도 가능하다. 그러나 다른 한편으로는 이 수준 — 평균치 — 에는 부녀자와 아동의 부양도 포함되므로 이들도 노동하도록 강제함으로써, 그리고 아동들이 계발되어야 하는 시기[에] 벌써 노동하도록 동원함으로써 이 수준을 낮추는 것도 가능하다. 노동의 가치 수준과 관련된 다른 모든 경우와 마찬가지로 이 경우도 우리는 고려하지 않을 것이다. 우리는 바로 자본의 가장 추악한 면들이 존재하지 않는다고 전제함으로써 자본에 공정한 기회를 줄 것이다.〕 〔마찬가지로 이 수준은 노동을 단순화함으로써 교육훈련의 시간이나 비용을 가능한 한 0으로 감축하면 낮아질 수 있다.〕

〔여기에서는 — 아동을 노동자로 조기에 착취하는 것과 관련하여 — 휘그당 앞잡이 매콜리의 다음과 같은 말을 인용할 수 있다.[59] 이는 역사기술 방식으로서 특징적이다(그리고 좋았던 과거 시대의 찬미자[60]는 아니지만 그들의 용맹을 [61]오로지[62] 뒤쪽으로만, 부채로 옮겨놓는 경제영역에서의 견해도). 공장에서의 아동노동[63]에 대해서는 유사한 것이 17세기에 있다는 것. 그렇지만 역사적 과정이나 기계 등에 관해 논하는 부분이 더 나음. 공장 보고서, [64]1856년을 보라.〕|

|24|**노동능력의 가치**규정은 [65]노동능력의 판매에 기초하는 자본관계[66]를 이해하는 데 당연히 매우 중요했다. 요컨대 무엇보다도 이 상품의 가치가 어떻게 규정되는지 확정되어야 했다. 그 까닭은 이 관계에서 본질적인 것은 노동능력이 상품으로 공급된다는 것이지만 상품으로서는 노동능력의 교환가치의 규정이 결정적이기 때문이다. 노동능력의 교환가치[67]는 그것의 유지와 재생산에 필요한 생활수단인 사용가치의 가치 또는 가격에 의해 규정되기 때문에 중농주의자들은 비록 가치 일체[68]의 본질에 대해서는 이해하지 못했지만 노동능력의 가치를 대체로 올바르게 파악할 수 있었다. 따라서 자본 일

G42

체에 대해서 최초의 합리적인 개념을 제시했던 그들에게서는 생활욕구의 평균에 의해서 규정되는 이 임금이 주역을 수행한다.

[69](베일리는 익명으로 출판한 『**가치의 성질, 척도, 원인에 관한 비판적 고찰**』(런던, 1825)에서 리카도의 가치론을 비판하면서 노동능력의 **가치**규정에 대해 이렇게 언급하고 있다.

"리카도 씨는 가치가 생산에 사용된 노동의 양으로 결정된다는 자신의 주장을 언뜻 보기에 방해할 위험이 있는 어려움을 실로 교묘하게 회피하고 있다. 이 원칙을 경직되게 고수하면 그 결론은 **노동의 가치가 그것을 생산하는 데 사용된** 노동의 양으로 결정된다는 것이다 — 이는 분명히 어리석은 주장이다. 그러므로 리카도 씨는 재빨리 전환하여 노동의 가치가 임금을 생산하는 데 필요한 노동의 양으로 결정된다고 주장하거나, 또는 그의 언어를 선의로 해석한다면, 그는 **노동의 가치**가 임금을 생산하는 데 필요한 노동의 양으로 **측정된다**고 주장한다. 그가 의미하는 바는 노동자에게 주어지는 화폐나 상품을 생산하는 데 필요한 노동의 양이다. 이는 옷의 가치가 그것을 생산하는 데 사용된 노동의 양이 아니라 옷과 교환된 은을 생산하는 데 사용된 노동의 양으로 측정된다고 말하는 것과 비슷하다."(50, 51쪽)[70]

이 논박에서 유일하게 옳은 점은 리카도가 자본가로 하여금 돈으로 노동능력의 처분이 아니라 **노동**을 직접 구매하도록 한다는 점이다. 노동 자체는 직접적으로는 상품이 아니며, 상품은 반드시 대상화된, 어떤 사용가치에 [71] 투입된 노동이다. 노동자가 판매하는 상품으로서 일정한 교환가치를 갖는 사용가치로서의 노동능력과 이 능력의 실제 사용에 지나지 않는 노동을 구별하지 않는 리카도는 베일리가 강조한 모순 — 살아 있는 노동은 그것을 생산하는 데 사용된 노동의 양으로 측정될 수 없다는 것 — 이외에도 [72]잉여가치가 어떻게 등장할 수 있는지, 자본가가 노동자에게 임금으로 주는 노동의 양과 그가 이 대상화된 노동의 양을 주고 구매하는 살아 있는[73] 노동의 양 사이의 불균등이 도대체 어떻게 등장할 수 있는지를 증명할 수 없다. 덧붙여 말하자면 베일리의 지적은 어리석다. 노동능력의 가격이 물질대사를 통해 노동능력에 들어가는 생활수단의 가격으로 구성되는 것과 마찬가지로 직물의 가격은 그것에 소비된 면사의 가격으로 구성된다. 그 밖에 생명체, 유기체의 경우 그것의 재생산은 그것에 직접 사용된 노동, 그것에 투입된 노동이 아니라 그것이 소비하는 — 그리고 이것이 그것을 재생산하는 방식이다 — 생활수단의 가격에 좌우된다는 것을 베일리는 동물의 가치규정에서

G43

도 볼 수 있었을 것이다. 그 비용에 그것이 소비하는 석탄, 윤활유, 기타 보조 재료(matières instrumentales)의 비용이 포함되는 기계의 경우에도. 노동이 단지 생명의 유지에 국한되는 것이 아니라 노동능력 자체를 직접 수정하고 특수한 숙련을 수행하도록 그것을 개발하는 특수한 노동이 필요하다면 이 노동도 마찬가지로 ─ 복잡노동에서처럼 ─ 노동의 가치에 들어가며, 여기에서 노동능력의 생산에 지출된 노동이 직접 노동자[74]의 안에서 동화되는 것이다. 그렇지 않으면 베일리의 재치는, 소비를 통해 생활수단을 전유하는 것은 노동이 아니라 차라리 향유이므로 유기체의 재생산에 사용된 노동은 유기체 자체에 직접 사용된 것이 아니라 유기체의 생활수단에 사용된다는 주장으로 귀결될 뿐이다.)|

[75]/25/ 생활욕구는 매일 갱신된다. 이를테면 노동자가 1년 동안 노동자로서 살 수 있고 노동능력으로서 자신을 유지하기 위해 필요한 생활욕구의 양과 이 양의 교환가치 ─ 즉 이 생활수단에 사용된, 대상화된, 포함된 노동시간의 양 ─ 를 가지고 전체 일수에 대해 평균을 계산하면, 노동자가 1년 내내 살기 위해 평균적으로 하루에 필요한 생활수단의 양과 이 생활수단의 가치는 그의 하루 노동능력의 가치를 나타내거나 또는 노동능력이 다음 날 살아 있는 노동능력으로 존속하고 재생산되기 위해서 하루에 요구되는 생활수단의 양[76]을 나타낸다. 생활수단의 소비는 빠를 수도 있고 느릴 수도 있다. 이를테면 [77]매일 식량으로 쓰이는 사용가치는 매일 소모될 수도 있다. 마찬가지로 난방, 비누(청결),[78] 조명에 쓰이는 사용가치도 그러하다. 반면 그 외에 의복이나 주택과 같은 필요생활수단은 매일 소비되고 사용되지만 더 느리게 소모된다. [79]일부 생활수단은 매일 새롭게 구매되고 매일 갱신(대체)되어야 한다. 이를테면 의복과 같은 것들은 더 오랫동안 사용가치로 계속 사용될 수 있고 이 기간이 종료되면서 비로소 소진되고 사용 불가능해지므로, 매일 사용되어야 하지만 더 오랜 시간을 두고 대체되거나 갱신되면 된다.

노동자가 노동자로서 살아가기 위해서 매일 소비해야 하는 생활수단의 총액을 A라고 하면 365일이면 365A[80]와 같다. 반면에 그가 필요로 하면서도 1년에 3번[81]만 갱신하고 새로 구매하면 되는 다른 모든 생활수단의 총액을 B라고 하면 1년간 그가 필요로 하는 것은 3B이다. 합하면 그는 1년에 365A＋3B가 필요할 것이다. 그리고 하루에는 $\frac{365A+3B}{365}$. 이것이 그가 매일 필요로 하는 생활수단의 평균 총액이고, 이 총액의 가치가 그의 노동능력의 일일 가치, 즉 노동능력을 유지하는 데 필요한 생활수단을 구매하기 위해

G44

서 — 매일매일에 대한 평균으로 — 매일 필요한 가치이다.

(1년을 365일로 계산하면 일요일이 52일이고 평일은 313일이다. 요컨대 평일은 평균 310일로 계산할 수 있다.) $\frac{365A+3B}{365}$ 의 가치가 1탈러와 같다면 그의 노동능력의 일일 가치는 1탈러와 같다. 그가 1년에 걸쳐서 매일 살아갈 수 있으려면 매일 그만큼을 벌어야 한다. [82]일부 상품의 사용가치가 매일 갱신되지 않는다고 해서 달라질 것은 없다. 요컨대 생활욕구의 연간 총액은 주어져 있다.[83] 그리고 [84]이 총액의 가치 또는 가격을 택하면 된다. 이것의 일일 평균을 택하거나 이것을 365로 나누면 노동자의 평균 생활욕구의 가치 또는 그의 노동능력의 평균 일일 가치를 구하게 된다. (365A+3B의 가격＝365탈러이므로 일일 생활욕구는 $\frac{365A+3B}{365} = \frac{365}{365} = 1$탈러.)

화폐와[1] 노동능력의 교환

노동능력은 그 특유한 성격, 따라서 특유한 상품임에도 불구하고 —— 화폐도 상품 일체였지만 특유한 상품이었던 것과 마찬가지로(어떤 임의의 배타적 상품에 모든 상품이 관계함으로써 화폐에만 그러한 특유성을 만들어낸다. 여기에서는 상품의 사용가치의 본성에 의해서) —— 다른 모든 상품과 마찬가지로 1) **하나의 사용가치**, 특정한 대상[2]으로서 그것의 사용은 특수한[3] 욕구를 충족한다. 2) **교환가치**를 가진다. 즉 대상으로서, 사용가치로서 그것에는 특정한 양의 노동이 투입되고 대상화되었다. 노동시간 일체의 대상화로서 그것은 가치이다. 그것의 가치크기는 그것에 투입된 노동의 양에 의해 결정된다. 화폐로 표현된 이 가치가 노동능력의[4] 가격이다. 여기에서 우리는 ||26| 모든 상품이 가치대로 판매된다는 전제에서 출발하므로 가격 일체가 가치와 구별되는 것은 단지 그것이 화폐의 재료로 평가되거나 측정되거나 표현된 가치라는 점뿐이다. 따라서 상품이 가격대로 판매된다면 그것은 가치대로 판매되는 것이다. 마찬가지로 여기에서 노동능력의 가격은 화폐로 표현된 가치일 뿐이다. 따라서 [5]하루 또는 일주일 동안 노동능력을 유지하기 위해서 필요한 생활수단 가격이 지불되면 노동능력의 하루 또는 일주일분의 가치가 지불된다. 그러나 이 가격이나 가치는 노동능력이 매일 완전히 소비하는[6] 생활수단에 의해서만이 아니라 [7]마찬가지로 이를테면 의복처럼 매일 사용하기는[8] 하되 매일 소모되어 매일 갱신해야 하는 것은 아니고, 따라서 일정한 시간 간격을 두고 갱신하거나 대체하면 되는 생활수단에 의해서도 결정된다. 의복과 관련된 모든 대상이 1년 이내에 한 차례만[9] 마모될지라도[10] (이를테면 음식에 필요한 식기[11]는 의복처럼[12] 빨리 마모되지는 않으므로 의복처럼 빨리 대체될 필요가 없고 가구, 침대, 탁자, 의자 등[13]은 더욱 그러하다.) [14]여전히 1년 내내 이 의복의 가치는 노동능력을 유지하기 위해서 소비되었을 것이고 1년이 지나면 보충될 수 있어야 한다. 따라서 그가 1년이 경과한 다음[15] 마모된[16] 옷을 새로운 옷으로 대체하기 위해서는 [17]일일 소비를 위한 일일 지출을 공제하고 나서도 충분히 남아 있을 정도의 가치를, 즉 옷의 이러저러한 부분을 매일 대체하는 것은 아니지만 옷의 가치의 일할분[18]을 보충할 수 있는 크기를 매일 평균적으로[19] 받아야 할 것이다. 요컨대 자본관계에 전제된 바와 같이 노동능력의 유지가 지속적으로 이루어지려면 매일 소모되고 다음 날 갱신되고 대체되어야 하는 생활수단의 가격에 의해서만 결정되는 것

이 아니라, 더 오랜 시간에 걸쳐 대체되어야 하지만 매일 사용되어야 하는 생활수단 가격의 일일 평균[20]이 여기에 추가된다. 이 결과로 지불에서 차이가 생겨난다. 이를테면 옷과 같은 사용가치는 통째로 구매되고 전체로서 소모된다. 그것은 매일 노동가격의 $\frac{1}{x}$이 유보되면서 지불된다.[21]

노동능력은 노동자의 살아 있는 신체에 포함된 능력, 재능, 증식력으로서만 존재하므로 그것의 유지는 다름 아니라 노동자 자신이 그의 노동능력[22]을 발휘하는 데 필요한 정도의 힘, 건강, 생명력 일체를 가지고 유지되는 것이다.[23]

|27| 따라서 다음 사실은 확실히 해두어야 한다. 노동자가 시장의 유통영역에서 공급하는,[24] 그가 판매해야 하는 상품은 그 **자신의 노동능력**이고, 이것은 다른 모든 상품과 마찬가지로 그것이 사용가치인 한 하나의 대상적 실존 — 여기에서는 단지 개인 자신의 살아 있는 신체(손은 물론 두뇌도 신체의 일부임을 언급할 필요는 없을 것이다)에 재능, 증식력으로서[25] 존재할 뿐이지만 — 을 [26]갖는다. 그러나 노동능력의 사용가치로서의 기능,[27] 이 상품의 소비, 사용가치로서의 사용은 노동 자체이다. 이는 밀이 [28]영양과정에서 소비되어 영양소로 작용하면 비로소 실제로 사용가치로서 기능하는 것과 똑같다. 이 상품의 사용가치는 다른 모든 상품과 마찬가지로 소비과정에서 비로소, 판매자의 수중에서 구매자의 수중으로 넘어간 다음에 비로소 실현된다. 그러나 그것은 구매자를 위한 동기가 된다는 것 말고는 판매과정 그 자체와는 아무 상관도 없다.[29] 나아가 노동능력으로서 소비되기 이전부터 존재하는 이 사용가치는 **교환가치**를 갖는데, 이는 다른 모든 상품과 마찬가지로[30] 그것에 포함된, 따라서 그것을 재생산하는 데 필요한 노동의 양과 같고 앞서 본 바와 같이 노동자[31]를 유지하기 위해 필요한 생활수단을 산출하는 데 필요한 노동시간으로 정확하게 측정된다. 이를테면 금속을 위한 척도가 중량인 것과 마찬가지로 인생 자체의 척도는 시간이므로 노동자를 평균적으로 하루 유지하기 위해서 필요한 노동시간이 그의 노동능력의 일일 가치이며, 이에 따라 노동능력은 날마다 재생산되거나 — 여기에서는 같은 말이지만 — 같은 조건에서 계속 유지된다. 여기에서 조건이라는 것은 앞서 말한 바와 같이 단순한 자연적 욕구에 의해서가 아니라 일정한 문화 상태에서 역사적으로[32] 변경되는 자연적 욕구로 해석되는[33] 것이다. 노동능력의 이 **가치**가 화폐로 표현되면 그것이 **가격**이다. 가격과 관련하여 우리는 등가물의 교환, 또는 가치대로의 상품 판매를 전제하므로 이 가격은 지불된다고 전제한

다. 이 노동가격이 **임금**(*Arbeitslohn*)이다. 노동능력의 가치에 상응하는 임금은 노동능력의 평균가격이고, 우리가 앞서 서술한 바와 같이, **임금 또는 급료**(*Salair*)**의 최저치**라고도 불리는 **평균임금**이다. 그러나 이때 최저라 함은 육체적 필요의 극단적 한계가 아니라 이를테면 한 해의 일일 평균임금으로 이해해야 하고, 노동능력의 가치를 웃돌기도 하고 밑돌기도 하는 노동능력의 가격은 여기에서 균형을 이룬다.

노동능력의 실제[34] 사용가치가 그것이 소비된 다음에 비로소 실제로 한 사람에게서 다른 사람에게로, 판매자의 수중에서 구매자의 수중으로 넘어간다는 것은 노동능력이라는 이 특수한 상품[35]의 본성에 기인하는 것이다. 노동능력의 실제 사용은 노동이다. 그러나 그것은 [36]노동이 수행되기 전의 능력(*Vermögen*)으로서, 단순한 가능성,[37] 단순한 힘(*Kraft*)으로서 판매되고 이 힘의 현실적[38] 발현은 구매자에게 이 힘이 양도된 다음에 비로소 생겨난다. 요컨대 여기에서는 사용가치의 형식적 양도와 실질적 위임이 시간적으로 떨어져 있으므로 이 교환에서 구매자의 화폐는 대부분 **지불수단**으로서 기능한다. 노동능력은 매일, 매주 등으로 지불받는다. 그러나 [39]이 지불은 그것이 구매되는 순간이 아니라 그것이 실제로 매일, 매주 등으로 소비된 다음에 이루어진다. 자본관계가 발전된 모든 나라에서 노동능력은 그것이 기능한 다음에 비로소 노동자에게 지불된다. 이 점에서는 어디에서나 노동자가 자본가에게 매일이나 매주 — 그러나 이는 *그가 판매하는* — 외상으로 판매하는 — 상품의 특수한 본성과 관련이 있다 — 그가 판매한 상품의 사용을 위임하고 상품을 소비한 다음에 비로소 그 교환가치 또는 가격을 받는다고 말할 수 있다. 〔공황이 발생할 때와 산발적인[40] 파산이 일어났을 때조차 노동자가 지불받지 못하므로 노동자의 이러한 외상 판매는 단순한 상투어가 아니라는 사실이 드러난다.〕 그렇지만 이것도 일단 교환과정에는 아무런 영향도 미치지 않는다. 가격은 계약에 따라 정해진다 — 요컨대 노동능력의 가치는 나중에 비로소 실현되고 지불될지라도 화폐로 평가된다. 따라서 가격규정은 노동능력의 가치와 관련되지 노동능력을 소비한 결과, 실제로 사용한 결과 노동능력의 구매자에게 발생하는 생산물의 가치와 관련되지 않고 또한 [41]노동 — 그 자체는 상품이 아니다 — 의 가치와도 관련되지 않는다.|

|28| 이제 우리는 자신의 화폐를 자본으로 전화시키고자 하고 따라서 노동능력을 구매하는 화폐보유자가 노동자에게 지불하는 것이 무엇인지 알고

G47

있다. 그리고 [42]화폐보유자가 노동자에게 지불하는 것은, 노동자의 노동능력의, 이를테면 일일 **가치**, 노동능력의 일일 가치에 상응하는 가격이나 일일 임금[43]이고, 그는 [44]노동능력을 매일 유지하기 위해 필요한 생활수단의 가치와 동일한 화폐액을 노동자에게 지불하는 것이다. 이 생활수단을 생산하기 위해, [45]즉 노동능력을 매일 재생산하기 위해 필요한 노동시간과 꼭 같은 만큼의 노동시간을 표현하는 이 화폐액. 우리는 구매자 자신이 무엇을 받는지는 아직 모른다. 판매 후에 이루어지는 작업이 특유한 성격을 지니며, 따라서 특수하게 고찰되어야 한다는 사실은 이 상품, 노동능력의 특유한 본성은 물론 구매자가 이 상품을 구매하는 특유한 목적 — 즉 그가 자기증식하는 가치의 대리인임을 입증하려는 — 과도 관련된다. 여기에 덧붙여지는 사실 — 그리고 이것이 본질적인 것인데 — 은 이 상품의 특수한[46] 사용가치와 그것의 사용가치로서의 실현은 경제적 관계, 경제적 형태규정성 자체와 관련되며, 따라서 우리의 고찰 범위에 포함된다는 것이다. 그 밖에 여기에서 사용가치는 원래 무관한 것으로, 어떤 임의의 소재적 전제로 나타난다는 점을 환기[하고자] 한다. 개별 상품의 실질적[47] 사용가치 — 따라서 상품의 특수성 일체 — 는 상품 분석에서 전혀 무관하다. 여기에서 중요한 것은 오직 사용가치와 교환가치의 일반적 차이뿐이며, 이 차이에서 화폐가 발전한다 등등(위의 설명[48]을 보라).[49]

노동과정[1]

화폐보유자는 노동능력의 사용가치를 구매한 다음 — 노동능력과 교환한 다음 (지불이 나중에 이루어질지라도 쌍방이 합의하면 구매는 완료된다) 이제 그것을 사용가치로서 사용, 소비한다. 그러나 노동능력의 실현, 그것의 실제 사용은 살아 있는 노동 자체이다. 요컨대 노동자가 판매하는 이 특유한 상품의 **소비과정**은[2] **노동과정**과 일치하거나 또는 차라리 **노동과정** 자체이다. 노동은 노동자 자신의 활동, 그 자신의 노동능력의 실현이므로 그는 노동하는 인간으로서, 노동자로서 이 과정에 들어가지만, 구매자[3]에게 [4]이 과정에 있는 노동자는 활동하는 노동능력으로서의 현존일 뿐이다. 따라서 노동하는 것은 인간이 아니라 노동자에 체화된 활동적 노동능력이다.[5] 영국에서 노동자가 그의 노동능력을 활동시키는 주요 기관(器官)인 **손**(*hands*)이라 불리는 것은 특징적이다.

실제 노동은 사용가치를 산출하기 위한, 자연소재를 특정한 욕구에 상응하는 방식으로 전유하기 위한 합목적적 활동이다. 이때 이 활동에서 사용되는 것이 근육이 더 많은지 신경이 더 많은지는 자연소재가 이미 다소 순화되었는지 여부와 마찬가지로 아무 상관이 없다.

각각의 실제 노동은 **특수**노동이고, 다른 영역들과 구별되는 특수한 노동영역을 수행하는 것이다. 상품이 특수한 사용가치 때문에 다른 상품과 구별되듯이 각각의 상품에 체화된 노동은 특수한 종류의 활동이다. 화폐의 자본으로의 전화 또는 자본형성은 발전된 상품유통을 전제로 하므로[6] 발전된 분업을 전제로 한다. 여기에서 분업은 유통되는 상품의 다양성에서 드러나는 (나타나는)[7] 방식으로[8] — 요컨대 사회적 노동 전체, 총체의 다양한 [9]노동방식들로의 분할로, 특수한 노동방식들의 총체로 이해된다. 요컨대 노동자가 수행하는 노동은 노동자의 노동능력 자체가 하나의 특수한 노동능력인 것과 마찬가지로 하나의 특수한 노동영역에 배타적으로 속한다.[10] 상품을 분석[11]할 때 상품의 특정한 소재나 사용가치가 상관없듯이 노동의 특정한 내용이나 목적, 따라서 특정한 노동방식[12]은 여기에서 우리와 무관하다. [13]당연히 구매자는 언제나 특수한 노동종류만을 살 수 있지만 노동자가 어떤 특수한 노동영역에서 노동하는가는 상관없다. 이때 우리가 견지해야 하는 유일한 사항은 노동이 실제과정으로서 나타날 때 갖는 노동의 규정성이다. 노동의 특수한 내용에 대한 이러한 무관함은 우리가 수행하는 추상일 뿐 아

니라 자본이 수행하고, 본질적으로 자본의 특성에 ||29| 속하는[14] 추상이라는 사실은 아래에서 밝혀질 것이다. 〔상품의 **사용가치** 자체에 관한 고찰이 **상품학**에 속하듯이 실제의 노동과정에 관한 고찰은 **기술학**(*Technologie*)에 속한다.〕[15]

우리가 노동과정에서 관심을 갖는 것은 그것이 분할되고 [16]노동과정으로서의 그것에 해당되는[17] 전적으로[18] 일반적인 계기들뿐이다. 이들 일반적인 계기는 노동 자체의 본성으로부터 밝혀야 한다. 노동자가 자신의 노동능력에 대한 처분권을 판매하기 전에는, 노동능력이 자기 활동의 **대상적 조건**과 분리되어 있었기 때문에 노동능력을 노동으로 활동시킬 수, 실현할 수 없었다. 실제 노동과정에서는 이 분리가 지양된다. [19]이제는 노동능력이 작용하는데, 자신의 대상적 조건들을 자연스럽게 전유하기 때문이다. 노동능력이 [20]활동하는 것은 자신을 실현할 수 있게 해주는 대상적 요소들과 접촉하고, 그것들과 함께 과정에 들어가고, 그것들과 연결되기[21] 때문이다. 이들 요소는 아주 일반적으로 **노동수단**이라 부를 수 있다. 그러나 노동수단 자체는 다음 두 가지로, 즉 우리가 **노동재료**라 부르고자 하는, 가공되는 대상과 본래의 **노동수단**, 즉 인간의 노동, 활동이 자신과 노동재료 사이에 밀어 넣고 그래서 인간 활동의 안내자로 기여하는[22] 대상(이 대상이 반드시 도구일 필요는 없고, 이를테면 화학적 과정일 수도 있다)으로 반드시 나누어진다. 자세히 분석해보면 모든 노동에서 [23]노동재료와 노동수단[24]이 [25]사용된다는 사실이 언제나 발견될 것이다. [26]물에서 잡히는 생선이나 [27]원시림에서 베어내는 목재나 갱도에서 캐 올리는 광석처럼 노동재료, 즉 특수한 욕구를 위해서 노동에 의해 전유되어야 하는 대상은 인간노동을 추가하지 않아도[28] 자연에서 주어지는 것으로 발견되므로 그 자체가 과거 [29]인간노동의 산물인 것은 노동수단뿐이다. 이 모든 것은 채취산업이라 불릴 수 있는 것의 특징이며, 농업에 대해서는 처녀지가 개간되는 경우에 한해서 적용된다. 다만 농업에서는 종자가 노동수단이자 노동재료이고 또 모든 유기체, 예를 들면 축산에서 동물도 그 두 가지에 해당된다. 반면에 노동도구가 [30]아무런 매개 없이 자연에서 주어지는 것으로 발견되는 것은 가장 조야한 경제발전 단계에서만, 즉 자본 관계의 형성은 생각할 수도 없는 상태에서만 가능하다. 인간 노동능력의 발전이 특히 **노동수단** 또는 **생산도구**의 발전에서 드러난다는 것은 자명하며, 당연한 결과이다. 말하자면 이것은 인간이 자신의 노동 목적을 위해서 이미 정돈되고 조정되며 전도체(Leiter)로서 자신의 의지에 종속된 자연을 중간에

G50

삽입함으로써 자신의 직접적인 노동이 자연성에 미치는 영향을[31] 어느 정도 높였는지를 보여준다.

노동재료와 구별되는 **노동수단**[32]에는 가장 단순한 도구나 용기[33]에서부터 가장 발달한 기계류 체계에 이르는 **생산도구들**뿐 아니라 노동과정 일체가 진행될 수 있게 해주는 **대상적 조건들**, 이를테면 노동이 행해지는 집 또는 씨가 뿌려지는 경지[34] 등도 포함된다. 이것들은 노동과정에 직접 들어가지는 않지만 이것들이 없으면 노동과정이 진행될 수 없는 조건들, 요컨대 필요노동수단을 이룬다. 이것들은 전체 과정의 진행[35]의 조건들로서 나타나며 [36]전체 과정의 진행 안에 포함된 요소들로서는 나타나지 않는다.++ 여기에서 더 세부적으로 논하는 것은 의미가 없다.

노동재료[38]는 원료 생산을 제외하면 언제나 이미 이전의[39] 노동과정을 스스로 통과해 있을 것이다. 어떤 노동영역에서는 노동재료로, 따라서 원료로 나타나는 것이 다른 노동영역에서는 결과로 나타난다. 이를테면 식물이나 동물처럼 자연 산물로 간주되는 것조차 대다수는 지금 인간에 의해 이용되고 다시 생산되는 형태에서는 수많은 세대에 걸쳐 인간의 통제[40]하에서 인간 노동을 매개로 해서 진행된, 그것들의 형태와 실체를 변화시킨 변환의 결과[41]이다. 마찬가지로 이미 언급한 바와 같이 어떤 노동과정에서의 노동수단이 다른 노동과정에서는 노동의 결과이다.|

|30| 따라서 노동능력을 소비하려면 화폐보유자가 노동능력을 구매하는 것〔그것에 대한 한시적[42] 처분〕만으로는 부족하며 그는, 규모가 크든 작든, 노동수단도 즉 노동재료와 노동수단도 구매해야 한다. 이에 대해서는 후술하기로 한다. 여기에서는 다만 노동능력을 구매한 화폐보유자는 노동능력의 소비로, 즉 실제 **노동과정**으로 나아갈[43] 수 있으려면 자신의 화폐의 다른 부분을 가지고 유통 내에서 상품으로서 순환하고 있는 대상적 노동조건들을 구매해야 한다는 것, 노동능력은 이 조건들과 결합되어야 비로소 실제 노동과정으로 넘어갈 수 있다는 것을 언급하고자 한다.

화폐보유자는 상품도 구매하지만 이 상품은 살아 있는 노동에 의해서 그 사용가치가 소비되고, 노동과정의 요소들로 소비되어야 하는 것으로, 그 일

++ **노동수단**에는 노동수단 자체를 사용하기 위해서 소비되는 물질, 예를 들면 윤활유, 석탄 등이나 노동재료에 일정한 변형을 일으키기 위한 화학물질, 이를테면 표백용 염소 등도 포함된다.[37]

부는 노동재료이고, 그리하여 더 높은 사용가치의 요소여야 하는 사용가치이고, 다른 일부는 [44]노동이 노동재료에 작용하도록 전도체로서 기여하는 노동수단이다. 상품 ── 여기에서는 우선 상품의 사용가치 ── 을 그렇게 노동과정에서 소비한다는 것은 그것을 **생산적으로 소비한다는 것**, 즉 노동이 더 높은[45] 사용가치를 창출하게 하는 수단이나 대상으로서만 소비한다는 것이다. 그것은 상품(사용가치)의 산업적 소비이다. 여기까지는 자신의 화폐를 노동능력과 교환함으로써 자본으로 전화시키는 화폐보유자에 관한 것.

실제[46] 노동과정 자체 내에서 상품들은 교환가치가 아니라 사용가치로서 주어져 있다. 그 까닭은 이것들은 살아 있는 실제 노동에 대하여 그것의 조건들로서만, 그것의 실현수단으로서만, 노동의 본성 자체에 의해서 결정된, 노동이 일정한 사용가치로 실현되기 위해서 필요로 하는 요소로서만 마주서기 때문이다. 이를테면 아마포를 짜는 아마포 직공은 그의 노동재료인 아마실에 대하여 직조라는 이 특정 활동의 재료로서, 아마 제품을 생산하기[47] 위한 요소로서 관계할 뿐이지만, 그 관계는 그것이 교환가치를 지니는 한에서의,[48] 과거 노동의 결과인 한에서[49] 아마실[50]과의 관계가 아니라 그 속성들을 이용해서 그가 그것을 변형하는, 주어진 사물[51]로서 아마실과의 관계이다. 직기도 마찬가지로 여기에서는 상품으로서는, 교환가치의 담지자로서는 아무 상관도 없으며 아마포를 짜기 위한 노동수단으로서만 관계된다. 그러한 것으로서만 직기는 노동과정에서 사용되고 소비된다. 노동재료와 노동수단이 비록 스스로 상품이고, 따라서[52] 교환가치를 갖는 사용가치일지라도 실제 노동에 대해서는 그 과정의 계기로서, 과정의 요소들로서 마주 설 뿐이라면 그것들 스스로 이 과정에서 실제 노동에 대하여 자본으로서 마주서지 않는다는 것은 자명하다. 실제[53] 노동은 도구를 자신의 수단으로 전유하고[54] 재료를 자기 활동의 재료로서 전유한다. 실제 노동은 이들 대상을 영혼이 있는 육체로서, 노동 자체의 기관(器官)으로서 전유하는 과정이다. 여기에서 재료는 노동의 무기적 자연으로, 노동수단[55]은[56] 전유하는 활동 자체의 기관으로 나타난다.

여기에서 말하는 "더 높은" 사용가치란 도덕적인 것이 아니며 욕구체계에서 새로운 사용가치가 반드시[57] 더 높은 지위를 차지한다는 것도 아니다. 화주(火酒)로 제조되는 곡물은 화주보다 낮은 사용가치이다. 어떤 사용가치든 새로운 사용가치를 형성하기 위한 요소로 전제되어 있으면 그것은 새로운 사용가치의 기본적 전제를 이루기 때문에 이 새로운 사용가치에 비해 더

G51

82

낮은 사용가치이다. 사용가치를 새롭게[58] 구성하는 요소들을 노동과정이 많이 경과할수록, 요컨대 그것의 현존이 매개적일수록 사용가치는 더 높다.

요컨대 노동과정은 노동자 측에서 볼 때 특정한 합목적적 활동이 수행되는 과정이고, 그의 노동능력, 그의 정신력과 체력의 실행일 뿐 아니라 이것 들의 지출이자 소모인 운동 — 이를 통해 노동자는 노동재료에 새로운 형체를 부여하고, 그렇게 해서[59] 이 운동은 노동재료 속에서 물질화된다 — 이다. 이러한 형태변화는 화학적일 수도 역학적일 수도 있고, 생리적 과정 자체의 통제에 의해서 이루어질 수도 있으며, 단순히 대상의 공간 이동(그것의 장소적 현존의 변화), 또는 대상을[60] 그것과 지구와의 연관으로부터 분리하는 것일 수도 있다. 이렇게 해서 노동이 노동대상[61]에서 물질화되는 사이에, 노동은 노동대상에 형태를 부여하고 노동수단[62]을 자신의 기관으로서 사용[63]하고 소비한다.[64] 노동이 활동의 형태에서 존재의 형태로, 대상의 형태로 넘어간다. 대상을 변화시키는 것으로서 노동은 자신의 형체를 변화시킨다. 형태를 부여하는 이 활동은 대상과 자신을 소모한다. 이 활동은 대상에 형태를 부여하면서 물질화된다. 그것은 활동이라는 주체적 형태에서 스스로 소모되며 대상의 대상성을 소모한다. 즉 노동의 목적에 대한 대상의 무관성을 지양한다. 마지막으로 노동은 노동수단을 소비하는데, 노동수단은 노동의 실제 전도체가 됨으로써, 그러나 휴식하는 ‖31‖ 형태에서도 마찬가지로 들어가는 역학적, 화학적 과정에 의해 소모됨으로써, 과정 동안에 마찬가지로 단순한 가능성에서 현실성으로 전환된다. 노동이 주체가 되고 노동이 작용을 가하는 노동재료와 노동이 작용할 때 이용하는 노동수단을 요소들로 하는[65] 이 과정의 세 계기는 모두 한 가지 중립적인 결과에서 합치된다 — **생산물**. 생산물에서 노동은 노동수단을 매개로 하여 노동재료와 결합되었다. 노동과정이 종료된 생산물, 중립적 결과는 새로운 **사용가치**이다. 사용가치 일체는 노동과정의 생산물로 나타난다. 이 사용가치 자체가 이제는 생활수단[66]으로서 개인의 소비에 기여할 수 있는 최종 형태에 도달했을 수 있다. 이 형태에서 사용가치는 다시[67] 새로운 노동과정[68]의 요소가 될 수도 있다. 이를테면 곡물이[69] 인간이 아니라 말에 의해, 말을 생산하기 위해서 소비될 수 있듯이. 또는 생산물이 더 높고 복잡한[70] 사용가치를 위한 요소로서 기여할 수 있다.[71] 또는 사용가치는 자체로서 새로운 노동과정에서 기여해야 하는 완성된 노동수단이다. 또는 마지막으로 사용가치는 자신이 생산물로서 벗어난[72] 노동과정과는 구별되는 다른[73] 노동과정들에,[74] 이 과정의 길이가 길든

짧든, 노동재료로 다시 들어가[75] 일련의 소재적 변화를 거쳐야 하는 미완의 생산물, 반제품이다. 그러나 반제품이 생산물로 나오는 노동과정과 관련해서 반제품은 완성된 [76]최종 결과로서, 하나의 새로운 사용가치로서 나타나며, 이것의 생산이 노동과정의 내용이자 노동활동 ― 노동능력의 소비를 이루었던 노동능력의 지출 ― 의 내재적[77] 목적이었다.

요컨대 노동과정에서는 더 높은 [78]즉 더 매개된 사용가치를 갖는 새로운 생산물들을 생산하기 위해서 이전 노동과정의 생산물들이 활용되고 노동에 의해 소비된다. 노동의 대상적 요소들이 노동을 실현하기 위한 대상적 조건들로서만 나타나는 특정한 노동과정 자체의 제약[79] 내에서는 스스로가 이미 생산물이라는 이 사용가치 규정은 전혀 상관없다. 그러나 이 규정에서는 상이한 사회적 노동방식들의 소재적[80] 상호 의존성, 그리고 사회적 노동방식들의 총체를 위한 사회적 노동방식들의 상호 보완이 드러난다.

과거 노동을 소재적 측면에서 관찰하는 한에서, 즉 노동과정에서 노동수단이나 노동재료로 기여하는 사용가치[81]에 대해서[82] 이 사용가치 스스로 이미 자연소재[83]와 노동의 결합이라는 정황[84]이 견지되는 한에서, 사용가치에 대상화된 과거의 구체적[85] 노동은 [86]새로운 노동을 실현하기 위한,[87] 또는 같은 말이지만, 새로운 사용가치를 형성하기 위한 수단으로 기여한다. 그러나 이것이 실제 노동과정에서는 어떤 의미에서 그렇게 말할 수 있는지를 확실히 해두어야 한다. 예를 들면 **방직에서 직기와 면사는**[88] **방직의 재료와 수단으로서 그것들이 이 과정을 위해서 보유한 속성에서만, 그것들이 이 특수한 노동과정을 위해서 보유한 물적 속성을 통해서만 기여한다.** 면화, 목재, 철이 한편은 실로서, 다른 한편은 직기로서 노동과정에서 이 역할을 수행하는 [89]형태를 획득했다는 점, 이전 노동을 매개로 해서 이 특정한 사용가치화를 ― 밀이 영양 섭취과정에서 수행하는 특정한 역할, 사용가치화를 수행하는 정황과 전적으로 같다 ― 획득했다는 점, 스스로 이미 노동과 자연소재의 결합을 나타낸다는 점은 [90]그것들이 특정한 방식으로 사용가치로서 기여하고 특수한 용도를 획득하기 때문에 그 자체로서는 이 특정한 노동과정과는 무관한 정황이다. 그렇지만 면화, 철, 목재가 실과 직기로서 보유하고 있는 형체를, 그리하여 특수하고 [91]유용한 속성들을 이전의 과거 노동을 통해서 획득하지 않았더라면 이 노동과정은 일어날 수 없을 것이다. 요컨대 순전히 소재적으로만, 실제 노동과정 자체의 관점에서만 고찰한다면 과거의 특정한 노동과정[92]이 새로운 노동과정의 탄생을 위한 전 단계이자 조건으

G53

로 나타난다. 그러나 다음에는 이 새로운 노동과정 자체가 특정한[93] 사용가치를 생산하기 위한 조건으로서만, 즉 그 자체 사용가치의 관점에서 고찰된다.[94] 사용가치의 소비 일체에서는 사용가치에 포함된 노동은 아무 상관이 없고 사용가치는 사용가치로서만 작용한다. 다시 말해 소비과정에서 자신의 속성에 따라 일정한 욕구를 충족하고, 따라서 그것이 이러한 대상으로서 보유한 그것의 속성들만이, 그리고 그것이 이러한 대상으로서 수행하는 역할만이 관심을 끄는 것과 마찬가지로 그 자체가 사용가치의 특정한, 특수한 소비과정, 사용가치의 특수한, 특유한 종류의 활용에 지나지 않는 노동과정에서도 관심을 끄는 것은 이들 생산물의 과거 노동의 질료로서의 현존이 아니라, 과거 노동의 생산물이 이 과정을 위해서 지니는 속성들뿐이다. 어떤 자연소재가 이전 노동을 통해서 획득한 속성들이 이제는 그 자신의 물적 속성들이며, 자연소재는 이들 속성을 가지고 작용하거나 기여한다. 이들 속성이 이전 노동에 의해 매개되었다는 것, 이 매개 자체가 생산물에서는 지양되고 소멸되었다. |

|32| 노동의 특수한 방식, 추동 목적, 활동으로 나타났던 것이 이제 결과에서는, 노동에 의해서[95] 생산물에 초래된 대상의 변화에서는 생산물이 사용되기 위해서,[96] 욕구 충족을 위해서 보유하는 새로운 특정한 속성들을 가진 대상으로서 나타난다.[97] 노동재료와 노동수단이 이전 노동의 생산물들이라는 사실을 우리가 노동과정 자체에서 기억한다면 그것은 가령 잘게 자르지 못하는 톱이나 베지 못하는 칼 등과 같이 노동재료 및 수단이 필요한 속성이 개발되지 않은 한에서만 그러하다. 이는 현재의 노동과정을 위한 요소를 공급했던 노동의 불완전성을 우리에게 상기시킨다. 이전 노동과정의 생산물이 새로운 노동과정에 요소들로서, 재료나 수단으로서 들어가는 한, 우리가 관심을 갖는 것은 노동생산물이 보유한다고 내세우는 합목적적 속성들을 실제로 보유하고 있는지, 노동이 좋았는지 아니면 나빴는지 하는 과거 노동의 질뿐이다. 여기에서 우리가 관심을 갖는 것은 노동의 소재적 영향과 실제이다. 그 밖에 노동수단과 노동재료가 — 실제 노동과정에서 그러한 사용가치로서 기여하고 합목적적인 속성들을 갖는 한에서 — 그것들이 이전 노동의 생산물이라는 사실은 전혀 중요하지 않다. (그러나 그것들이 사용가치로서의 속성을 더 높은 정도로 보유할지 낮은 정도로 보유할지, 목적에 더 완전하게 기여할지 불완전하게 기여할지는 그것들을 생산물로 만들어낸 과거 노동에 달려 있다.)[98] 완성된 상태로 하늘에서 떨어질지라도 그것들은 같은 역할을 수

행할 것이다. 그것들이 생산물로서, 즉 과거 노동의 결과로서 우리의 관심을 끄는 한에서 그것은 [99]**특수**노동의 결과들로서만 그러하고, 이 특수노동의 질이 그것들의 사용가치로서의 질, 그것들이 실제로 이 특수한 소비과정을 위해서 사용가치[로서] 기여하는 정도를 좌우한다. 이와 마찬가지로 어떤 주어진 노동과정에서 노동이 관심을 끄는 것은 노동이 이 특정한 합목적적 활동으로서 작용하는 한에서, 이 특정한 소재적 내용을 갖는 한에서이고, 또한 [100]생산물의 좋고 나쁨의 정도, 생산물이 노동과정에서 획득해야 하는 사용가치를 실제로 지니는, 획득하는 정도가 노동 품질의 [101]좋고 나쁨, 완전성의 크고 작음, 목적에 부응하는 특징 여하에 좌우되는 한에서이다.

G55

다른 한편으로, 사용가치로서 새로운 노동과정에 들어가도록[102] 규정된 생산물, 요컨대 노동수단이거나 미완의 생산물들, 즉 실제 사용가치가 되기 위해서 ― 개인적 소비나 생산적 소비에 기여하기[103] 위해서 ― 추가로[104] 가공이 필요한 생산물들, 요컨대 추후의 노동과정을 위한 노동수단이나 노동재료가 되는 이 생산물들은, 살아 있는 노동 ― 이것이 그것들의 죽은 대상성을 지양하고, 그것들을 소비하고, 그것들을 가능성으로서 존재할 뿐인 사용가치로부터 실제적이고 작용하고 있는 사용가치로 전화시키는 것이다 ― 과 접촉함으로써, 살아 있는 노동이 그것들을 자신의 살아 있는 운동의 대상적 요소들로 소비하고 사용함으로써만 노동수단이나 노동재료로 실현되는 것이다. 노동과정에 기여하지 않는 기계는 무용지물이고 죽은 철과 목재이다.[105] 그 밖에 기계는 자연력에 의한 소모 ― 일반적 물질대사에 [맡겨]진다. 철은 녹슬고 목재는 썩는다.[106] 짜거나 뜨개질할 수 없는 면사 등은 상한[107] 면화, 즉 그것이 면화로서의, 원료로서의 상태에 있을 때에는 갖고 있던 다른 용도마저 손상된 면화일 뿐이다. 각각의 사용가치는 다양하게 사용될 수 있고 각각의 사물은 욕구들에 기여할 수 있는 다양한 속성들을 갖지만, 이전 노동과정을 통해서 특정한 방향의 사용가치를 획득함으로써, 즉 특정한 후속 노동과정에서만 이용될 수 있는 속성들을 획득함으로써 그 속성들을 상실한다. 요컨대 노동수단과 노동재료로서만[108] 기여할 수 있는 생산물은 생산물로서의 속성, 이전[109] 노동을 통해서 획득했던 이 특정한 사용가치로서의 속성을 상실할 뿐 아니라 그것들을 구성하는 원료도 상하고 헛되이 낭비되었고, 이전 노동을 통해서 획득한 유용한[110] 형태와 함께 자연력의 해체 작용에 맡겨진다. 이전 노동과정의 생산물인 노동재료와 노동수단은 노동과정에서 마치[111] 죽은 자들처럼 부활한다.[112] 그것들은 요소들[113]로

86

서 생산과정에 들어감으로써만 **실제** 사용가치가 되고 노동과정에서만 사용
가치로서 작용하며, 노동과정에 의해서만 일반적 물질대사에서의 해체[114]
를 벗어나 생산물에서 개조(Neubildung)로 재현된다. 기계도 노동과정에 의
해 손상되기는 하지만 기계로서 그러하다. 기계는 기계로서 살고 작용하며,
그것의 소비는 동시에 그것의 활동이고 그것의 운동은 [115]재료의 변화된 형
태에서 새로운 대상의 속성으로서 실현되고 고정된다. 마찬가지로 노동재
료는 그것이 노동재료로서 보유한 사용속성을 노동과정 자체에서만 발전
시킨다. 그것의 소비과정은 개조과정, 변화이고 이로부터 노동재료는 향상
된 사용가치로서 배출된다. ||33| 요컨대 한편으로 주어진 생산물, 이전 노
동의 결과[116]가 살아 있는[117] 노동의 대상적 조건으로서 이 노동의 실현을
매개한다면 살아 있는 노동은 이 생산물이 사용가치로서, 생산물로서 실현
되는 것을 매개하고 그것을 보존하며, 살아 있는 노동이 "개조"의 요소로서
생산물에 생기를 불어넣음으로써 자연의 일반적 물질대사로부터 벗어나게
한다.

현실의 노동은 사용가치를 창출하고 인간의 욕구를 위한 자연성의 전유
인 한에서는, 이 욕구가 생산의 욕구이든 개인적 소비의 욕구이든, 자연과
인간 사이의 물질대사의 일반적 조건이며, 인간생활의 그러한 자연조건으
로서 모든 특정한[118] 사회적 생활형태와 무관하고 모든 형태에 똑같이[119] 공
통적이다. 특수한 요소들로 분해하면 살아 있는 노동에 지나지 않는 일반적
형태의 노동과정에도 동일한 사실이 적용된다. 그것은 이들 요소의 통일로
서 노동과정 자체, 노동수단을 통한 노동의 노동재료에 대한 작용이다. 요컨
대 노동과정 자체는 그 일반적 형태[120]에서 볼 때 아직 특수한 **경제적 규정성**
을 가지고 나타나지 **않는다**. 거기에서는 인간이 자신의 사회적 생활을 생산
하면서 맺는 특정한 역사적 (사회적) **생산관계**가 표현되는 것이 아니라 오히
려 일반적 형태,[121] 그리고 노동이 노동으로서 작용하기 위해서 모든 사회적
생산양식에서 동등하게 분해되어야 하는 일반적 요소들이 표현된다.[122]

여기에서 고찰된 노동과정의 형태는 일정한 역사적 특징들이 모두 사상
된, 그리고 인간이 노동과정 동안에 서로 어떤 사회적 관계를 맺든 모든 종
류의 노동과정에 똑같이 부합하는 추상적 형태일 뿐이다. 밀을 러시아 농노
가 생산했는지 프랑스 농부가 생산했는지 맛으로는 알 수 없는 것과 마찬가
지로 일반적 형태들에서의 이 노동과정, 이 노동과정의 일반적 형태들을 보
아도 그 노동과정이 노예감독관의 채찍 아래서 진행되는지, 산업자본가의

감독하에 진행되는지, 또는 활로 사냥감을 쓰러뜨리는 미개인의 과정인지 알 수 없다.

화폐보유자는 자신의 화폐 일부로는 노동능력의 처분권을 구매했고 다른 일부로는 그가 이 노동능력 자체를 소비할 수 있게 해주는, 즉 실제 노동으로 활동할 수 있게 하는, 간단히 말하자면 노동자가 실제로 노동할 수 있게 하는 노동재료와 노동수단을 구매했다. 이 노동[123]과 다른 모든 방식의 노동이 공통적으로 갖는 이 일반적 규정들은 여기에서 이 노동이 화폐보유자를 위해서 이루어지든 또는 노동능력의 소비과정으로서 나타나든 변하지 않는다. 그는 노동과정을 자신의 지배하에 포섭하고 전유했으나, 그렇다고 그것의 일반적 본성을 변화시키지는 않았다. 노동과정이 자본에 포섭됨으로써 스스로 그 성격이 얼마나 변하는지는 노동과정의 일반적 형태와는 전혀 무관하고 나중에 논하게 될 것이다.

내가 먹는 밀은 내가 그것을 구매했든 스스로 생산했든, 어떤 경우에든 그것의 자연규정성에 따라 영양 섭취과정으로 작용한다. 마찬가지로 내가 나를 위해서 나 자신의 노동재료[124]와 노동수단으로 노동하든 또는 나의 노동능력을 일시적으로[125] 판매한 화폐보유자를 위해서 노동하든 일반적 형태[126]에서의 노동과정에는, 즉 노동하기 일체의 개념적 계기들에서는 아무런 변화도 일어나지 않는다. 이 노동능력의 소비, 즉 그것의 노동력 (Arbeitskraft)으로서의 실제적 활동, 실제 노동은 즉자적으로 어떤 활동이 대상들과 일정한 관계를 맺는 과정으로서 여전히 동일한 노동으로 남아 있으며 동일한 일반적 형태들에서 운동한다. 물론 노동과정 또는 실제 노동이 가정하는 바는 바로 노동능력을 판매하기 전에는 노동자가 노동능력을 활동시킬 수 있게 해주는, 노동할 수 있게 해주는 대상적 조건들과 분리되어 있었으나 이 분리 상태가 지양된다는 것, 이제는 노동자가 노동자로서 그 노동의 대상적 조건들과 자연스러운 관계를 맺는다는 것, 노동과정에 들어간다는 것이다.[127] 요컨대 내가 이 과정의 일반적 [128]계기들을 고찰한다면 나는 실제 노동 일체의 일반적 계기들만을 고찰하는 것이다. [129](다음은 이것들을 이용한 것이다. 자본을 옹호하기 위해서 자본을 단순한 노동과정[130] 일체의 어떤 계기와 혼동하거나 등치하는 것으로,[131] 다른 생산물을 생산하도록 규정된 어떤 생산물은 자본이라는 주장, 원료가 자본이라는 주장, 또는 노동도구, 생산도구가 자본이라는 주장, 따라서 자본은 모든 분배관계나 사회적 생산형태와는 독립적인 노동과정 일체, 생산의 한 요소라는 주장이다. 이에 대해서는 가치증식과정을 이야

기한 다음에 설명하는 것이 더 낫다. 자본(생산적 자본)으로 전화하기 위해 화폐는 노동재료, 노동도구, 노동능력으로 전화해야만 하는데, 이것은 모두 새로운 생산에 이용되는 과거 노동의 생산물, 노동에 의해 매개된 사용가치이다. 요컨대 소재적 측면에서 고찰하면 자본은 이제 ─ 그것이 사용가치로서 존재하는 한 ─ 새로운 생산에 기여하는 생산물의 형태로, 즉 원료, 도구의 형태로 ||34| 현존하는 것으로 (그러나 노동으로서도) 나타난다. 그러나 이로부터 반대로 이것들 자체가 자본이 G58 라는 결론이 도출되는 것은 결코 아니다. 그것들은 일정한 사회적 조건하에서 비로소 자본이 된다. 그렇지 않다면 노동은 도구와 마찬가지로 노동과정에서 자본의 것이므로 노동이 즉자대자적으로 자본이라고 말할 수 있을 것이고, 따라서 노동의 효용으로부터 자본의 효용을 노동자에게 증명해 보이는 것도 가능할 것이다.)

노동 자체와 관련하여 고찰하면 노동과정의 계기들은 [132]노동재료, 노동수단, 노동 자체로 규정된다. 이들 계기를 전체 과정의 목적, 산출될 생산물을 염두에 두고 고찰하면 생산재료, 생산수단, 생산적 노동으로 지칭할 수 있다. (아마도 마지막 표현은 아닐 것.)

생산물은 노동과정의 결과이다. 마찬가지로 생산물은 노동과정의 전제로서도 나타나고 노동과정은 이들 생산물로 끝나는 것이 아니라 그것들의 현존을 조건으로 하여 출발한다. 노동능력 자체가 생산물일 뿐 아니라 노동자가 노동능력을 판매하는 대가로 화폐보유자로부터 화폐로 받는 생활수단도 이미 개인적 소비를 위해 완성된 생산물들이다. 마찬가지로 그의 노동재료나 노동수단도 그중의 하나 또는 둘 다 이미 생산물이다. 요컨대 생산에는 이미 생산물이, 즉 개인적 소비를 위한 생산물뿐 아니라 생산적 소비를 위한 생산물도[133] 전제되어 있다. 원래 자연 자체가 저장고이며 자연 생산물로 전제되어 있는 인간이 소비할 수 있도록 완성된 자연 생산물[134]이 주어져 있는 것으로 발견한다. 이는 [135]부분적으로 그가 이들 생산물을 전유하기 위한 최초의 생산수단을 그 자신의 신체기관에서 주어져 있는 것으로 발견하는 것과 같다. 노동수단, 생산수단은 인간이 생산하는 최초의 생산물이며, 돌과 같은 그 최초의 형태들도 자연에서 주어져 있는 것으로 발견하는 것이다.

앞서 말한 바와 같이 노동과정 자체는 자본가 측에서 노동능력을 구매하는 행위와 아무 상관이 없다. 그는 노동능력을 구매했다. 이제 그는 그것을 사용가치로서 사용해야 한다. 노동의 사용가치는 노동하기 자체, 노동과정이다. 요컨대 우리는 일반적 계기의 측면에서 볼 때, 즉 미래의 자본가와는 무관하게 볼 때 이 노동과정이 무엇인가를 묻는 것이다. 이는 마치 우리가 밀을 구매하는 자는 이제 그것을 식량으로 사용하려고 한다고 말하는 것과 같다. 곡물에 의한 영양 섭취과정은 무엇인가, 또는 차라리 영양 섭취과정 일체의 일반적 계기들은 무엇인가?

가치증식과정

노동과정의 결과를 노동과정 자체와 관련해서 고찰하면, 주체적 활동과 그 소재적 내용을 휴식하고 있는 대상에서 결합[1]하면서 다양한 요소를 통합하는 결정(結晶)된 노동과정으로서 고찰하면, 그 결과는 **생산물**이다.[2] 그러나 이 생산물을 대자적으로, 그것이 노동과정의 결과로서 나타날 때 취하는 자립성에서 고찰하면 그것은 특정한 **사용가치**이다. 노동재료는 노동과정 전체가 그것을 생산하고자 목표로 하고, 추동하는 목적으로서 특수한 노동방식 자체를 결정했던 형태, 특정한 속성들을 얻었다. 이 생산물이 이제 결과로서 현존하는 한,[3] 요컨대 노동과정이 지나간 것으로서, 생산물 등장의 역사로서 배후에 놓여 있는 한, 그것은 **사용가치**이다. 화폐가 노동능력과 교환됨으로써, 또는 화폐보유자가[4] 자신이 구매한 노동능력을 소비함으로써 ― 그러나 이 소비는 노동능력의 본성에 따라 산업적, 생산적 소비 또는 노동과정이다 ― 얻은 것은 **사용가치**[5]이다. 이 사용가치는 그의 것인데, 그는 그것의 등가물을 줌으로써 그것을 구매했기 때문이다. 즉 노동재료, 노동수단을 산 것이다. 그러나 **노동 자체**도 마찬가지로 그의 것이다. 그 까닭은 그가 노동능력을 구매함 ― 요컨대 실제로 노동이 행해지기 **전에** ―[6]으로써 이 상품의 사용가치가 그의 것이 되고 이 사용가치는 바로 노동 자체이기 때문이다. 생산물도 마치 그가 자신의 노동능력을 소비한 것처럼, 즉 스스로 원료를 가공한 것처럼 그의 것이다. 그가 상품교환에 기초하여 그 법칙에 따라서,[7] 즉 화폐로 표현되고 평가된 그것들의 가치에 해당하는 가격으로[8] 구매함으로써 노동과정의 모든 요소를 확보한 다음에 비로소 전체 노동과정이 진행된다. 그의 화폐가[9] 노동과정의 요소들로 전환되고 전체 노동과정 자체가 화폐로 구매된 노동능력의 소비로 나타나는 한에서, 노동과정 자체는 화폐가 통과하는 하나의 변환으로서 나타나는데, 이때 화폐는 [10]기존의 사용가치[11]와 교환되는 것이 아니라 하나의 과정과 교환되고, 이 과정은 화폐 자신의 과정이 된다. 말하자면 노동과정은 화폐에 병합되고 포섭되었다.

그렇지만 화폐가 노동능력[12]과 교환되면서 목적으로 하는 것은 결코 사용가치가 아니라 화폐의 자본으로의 전화이다. 화폐로 자립한 가치는 이 교환에서 보존되고 증대되며, 이기적인 형체를 취하고, 화폐보유자는 이 가치가 유통을 총괄하고 유통에서 ||35| 주체로서 보존되는 가치가 됨으로써 자본가가 되어야 한다. 문제가 되었던 것은 사용가치가 아니라 교환가치였다. 가

치는 노동과정에서 창출된 사용가치, 실제 노동의 생산물이 스스로 교환가치의 담지자, 즉 **상품**이 됨으로써만 교환가치로서 보존된다. 따라서 자본으로 전화하는 화폐에서 중요한 것은 단순한 사용가치의 생산이 아니라 상품의 생산이며, 사용가치가 문제가 되는 것은 단지 그것이 교환가치의 필요조건, 물질적 기체(基體)인 한에서만 그러하다. 사실 중요했던 것은 교환가치의 **생산**, 교환가치의 보존과 증대였다. 요컨대 이제는 생산물, 새로운 사용가치의 보존된 교환가치를 산정하는 것이 중요할 것이다. (가치를 증식하는 것이 중요하다. 따라서 노동과정뿐 아니라 가치증식과정도 중요하다.)

이 계산으로 나아가기에 앞서 먼저 주의할 것이 한 가지 있다. 노동과정의 모든 전제는, 즉 노동과정에 들어간 것은 사용가치[13]만이 아니라 상품, 즉 그것의 교환가치를 표현하는 가격을 가진 사용가치였다. 상품은 이 과정의 요소로서 존재하던 것과 마찬가지로 이 과정에서 다시 나와야 하는데, 우리가 물적 생산으로서 단순한 노동과정을 고찰할 때는 이에 대해서 아무것도 드러나지 않는다. 따라서 노동과정은 생산과정의 한 측면, 소재적 측면을 이룰 뿐이다. 상품 자체가 한편으로는 사용가치이고 다른 한편으로는 교환가치인 것과 마찬가지로 실제 상품은 당연히 그것의 형성과정에서 이중적인 과정일 수밖에 없다. 한편으로는 사용가치로서, 유용노동의 생산물로서 상품의 생산이고, 다른 한편으로는 교환가치로서의 생산이며, 상품이 사용가치와 교환가치의 통일이듯이 이들 두 과정은 동일한 과정의 두 가지 상이한 형태로서 나타나야 한다. 우리는 주어진 것으로서 상품에서 출발했지만 [14]여기에서 상품은 형성과정 속에서 고찰된다. 생산과정은 사용가치의 생산과정이 아니라 상품, 즉 사용가치와 교환가치의 통일의 생산과정이다. 그렇지만 이것이 생산양식을 아직 자본주의 생산양식으로 만들지는 않는다. 상품은 다만 생산물, 사용가치가 자가소비를 위해서가 아니라 양도를 위해서, 판매를 위해서 생산되는 것을 요구할 뿐이다. 그러나 자본주의적 생산은 [15]노동과정에 던져진 상품들[16]이 증식되는 것, 노동의 추가 — 산업적 소비는 다름 아닌 새로운 노동의 추가이다 — 에 의해 새로운 가치를 획득하는 것뿐 아니라, 그것에 던져진 가치가 — 그것에 던져진 사용가치[17]는 그것들이 상품인 한 모두 가치를 가졌으므로 — 가치로서 증식되고 자신이 가치였음으로써 새로운 가치를 생산하는 것을 필요로 한다. 전자(자본주의적이지 않은 상품생산을 가리킴 — 옮긴이)만을 문제로 삼는다면 우리는 단순상품을 넘어서지 못할 것이다.

우리는 [18]화폐보유자에게는 노동과정의 요소들이 자신이 보유하던 사용가치가 아니라 애초에 상품으로 구매함으로써 취득되었으며 이것이 전체 노동과정의 전제를 이룬다고 가정한다. 이미 살펴본 것처럼 모든 종류의 산업에서 노동수단 이외에 노동재료도 상품일 필요는 없다는 것, 즉 스스로 이미 노동에 의해 매개된 생산물이자 대상화된 노동으로서 교환가치 ― 상품 ― 일 필요는 없다. 그러나 여기에서 우리는 공장생산(Fabrikation)에서[19] 그러하듯이 과정의 모든 요소가 구매된다는 전제에서 출발한다. 우리는 현상을 그것이 가장 완벽하게[20] 나타나는 형태로 받아들인다. 이것은 고찰 자체의 타당성에는 전혀 영향을 미치지 않는다.[21] 다른 경우에는 임의의 요소를 [22]0으로 놓으면 되기 때문이다. 이를테면 고기잡이에서는 노동재료 자체가 이미 생산물인 것이 아니며, 사전에 상품처럼 유통되지 않는다. 그러므로 노동과정의 한 요소,[23] 즉 노동재료[24]는 그것이 교환가치로서 ― 상품으로서 ― 고찰되는 한 0으로 놓을 수 있다. 그러나 화폐보유자가 노동능력을 구매할 뿐 아니라, 또는 화폐가 노동능력과 교환될 뿐 아니라 노동과정의 다른 대상적 조건들인 노동재료 및 노동수단 ― 여기에서 노동과정의 성격이 단순한가, 복잡한가에 따라 물건들, 상품들의 다양성이 크다고 해도[25] ― 과도 교환된다는 전제는 **본질적**인 것이다. 지금 우리가 설명하고 있는 첫 단계에서는 방법론적으로 필요하다. 우리는 화폐가 어떻게 자본으로 전화하는지를 보아야 한다. 그러나 자신의 화폐를 산업자본으로 전화시키려는 화폐보유자라면 누구나 이 과정을 매일 거친다. 그는 타인의[26] 노동을 소비할 수 있기 위해서 노동재료와 노동수단을 구매해야 한다. ― 자본관계의 본성을 실제로 통찰하기 위해서 필요. 이 관계는 상품유통을 토대로 해서 출발한다. 그것은 자가소비가 생산의 주목적[27]을 이루고 잉여만이 상품으로 판매되는[28] 생산양식의 지양을 전제로 한다. 그것과 관계되는 모든 요소가 스스로 상품이 될수록, 즉 구매에 의해서만 전유 가능할수록 그것은 그만큼 완벽하게 발전한다. 생산 스스로 그 요소들을 유통에서 ― 즉 상품으로서 ― 획득하고 그럼으로써 이것들이[29] 이미 교환가치로서 생산에 많이 들어갈수록 이 생산은 그만큼 더 자본주의적 생산이다. 우리가 여기에서 이론적으로 자본 형성에서 유통을 전제하고, 따라서 화폐에서 출발하지만 역사적 진행도 마찬가지로 그러하다. ||36| 자본은 화폐자산으로부터 발전하며, 자본을 형성하기 위해서는 이미 발전된 ― 자본에 선행하는 생산단계에서 생성된 ― 상업관계를 전제로 한다. 화폐와 상품은 부르주아 경제를 고찰할 때 우리가 출

발해야 하는 전제이다. 자본을 계속 고찰하면 상품이 부의 기본적 형태로 그 표면에 나타나는 것은 실제로 자본주의 생산뿐이라는 사실이 밝혀질 것이다.

따라서 J. B. 세가 그의 프랑스적 형식주의를 가지고 도입한 관습이 어리석다는 것을 알 수 있다 ― 그는 A. 스미스를 전반적으로 속류화한 자이므로 G62 그로서는 결코 극복할 수 없는 소재에 사소한 또는 획일적인[30] 정비를 추가할 수 있었을 뿐이다 ― . 이는 먼저 생산, 다음에 교환, 그다음에 분배, 마지막으로 소비를 고찰하거나 이 4개 항목을 약간 다르게 배치하는 것인데, 고전경제학자 누구도 따르지 않았다. 우리가 고찰할[31] 특유한 생산양식은 처음부터 특정한 교환양식을 자신의 형태 중 하나로 전제하며, 특정한 분배양식과 소비양식의 고찰이 경제학의 영역에 속하는 한에서 이들 양식을 생산한다. (이에 대해서는 후술.)[32]

이제 요령 있게(Also now ad rem).

[33]노동과정에서 나온 생산물(사용가치)의 교환가치는 그것에 물질화된 노동시간의 총계, 그것에 [34]사용된, 대상화된 노동의 총량으로 구성된다.+ 요컨대 첫째로 생산물에 포함된 원료의 가치, 즉 이 노동재료[35]를 생산하는 데 필요한 노동시간으로 구성된다. [36]그것이 100[37]노동일과 같다고 하자. 그러나 이 가치는 이미 노동재료가 구매된 가격, 이를테면 100탈러[38]의 가격에[39] 표현되어 있다. 이 부분의 생산물가치는 이미 가격으로 결정되어 생산물에 들어간다. 둘째로 노동수단, 도구 등에 관해서 말하자면, 도구는 일부만 마모될 필요가 있고 새로운 노동과정들에서 다시 노동수단으로서 계속 기능할 수 있다. 따라서 이 부분이 계산에 포함되는 것은 ― 마모된 그 부분만큼이 생산물에 들어갔기 때문이다. 우리는 이 점에 대해서는 ― 노동수단의 마모가 어떻게 계산되는지는 나중에 더 자세히 설명할 것이다 ― 전체 노동수단이 한 차례의 노동과정에서 마모된다고 전제하고자 한다. 도구는 노동과정에서 소비되는 만큼, 요컨대 생산물로 이전된 만큼만 실제로 계산되기 때문에, [40]즉 마모된 노동수단만큼 계산되기 때문에 이 전제가 상황을 변화시키지는 않는다. 이것도 마찬가지로 구매된 것이다.[41]

논의를 진전시키기 전에 여기에서 규명해야 할 것은 노동과정에서 노동재료와 노동수단의 가치가 어떻게 보존되고, 따라서 생산물의 완성되고 **전**

+ 케네 등은 이 합산에 의거하여 농업노동을 제외한 모든 노동의 비생산성을 입증한다.[42]

제된 가치구성 부분으로서 재현되는가, 또는 같은 말이지만, 노동과정에서 재료[43]와 노동수단은 소비되고 변화되는데 — 변화되든가 아니면 (노동수단처럼) 완전히 파괴되는데 — 어떻게 해서 그 가치가 파괴되지 않고 생산물에서 다시 구성부분으로서, 생산물가치의 **전제된** 구성부분으로서 나타나는가이다.

〔소재적 측면에서 볼 때 자본은 단순한 생산과정, 노동과정으로 간주되었다.[44] 그러나 형태규정성의 측면에서 보면 이 과정은 **자기증식과정**이다. 자기증식은 전제된 가치의 보존뿐 아니라 이 가치의 증대도 포함한다. 노동은 합목적적 활동이고, 그러므로 소재적 측면에서 보면 목표했던 새로운 사용가치를 노동재료에 주기 위해서 생산과정에서 노동이 노동수단[45]을 합목적적으로 사용했음을 전제로 한다.〕[46]

〔노동과정은 자본가에 의한 — 노동이 자본가의 것이므로 — 노동능력의 소비과정이므로 자본가는 노동과정에서 노동을 통해 자신의 재료와 노동수단을 소비했고 자신의 재료 등을 통해 노동을 소비했다.〕|

|37| 노동과정 자체에, 또는 노동과정 자체 내에서 [47]효과적인 노동능력인 실제 노동자는 창조적인 동요(Unruhe) — 이는 노동 자체이다 — 의 대상적 전제로서만, 실제로 노동을 실현하기 위한 대상적 수단으로서만 노동재료 및 노동수단과 관계할 뿐이다. 노동재료와 노동수단이 대상적 수단이 되는 것은 오로지 그것들의 대상적 속성, 그것들이 이 특정 노동의 재료와 수단으로서 갖는 속성 덕분이다. 그것들 자체가 이전 노동의 생산물이라는 것이 사물로서의 그것들에서는 지워졌다. 내가 글을 쓰는 데 사용하는 책상은 이전에 목수 노동의 형태를 부여하는 특질, 또는 규정성으로서 나타났던 것을 그 자체의 형태와 속성으로서 갖는다. 내가 추가적인 노동을 위한 수단으로서 책상을 사용하는 한, 그것이 사용가치로서, 특정 용도를 위한 책상으로서 기여하는 한에서 나는 그것과 관계를 갖는다. 그것을 구성하는 재료가 이전 노동을 통해서, 목수 노동을 통해서 이 형태를 받았다는 사실이 책상의 물적 현존에서는 사라지고 지워졌다. 노동과정에서 그것은 자신을 책상으로 만든 노동과는 전혀 상관없이 책상으로서 기여한다.

반면에 교환가치에서 중요한 것은 이 특정한 사용가치가 그 질료로서 나타나는 노동량, 또는 [48]그것을 생산하는 데 필요한 노동시간의 양뿐이다. 이 노동에서는 그 자신의 특질, 그것이 이를테면 목수 노동이라는 사실이 사라졌다. 그 까닭은 그것이 동등하고 일반적이고 [49]차이 없고 사회적인 추상노

동의 특정한 양으로 환원되기 때문이다. 이때 노동의 소재적 규정성,[50] 그러므로 노동이 고정된 사용가치의 규정성도 지워지고 사라졌으며 상관없는 것이다. 그것이 유용노동이고, 즉 [51]사용가치로 귀결된 노동이었다는 것은 전제되어 있다. 그러나 이 사용가치가 어떤 것인지, 즉 이 노동의 특정한 유용성이 어떤 것인지 교환가치로서 상품의 현존에서는 지워졌다. 그 까닭은 그러한 것으로서 상품은 다른 어떤 사용가치로도, 요컨대 다른 어떤 형태의 유용노동으로도 표현될 수 있는 등가물, 동일한 양의 사회적 노동이기 때문이다. 따라서 가치와 관련해서는 —— 즉 대상화된 노동시간의 양으로 고찰하면 노동재료와 사용된[52] 노동수단은 언제나 동일한 노동과정의[53] 계기들인 것처럼 간주될 수 있으므로 [54]생산물, 새로운 사용가치를 생산하기 위해서는 1) 노동재료에 대상화되는 노동시간이 필요하고 2) 노동수단에 물질화되는 노동시간이 필요하다. 노동재료는 그 실체가 새로운 사용가치에서 재현되지만 그 원래 형태와는 상이하다. 노동수단은 새로운 사용가치의 형태에서 영향, 결과로서 재현되지만 완전히 사라졌다. 노동수단과 노동재료에 존재하던 노동의 특정한 소재적 규정성, 유용성도 노동의 결과인 사용가치가 스스로 사라지거나 변한 것과 마찬가지로 지워졌다. 그러나 교환가치로서 그것들은 이 새로운 노동과정에 들어오기 전에 이미 일반적 노동의 단순한 질료였고,[55] 한 대상에 흡수된 일정량의 노동시간 일체에 지나지 않았으며,[56] 이 노동시간에서 실제[57] 노동의 특정한 성격은 노동시간의 결과로 나타난 사용가치의[58] 특정한 본성과 마찬가지로 상관없는 것이었다. 이 상황은 새로운 노동과정 이후에도 이전에 그러했던 것과 완전히 똑같다. 예를 들면 면화와 방추를 생산하기 위해서 필요한[59] 양의 노동시간은 면화와 방추가 소모되어 면사가 되는 한에서 면사를 생산하기 위해 필요한 양[60]의 노동시간이다. 이 노동시간의 양이 이제 면사로 나타난다는 사실은 이 양의 노동시간을 들여 생산한 하나의 사용가치에서 여전히 나타나기 때문에 전혀 상관이 없다. 만약 내가 [61]100탈러 가치가 있는 면화와 방추를 마찬가지로 100탈러 가치만큼의 면사와 교환한다면[62] 이 경우에도 면화와 방추에 포함된 노동시간이 면사에 포함된 노동시간으로서 존재하게 된다. 면화와 방추가 면사로 실제적인 소재적 전화를 하면서 소재적 변화도 겪는다는 점, 전자는 다른 형태를 얻게 되고 후자는 소재적 형태가 완전히 사라진다는 점도 이 상황을 변화시키지는 못한다. 그 **까닭**은 그것이 [63]바로 사용가치로서의 면화와 방추에만, 요컨대 교환가치로서는 즉자대자적으로 무관한 형체로서

96

의 면화와 방추에만 관계하기 **때문이다.** 그것들이 교환가치로서는 일정량의 물질화된 사회적 노동시간에 지나지 않으므로, 따라서 같은 양의 물질화된 사회적 노동시간인 다른 어떤 사용가치에 대해서도 동일한 크기, 등가물이 므로 그것들이 이제 새로운 사용가치의 요소들로서 나타난다고 해도 그것들에는 아무런 변화도 일어나지 않는다. 유일한 조건은 1) 그것들이 새로운 사용가치를 생산하기 위한 필요노동시간으로 나타나고, 2) 그것들이 실제로 다른 사용가치로 — 요컨대 사용가치 ||38| 일체로 귀결된다는 것이다.

그것들은 원래 결정(結晶)되어 있는 사용가치들이 새로운 노동과정을 위 G65해 필요한 요소들이므로 새로운 사용가치를 창출하기 위한 필요노동시간이다. 그러나 둘째로, 그것들은 노동과정 전에는 사용가치 — 면화와 방추[64] — 로서 존재했지만, 전제에 따르면 이것들의 사용가치는 새로운 노동과정에 의해서 실제로 새로운 사용가치로, 생산물인 면사로 귀결된다. (새로운 생산물을 형성하기 위해서 필요한 양만큼의 재료와 노동수단만 — 요컨대 이 특정한 양에 소요되는 필요노동시간만 새로운 생산물에 들어간다는 것, 다른 말로 하자면 재료도 생산수단도 낭비되지 않는다는[65] 것은 이것들 자체가 아니라 이것들을 노동과정에서 자신의 재료와 수단으로 사용하는 새로운[66] 노동의 합목적성 및 생산성에 관계되는 조건이다. 요컨대 이 노동 자체에서 고찰해야 하는 규정이다. 그러나 여기에서는 그것들이 실제로 그 자체로서 새로운 노동을 실현하기 위해서 필요하고 실제로 새로운 노동과정의 대상적 조건이 되는 양만큼만 노동수단과 노동재료로서 새로운 노동과정에 들어간다고 가정된다.)

따라서 두 가지 결과가 나온다.

첫째. [67]생산물에 소모된 노동재료와 노동수단을 생산하는 데 필요한 노동시간은 그 생산물을 생산하는 데 필요한 노동시간이다. 교환가치가 고찰되는 한에서 재료와 노동수단에 물질화된 노동시간은 그것들이 마치 동일한 노동과정의 계기들인 것처럼 간주될 수 있다. 생산물에 포함된 노동시간은 모두 과거 노동시간이고, 그렇기 때문에 물질화된 노동이다. 재료와 수단에서 과거 노동시간은 이전에 지나갔다는 사실, 이전 시기에 속한다는 사실은 최종[68] 노동과정 자체에서 직접 기능하는 노동시간과 마찬가지로 사태에 아무런 영향도 미치지 않는다. 그것들은 이 과정에 직접 들어가는[69]노동을 대표하는 부분으로서 생산물에 포함된 노동시간이 재생된 이전 시기를 구성할 뿐이다. **요컨대 재료와 노동수단의 가치는 생산물에서 생산물가치의 구성부분으로서 재현된다.** 이 가치는 노동재료와 노동수단에 포함된 노동시간이 이미 이것들의 가격들에서 일반적인 형태로, 사회적 노동시간으로서 표현되었기 때문에 **전제된** 가치이다. 이것은 노동과정을 시작하기 전에 화폐보유자가 그것들을 상품으로 구매했을 때의 가격들이다. 그것들이 존재했던 사용가치들은 사라졌지만 그것들 자체는 불변으로 남았으며 새로운 사용가치에서도 불변으로 남는다. 단지 그것들이 새로운 사용가치의 단순한 구성부분, 요소로서, 새로운 가치의 요소로서 나타난다는 변화가 이루어졌을 뿐이다. 상품 일체가 교환가치인 한에서는 교환가치가 그 속에 존재하는 특정한 사용가치, 특정한 소재적 규정성이야말로 상품의 특정한 현상방식일 뿐이다. 교환가치는 요컨대 일반적 등가물이며, 따라서 이 화신을 다른 어떤 화신과도 교환할 수 있다. 그것은 유통을 통해서, 그리고 무엇보다 먼저 화폐로의 전화를 통해서 다른 어떤 사용가치의 실체[70]도 가질 능력이 있다.

둘째.[71]따라서 노동수단과 노동재료의 가치는 생산물의 가치에서 보존되고, 요소로서 생산물의 가치에 들어간다. **그러나 그것들은 생산물의 가치에서 재현될 뿐이다**. 그 까닭은 사용가치가 그것들에서 얻은 실제적인[72] 변화는 그것들의 실체에는 전혀 영향을 주지 않았고, 다만 그것들이 과정 이전과 이후에 존재하는[73]사용가치의 형태들에만 영향을 주었기 때문이다. 가치가 그 속에 존재하는 사용가치의 특정한 형태, 또는 노동 ─ [74]가치에서 추상노동으로 환원되는 ─ 의[75]특정한 유용성도 사태의 본성상 가치의 본질에는 전혀 영향을 주지 않았기 때문이다.

그렇지만 노동재료와 노동수단의 가치가 생산물에서 재현되려면 노동과정이 실제로 끝까지, 생산물까지 진전되고 실제로 생산물로 귀결되는 것이 필수 불가결한 조건(conditio sine qua non)이다. 요컨대 생산하는 데 오랜 시간이 걸리는 사용가치가 문제라면[76]가치증식과정 일체에서는 ─ 기존 사용가치의 보존만이 문제일지라도 ─ 노동과정의 **지속성**이 얼마나 본질적인 계기가 되는지 알 수 있다. 〔그러나 전제에 따라서 이는 노동과정이 화폐 측의 노동능력의[77]구매를 통한, 화폐의 자본으로의 지속적인[78] 전화를 통한 노동능력의[79]전유에 기초해서 진행된다고 가정한다. 요컨대 **노동자계급**의 현존이 항상적인 것이라고 가정한다. 이 항상성조차 자본에 의해 비로소 창출된다. 이전의 생산단계들에서도 이전의 노동자계급이 간헐적으로 등장하지만 생산의 ||39| **일반적** 전제로서는 아니다. **식민지**에서는 (**웨이크필드**를 보라, 이에 대해서는 후술할 것이다.)[80] 이러한 상황 자체가 자본주의적 생산의 산물임이 드러난다.〕

98

이제 노동재료와 노동수단의 [81]가치의 보존에 대해 말하자면 ― 요컨대 노동과정이 생산물까지 진행된다고 전제하면 ― 그것은 곧 이들 사용가치 자체가 노동과정에서 살아 있는 노동에 의해서 소비됨으로써, 사용가치들이 노동과정의 실제 계기들로 기능함으로써 ― 살아 있는 노동과의 접촉[82]을 통해서만, 또한 합목적적 활동의 조건으로서 살아 있는 노동에 관여함으로써 달성된다. 노동의 소재적 규정성에 따라 고찰할 때가 아니라, 살아 있는 노동 자체가 실제적인 유용노동이라서가 아니라, 그것이 대자적으로 새로운 노동량인 한에서만, **살아 있는 노동은**[83] **노동과정에서 가치를 재료와 노동수단에 전제되어 있는 가치에 추가할 뿐이다.** 면사에 소모된 면화와 방추의 가치 총액[84]보다 면사가 더 큰 가치를 갖는 것은 오로지 이 사용가치들을 새로운 사용가치인 면사로 전화시키기 위해서 노동과정에서 새로운 노동량이 추가되었기 때문, 요컨대 면사가 면화와 방추에 포함된 노동량 이외에 새로 추가되는 노동량을 포함하기 때문이다. 그러나 면화와 방추의 교환가치[85]가 **보존되는** 것은 곧 실제 노동인 방적노동이 그것들을 면사라는 새로운 사용가치로 전화시킴으로써, 요컨대 그것들을 합목적적으로 사용하고 **그 자신의 과정의 생명요소로** 삼음으로써 가능하다. 요컨대 노동과정에 들어가는 가치가 보존되는 것은 단지 살아 있는 노동의 **특질**에 의해서, 이 노동의 외화 본성에 의해서이다. 이를 통해서 저 죽은 대상들 ― 이 대상들에서는 전제된 가치들이 그들의 사용가치로서 현존한다 ― 이 이제는 이 [86]새로운 유용노동인 방적에 의해서 실제로 사용가치로서 장악되고 새로운 노동의 계기들로 만들어진다. **그것들은 사용가치들로서 노동과정에 들어감으로써**, 요컨대 실제적인 유용[87]노동에 대하여 노동재료와 노동수단의 개념적으로 규정된 역할을 수행함으로써 **가치로서 보존된다.** 우리 사례를 계속 논하자. 면화와 방추가 사용가치로서 사용되는 것은 방적이라는 특정한 노동에 재료와 수단으로서 들어가기 때문이고, 실제 방적과정에서 전자는 이 살아 있는 합목적적 활동의 대상으로서, 후자는 기관(器官)으로서 정립되기 때문이다. 요컨대 그럼으로써 그것들은 노동을 위한 사용가치로서 보존되기 때문에 가치로서 보존된다. **그것들은 노동에 의해서 사용가치로서 사용되기 때문에 어쨌든 교환가치로서 보존되는 것이다.** 그러나 그것들을 이렇게 사용가치로 사용하는 노동은 실제[88] 노동, 그 소재적 규정성[에서] 고찰된 노동이고, [89]이 노동만이 노동재료와 노동수단으로서의 이들 특수한 사용가치와 관계하며, 살아 있는 외화 속에서 그것들 자체와 관계하는 이 특정한 유용노동[90]이다. 면화와 방추라는 사용가치[91]를 교환가치로서 보존하고, 따라서 생산물이고 사용가치인[92] 면사 속에 교환가치의 구성부분으로서 재현하는 것은 방적이라는 이 특정한 유용노동이다. 그 까닭은 방적이 실제 과정에서 자신의 재료와 수단으로서, 자신을 실현하기 위한 기관(器官)으로서 그것들과 관계하고, 자신의 기관으로서 이것들에게 영혼을 불어넣고[93] 그러한 것으로서 작용하도록 하기 때문이다. 그리고 사용가치 면에서 개인의 직접적인 소비에는 들어가지 않고 새로운 생산을 하도록 규정된 모든 상품의 가치가 보존되는 것은 단지 가능성으로서만 노동재료와 노동수단인 것들이 실제 노동재료와 노동수단이 됨으로써만,[94] 그것들이 그러한 것들로서 기여할 수 있는 특정 노동에 의해서 그러한 것들로서 이용됨으로써만 그러하다.

G68 그것들은 사용가치로서 그것들이 개념적[95] 규정에 따라[96] 살아 있는 노동에 의해 소비됨으로써만 교환가치로서 보존된다. **그러나 그것들이 이러한 사용가치 —재료와 수단— 인 것은 오로지 실제의 특정한 특수[97]노동의 경우뿐이다.** 나는 면화와 방추를 제분이나 제화 행위에서가 아니라 방적 행위에서만 사용가치로서 활용할 수 있다. — 모든 상품은 일체 가능성에서만 사용가치이다. 그것들은 실제로 사용됨으로써, 소비됨으로써 비로소 실제 사용가치가 되며, 그것들의 이러한 소비가 여기에서는 특수하게[98] 규정된 노동 자체, 특정한 노동과정이다.|

|40| 따라서 노동재료와 노동수단이 교환가치로서 보존되는 것은 노동과정에서 그것들이 사용가치로서 소비됨으로써만, 즉 살아 있는 노동이[99] 실제로 그것들의[100] 사용가치로서 그것들과 관계함으로써만, 그것들이 자신의 재료와 수단의 역할을 수행하도록 함으로써만, 자신의 살아 있는 동요 속에서 그것들을 재료와 수단으로서 정립하고 지양함으로써만 그러하다. 그리고 이렇게 하는 한에서 노동은 **실제** 노동,[101] 특수한 합목적적 활동, 소재적으로 규정된 바와 같이 노동과정에서 특수한 종류의 유용노동으로서 나타나는 노동이다. 그러나 노동이 생산물에, 또는[102] 노동과정에 들어가는 대상들[103] —사용가치— 에 **새로운** 교환가치를 추가하는 것은 이러한 규정성을 갖는 노동이 아니다. 또는 그것은 이 규정성이 아니다. 예를 들어 방적을 보자. 방적은[104] 그 안에 소비된 면화와 방추의 가치를 면사에서 보존한다. 그 까닭은 이 과정이 면화와 방추를 실제로 방적에 이용하고 이것들을 면사라는 새로운 사용가치를 생산하기 위한 재료와 수단으로서 사용하거나 면화와 방추로 하여금 이제 방적과정에서 방적이라는 이 살아 있는 특수한 노

100

동의 재료와 수단으로서 실제로 기능하도록 하기 때문이다. 그러나 방적이 [105]생산물인 면사의 가치를 높이거나 면사에 이미 전제되었다가 재현되는 가치에 지나지 않는 방추와 면화의 가치에 새로운 가치를 추가한다면 그것은 오로지 방적에 의해서 **면화와 방추에 포함된 노동시간에 새로운 노동시간이 추가됨**으로써만 이루어진다. 첫째로, 방적이 가치를 창출하는 것은 그것의 실체의 측면에서 볼 때 그것이 이러한 구체적이고 특수한, 소재적으로 규정된 노동 ― 방적 ― 인 한에서가 아니라 노동 일체, 추상적이고 동등한 사회적 노동인 한에서이다. 따라서 방적은 면사로서 대상화되는 한에서가 아니라 사회적 노동 일체의 질료이고, 따라서 일반적 등가물에 대상화되는 한에서 가치를 창출하는 것이다. 둘째로, 추가된 가치의 크기는 오로지 추가된 노동량, 추가된 노동시간에 달려 있다. 방적공이[106] 어떤 발명에 의해서 일정한 수의 방추를 가지고 [107]하루가 아니라 반일 동안에 특정 분량의 면화를 면사[108]로 전화시킬 수 있다면 첫 번째 경우와 비교해서 면사에는 **절반의 가치만이 추가**될 것이다. 그러나 전자의 경우에서든 후자의 경우에서든, 면화를 면사로 전화시키기 위해서 필요한 [109]노동시간이 하루이든 반일이든, 또는 한 시간이든, 면화와 방추의 **모든 가치**는 생산물인 면사에서 보존될[110] 것이다. 면화와 방추의 가치는 면화가 면사로 전화함으로써,[111] 즉 면화와 방추가 [112]방적의 재료와 수단이 되고 방적과정에 들어감으로써 보존되지만, 이것은 이 과정에 필요한 노동시간과는 전혀 상관없다. 방적공이 자신의 임금을 생산하는 데 필요한 노동시간만을, 요컨대 자본가가 그의 노동가격으로 지출한 만큼의 노동시간만을 면화에 추가한다고 가정하자. 이 경우에 생산물의 가치는 선대된 자본의 가치, 즉 재료의 가격＋노동수단의 가격＋노동의 가격과 정확하게 같을 것이다. 생산과정의 요소들로 전화하기 이전에 존재했던 화폐액보다 더 많은 노동시간이 생산물에 포함되지는 않을 것이다. 새로운 가치는 추가되지 않을 것이다. 그러나 면화와 방추의 가치는 여전히 면사에 포함되어 있다. 방적은 동일한[113] 사회적 노동 일체로, 이 추상적 노동 형태로 환원되는 한에서 면화에 가치를 추가하는데, 그것이 추가하는 가치크기는 방적이라는 내용이 아니라 시간 길이에 달려 있다. **요컨대 방적공은 두 가지 노동시간, 하나는 면화와 방추의 가치를 보존하기 위한 노동시간, 그리고 다른 하나는 이것들에 새로운 가치를 추가하기 위한 노동시간이 필요한 것이 아니다.** 방적공은 면화로 면사를 짜면서, [114]면화를 새로운 노동시간의 대상으로 만들면서, 면화에 새로운 가치를 추가함으로써, 면화가 노

G69

동과정에 들어가기 전에 사용된[115] 방추에 들어 있던 가치를 보존한다. **새로운 가치, 새로운 노동의 단순한 추가에 의해서 그는 기존의 가치, 노동재료와 노동수단에 이미 포함되어 있던 노동시간을 보존한다.** 그러나 방적이 원래의 가치를 보존하는 것은 방적으로서이며, 노동 일체로서도 노동시간으로서도 아닌 그 소재적 규정성에서이고,[116] 이 특유한[117] 살아 있는 실제 노동이라는 자신의 특질에 의해서이다. 이 실제 노동은 목적이 규정된 살아 있는 노동으로서 노동과정에서 사용가치인 [118]면화와 방추를 자신과 상관없는 대상성에서 끄집어내고, 이것들을 상관없는 대상들로서 자연의 물질대사에 맡겨두는 것이 아니라 노동과정의 실제적 계기들로 만든다. 그러나 특수한 실제[119] 노동의 특유한 규정성이 무엇이든 모든 종류의 실제 노동이 다른 종류와 갖는 공통점은 그것들이 자신들의 과정에 의해서 — 그것들이 대상적 조건들과 접촉하고, 이 조건들과의 살아 있는 상호작용에 의해서 — 그것들의 본성과 목적에 부합하는, 노동수단과 재료라는 역할을 수행하는 이 대상적 조건들을 [120]노동과정 자체의 개념적으로 규정된 계기들로 전화시키고, 그리하여 **그것들이 이 조건들을 실제적 사용가치로서 사용**[121]**함으로써** 이것들을 **교환가치로서 보존한다**는 것이다. ||41| 요컨대 노동이 이들 생산물의 교환가치와 사용가치를 새로운 생산물과 사용가치 속에 보존하는 것은 [122]노동과정에 존재하는 생산물[123]을 [124]그 자신의 활동을 위한, 그 자신의 실현을 위한 재료 및 수단으로 전화시키는 살아 있는 노동으로서 그것의 특질에 의해서이다. 실제 노동은 그것들을 사용가치로서 소비하기 때문에 그것들의 가치를 보존한다. 그러나 실제 노동이 그것들을 사용가치로서 소비하는 것은, 단지 이 특유한 노동으로서의 노동이 그것들을 죽은 것들로부터 부활시켜 자신의 노동재료와 노동수단으로 만들기 때문이다. 교환가치를 창출하는 한에서 노동은 노동의 특정한 사회적 형태,[125]특정한 사회적 정식으로 환원된 실제 노동일 뿐이고, 이러한 형태에서 노동시간은 가치크기의 유일한 척도이다.

요컨대 재료와 노동수단의 가치를 보존하는 것은 말하자면 살아 있는 실제 노동의 천부적 자질이므로, 따라서 가치가 증대되는 동일한 과정에서 원래의 가치가 보존되기 때문에 — **원래의 가치가 보존되지 않으면 새로운 가치가 추가될 수 없다** — [126]이 효과는 사용가치로서, 유용한 활동으로서의 노동의 본질에서 유래하고 노동 자체의 사용가치로부터 기원하기 때문에 자본가에게도 노동자에게도 아무런 비용도 들지 않는다. 따라서 자본가는 전제된[127] 가치가 새로운 생산물에서 보존되는 것을 공짜로 얻는다. 그의 목표가 전제된 가치의 보존이 아니라 증대일지라도 노동의 이러한 무상 재능은 예를 들면 실제 노동과정이 중단되는 산업[128]공황이 발생할 때 결정적인 중요성을 보여준다. 기계는 녹이 슬고 재료는 상한다. 그것들이 사용가치로서 노동과정에 들어가지 않고 살아 있는 노동과 접촉하지 않기 때문에 그것들은 교환가치를 상실하고 이 교환가치는 보존되지 않는다. 그것들은 증대되지 않기 때문에 그것들의 가치가 보존되지 않는다. 실제의 노동과정으로 진전되는 한에서만 그것들은 증대될 수 있고 새로운 노동시간이 원래의 노동시간에 추가될 수 있다.

결국 살아 있는 실제적 노동으로서 노동은 노동과정에서 가치를 보존하는 한편, 추상적인 사회적 노동, 노동시간으로서만 이 가치에 새로운 가치를 추가하는 것이다.

요컨대 실제 노동과정이 나타나는 모습으로서의 **생산적 소비**는 이제 이들 생산물[129]이 사용가치로서 — 노동재료와 노동수단으로서 — 사용되며 소비되고, 새로운 사용가치를 형성하기 위한 실제적 사용가치로 전화함으로써 이들 생산물의[130] 전제된 가치가 노동과정에서 보존된다고 규정할 수 있다.

〔그러나 노동재료와 노동수단의 가치는 노동과정에 가치로서 전제되어 있는 한에서만, 노동과정에 들어가기 전에 그것들이 가치였던 한에서만 노동과정의 생산물에서 재현된다. 그것들의 가치는 그것들에 물질화된[131] [132]사회적 노동시간과 같다. 또는 주어진 일반적, 사회적 생산조건하에서 그것들을 생산하기 위해서 필요한 노동시간[133]과 같다. 그것들을 생산하는 노동의 생산성에 어떤 변화[134]가 발생해서 이들 특정 사용가치를 생산하는 데 필요한 노동시간이 더 많아지거나 더 적어진다면, 그것들의 가치는 전자의 경우에 상승하고 후자의 경우에는 하락할 것이다. 그것들에 포함된 노동시간은 일반적, 사회적 필요노동시간인 한에서만 그것들의 가치를 결정하기 때문이다. 따라서 그것들은 특정한 가치를 가지고 노동과정에 들어가더라도, 사회가 그것들을 생산하기 위해서 필요한 노동시간이 일반적으로 변했기 때문에, 그것들의 생산비에서, 즉 그것들을 생산하기 위해서 필요한 노동시간의 크기[135]에 혁명이 일어났기 때문에 그것들이 과정을 나올 때에는 가치가 더 크거나 더 작을 수 있다. 이 경우에 그것들을 재생산하기 위해서, 동일한 종류의 새로운 표본을 생산하기 위해서 예전보다 더 많거나 더 적은

노동시간이 필요할 것이다. 그러나 노동재료와 노동수단의 가치 변화는 그 것들이 재료와 수단으로 들어가는 노동과정에서는 언제나 주어진 가치로 서, 주어진 크기의 가치로서 전제되어 있다는 사정을 전혀 변화시키지 않는 다. 그 까닭은 그것들이 가치로서 이 과정에 들어가는 한에서만 이 과정 자 체에서 가치로서 나오기 때문이다. 그것들의 가치 변화는 이 노동과정 자체 에서는 결코 발생할 수 없고 그것들을 생산물로서 생산하는 또는 생산한, 따 라서 그것들이 생산물로서 전제되지 않는 노동과정의 조건으로부터 발생한 다. 그것들의 일반적 생산조건이 변하면 그것들에 대한 반작용이 일어난다. 그것들은 원래보다 더 많거나 더 적은 노동시간의 대상화 — 더 크거나 더 작은 가치이다.[136] 그러나 그 까닭은 오로지 그것들을 생산하기 위해서 이제 는 원래보다 더 많거나 더 적은 노동시간이 필요하기 때문이다. 이 반작용은 그것들이 가치로서 사회적 노동시간의 질료(Materiatur)이고, 또한 이 노동 시간이 일반적인 ||42| 사회적 노동시간으로 환원되고 동일한 사회적 노동 시간의 증식력(Potenz)으로 고양되는 노동시간인 한에서는 그것들 자신에 포함된 노동시간의 질료이기 때문에 발생한다. 그러나 그것들의 이러한 가 치 변화는 언제나 그것들을 생산하는 노동의 생산성 변동에서 유래하는 것 으로, 그것들이 주어진 가치를 갖는 완성된 생산물로서 들어가는 노동과정 과는 전혀 무관하다. 그것들을 요소로 하는 새로운 생산물이 완성되기 전에 그것들이 이 가치를 변화시키더라도 그것들은 이 노동과정에 대하여 독립 적이고 주어진, 노동과정에 전제된 가치로서 관계한다. 그것들의 가치 변동 G72 은 그것들이 재료와 수단으로서 들어가는 노동과정 안에서 진행되는 작업 의 결과로서가 아니라 그 과정 밖에서, 그 과정과 무관하게 이루어지는, 그 것들 자체의 생산조건의 변화에서 유래한다. 그것들은 노동과정 밖에서 작 용하는 외부 주체에 의해서 원래의 경우보다 더 크거나 더 작은 가치크기로 서 이제[137] 노동과정에 전제되어 있지만 이 과정에서 그것들은 언제나 주어 진, 전제된 가치크기이다.]

우리가 노동과정에서 생산물이 노동과정의 결과인 것처럼 노동과정의 생 산물들이 노동과정의 전제들이라는 사실을 보았다면, 이제는 상품이, 즉 사 용가치와 교환가치의 통일이 이 과정의 결과라면 마찬가지로 상품들은 이 과정의 전제라고 해야 할 것이다. 생산물이 상품으로서 가치증식과정에서 나오는 것은 오로지 상품 — 특정 교환가치를 갖는 생산물 — 으로서 그 과 정에 들어갔기 때문이다. 차이가 있다면 생산물은 사용가치로서는 새로운 사용가치를 형성하기 위해서 변화한다는 점이다. 그것의 교환가치는 이러한 소재적 변화에 의해서는 변하지 않으며, 따라서 새로운 생산물에서 불변인 채 재현된다. 노동과정의 생산물이 사용가치라면 가치증식과정의 생산물로서는 교환가치가 고찰되어야 하고, 교환가치와 사용가치의 통일로서 상품은 동일한 과정의 두 형태에 지나지 않는 두 과정의 생산물로 고찰되어야 한다. 상품이 생산요소로서 생산에 전제되어 있다는 점을 무시하고자 한다면 생산과정에서 문제가 되는 것은 새로운 생산물을 형성하기 위해서 생산물이 필요하다는 것뿐인데, 이는 상품이 자본으로 발전하기는커녕 생산물이 상품으로도 발전하지 않은 사회 상태에서도 진행될 수 있다.

우리는 이제 생산물의 가치가 두 가지 구성부분[138]을 갖는다는 것을 알고 있다. 1) 생산물에 소비된 재료의 가치. 2) 생산물에 소비된 생산수단의 가치. 이들이 각각(원문은 relativ지만 문맥상 respektiv를 잘못 판독한 것으로 보인다. ―옮긴이) A 및 B와 같다면 일단 생산물의 가치는 가치 A와 B의 합계로 구성되고 다시 말해 P(생산물), P = A + B + x이다. x는 노동과정에서 노동에 의해 재료 A에 추가된, 아직 미정의 가치 부분을 나타낸다. 따라서 이제 우리는 세 번째 구성부분에 대해 고찰해야 한다.

우리는 화폐보유자가 노동능력의 처분, 또는 노동능력의 일시적 구매에 대하여 얼마를 ― 얼마만큼의 가격이나 가치를 ― 지불했는지 알고 있다. 그러나 그가 그 대가로 얼마만큼의 등가물을 돌려받는지는 아직 알지 못한다. ― 나아가 우리는 노동자가 수행하는 노동은 통상적인 평균노동, 교환가치의 실체를 구성하는 특질을 지닌 노동 또는 차라리 무특질의 노동이라는 전제에서 출발한다. 앞으로 우리는, 노동이 많건 적건 강화된(potenziert) 단순노동인가 아닌가 하는 노동의 증식력(Potenz)은 이제 전개될 상황과는 전혀 무관하다는 것을 보게 될 것이다. 요컨대 우리는 노동의 특수한 소재적 규정성이 무엇이든, 노동이 어떤 특유한 노동영역에 속하든, 그것이 어떤 특수한 사용가치를 생산하든, 그것은 평균적 노동능력의 외화, 실행에 지나지 않으므로 이것이 실행되는 것이 방적, 방직 등이든 또는 경작이든 그것의 사용가치, 그것의 이용방식에 관련될 뿐이고 그 자신을 생산하는 비용, 즉 그 자신의 교환가치와는 관련이 없다는 전제에서 [출]발한다. 나아가 상이한 노동일의 상이한 임금, 그 높고 낮음, 상이한 노동영역으로의 **임금의 불평등한**[139] **분배**는 자본과 임노동의 일반적 관계에는 영향을 미치지 않는다는 사실도 밝혀질 것이다. ―

화폐보유자가 노동능력을 구매함으로써 무엇을 돌려받는지는 실제 노동 과정에서 비로소 밝혀질 것이다. 노동과정에서 이미 존재하는 재료 가치에 노동이 추가하는 가치는 이 노동이 지속되는 시간과 정확히 같다. 물론 일정한 기간,[140] 예를 들면 하루 동안에 노동의 [141]주어진 일반적 생산단계에서 (주어진 일반적 생산조건하에서) 생산물을 획득하는 데 필요한 만큼의 노동이 이날의 생산물에 이용된다고 전제된다. 즉 생산물을 생산하는 데 이용된 노동시간이 **필요노동시간**(이 개념은 마르크스가 『자본』에서 잉여노동시간과 구분하면서 노동력을 재생산하는 데 필요한 노동시간의 의미로 사용한 '필요노동시간' 개념과는 다르다. ─ 옮긴이), 요컨대 일정량의 재료에 새로운 사용가치의 형태를 부여하는 데 필요한 노동시간이라고 전제된다. 12시간이라는[142] 하루 동안 ─ 전제된 일반적[143] 생산조건하에서 ─ 면화 6파운드가 면사로 전화할 수 있다면 면화 6파운드를 면사로 전화시키는 하루만큼이 12시간의 노동일로 간주된다. 요컨대 한편으로는 **필요노동시간**이 전제되어 있고, 다른 한편으로는 노동과정에서 수행되는 특정한[144] 노동이 방적, 방직, 경작 등 어떤 특수한 형태를 취하든 ─ (귀금속 생산에 이용된 노동도 그렇듯이)[145] ─ [146]통상적인 **평균노동**인 것으로 전제되어 있으므로 노동이 기존의 가치에 추가하는 가치의 양, 대상화된 일반적 ||43| 노동시간의 양은 그 자신이 지속되는 시간[147]과 정확하게 같다. 주어진 전제하에서는 [148]대상화되는[149] 노동의 양은 이 노동이 대상화되는 과정에서 소요되는 시간과 같다는 것을 의미할 뿐이다. [150]면화 6파운드로 하루 12시간 동안에 면사 5파운드를 만들 수 있다고 하자. [151]노동과정에서 노동은 끊임없이 동요와 운동의 형태에서 대상적 형태로 바뀐다. (5파운드=80온스.) (12시간으로 나누면 시간당[152] 정확히 6⅔[153]온스가 된다.) 방적은 끊임없이 면사로 넘어간다. 면화 8온스를 면사 6⅔[154]온스로 전화시키는 데 1시간이 필요하다면 면화 6파운드를 면사 5파운드로 전화시키는 데는 12시간이 필요할 것이다. 그러나 여기에서 우리가 관심을 갖는 것은 1시간의 방적노동이 면화 8온스를, 12시간의 방적노동이 면화 6파운드를 면사로 전화시킨다는 사실이 아니라 면화의 가치에 전자는 1시간의 노동이, 후자는 12시간의 노동이 추가된다는 사실이다. 바꿔 말하면 우리가 생산물에 관심을 갖는 것은 생산물이 새로운 노동시간의 질료라는 관점에서 보는 한 이 질료는 물론 노동시간 그 자체에 달려 있다는 것이다. 우리는 생산물에 흡수된 노동량에만 관심이 있다.[155] 여기에서 우리는 방적을 방적으로 ─ 면화에 특정한 형태, 새로운 사용가치를 부여하는 한에

G74

106

서 — 고찰하는 것이 아니라 노동 일체, 노동시간, 면사에 현존하는 그것의 질료, 일반적 노동시간 일체의 질료인 한에서만 그것을 고찰한다. 동일한 노동시간이 어떤 다른 특정한 노동의 형태로 이용되든, 또는 어떤 다른 특정한 교환가치('사용가치'를 잘못 쓴 것으로 보임 — 옮긴이)를 생산하기 위해서 이용되든 전혀 무관하다.[156] 우리는 원래 **노동능력**을 — 그것 자체가 이미 대상화된 노동이기 때문에 — 화폐로 측정할 수 있었고, 따라서 자본가가 그 것을 구매할 수 있었으나, 단순한 활동으로서 우리의 척도를 벗어난 **노동 자체**를 직접 그렇게 할 수는 없었다. 그러나 이제는 노동능력이 [157]노동과정에서 그것의 실제적 외화, 노동으로 진전하는 정도에 따라 노동은 실현되고 생산물에서는 스스로 대상화된 노동시간으로서 나타난다. 요컨대 이제 자본가가 임금으로 준 것과 그가 노동능력을 소비함으로써 그 대가로 교환에서 돌려받은 것을 비교할 가능성이 주어져 있다. 일정량의 노동시간, 예를 들어 시간이 종료되면 특정한 양의 노동시간이 하나의 사용가치, 예를 들면 면사에 대상화된 것이고 그것은 이제 면사의 교환가치로서 존재한다.

  방적공의 노동능력에 실현된 노동시간이 10시간이라고 하자. 여기에서 우리는 그의 노동능력에서 **매일** 실현되는 노동시간만을 언급하고 있다. 화폐보유자가 지불한 가격에는 방적공의 노동능력을 매일 생산하거나 재생산하는 데 필요한 노동시간이 이미 **평균노동에** 표현되어 있다. 다른 한편으로 우리는 [158]그 자신의 노동이 **동일한** 자질의 노동, 즉 가치의 실체를 구성하고 그 자신의 노동능력을 평가하는 데 이용되는 **동일한 평균노동**이라고 가정한다. 그리고 일단 방적공이 화폐보유자를 위해 10시간 노동한다고, 즉 그에게 자신의 노동능력에 대한 10시간 처분권을 주었다고, 즉 판매했다고 가정하자. 화폐보유자는 방적공의 노동능력에 대한 이 10시간 처분권을 노동과정에서 소비한다고 가정하자. 즉 다른 말로 하자면, 화폐보유자가 방적공이 10시간 방적하도록, 노동 일체를 하도록 한다는 것이다. 여기에서 화폐보유자가 노동을 시키는 특정 형태는 아무 상관이 없기 때문이다. 따라서 방적공은 방사 작업에서 노동수단을 매개로 해서 면화의 가치에 10시간 노동을 추가했다. 요컨대 [159]생산물인 면사, 방사의 가치는 새로 추가된[160] 노동을 **제외할 때** A+B와 같았다면 이제는 A+B+10노동시와 같다. 자본가가 이 10노동시에 대하여 10펜스를 지불한다면 이 10펜스는 C가 되어 이제 방사 생산물은 A+B+C와 같아진다. 즉 면화, 방추(이것들이 소비되는 한에서), 끝으로 새로 추가된 노동시간에 포함되어 있는 노동시간과 같다.

이 합계 A+B+C＝D라고 하자. 그러면[161] D는 화폐보유자가 노동과정을 시작하기 전에 노동재료, 노동수단, 노동능력에 지출한 화폐액과 같다. 즉 생산물 — 면사 — 의 가치는 면사를 구성하는 요소들의 가치와 같다. 즉 노동재료, (우리의 가정에 따르면 생산물에 완전히 소비되는) 노동수단＋노동과정에서 이 둘과 결합해 면사가 된 추가 노동의 가치와 같다. 요컨대 면화 100탈러, 도구 16탈러, 노동능력 16탈러＝132탈러. 이 경우에 선대된 가치가 보존되기는 하겠지만 증대되지는 않았을 것이다. 화폐가 자본으로 ||44|| 전화하기 전에 일어난 유일한 변화는 순전히 형식적인 변화이다. 이 가치가 원래는 132탈러, 특정한 양의 [162]대상화된 노동시간이었다. 동일한 단위가 생산물에서 다시 132탈러로, 동일한 가치크기로 나타난다. 다만 이것이 이제는 100, 16, 16이라는 가치구성 부분의 합계, 즉 처음에 선대된 화폐가 노동과정에서 분해되고 각각 따로 구매한 요소들의 가치의 합계라는 점이다.

즉자대자적으로 이 결과는 결코 이상할 것이 없다. 내가 132탈러를 주고 면사를 구매한다면, 즉 단순히 화폐를 면사로 전화시킨다면 — 즉 단순유통의 방식으로 — 나는 면사에 포함된 재료, 수단, 노동에 지불하여 이 특정한 사용가치를 얻고 그것을[163] 이런저런 방식으로 소비하게 된다. 화폐보유자가 자신이 거주하기[164] 위해서 집을 짓도록 한다면 그는 그것에 대해 등가를 지불한다.[165] 간단히 말하자면, 그가 유통 W — G — W를 통과한다면 그는 사실상 다른 아무것도 하지 않는 것이다. 그가 구매하는 데 사용하는 화폐는 원래 그가 보유하고 있던 상품의 가치와 같다. 그가 구매하는 새로운 상품은 원래 그가 보유하고 있던 상품의 가치가 교환가치로서 자립적인 형체를 획득한 화폐와 같다.

그러나 자본가가 화폐를 상품으로 전화시키는 목적은 상품의 사용가치가 아니라 상품에 지출된 화폐 또는 가치의 **증대** — **가치의 자기증식**이다. 그는 자신이 소비하기 위해서가 아니라 자신이 처음에 유통에 던져 넣은 것보다 큰 교환가치를 유통에서 꺼내기 위해서 구매한다.

G76 그가 A+B+C의 가치가 있는 면사를 예를 들어 A+B+C+x로 다시 판매한다면 우리는 같은 모순으로 되돌아올 것이다. 그는 자신의 상품을 등가가 아니라 등가 이상으로 판매하는 것이 될 것이다. 그러나 유통에서는 교환하는 둘 중 어느 한 당사자가 등가 **이하의** 가치를 받지 않는다면 잉여가치, 등가를 초과하는 가치는 발생할 수 없다.

요컨대 화폐보유자가 노동자에게 노동능력의 등가로 지불한 것과 동일한 노동시간[166]만큼 노동자로 하여금 노동하도록 한다면 화폐를 노동과정의[167] 요소들로 전화시키는 것 ─ 또는 같은 말이지만, 구매한 노동능력의 실제 소비 ─ 은 전혀 무의미할 것이다. 그가 132[168]탈러에 면사를 구매해서 다시 이 면사를 132[169]탈러에 판매하든지, 아니면 132[170]탈러를 면화 100탈러, 방추 등 16탈러, [171]대상화된 노동 16탈러, 즉 16탈러에 포함된 노동시간만큼의 노동능력의 소비로 전환해서 그렇게 생산된 132[172]탈러 가치의 면사를 다시 132[173]탈러에 판매하든지, [174]그 결과를 고찰하면 완전히 동일한 과정이다. 다만 차이가 있다면 이 과정이 귀결되는 동어반복(Tautologie)이 전자의 경우보다 후자의 경우에 더 번거로운 경로를 거쳤을 뿐이다.

잉여가치(*Mehrwert*) ─ 즉 원래 노동과정에 들어간 가치를 초과하는 잉여를 이루는 가치 ─ 가 노동과정에서 발생할 수 있는 것은 분명히 다음의 경우, 즉 화폐보유자가 노동능력을 [175]어느 시간 동안 사용할 수 있는 처분권을 산 그 시간이, 노동능력이 자신을 재생산하기 위해 필요한 노동시간보다, 즉 노동능력에 더해져 그것의 가치를 이루고 이러한 가치로서 그 가격에 표현된 노동시간보다 더 많은 경우뿐이다. 예를 들면 위에서 언급한 경우. 면화와 방추가 방적공 자신의 것이라면 그는 생존하기 위해서, 즉 다음 날 방적공으로서 재생산되기 위해서 10시간의 노동을 추가해야 할 것이다. 화폐보유자가 이제 노동자에게 10시간이 아니라 11시간 노동하도록 한다면 노동과정에서 대상화된 노동에는 노동능력 자체를 재생산하기 위해서, 즉 노동자가 노동자로서, 방적공이 매일매일 방적공으로서 연명하기 위해서 필요한 노동시간보다 1시간 더 많은 노동시간이 포함되어 있을 것이기 때문에 1시간의 잉여가치가 생산될 것이다. 방적공이 노동과정에서 10시간을 초과해서 ||45| 노동하는 노동시간의 양, 그 자신의 노동능력에서 재생된 노동량을 초과하는 모든 **잉여노동**은 잉여가치를 형성할 것이다. 잉여노동, 요컨대 더 많은 면사는 방사로 대상화된 더 많은 노동이기 때문이다.

노동자가 24시간으로 이루어진 하루를 살기 위해서(이 24시간에는 노동자가 유기체로서 노동 후 휴식을 취하고 잠자는 등의 시간, 노동할 수 없는 시간도 당연히 포함된다) 10시간[176] 노동해야 한다면 그는 노동자로서 자신을, 살아 있는 노동능력으로서 자신을 재생산하기 위해서 이 12시간, 14시간 중에서 10시간만 필요할지라도 하루에 12시간, 14시간 노동할 수 있다.

이제 이 과정이 동일한 양의 노동시간만이 교환된다는 상품교환의 일반적 법칙에 상응한다고, 즉 상품의 교환가치는 동일한 교환가치, 즉 동일한

G77

양의 대상화된 노동을 표현하는 다른 모든 사용가치의 양과 같다고 가정하면, 자본의 일반적 형태 — G—W—G — 는 어리석음이 사라지고 하나의 내용을 갖게 될 것이다. 상품, 여기에서는 면사, 즉 노동과정 이전에 화폐보유자가 자신의 화폐를 그 요소들과[177] 교환한 면사는 노동과정의 **생산물**, 새로운 사용가치, 면사에서 원래의 대상화된 노동량을 초과하는 추가분을 얻었으므로 이 생산물은 자신의 요소들에 전제된 가치의 총액보다 더 큰 가치를 갖게 될 것이다. 그것이 원래 132[178]탈러였다면 이제는 16탈러(1탈러 = 1노동일)가 아니라 x노동일 더 많이 생산물에 포함되어 143탈러일 것이다. 이제 그 가치는 = 100 + 16 + 16 + 11일 것이고, 자본가가 노동과정의 생산물인 면사를 다시 그것의 가치로 판매한다면 그는 132[179]탈러에 대하여 11탈러를 벌게 될 것이다. 원래의 가치는 보존될 뿐 아니라 증대될 것이다.

이제 제기되는 의문은 이 과정이 원래 전제되었던 법칙, 즉 상품들이 등가물로서, 즉 그것들의 교환가치로 교환된다는 법칙, 요컨대 그것에 따라 상품들의 교환이 이루어지는 법칙과 모순되지 않느냐는 것이다.

이 과정은 두 가지 이유에서 법칙에 모순되지 않는다. 첫째로, 화폐가 이 특유한 대상,[180] 살아 있는 노동능력을 시장에서 상품으로, 유통에서 주어져 있는 것으로 발견하기 때문이다. 둘째로, 이 상품의 특유한 성격 때문이다. 말하자면 이 상품의 독특함은, 한편으로는 그것의 교환가치가 다른 모든 상품과 마찬가지로 그 자신의 실제 현존에, 노동능력으로서의 현존에 사용된 노동시간, 즉 이 살아 있는 노동능력을, 같은 말이지만, 노동자를 노동자로서 연명하게 하는 데 필요한 노동시간과 같은 반면에 — 그것의 **사용가치**는 노동 자체, 즉 바로 교환가치를 정립하는 실체, 교환가치로 고정되고 교환가치를 창출하는 특정한 유동적 활동이라는 것이다. 그러나 상품에는 그것의 교환가치만 지불된다. 기름의 경우 그것에 포함된 노동 이외에 기름으로서의 특질에 대해서는 지불되지 않는다. 이는 포도주의 경우 그것에 포함된 노동 이외에 마시기에 대해서나 마시면서 느끼는 즐거움에 대해서 지불하지 않는 것과 마찬가지이다. 따라서 노동능력에 대해서도 마찬가지로 그 자신의 교환가치가, 그 자신에 포함된 노동시간이 지불되는 것이다. 그러나 노동능력의 사용가치는 그 자체가 역시 노동, 교환가치를 창출하는 실체이므로 노동능력의 실제 소비, 사용가치로서의 실제 사용이 그 자신 안에 교환가치로서 존재하는 것보다 더 많은 노동을 정립하고[181] 더 많은 대상화된 노동으로 나타난다는 것도 상품교환 법칙에 모순되지 않는다. 이 관계가 생겨나

G78

기 위해서 요구되는 유일한 조건은 ||46| 노동능력 자체가 상품으로서 화폐에 또는 가치 일체에 마주 서는 것이다. 그러나 이 대면은 노동자를 순수한 노동능력으로 국한하는 특정한 역사적 과정에 의해 규정되는데, 이 역사적 과정은 이것 역시 마찬가지이지만 노동능력에 대해서 그 실현 조건들을, 실제 노동에 대상화된 요소들을 타인의 권력으로서, 노동능력과는 분리되어 다른 상품보호자가 보유하고 있는 상품들로서 맞서게 하는 것이다. 이러한 **역사적** 전제하에서 노동능력은 **상품**이며, 노동능력이 상품이라는 전제하에서는 노동능력에 대상화된 노동시간, 즉 그것의 교환가치가 그것의 **사용가치**를 결정하지 않는다는 것은 상품교환 법칙에 모순되는 것이 아니라 오히려 부합한다. 그러나 이 사용가치 자체는 역시 노동이다. 따라서 이 사용가치의 실제 소비에서, 즉 노동과정에서, 그리고 노동과정을 통해서 화폐보유자는 그가 노동능력의 교환가치에 대해 지불한 것보다 더 많은 대상화된 노동시간을 되돌려 받을 수 있다. **요컨대 그는 이 특유한 상품에 대하여 등가물을 지불했음에도 불구하고** 이 상품의 특유한 성격 ── 그것의 사용가치 자체가 교환가치를 정립하고 교환가치의 창조적 실체라는 것 ── 으로 인해 그것을 사용함으로써 그는 구매하면서 ── 구매할 때 그는 상품교환 법칙에 따라 그것의 교환가치만을 지불한다 ── 선대했던 가치보다 더 많은 가치를 되돌려 받는다. 그러므로 노동능력이 단순한 노동능력으로서, 따라서 상품으로서 존재하고, 따라서 노동능력에 대하여 화폐가 모든 대상적 부의 형태로 존재하는 관계가 전제된다면 [182] 오로지 가치 자체만을 중시하는 화폐보유자는 노동자가 노동재료와 노동수단이 노동자의 것이라 해도 노동자로서, 살아 있는 노동능력으로서 연명하기 위해서 노동해야 하는 노동시간보다 더 긴 시간의 노동능력에 대한 처분권을 받는다는 조건, 다시 말해 노동자가 [183] 노동과정에서 화폐보유자를 위해서 더 긴 노동시간을 노동하도록 의무를 진다는 조건하에서만 노동능력을 구매할 것이다. 노동능력 자체의 교환가치를 측정하는[184] 노동시간[185] 과 노동능력이 사용가치로서 사용되는 노동시간[186] 사이의 차이는 노동능력이 자신의 교환가치에 포함된 노동시간을 초과해서, 즉 노동능력에 원래 소요되었던 가치를 초과해서 노동하는 노동시간이다 ── 그리고 그러한 것으로서 잉여노동이다 ── **잉여가치**.

[187] 화폐보유자가 살아 있는 노동능력 및 이 노동능력을 소비하기 위한 대상적 조건들 ── 즉 이 소비의 특수한 소재적 규정성에 부합하는 노동재료와 노동수단 ── 을 화폐와 교환하면 그는 화폐를 자본으로, 즉 보존되고 증

대되는, 자기증식하는 가치로 전화시킨다. 어느 한 순간에도 그는 등가물이 교환되거나 또는 상품들이 — 평균적으로 — 교환가치대로 판매된다는, 즉 동일한 크기의 교환가치는 어떤 사용가치에 존재할지라도 동일한 크기로서 대체된다는 단순유통의 법칙, 상품교환의 법칙을 위반하지 않는다. 동시에 그는 G — W — G 정식을 충족한다. 즉 화폐를 상품과 교환한 후에 이 상품을 더 많은 화폐와 교환하고, 그에 따라서(demnach라고 되어 있으나 문맥에 따르면 '그럼에도 불구하고'dennoch가 되어야 할 것이다. — 옮긴이) 등가법칙을 위반하는 것이 아니라 오히려 전적으로 그 법칙에 따라 행동하는 것이다.

첫째로, 통상적인 노동일 = 1탈러이고 탈러로 불리는 은의 양으로 표현된다고 하자. 자본가는 원료에 100탈러, 도구에 16탈러, 그가 사용하고 교환가치가 16탈러인 16개의 노동능력에 16탈러를 지출한다. 그러면 그는 132탈러를 선대하는 것이며, 이것은 노동과정의 생산물(결과)[188]에서, ||47| 즉 그가 구매한 노동능력의 소비, 노동과정, 생산적 소비에서 **재현된다.** 그러나 그가 교환가치에 따라 예를 들어 15노동일로 구매한 상품(노동능력 — 옮긴이)이 사용가치로서는 예를 들면 30노동일을, 즉 하루 6시간에 대해 12시간을 가져다주고, 12노동시간에 대상화된다. 즉 사용가치로서 이 상품은 교환가치로서 자기가 갖는 것보다 두 배 많은 가치를 정립한다. 그러나 상품의 사용가치는 교환가치와는 무관하며 그것이 판매되는 — 그 자신에 대상화된 노동시간에 의해 결정되는 — 가격과는 아무 상관이 없다. 따라서 생산물은 = A+B+C+15노동시간, 즉 노동과정에 전제된 가치보다 15노동시간만큼 더 많아진다. A = 100, B = 16, C = 16[189]이었다면 생산물은 = 143[190]이다. 즉 선대된 자본보다 11탈러 더 많은 가치이다. 그가 이 상품을 다시 그 가치에 따라 판매한다면 그는 전체 작업의 어느 한 순간에도 상품교환 법칙을 위반하지 않았고 오히려 상품교환의 계기마다 상품들이 그 교환가치에 따라, 따라서 등가물들로서 교환되었음에도 11탈러를 번다.

이 과정은 비록 간단하지만 지금까지는 파악되지 못했다. 경제학자들은 잉여가치를 그들 스스로 설정한 등가법칙과 결코 조화시킬 수 없었다. 사회주의자들은 교환가치를 창출하는 활동을 사용가치로 갖는 노동능력이라는 이 상품의 특유한 본성을 이해하지 못하고 이 모순을 끊임없이 고수하면서 그 주위를 맴돌았다.

G80　　요컨대 이 과정에 의해서, 노동능력과 화폐의 교환, 그리고 그 뒤를 잇는 노동능력의 소비에 의해서 화폐는 **자본**으로 전화한다. 경제학자들은 이를

화폐의 생산적 자본으로의 전화라 부른다. 한편으로는 이 기본 과정이 전제로서는 존재하지만 형태에서는 해소되어버린 다른 형태의 자본과 관련하여 그러하고, 다른 한편으로는 비록 이 자본 자체가 이 과정을 통해서만 비로소 실제 자본으로 전환되지만 화폐에 대해서 노동능력이 상품으로서 마주 서 있는 한 화폐는 자본으로 전화할 **가능성**, 즉 **즉자적** 자본이라는 사실과 관련하여 그러하다. 그러나 화폐는 가능성에서 볼 때 **자본**으로 전화할 수 있는 것이다.

잉여노동이 실현되려면 더 많은 노동재료가 필요하다는 것은 분명하다. [191]더 많은 노동수단은 예외적인 경우에만 필요하다. 10시간에 면화 10a파운드를 면사로 전화시킬 수 있다면 12시간에는 10a+2a. 따라서 이 경우에는 더 많은 면화가 필요하고, 바꿔 말하면 자본가가 잉여노동을 **흡수할** 만큼 충분한 양의 면화를 구매한다고 처음부터 가정되어야 한다. 하지만 예를 들면 동일한 재료가 반일 동안에는 절반만 새로운 형태로 가공되고 하루 동안에는 전체가 가공되는 것도 가능하다. 그러나 이 경우에도[192] 어쨌든 재료에 더 많은 노동이 소비되었다. 또한 이 과정이 매일매일 계속되어야 하는, 즉 연속되는 생산과정이어야 한다면, 이 경우에도 노동자가 노동과정에서 자기 자신의 임금에 대상화된 노동시간만을 자신의 노동으로 대체했을 때보다 더 많은 노동재료가 필요해진다. 더 많은 노동수단[193]이 필요한지, 필요하다면 얼마나 필요한지[194] ― 노동수단은 원래의 도구인 것만은 아니다 ― 는 특정한 노동의, 즉 이 노동이 사용하는 수단의 기술적 성격에 달려 있다.

어떤 경우에든 노동과정이 종료되면 노동자의 임금에 대상화된 노동시간보다 더 많은 새로운[195] 노동[196]이 노동재료[197]에 **흡수되고**, 따라서 대상화되어야 한다. 제조업자의 사례를 계속 살펴보자. 노동의 이러한 **초과 흡수**는 더 많은 재료를 가공하거나 또는 동일한 재료를 더 적은 노동시간에 가공할 수 있는 것보다 한 단계 높게 가공하는 것으로 나타난다.|

|48|가치증식과정을 노동과정과 비교하면 사용가치를 생산하는 실제 노동과 교환가치의 요소로서, 교환가치를 창출하는 활동으로서 나타나는 이 노동의 형태 사이에 차이가 두드러지게 드러난다.

노동의 특정한 방식, 노동의 소재적 규정성은 여기에서 유일하게 문제가 되는 자본에 대한 노동의 관계에 영향을 미치지 않는다는 사실이 여기에서 밝혀진다. 그러나 우리는 이때 노동자의 노동이 보통의 평균노동이라는 전제에서 출발했다. 그렇지만 그의 노동이 더 높은 특유한 비중을 갖는 노

G81

동, 강화된(potenziert) 평균노동이라고 전제해도 상황은 변하지 않는다. 자본가가 노동과정에서 대상화된 형태로 획득하는 것, 노동과정을 통해 전유하는 것이 단순노동 또는 평균노동이든, 방적공의 노동 또는 제분공의 노동이든, 농부 또는 기계공의[198] 노동이든, 그것은 방적, 제분, 경작, 기계 제작이라는 노동자의[199] 특정한 노동이다. 그가 산출하는 잉여가치는 언제나 노동의 초과분에, 또는 노동자가 자신의 임금(Salair)을 생산하기 위해서 필요한 것보다 더 많이 방적하고 제분하고 경작하고 기계를 제작하는 노동시간에 있다. 즉 그것은 이 노동의 성격이 어떠하든, 노동이 단순한 것이든 강화된 것이든 언제나 노동자 자신의 노동의, 자본가가 무상으로 획득하는 초과분(Überschuß)이다. 예를 들면 강화된 노동이 사회적 평균노동에 대해 갖는 비율은 이 강화된 노동의 자신과의 관계를 변화시키지 않으며, 강화된 노동 1시간은 2시간에 비해 절반의 가치만을 창출한다는 사실, 노동이 지속 시간에 비례해서 실현된다는 사실을 변화시키지 않는다. 요컨대 노동과 잉여노동 — 즉 잉여가치를 창출하는 노동 — 의 비율이 고찰되는 한에서는 언제나 동일한 종류의 노동이 문제가 되며, 교환가치를 창출하는 노동 자체와 관련하여 옳지 않은 것이 여기에서는 옳다. "가치의 척도로서 노동이 언급될 때 그것은 반드시 **특정한 종류의, 주어진 지속 기간의 노동**을 의미한다. 다른 종류의 노동이 차지하는 비율은 각각에게 주어진 각각의 보수(報酬)에 의해 쉽게 확인된다."(『경제학 개론』, 런던, 1832년, 22, 23쪽)[200]

자본가가 이렇게 획득한 생산물은 특정한 사용가치로서, 재료의 가치, 노동수단의 가치, 추가된 노동량 — 즉 임금에 포함된[201] 노동량+지불되지 않은 잉여노동 — 과 동일한 가치 =A+B+S+S″이다. 따라서 그가 이 상품을 그 가치대로 판매한다면 그는 바로 잉여노동만큼 이익을 얻는다. 그가 이익을 얻는 것은 새로운 상품을 가치 **이상으로** 판매하기 때문이 아니라 그것을 가치**대로** 판매하고 그것의 가치 전체를 화폐로 전환했기 때문이다. 그럼으로써 그에게는 그가 구매하지 않고 아무 비용도 들이지 않은 가치 일부, 생산물에 포함된 노동 일부가 지불된다. 그가 판매하는 생산물의 가치 중에서 그가[202] 지불하지 않은 부분이 그의 이윤을 구성한다. 요컨대 유통에서 그는 노동과정에서 획득한 잉여가치를 실현할 뿐이다. 즉 이 잉여가치는 유통 자체에서, 따라서 그가 자신의 상품을 **가치 이상으로** 판매함으로써 유래하는 것이 아니다.

〔노동과정에서 소비된 노동재료와 노동수단의 가치 — 이것들에 대상화

된 노동시간 — 는 생산물 — 새로운 사용가치 — 에서 재현된다. 그 가치는 보존되지만 본래의 의미에서 그것이 재생산된다고 말할 수는 없다. 그 까닭은 사용가치에서 이루어진 형태변화 — 그 가치가 이제 이전과는 다른 사용가치에 존재한다는 사실 — 가 가치에 영향을 미치지는 않기 때문이다. 하나의 사용가치에 1노동일이 대상화되었다면, 예를 들면 12번째의 1노동시간이 첫 번째의 1노동시간 후 11시간 만에 이 사용가치의 구성에 들어간다는 사실은 이 대상화를, 사용가치에 고정된 노동량을 조금도 바꾸지 않는다. 그러므로 노동재료와 노동수단에 포함된 노동시간은 마치 그것이 생산물 전체, 즉 생산물의 모든 요소를 생산하는 데 필요한 생산과정의 이전 단계에서만 생산물에 들어간 것처럼 간주될 수 있다. 반면에 가치증식과정[203]에 들어가는 한에서 노동능력은 그렇지 않다. 노동능력은 자신에게 포함된, 따라서 자신에게 지불된 가치를, 즉 그것의 가격으로, 임금으로 지불된 대상화된 노동시간을, 동일한 양의 새로운 살아 있는 노동을 노동재료에 추가함으로써 대체하는 것이다. 요컨대 그것은 이 양을 뛰어넘어 잉여노동이라는 초과분을 추가하는 것과는 별개로 노동과정 이전부터 그 자신에 전제되어 있던 가치를 재생산한다. 노동재료와 노동수단의 가치가 생산물에서 재현되는 것은, 단지 노동재료와 노동수단이 노동과정 **이전에**, 또 노동과정과는 무관하게 이들의 ||49| 가치를 갖고 있었기 때문이다. 그러나 노동능력의 가치, 이 가치 이상의 가치가 생산물에서 재현되는[204] 것은 그것이 노동과정에서 [205]더 많은 양(그러나 여기에서 이 차이의 경우에는 초과량[206]은 일단 무관하다)의 새로운 살아 있는 노동에 의해서 대체, 즉 재생산되기 때문이다.)

노동과정과 가치증식과정의[1] 통일
(자본주의적 생산과정)

화폐가 살아 있는 노동능력과 교환되고, 마찬가지로 이 능력을 실현하기 위한[2] 대상적 조건들 ― 노동재료 및 노동수단 ― 과 교환됨으로써 화폐가 자본으로 전화하자마자 진행되는 실제 생산과정, 이 생산과정은 노동과정과 가치증식과정의 통일이다. 그것은 이 과정의 결과인 상품이 사용가치와 교환가치의 통일인 것과 마찬가지이다.

먼저 자본의 생산과정은 ― 사용가치가 생산되는 한에서 자본의 소재적 측면에서 고찰하면 ― **노동과정** 일체이며, 그러한 것으로서 이 과정 자체에 부합하는 일반적 요소들을 다양한 사회적 생산형태 아래서 보여준다. 이들 요소는 말하자면 노동의 노동으로서의 성격에 의해 결정된다. 사실 역사적으로 발견되는 사실은, 자본이 형성되는 초기에는 노동과정 일체를 자신의 통제 아래 놓을 뿐 아니라, 기술적으로 완성되어 주어진 것으로서 발견하고 비자본주의적[3] 생산관계에 기초해서 발전한 바와 같은 특수한[4] 실제적 노동과정도 자신의 통제 아래에 놓는다(자신에게 포섭한다)는 것이다. 자본은 실제적 생산과정 ―[5] 특정한 생산방식 ― 을 주어진 것으로 발견하고, 처음에는 이 생산방식의 기술적 규정성을 변화시키지 않은 채 그것을 **형식적으로** 만 자신에게 포섭한다. 자본은 자신의 발전이 진행되면서 비로소 노동과정을 형식적으로 포섭할 뿐 아니라 노동과정을 개조하고 생산방식 자체를 새롭게[6] 구성하며, 그리하여 비로소 자신만의 독특한 생산방식을 창출한다. 그러나 생산방식의 변화된 모습이 어떠하든 노동과정 일체로서, 즉 그것의 역사적 규정성이 추상된 노동과정으로서 생산방식은 언제나 노동과정 일체의 일반적인 계기들을 포함한다.

노동과정의 이 **형식적** 포섭, 노동과정을 자기 통제하에 두는 것은 노동자가 노동자로서 자본의 또는 자본가의 감독하에, 따라서 지휘하에 놓이는 것이다. 노동에 대한 지휘는 A. 스미스가 말하듯이 부 일체가 노동에 대한 지휘라는 의미[7]에서가 아니라 [8]노동자가 노동자로서 자본의 지휘하에 들어간다는 의미에서이다. 그 까닭은 그가 자신의 노동능력을 특정한 시간 동안 임금을 받고 자본가에게 판매하게 되면 그는 스스로 노동자로서, 자본이 일할 때 필요한 요소들 중 하나로서 노동과정에 들어가야 하기 때문이다. 실제 노동과정이 노동을 통해, 요컨대 노동자 자신의 활동을 통해 그 과정에 들어가는 사용가치들을 생산적으로 소비하는 것이라면, 다른 한편으로 그것은 자본 또는 자본가에 의한 노동능력의 소비이기도 하다. 자본가는 노동자에게 노동을 시킴으로써 노동자의 노동능력을 사용한다. 노동과정의 모든 요소가, 즉 노동재료, 노동수단, 자본가가 구매한 노동능력의 활동, 이용으로서의 살아 있는 노동 자체가 그의 것이다. 그러므로 마치 그가 스스로 자신의 재료와 자신의 노동수단으로 노동하는 것처럼 노동과정 전체가 그의 것이다. 그러나 노동은 동시에 노동자 자신의 생명외화,[9] 그 자신의 개인적 숙련과 능력의 활동 — 이는 그의 의지에 좌우되는 활동이자 동시에 의지의 표현이다 — 이므로 자본가는 노동자를 감시하고 노동능력의 활동을 자신에게 속하는 행위로서 통제한다. 그는 노동재료가 자체로서 합목적적으로 사용되는지, 노동재료로서 소비되는지 지켜본다. 재료가 낭비되면 그것은 노 G84 동과정에 들어가지 않으며 노동재료로서 소비되지 않는다. 노동수단에 대해서도, 노동자가 노동과정 자체에 의한 방식이 아니라 다른 방식으로 그것의 소재적 실체를 마모시킨다면 그와 마찬가지로 말할 수 있다. 마지막으로 자본가는 노동자가 실제로 노동하는지, 충분한 시간 노동하는지, 또한 필요노동시간만을 지출하는지, 즉 특정 시간 동안 정상적인 양만큼 노동하는지 지켜볼 것이다. 이 모든 측면에서 볼 때 노동과정이, 그럼으로써 노동과 노동자 자신이 자본의 통제하에, 그 지휘하에 들어간다. 이를 나는 노동과정의 자본으로의 **형식적 포섭**이라 부른다.

이하 연구 전체에서 자본가 자신이 행하는 노동은 생산물의 가치구성 부분에 포함되지 않는다. 이 노동이 단순한 노동으로 이루어진다면 그것은 관계 자체와는 아무런 상관이 없으며 ||50| 자본가가 자본가로서, 단순한 인격화, 육화한 자본으로서 활동하는 것이 아니다. 그러나 그의 노동이 자본 자체 특유의 기능에서, 따라서 자본주의 생산양식 자체에서 유래하는 노동이라면 우리는 나중에 이를 특별히 **"감독노동"**(*labour of superintendence*)으로서 상세하게 검토할 것이다.

이러한 노동과정의 자본으로의 형식적 포섭, 또는 노동자에 대한 자본가의 지휘는 예를 들면 중세 동직조합 산업에서 장인이 직인과 도제에게 행사하는 관계와는 전혀 공통점이 없다. 여기에서 오히려 순수하게 분명해지는 사실은 생산적 소비 또는 생산과정은 동시에 자본에 의한 노동능력의 소비과정이라는 것, 이 소비의 내용과 규정적 목적은 다름 아니라 자본의 가치를 보존하고 증대하는 것이지만 이 보존과 증대는 노동자의 의지, 그의 근면 등에 좌우되는 실제 노동과정의 가장 합목적적이고 가장 정확한 진행에 의해서만 달성된다는 것이다. 요컨대 자본가의 의지에 의한 통제와 감독 아래 놓여 있는 과정이다.

〔생산과정과 관련하여 더 언급할 것. 화폐가 **자본으로 전화하기 위해서는 노동과정의 요소들로 — 즉 노동과정에서 사용가치로서 기능할 수 있는 상품들로, 요컨대 노동능력을 위한 소비수단 — 즉 노동자의 생활수단 — 또는 노동재료와 노동수단으로 전화해야 한다.** 따라서 이러한 방식으로 사용될 수 없거나 그렇게 사용되도록 규정되지 않은 모든 [10]상품 — 또는 모든 생산물 — 은 사회의 소비기금에 속하지만 자본에는 속하지 않는다. (여기에서 자본은 그것이 실존하는 바의 대상[11]들로 이해된다.) 그렇지만 이들 생산물은 **상품**으로 남아 있는 한에서 스스로 자본의 하나의[12] 존재방식이다. 자본주의적 생산이 전제되면 자본 일체가 모든 생산물을 생산하며, 이들 생산물이 생산적 소비로 들어가는지, 또는 이 소비로 들어갈 수 없는지, 즉 스스로 다시 자본의 신체가 될 수 없는지는 아무 상관이 없다. 그러나 그것들은 상품으로 남아 있는 한, 즉 유통 속에 놓여 있는 한 자본으로 남아 있다. 그것들은 최종적으로 판매되자마자 이런 의미에서의 자본이 더는 아니게 된다. 노동과정의 단계에 놓여 있지 않은 한 자본은 상품이나 화폐(혹시 단순한 채권 등일지라도) 형태로 존재해야 한다. 그러나 그것들은 사용가치로서 노동과정이나 생산과정에 들어갈 수 없다.〕

노동자는 [13]노동자로서 활동하고 자신의 노동능력이 **외화되는**(*äußert*) 것에 따라서 노동능력을 **양도한다**(*entäußert*). 그의 노동능력은 노동과정이 시작되기 이전에 이미 외화되는 능력으로서[14] 화폐보유자에게 **매각되었기** (*veräußert*) 때문이다. 노동은 그것이 — 한편으로는 원료 형태로서(사용가치와 생산물로서), 다른 한편으로는 교환가치, **대상화된** 사회적 노동 일체로서 — 실현되는 것에 따라서 노동에서 **자본**으로 전화한다.

자본이 [15]새로운 생산의 수단으로 사용되는 생산물이라고 한다면, [16]앞서 언급한 바와 같이, 모든 노동과정의 **대상적 조건들**이 자본관계로 주장되는 것이다. 다른 한편으로는 자본이 더 많이 축적된 노동을 하기 위해서 사용되는 누적된 노동(축적된 노동)이라 불리는 동일한 혼동 — 이것은 부분적으로는 리카도에게서도 발견된다 — 이 쉽게 나타난다.[17] 누적된 노동은 새로운 사용가치를 생산하기 위해서 사용되는 생산물로 이해될 수밖에 없으므로 이 표현은 애매하다. 그러나 이 표현은 생산물이 (교환가치로서는) 다름 아니

라 이 양을 증대하기 위해서 지출된[18] 특정한 양의 **대상화된** 노동 일체라는 의미로 이해[될] 수도 있다 ─ 요컨대 **자기증식과정.** 두 번째 과정은 첫 번째 과정을 전제로 하지만 반면에 첫 번째 과정이 반드시 두 번째 과정을 전제하지는 않는다. 노동의 **대상적 조건들,** 재료와 노동수단은 노동과정에서 직접[19] 기여하는 한에서 노동자에 의해서 사용된다. 그러나 노동이 자본을 고용하는 것이 아니라 자본이 노동을 고용하는 것이다. 가치 일체가 노동능력에 대하여, 대상화된 과거 노동이 살아 있는 현재 노동에 대하여, 노동조건이 노동 자체에 대하여 갖는 이러한 특유한 위상이 바로 자본 특유의 본성을 이룬다.[20] 이에 대해서는 이 I. 1) (화폐의 자본으로의 전화) 결론 부분에서 더 상술하고자 한다. 여기에서는 일단 생산과정에서 ─ 그것이 가치증식과정이고, 따라서 전제된 가치 또는 화폐의 자기증식과정인 한에서 ─ 가치 (즉 대상화된 일반적, 사회적 노동), 과거 노동이 ||51| 살아 있는 노동의 교환, 상대적 전유 ─ 노동능력의 구매에 의해서 매개되는 교환 ─ 를 통해서 보존되고 증대된다[21]는 것, 잉여가치를 정립한다는 것으로 충분하다. 그러므로 가치가 과정을 거치고 과정에서 보존되고 입증되는[22] 가치로 현상한다. 그리하여 하나의 **자아**로서 ─ 이 자아의 화신이 자본가이다 ─ **가치의 이기성**(*Selbstigkeit*). 노동(살아 있는)은 자본(가치)이 스스로 재생산되고 증대되게 하는 수단, 매개로서 나타날 뿐이다.[23] "노동은 자본이 임금, 이윤, 소득을 생산하도록 하는 매개이다."(존 웨이드, **『중간계급과 노동자계급의 역사』,** 제3판, 런던, 1835[24]년, 161쪽) (웨이드는 그의 저술의 추상적인 경제학 부분, 예를 들면 상업공황 등에 관해서 그 당시로서는 독창적인 내용을 몇 가지 남겼다. 반면에 역사 부분은 영국 경제주의자들Ökonomisten(마르크스는 경제학자Ökonom와 경제주의자Ökonomist를 구별하고 있다. ─ 옮긴이) 사이에서 유행하는 파렴치한 표절의 결정적인 사례이다. 말하자면 그는 **F. 모턴 이든 경**의 **『빈민의 상태』,** 전 3권, 런던, 1797년을 거의 글자 그대로 베꼈다.)

가치, 대상화된 노동이 살아 있는 노동과 이러한 관계를 갖는 것은[25] 가치에 대해서 노동**능력** 자체가 마주 서는 한에서만, 즉 다른 한편으로는 다시 노동의 **대상적 조건들** ─ 따라서 노동능력의 실현을 위한 조건들 ─ 이 분리된 자립성으로, 타인 의지의 통제 아래 노동능력 자체에 대해[26] 마주 서 있는 한에서이다. 따라서 노동수단과 재료 자체가 자본은 아니지만 노동자에게, 따라서 노동 자체에 마주 선 그것들의 자립성, 그것들의 이기적 실존이 그것들의 현존[27]에 뿌리내리고 있기 때문에 그것들 스스로 **자본**으로 현상한다. 이것은 금은이 화폐로 현상하고 표상 속에서는 화폐를 담지자로 하는 [28]사회적 생산관계와 직접 연결되어 있는 것과 마찬가지이다.

자본주의적 생산 내부에서 노동과정이 가치증식과정과 갖는 관계는 후자는 목적으로서, 전자는 수단으로서만 나타난다는 것이다. 따라서 후자가 더는 가능하지 않거나 아직 가능하지 않을 때 전자는 중단된다. 다른 한편으로 이른바 투기적 수법이 판치는 시기, 투기(주식 등), 공황 시기에는 노동과정(본래의 물적 생산)이 단지 부담스러운 조건일 뿐이고, 수단(노동과정) 없이 목적(가치증식과정)을 달성하려는 일반적 열의가 자본주의 나라들에 확산된다는 사실이 극명하게 드러난다. 노동과정 자체가 자기목적일 수 있는 것은 자본가에게 생산물의 사용가치가 중요한 경우뿐이다. 그러나 그에게 중요한 것은 **오로지** 상품으로서 생산물을 매각하는 것, 그것의 화폐로의 재전화이고, 그것이 원래 이미 화폐였으므로 이 화폐액의 증대가 중요하다.[29]이런

G87 의미에서 "가치가 생산물을 만든다"(세, **『실용경제학 통론』**, 510쪽)[30]고 말할 수 있다. (이는 사실상 모든 **상품**생산에 해당된다. 그러나 다른 한편으로는 자본주의적 생산만이 가장 넓은 범위의 **상품생산**이라는 사실, 즉 자가소비를 위한 생산은 아주 미미하고 생산요소들은 농업에서조차 갈수록 이미 **상품**으로서 생산과정에 들어간다는 사실 역시 옳다.)

여기 화폐의 자본으로의 전화에서는 화폐가 여기에서 나타나는 형태를 아주 일반적으로만 (유통에서 다시 논할 것이므로) 주목하고자 한다. 덧붙여 말하자면 요지는 I, 1, a) (**자본의 가장 일반적인 형태**)에서 이미 이루어졌다.

가치증식과정과 관련하여 한 가지 더 언급할 것. 이 과정에는 가치뿐 아니라 가치액도 전제되어 있다. 특정한 크기의 가치인데, 이에 대해서는 나중에 더 설명할 것이다. 가치는 (신생 자본가일지라도) 적어도 1명의 노동자와 그에게 필요한 재료와 도구를 구매할 능력이 있어야 한다. 간단히 말하자면, 여기에서 가치액은 노동과정에 직접 들어가는 상품들의 교환가치에 의한 규정성을 처음부터 갖는다.

요컨대 이 모든 것을 우리는 자본에 기초한 자본주의적 생산과정이라 부른다. 중요한 것은 생산물이 아니라 상품을 ― 판매하도록 규정된 생산물을 생산하는 것이다. 그리고 중요한 것은 단지 상품을 생산해서 이를 판매하는 방식으로 유통에 놓여 있는 사용가치를 손에 넣는 것이 아니라 상품을 생산해서 전제된 가치를 보존하고 증대하는 것이다.|

|52| 〔노동과정을 아주[31] 추상적으로 고찰하면 원래 두 가지 요소만이 활

동한다고 말할 수 있다 — 인간과 자연. (노동과 노동의 자연소재.)[32] 인간의 첫 번째 도구는 자신의 팔다리이지만 이것도 그 스스로 먼저 전유해야 한다. 새로운 생산에 사용되는 첫 번째 생산물과 더불어 비로소 — 동물을 잡기 위해서 던지는 돌에 지나지 않을지라도 — 본래의 노동과정이 시작된다. 인간이 전유한 첫 번째 도구 중 하나는 동물(가축)이다. (이에 대해서는 튀르고의 해당 부분[33]을 보라.) 그런 한에서 노동 관점에서 본다면 프랭클린이 인간을 "도구를 만드는 동물" 또는 "엔지니어"라고 정의한 것은 옳다.[34] 그렇다면 토지와 노동이 생산의 본원적 요소(Urfaktor)일 것이다. 노동으로 규정된 생산물, 즉 생산된[35] 노동재료, 노동수단, 생활수단은 파생된 요소일 뿐이다.

"토지는 **불가결**하다. 자본은 **유용**하다. 그리고 토지에서 수행되는 노동이 자본을 생산한다."(**콜랭**, 『**경제학**. 혁명과 이른바 사회주의 유토피아의 원천』, 제3권, 파리, 1857년, 288쪽) 〔콜랭은 자본 개념에 포함된 가치의 이러한 자립화가 — VII, 153, 154쪽을 보라[36] — 경제학자들에 의해 발명된 것이라고 생각한다.〕 위에서 언급된 애매함은 **제임스 밀**에게서도 보인다. [37] "모든 자본〔여기에서는 단지 소재적 의미의 자본〕은 실제로 상품으로 이루어져 있다. … 최초의 자본은 순수한 노동의 결실이었음이 틀림없다. 최초의 상품은 그에 앞선 어떤 상품에 의해서도 만들어질 수 없다."(**제임스 밀**, 『**경제학 요강**』, 런던, 1821년, 72쪽) 그렇지만 생산을 이렇게 노동의 담지자로서 인간과 인간노동의 대상[38]으로서 토지(원래는 자연)라는 요소들로 분해하는 것은 매우[39] 추상적이기도 하다. 그 까닭은 인간은 원래 노동자로서가 아니라 소유주로서 자연에 마주 서기 때문이고 어느 정도 인간적 현존에 대해서는 개별적 개인으로서의 인간이 아니라 종족의, 부족의, 가족의 인간 등에 대해서 말할 수 있기 때문이다.〕〔밀은 또 이렇게 말한다. "노동과 자본 … 전자는 **직접적** 노동이고 … 후자는 **축적된 노동**,[40] 선행 노동의 결실이었다."(같은 책, 75쪽)〕[41]

한편에서는 자본 일체를 대충 모든 생산에 **필요한** 요소로 교묘하게 주장하기 **위해서** 자본이 노동과정에서 자본의 단순한 소재적 현존방식으로 — 자본의 요소들로 분해되어 — 환원되기도 하고, 다른 한편으로는 자본이 가치이기 때문에 순수하게 관념적인 성격의 것이라고 평가되기도 한다(세, 시스몽디 등).[42]

자본이 **상품에 대립하는 생산물**이라고 주장하거나(프루동, 웨일랜드 등)[43] 자본이 노동도구이고 노동재료라거나 자본이 노동자가 받는 생산물 등으로도 구성된다고 주장한다면 이는 노동과정에서 이미 노동이 자본에 병합되었고 노동수단 및 노동재료와 마찬가지로 자본의 일부라는 사실을 망각한 것이다. "노동자가 자신의 노동에 대하여 임금을 받을 때 … 자본가는"(이러한 소재적 의미에서) "자본만이 아니라 **노동의 소유주이기도**[44] 하다. 통상 그러는 것처럼 임금으로 지불되는 것이 자본이라는 용어에 포함된다면 자본과 별도로 노동에 대해 언급하는 것은 불합리하다. 그렇게 사용되는 자본이라는 단어는 노동과 자본 양자를 포함한다."(**제임스 밀**, 앞의 책, 70, 71쪽)

자본을 그것이 존재하는 사용가치와 혼동하고 이 사용가치 자체를 자본이라 부르는 것이 자본의 옹호에 ── 자본을 생산의 영원한 요소로, 모든 사회형태에 독립적이고 어떤 노동과정에도, 즉 노동과정 일체에 내재적인 관계로 내세우는 것에 ── 편리한 것과 마찬가지로, 경제주의자분들은 자본주의적 생산양식 특유의, 그것에 속하는 현상들을 사고에서 지워버리기 위해서, 자본이 가치로서 정립되는 가치이고 따라서 보존될 뿐 아니라 동시에 증대되는 가치라는 자본의 본질을 망각하는 것을 마음에 들어 하는 경우가 발생한다. 예를 들면 이는 과잉생산의 불가능성을 입증하는 데 적합하다. 여기에서 자본가는 전제된 가치, 구매력(Kauftmacht) 자체, 추상적 부 자체의 증대가 아니라 일정한 생산물의 소비(자기 상품의 판매를 매개로 한 전유)만을 중요하게 생각하는 자로 이해된다.

화폐의 자본으로의 전화 ── (노동과 화폐의[45] 교환이 야기한) ── 에 의해서 자본의 일반적 정식 ──G─W─G── 은 이제 내용을 얻었다. 화폐는 교환가치의 자립적 현존이다. 화폐는 그 특질에서 고찰할 때 추상적 부의 물적 대표, **추상적 부의 물적 현존**이다. 그렇지만 ||53| 화폐가 이렇게 되는 정도, 화폐가 자신의 개념에 부응하는 범위는 그것 자신의 수량이나 물량(Masse)에 달려 있다. 자기목적으로서의 이 증대는 화폐의 증대에서 가치 자체의 증대에 [부]응한다.[46] 화폐로 화폐를 만드는 것이 자본주의적 생산과정의 목적이다 ── 일반적 형태에서의 부의 증대, 화폐로 표현되어 대상화된 사회적[47] 노동량의 증대.[48] 기존의 가치가 단순히 장부에서 계산화폐로서만 등장하는지, 또는 가치표지로서 그 외에 어떤 형태로 등장하는지는 일단 상관이 없다. 여기에서 화폐는 자립적 가치의 형태로서만 나타날 뿐이고, 자본은 이 형태를 그 출발점과 회귀점에서 취하지만 그것은 이 형태를 끊임없이 다시 떠나기 위해서이다. 이에 대한 상세한 내용은 II) **자본의 유통과정**에 속한다. 여기에서 자본은 과정을 거치는 화폐이며, 그것에 대해 화폐와 상품이라는 자신의 형태는 변동하는 형태일 뿐이다. 자본은 끊임없이 계산화폐로 평가

되며 — 그것이 상품으로 존재하는 동안에도 자본의 물적 실존으로서만 유효하다. 그리고 화폐형태로 존재하자마자 그것은 이 형태를 다시 벗어남으로써만 증식될 수 있다. 자본가에게 화폐가 중요하다는 것은 그에게는 교환가치, 교환가치의 증대, 추상적 치부(致富)가 중요하다는 의미일 뿐이다. 그러나 이 치부는 실제로 화폐에서만 치부로서 나타난다. "사실 화폐자본가의 중대한 목표는 그의 재산의 **명목상 총액**[49]을 증가시키는 것이다. 예를 들면 올해에 화폐로 표현해서 20,000파운드스털링이라면 내년에는 **화폐로 표현해서**[50] 24,000파운드스털링이어야 한다는 것이다. **화폐로 측정되는** 그의 자본을 선대하는 것이 그가 상인으로서 그의 이익을 증진하는 유일한 방법이다. 그에게 이 목표의 중요성은 통화의 변동이나 화폐의 실질가치의 변화에 의해 영향을 받지 않는다. 예를 들면 어떤 해에 그것이 20,000에서 24,000파운드스털링으로 늘었을 때에도 화폐가치 하락으로 인해 그는 향락 등에 대한 지휘권을 증가시키지 못했을 수 있다. 그럼에도 그의 이익은 화폐가 하락하지 않았을 때와 마찬가지이다.[51] 그 까닭은 그런 증가가 없었을 경우 그의 명목 재산은 정체했겠지만 실질 재산은 24 대 20의 비율로 감소했을 것이기 때문이다. …[52] 요컨대 소득을 지출하고 소비를 위해 구매하는 경우를 제외하고 상품은 사업을 하는 자본가에게 최종 목표가 아니다.[53] **그가 자본을 지출하는 경우, 생산을 위해 구매할 때에는 화폐가 그의 최종 목표이다.**[54]"(토머스 찰머스, 『경제학 개론, 사회의 도덕적 상태와 전망과 관련하여』, 제2판, 런던, 1832년, 165[55]~166쪽)[56] ^{G90}

〔G—W—G 정식과 관련된 다른 사항. 자본으로서의 가치, 자기증식하는 가치는 **제곱의**(in der zweiten Potenz) **가치**이다. 그것은 화폐에서와 마찬가지로 자립적인 표현을 가질 뿐 아니라 자기 자신과 비교하고 (또는 자본가에 의해 비교되고) 어떤 시기의 자신(그것이 생산과정에서 전제되었을 때 갖고 있던 가치크기[57])[58]과[59] 다른 시기, 즉 유통에서 돌아온 다음 — 상품이 판매되고 다시 화폐로 전화한 다음 — 의 자신을 비교한다. 요컨대 가치는 동일한 주체로서 상이한 두 시기에 현상한다. 이것이 가치 자신의 운동, 자본을 특징짓는 운동이다. 이 운동에서만 가치는 자본으로 현상한다. 이에 대해서는 다음을 보라. 『**가치의 성질, 척도, 원인에 관한 비판적 고찰. 주로 리카도 씨와 그 추종자들의 저작들에 관하여. 의견의 형성과 공표에 관한 시론의 저자의 책**』〔베일리〕, 런던, 1825년.〕 노동시간에 의한 가치규정 전반에 반대하는 베일리의 절묘한 재치는 이러하다. 가치는 상이한 상품들이 교환되

는 **비율**(*Verhältniß*)에 지나지 않는다는 것이다. 가치는 두 상품 사이의 관계 (relation)일 뿐이다. 가치는 "내재적이거나 절대적인" 것이 아니다(같은 책, 23쪽). "어떤 다른 상품의 양에 의하지 않고 한 상품의 가치를 표시하거나 표현하는 것은 불가능하다."(같은 책, 26쪽) "그들(리카도주의자들)(그리고 리카도 자신)[60]은 가치를 두 대상 사이의 관계로 간주하는 대신 가치를 일정한 노동량으로 생산된 절대적(positive) 결과로 간주한다."(같은 책, 30쪽) "그들의 주장에 따르면 A의 가치와 B의 가치는 그것들을 생산하는 노동의 양 사이의 관계 또는 … 그것들을 생산하는 노동의 양에 의해 결정되므로, 그들은 A의 가치가 다른 어떤 것과는 관계없이 그것을 생산하는 노동의 양과 같다고 결론지은 듯하다. 마지막 주장은 분명히 아무 의미도 없다."(31, 32쪽) 그들은 "일종의 일반적이고 독립적인 속성으로서의 가치"에 대해 말하고 있다(같은 책, 35쪽). "한 상품의 가치는 뭔가로 나타낸 그것의 가치여야 한다."(같은 책) 사회적 노동의 대상화로서 상품은 상대적인 것으로 개진된다. 그 까닭은 [만일 A에][61] 포함된 노동이 다른 모든 노동과 등치[된다면][62] 그것은 오로지 사회적 노동의 특정한 현존으로서 그러할 뿐이기 때문이다. 이 사회적 노동에서는 이미 개별자도 고립되어 고찰되지 않으며, B가 원한다면 그의 노동은 상대적으로 정립되고 상품은 이 상대성의 현존으로서 정립된다.|

|II-54| 베일리(같은 책, 72쪽)는 계속해서 이렇게 말한다. "가치는 **같은 시기** 상품들 사이의 관계이다. 그 까닭은 그래야만 서로 교환될 수 있기 때문이다. 그러므로 한 시기의 상품가치를 다른 시기의 상품가치와 비교한다면 그것은 이 상품이 이들 상이한 시기에 어떤 다른 상품과 서 있는 관계의 비교일 뿐이다."(72쪽)[63] 그는 예를 들면 자본의 회전(Umschlag)에서 자본가가 한 시기의 가치를 다른 시기의 가치와 연속적으로 비교하면 안 되는 것처럼 "상이한 시기의 상품들을 비교하는 것"에 반대하면서 이같이 말한다.[64]

〔이제 제기될 수 있는 의문은 자본의 화폐표현이 자본 자체와 어떤 관계를 갖는가이다. 화폐가 화폐형태로 존재하자마자 그것이 생산적 자본으로 전화하면서 교환된 구성부분들이 그것에 대해 상품으로서 마주 선다. 요컨대 여기에서는 상품의 형태변화나 단순화폐유통에서 전개된 바와 같은 법칙들이 적용된다. 가치표지가 유통되는 경우에는, 유통수단으로 기능하든 지불수단으로 기능하든, 그것은 단지 화폐로 측정된 상품가치를 표상하거나 또는 상품가격에 표현된 화폐량과 같은 화폐를 직접 표상할 뿐이다. 그것들은 그 자체로서는 아무런 가치도 갖지 않는다. 요컨대 그것들은 대상화된

G91

[65]노동이라는 의미에서의 자본이 아직 아니다. 예전에 그것들이 상품의 가격을 나타냈듯이 이제는 전적으로 자본의 가격을 나타낼 뿐이다. 실제의 화폐가 유통하면 그 화폐 자체가 대상화된 노동 ─ 자본 ─ 이다(상품이기 때문에). 회전하는 화폐의 총액을 회전 횟수로 나누면 실제로 회전하고 있는 화폐량을 구하게 되고, 이 양은 자본의 구성부분이며,[66] 고찰하고자 하는 바에 따라서 고정자본일 수도 있고 유동자본일 수도 있다. 동일한 6탈러로 하루에 20번 회전하면 나는 120탈러의 상품을 구매할 수 있고, 이 6탈러는 하루에 120탈러의 가치를 나타낸다. 그리고 여기에 6탈러가 추가된다. 그러면 하루에 회전하는 자본 전체＝126탈러. 자본＝100탈러이고 이 100탈러로 상품을 구매한다면 동일한 100탈러가 이제는 두 번째 자본 100탈러를 나타낸다 등등. 이 100탈러가 하루에 6[67]번 회전한다면 600탈러의 자본을 번갈아 가면서 나타낸 것이다. 요컨대 100탈러가 하루에 얼마나 많거나 적은 자본을 나타내는지는 그것의 회전 속도에 달려 있고, 여기에서는 화폐와 상품의 형태를 번갈아 가면서 취했다가 벗어나는 자본의 형태변화로서 나타나는 상품의 형태변화 속도와 같다. 화폐가 지불수단으로 기능하면 600탈러의 화폐는 부(負)의 청구권과 정(正)의 청구권이 600탈러 수지까지 상쇄됨으로써 어떤 임의의 자본 규모라도 지불할[68] 수 있다.

원래 단순상품유통에서는 화폐가 통과점, 상품의 형태변화로서 나타나는 데 비해, 화폐로 전화한 상품은 자본운동의 출발점이자 종착점으로 나타나고 상품은 자본의 형태변화로서, 단순한 통과점으로서 나타난다.

화폐가 자본의 형태로서 ─ 계산화폐로서가 아니라 실제적 화폐로서 ─ 나타나는 한에서 [구별되는] 유일한 차이는 다음과 같다. 1) 그것은 자신이 출발한 지점으로 되돌아오고, 게다가 증대되어 되돌아온다는 것. 소비를 위해서 지출된[69] 화폐는 그 출발점으로 되돌아오지 않는다. 자본 ─ 생산을 위해서 선대된 화폐 ─ 은 증대되어 자신의 출발점으로 되돌아온다. 2) 지출된 화폐는 유통에 머물고 상품을 유통에서 벗어나게 한다. 자본은 그것이 유통에서 벗어나게 만든 것보다 더 많은 상품을 유통에 던져 넣으며,[70] 따라서 그것이 지출한 화폐가 다시 끊임없이 유통에서 벗어나게 만든다. 이 순환운동, 즉 자본의 유통과 형태변화가 빠를수록 화폐 회전이 빨라지고 이는 자본 하나의 운동이 아니라 자본의 다면적 운동에 의해 이루어지므로, 화폐는 그만큼 더 지불수단으로서 기여하고 채무와 채권은 상쇄된다.〕

앞서 말한 방식으로 화폐로 전화한 자본은 생산과정을 이미 자신에게 포

G92

섭하고[71] 노동의 구매자이자 사용자로서 기능하는 한에서 **생산적 자본**이 된다. 자본이 생산 자체를 종속시킨 곳에서만, 요컨대 [72]자본가가 생산하는 곳에서만 자본은 한 생산시기의 [73]총괄적이고(übergreifende) 특유한 형태로 존재한다. 자본은 형식적으로는 이미 이전에 다른 기능을 하면서 등장할 수 있고 자기 자신의 시대에도 동일한 기능을 하면서 나타날 수 있다. 그러나 이때 이것들은 상인자본과 [74]이자 낳는 자본 등으로서의 자본처럼 단지 파생적이고 이차적인 자본형태들에 지나지 않는다. 요컨대 우리가 생산적 자본에 대해 논할 때에는 이 관계 전체로 이해해야 하며 마치 자본이 노동과정에서 나타나는 사용가치 형태들 중 하나가 즉자적으로 생산적인 것처럼, 기계가 또는 노동재료 등이 가치를 생산한다는 것처럼 이해해서는 안 된다.

선대된 가치와 잉여, 잉여가치[75](─ 노동과정 자체에서 자본은 실제적 사용가치로서, 즉 실제적 소비로서 나타난다. 그 까닭은 오로지 소비에서만 ||55| 사용가치는 사용가치로서 실현되기 때문이다. 그것의 이러한 소비과정은 스스로 하나의 경제적 관계를 형성하고 하나의 특정한 경제적 형태를 가지며, 단순한 상품 개념에서처럼 무관한, 형태 밖에 속하는 것이 아니다. 자본을 구성하는 이들 사용가치는 그것들을 소비하는 노동능력의 활동에 의해서 개념적으로 결정된다 ─)를 결과로서 갖는 가치증식과정은 자본이 자본으로서 생산하는 한에서는 자본 본래의 특유한 생산물이 **잉여가치** 자체라는 것, 그리고 **이 활동에서** 노동의 **특유한** 생산물은, 이 노동이 자본에 병합된 한에서는 이런저런 생산물이 아니라 **자본**이라는 것을 보여준다. 여기에서는 사용가치 일체가 교환가치의 담지자로서만 나타나는 것과 마찬가지로 노동과정 자체는 가치증식과정의 수단으로서만 나타난다.[76]

화폐의 자본으로의 전화가 분할되는 두 가지 구성요소[1]

화폐가 자본으로 전화하기 위해서 통과하는 전체 운동은 요컨대 두 가지 상이한 과정으로 분할된다. 첫째는 [2]단순유통 행위로, 한편에서는 구매, 다른 한편에서는 판매이다. 둘째는 구매된 물품의 구매자에 의한 소비로서 [3]유통 밖에 놓여 있고 유통의 배후에서 일어난다. 여기에서 구매된 물품의 소비는 그것의 특유한 본성으로 인해 스스로 하나의 경제적 관계를 형성한다. 이 소비과정에서 구매자와 판매자는 서로 새로운 관계를 맺으며, 이는 동시에 **생산관계**이다.

두 행위는 시간에 따라 완전히 분리될 수 있다. 그러나 판매가 곧바로 실현되든지, 아니면 먼저 관념적으로 계약이 맺어지고 나중에 실현되든지, 특수한 행위로서 판매[4]는 적어도 관념적으로는 구매자와 판매자 사이의 약정으로서 두 번째 행위인 구매된 상품의 소비과정에 언제나 선행해야 한다 — 비록 이들의 약정된 가격이 나중에 비로소 지불될지라도.

첫 번째 행위는 그것이 속하는 상품유통의 법칙에 전적으로 따른다. 등가물이 등가물과 교환된다. 화폐보유자는 한편으로 노동재료와 노동수단의 가치를 지불하고, 다른 한편으로 노동능력의 **가치**를 지불한다. 요컨대 이 구매에서 그는 자신이 유통에서 상품 — 노동재료, 노동수단, 노동능력 — 형태로 빼내 오는 것만큼의 대상화된 노동을 화폐로 준다. 이 첫 번째 행위가 상품교환의 법칙에 따르지 않는다면 그 행위는 개인들이 서로 맺고 있는 기본적인 관계가 상품보유자 관계라는 것을 기반으로 하는 생산양식의 행위로서 나타날 수 없을 것이다. 그 행위를 설명하려면 다른 생산 기반을 가정해야 할 것이다. 그러나 실제로는 그와 정반대로 [5]그 생산물[6]이 언제나 지니는 기본적 형태가 사용가치가 아니라 상품인 생산양식, 바로 자본에 기초하는, 화폐와 노동능력의 교환에 기초하는 생산양식이다.

두 번째 행위는 그 결과와 조건에서 완전히 낯설고 단순유통의 법칙들뿐 아니라 단순유통과도 모순되는 것처럼 보이는 현상을 보여준다. 첫째로, 판매자와 구매자의 사회적 지위가 생산과정 자체에서는 변한다. 판매자가 노동자로서의 인격을 가지고 구매자의 소비과정에 들어가는 한 구매자는 판매자의 지휘자가 된다. 그것은 단순한 교환과정 이외에 하나의 지배복무관계가 된다. 그러나 이 관계는 판매자가 판매하는 상품의 특유한 본성에서[7]   G94
유래할 뿐이라는 점, 따라서 여기에서 이 관계는 구매와 판매로부터, 상품보유자들로서 쌍방의 행동에서 유래한다는 점, 요컨대 즉자대자적으로 다시 정치적 관계 등을 포함한다는 점에서 이러한 종류의 다른 모든 역사적 관계와 구별된다. 구매자는 지배인, 주인이 되고 판매자는 그의 노동자(사람, 손)가 된다. 구매자와 판매자의 관계가 채권자와 채무자의 관계로 전환되자마자 쌍방의 사회적 지위를 변화시키는—그러나 일시적으로만—것과 아주 마찬가지로 여기에서는 항구적이다.

그러나 결과 자체를 관찰하면 그것은 단순유통의 법칙들에 완전히 모순되며, 이 사실은, 대부분의 경우 그러하듯이, 노동이 제공된 다음에 지불이 이루어지고, 따라서 사실상 생산과정이 끝나면서 구매[8]가 실현되는 경우에 [더욱] 두드러지게 나타난다. 말하자면 이제는 노동능력이 그 자체로서 구매자[9]와 마주 서 있지 않다. 노동능력은 예를 들면 12노동시간 또는 1노동일의 상품에 대상화되었다. 따라서 구매자는 12노동시간의 가치를 얻는다. 그러나 그는 예를 들면 10노동시간의 가치만을 지불할 뿐이다. 여기에서는 사실상 등가물들이 서로 교환된 것이 아니며 실제로 지금은 교환이 일어난 것도 아니다. 다만 이렇게 말할 수 있을 뿐이다. [10]앞서 설명된 방식으로 행위 I이 이루어진 것이 아니라, ||56| 구매자[11]가 [12]노동능력이 아니라 제공된 노동 자체에 지불한다고 가정하는 것이다—그리고 이것은 즐겨 쓰는 상투어이다. 그것은 착각일 뿐이다. 이제 생산물은 완성되었으나 그것의 가치는 그것의 가격형태로만 존재한다. 그것의 가치는 먼저 화폐로 실현되어야 한다. 요컨대 자본가가 노동자에게 [13]생산물 중에서 노동자의 부분을 화폐로 실현해 준다면, 노동자가 자신이 상품으로 준 것보다 적은 화폐 등가물에 만족하는 것은 문제가 없다는 것이다. 일반적으로 고찰하면 이것은 어리석은 이야기다. 이것은 판매자가 언제나 자신이 상품으로 준 것보다 적은 화폐 등가물에 만족해야 한다는 주장으로 귀결되기 때문이다. 구매자가 자신의 화폐를 상품으로 전화시킨다면, 즉 구매한다면 [14]가치는 그가 구매하는 상품에서 단지[15] 가격으로서 존재할 뿐이고, 이제 더는[16] 실현된 가치로서, 화폐로서는 존재하지 않는다. 그의 상품이 교환가치 형태, 화폐형태를 상실한 것에 대한 대가로 **그는 아무런 보상도 받지 못한다**. 다른 한편으로 그는 그의 상품이 이제 상품형태로 존재함으로써 이익을 얻었다. 그러나 내가 스스로 소비하기 위해서 어떤 상품을 구매한다면 그것은 다른 문제이고, 내게는 상품의 사용가치가 중요해진다. 교환가치를 생활수단으로 전화시키기만 하면 된다. 반면에 내가 다시 판매하기 위해서 구매하는 상품의 경우에는[17] 내가 이

128

상품과 교환하면서 나의 화폐를 일단[18] 잃을 것이 분명하다. 그 까닭은 나에게는 교환가치만이 중요하고 구매를 통해 나의 화폐는 화폐형태를 잃기 때문이다. 교환가치는 일단 가격으로서, 즉 상품 속에 있고 이제 실현되어야 G95 할 화폐와의 등식으로서 존재할 뿐이다. 그러나 내가 상품을 구매하는 의도는 상품가치와는 무관하다. 판매하기 위한 구매에서 잉여가치가 나오는 현상은 이 잉여가치가 나와야 한다는, 구매자의 **의도**로 설명되겠지만 이는 분명 어리석은 짓이다. 내가 상품을 판매할 때 구매자가 그것을 어떻게 사용할지는 어떻게 남용할지와 마찬가지로[19] 나와는 아무 상관도 없다. 상품보유자가 노동을 구매하기에는 충분하지 않지만 노동재료와 노동수단을 구매하기에는 충분한 화폐를 가지고 있다고 가정하자. 만약에 그가 노동재료와 노동수단은 미완의 생산물로서 전자는 사물의 본성에서 그러하고, 후자도 마찬가지로 비로소 훗날의 생산물의 구성부분을 이루기 때문에, 이 구성부분을 이루는 것 이외에는 아무런 가치도 갖지 않는다고 주장한다면 노동재료와 노동수단의 판매자는 웃을 것이다. 실제로 노동재료가 100탈러이고 노동수단이 20탈러, 내가 이것들에 추가하는[20] 노동이 화폐로 측정해서 30탈러와 같다고 가정하자. 따라서 생산물은 150탈러의 가치를 가질 것이고 노동을 마치자마자 나는 150탈러의 상품을 갖지만 교환가치 형태로 존재하려면,[21] 150탈러로 존재하려면 이것들은 먼저 판매되어야 한다. 내가 재료 판매자에게 준 100탈러와 노동수단 판매자에게 준 20탈러는 내 상품의 가치구성 부분을 이룬다. 이것들은 가격의 80퍼센트를 이룬다. 그러나 — 내가 다시 화폐로 먼저 전화시켜야 하는 — 아직 판매되지 않은 내 상품의 이 80퍼센트를 원료와 노동수단의 판매자는 — 이것들을 나에게 판매함으로써 — 생산물이 완성되기 전에, 그리고 그것이 판매되기 훨씬 전에 화폐로 실현했다. 따라서 내가 그들에게 단순한 구매행위를 통해 이처럼 선대하기 때문에 그들은 나에게 자신들의 상품을 가치 이하로 판매해야 한다. 상황 (cacus)은 전적으로 동일하다. 두 경우 모두 나는 먼저 판매되어야 하는, 화폐로 실현되어야[22] 하는 150탈러의 상품을 가지고 있다. 첫 번째 경우에 나는 노동의 가치를 추가했으나 생산물이 판매되기 전뿐 아니라[23] 생산물이 완성되기도 전에 노동재료와 노동수단의 가치를 선대했다. 두 번째 경우에 노동자는 가치를 추가했고 나는 상품 판매 이전에 그에게 지불했다. 이 모든 것이 결국 구매자 자신은 더 저렴하게 구매할 특권을 가지고, 판매자의 자격으로는 그가 구매자로서 얻었을 이익만큼 다시 손해를 보는 어리석음으로 귀결된다는 것이다. 예를 들면 하루가 끝나면서 노동자는 하루 노동일을 생산물에 추가했고 나는 그의 이 노동을 대상화된 형태로, 교환가치로서 보유하며, 그 대가는 내가 그에게 동일한 교환가치를 화폐로 돌려주기만 하면 지불하는 것이 된다. 상품형태로 존재하든 화폐형태로 존재하든, 실현된 가치로서 존재하든 실현되지 않은 가치로서 존재하든 가치크기를 변화시킬 수는 없는 것과 마찬가지로 가치가 어떤 형태의 사용가치로 존재하든 그것의 가치크기는 변화시킬 수 없다.

이때 상상 속에서 함께 스쳐가는 것이 화폐 할인에 대한 기억이다. 내가 만일 상품을 완성하여 가지고 있으면서 ─ 그것을 판매하지 않고(또는 조건부로만 판매하고) ─ 그것에 화폐를 선대하도록 하거나 또는 이미 판매되었지만 나중에 비로소 지불 가능한 ─ 요컨대 내가 나중에 실현 가능한 채무, 어음 등으로 지불받은 ─ 상품에 대한 지불 채무를[24] 환전한다면 나는 할인료를 지불한다. 내가 상품을 판매하지도 않고 화폐를 받거나 상품이 지불 가능하기도 전에, 판매가 실제로 실현되기 전에 화폐를 받는 것 ─ 이런저런 형태로 화폐를 빌리는 것 ─ 에 대해 나는 대가를 지불한다. 나는 ||57| 상품가격의 일부를 포기하고, 아직 판매되지 않은 상품, 또는 아직 지불 가능하지 않은 상품의 대가로 나에게 화폐를 선대한 자에게 그 일부를 넘겨준다. 요컨대 여기에서 나는 상품의 형태변화를 위한 대가를 지불한다. 그러나 첫째로 내가 [25]노동의 구매자라면 ─ 노동이 이미 생산물에 대상화되자마자 ─ 이 관계는 맞지 않는다. 그 까닭은 [26]화폐가 선대되고 지불 채무가 할인된다면 두 경우에 화폐를 선대한 사람은 상품의 구매자가 아니라 구매자와 판매자 사이에 끼어든 제삼자이기 때문이다. 그러나 여기에서 자본가는 자신에게 상품 ─ 특정한 사용가치에 대상화된 특정한 노동시간 ─ 을 공급한 노동자에 대하여 구매자로서 마주 서고, 등가물을 이미 상품으로 받은 다음에 지불한다. 둘째로 산업자본가와 이자를 받고 [27]화폐를 선대해주는 자본가 사이의 이러한 관계 전체에는 이미 자본관계가 전제되어 있다. 화폐 ─ 가치 일체 ─ 자체가[28] 특정 기간에 자기증식하고 일정한 잉여가치를 창출하는 성질을 가진다고 전제되었고, 이 전제하에서 화폐 사용에 대한 지불이 이루어진다. 요컨대 여기에서는 본래의 자본형태를 설명하기 위해서 파생된 자본형태가 전제된다 ─ 일반적 형태를 설명하기 위해서 특수한 자본형태가 전제된다. [29]덧붙여 말하자면 문제는 언제나 다음으로 귀결된다. 노동자는 생산물이 판매될 때까지 기다릴 수 없다. 달리 말하자면 그

130

는 판매할 **상품**이 없으며 그의 노동(마르크스의 완성된 '경제학 비판'의 관점에서 본다면 노동력Arbeitskraft, 또는 노동능력Arbeitsvermögen이 정확한 개념일 것이다. ─옮긴이) 자체만을 판매할 수 있을 뿐이다. 그가 ³⁰**상품**을 판매해야 한다면 이미 이 전제에는 그가 상품 판매자로서 생존하기 위해서는 ─ 그는 자신의 생산물로 살지 않고 그의 상품은 그 자신에게는 사용가치가 아니므로 ─ ³¹그의 새로운 상품이 완성되어 판매될 때까지 생활하는 데, 생활수단을 구매하는 데 필요한 만큼의 상품을 언제나 화폐형태로 저장해두어야 한다는 사실이 이미 포함되어 있다. 이는 다시 첫 번째 행위에서 전제되어 있었던 것과 동일한 전제이다. 즉 그는 노동자의 생활수단 ─ 그가 노동하는 동안 생활하기 위한 수단뿐 아니라 노동 자체를 실현하기 위한 조건들도 포함하는 노동의 대상적 조건에 대하여 벌거벗은³² 노동능력으로서 마주 선다는 것이다. 중요하고 결정적인 첫 번째 관계를 논리에서 배제한다 G97 (wegraisonieren)는 평계로 그것이 이렇게 다시 복구된다.

다음 형태도 마찬가지로 어리석다. 즉 노동자는 즉 자신의 임금(Salair)을 받음으로써 생산물 중에서 또는 생산물가치 중에서 이미 자신의 몫을 받았고, 따라서 다른 것을 더 요구해서는 안 된다는 것이다. 자본가와 노동자는 생산물 또는 생산물가치의 동업자(Associés), 공동소유자(Gemeineigenthümer)이지만 한 파트너는 다른 파트너로 하여금 자신의 몫을 지불하도록 하고, 그리하여 생산물 판매로부터 얻어지는 가치와 거기에 실현된 이윤에 대한 청구권을 상실한다는 것이다. 여기에서 다시 두 가지 오류를 구별해야 한다. 노동자가 ³³자신이 원료에 추가한 노동에 대한 등가물을 받았다면³⁴ 그는 실제로 더는 청구권을 갖지 않을 것이다. 그는 총가치에서 자신의 몫을 지불받은 것이 된다. 이는 물론 그가 왜 상품이나 가치와 더는 관계가 없는지를 설명해줄 것이다. 그러나 왜 그가 생산물에 **대상화된 노동**³⁵으로 제공한 것보다 **더 적은** 등가물을 화폐로 받는지는 결코 설명하지 못할 것이다. 위의 예에서 새로운 상품의 생산자가 매입한 100탈러짜리 원료의 판매자와 20탈러짜리 노동수단의 판매자는 150탈러짜리 새로운 상품과 그것의 가치에 대해서는 아무런 권리도 갖지 않는다. 그러나 여기에서 전자는 100탈러 대신 80탈러를, 후자는 20탈러 대신 10탈러를 받았다는 결론이 나오는 것은 아니다. 그것은 단지 노동자가 자신의 등가물을 상품 판매이전에 ─ 그러나 **자신의** 상품은 판매했다 ─ 받았다면 더 청구할 것이 없다는 것을 입증할 뿐이다. 그러나 그것이 그가 자신의 상품을 **등가물 이하로**

판매해야 한다는 것을 입증하지는 않는다. 그렇지만 이제 또 하나의 환상이 끼어든다. 자본가는 어쨌든 상품을 판매하여 이윤을 남긴다는 것이다. 자신의 등가물을 이미 받은 노동자는 이 사후적인 작업에서 발생하는 이윤을 이미 포기했다는 것이다. 요컨대 이윤 ― 잉여가치 ― 이 유통에서 유래하고, 따라서 상품이 가치 이상으로 판매되고 구매자는 사취당한다는 낡은 환상이 여기에서 다시. 한 자본가에 의한 다른 자본가의 사취에서 노동자는 아무런 몫도 없다는 것이다. 그러나 한 자본가의 이윤＝다른 자본가의 손실일 것이고, 그러므로 즉자대자적으로, 즉 총자본으로서는 잉여가치가 존재하지 않을 것이다.

그렇지만 노동자가 노동능력이 아니라 이미 상품에 **대상화된** 그의 **노동** 자체를 판매하는 것 같은 **외양**(Schein)을 갖는 임노동 형태도 있다. 예를 들면 **성과급**에서. 그렇지만 이것은 노동시간을 측정하는, 노동을 통제하는 (**필요노동만을 지불하는**)[36] ||58| 다른 형태일 뿐이다. 만일 평균노동이 어떤 물품을 12시간에 예를 들면 24개 제공할 수 있고 따라서 2개는 1노동시간과 같다고 하자. 노동자가 노동하는 12시간 중 10시간을 지불받는다면,[37] 요컨대 2시간 잉여노동을 한다면 이는 마치 그가 매 시간에 $\frac{1}{5}$ 시간의 잉여노동 (무상노동)을 제공하는 것과 같다(10분, 즉 1일에는 120분＝2시간). 12노동시간이[38] 화폐로 측정해서 6실링이라고 가정하면 1시간＝$\frac{6}{12}$실링＝$\frac{1}{2}$실링＝6펜스. 즉 24개＝6실링, 또는 1개＝$\frac{1}{4}$실링＝3펜스.[39] 이는 노동자가 10시간당 2시간을, 또는 20개당 4개를 추가하는 것과 같다. 개당 3펜스＝$\frac{1}{2}$노동시간당 3펜스. 그러나 노동자는 3펜스가 아니라 $2\frac{1}{2}$펜스를 받는다. 그가 24개를 제공한다면 48펜스＋12펜스＝60펜스＝5실링인 반면에, 자본가는 상품을 6실링에 판매한다. 요컨대 그것은 노동시간을 측정하는 (또한 노동의 질을 통제하는) 다른 방식일 뿐이다. 이들 다양한 임금형태는 일반적 관계와 아무 상관도 없다. 그 밖에도 성과급(Stücklohn)에서도 잉여가치는 어디에서 오는가 같은 동일한 의문이 드는 것은 명백하다. 성과(Stück)가 전부 지불되지 않는다는 것, 성과에는 그것에 대해 화폐로 지불되는 것보다 더 많은 노동이 흡수되어 있다는 것은 분명하다.

요컨대 이 현상 전체는 노동자가 상품으로서 판매하는 것은 그의 노동이 아니라 ― 노동이 어떤 사용가치로든 대상화되자마자, 따라서 언제나 노동과정의 결과로서, 대부분[40] 노동이 **지불되기** 전에 ― 그의 노동능력이며, 대부분 노동능력이 행해지고 노동으로서 실현되기 전에 노동능력을 판매한다

G98

는 것으로써만 설명될 수 있다(다른 모든 설명은 결국 언제나 이 현상을 전제로 한다).

결과 — 전제된 가치 또는 구매자가 유통에 던져 넣은 화폐액이 재생산될 뿐 아니라 증식되었다는 것, 특정 비율로 증가했다는 것, 가치에 잉여가치가 추가되었다는 것 — 이 결과는 직접적 생산과정에서만 실현된다. 그 까닭은 여기에서 비로소 노동능력이 실제 노동이 되고 노동이 [41]상품으로 대상화되기 때문이다. 이 결과는 구매자가 [42]화폐형태로 선대한 것보다 더 많은 대상화된 노동을 상품형태로 되돌려 받는다는 것이다. 이 잉여가치 — 대상화된 노동시간의 이 잉여는 노동과정 자체 동안에 비로소 발생하며, 그는 후에 새로운 상품을 판매하는 것으로 이 대상화된 노동시간을 다시 유통에 던져 넣는다.

그러나 잉여가치가 실제로 발생하고 자본이 실제로 생산자본이 되는 이 두 번째 행위는 첫 번째 행위의 결과로서만 일어날 수 있고, 첫 번째 행위에서 **자신의 가치대로** 화폐와 교환되는 상품의 특유한 사용가치의 결과일 뿐이다. 그러나 첫 번째 행위는 일정한 역사적 조건하에서만 일어난다. 노동자는 자신의 노동능력을 자신의 소유물로서[43] 처분하기 위해서 자유로워야 한다. 요컨대 노예도, 농노도, 예농도 아니어야 한다. 다른 한편으로 그는 자신의 노동능력을 실현할 수 있기 위한 조건들을 상실해야 한다. 요컨대 자급자족하는[44] 농민 또는 수공업자가 아니어야 하고 소유자이기를 중지해야 한 다. 그가 **비소유자로서 노동하고 그의 노동조건은 타인의 소유로서 그와 마주 선다**고 전제된다.[45] 이 조건에는 토지가 타인의 소유로서 그와 마주 선다는 것, 그가 자연과 자연의 산물을 이용하는 것에서 배제된다는 것도 포함된다. 이것은 토지소유가 임노동의, 따라서 자본의 [46]필요한 전제로 나타나는 지점이다. 다만 자본 자체를 고찰할 때에는 자본주의적 생산형태에 조응하는 토지소유 형태 자체가 자본주의 생산양식의 역사적 산물이므로 이 이상 토지소유를 고려할 필요는 없다. 요컨대 노동자에 의해 공급되는 상품으로서 노동능력의 현존에는 역사적 조건들 — 노동이 임노동으로, 따라서 화폐가 자본으로 될 수 있게 하는 광범위한 역사적 조건들이 있다.

여기에서 물론 중요한 것은 생산 일반이 이 토대에 기초하며, 임노동과 자본에 의한 임노동의 이용이 사회의 표면에서 간헐적인 현상으로 등장하는 것이 아니라 이것이 ||59| 지배적인 관계가 되는 것이다.

노동이 임노동으로서, 노동자가 비소유자로서 노동하고, 상품이 아니라 자신의 노동능력의 처분권을 — 그의 노동능력 자체를, 그것을 판매할 수 있는 유일한 방식으로 — 판매하려면 그의 노동을 실현하기 위한 조건들이 그에게 **소외된 조건들**로서, **타인의 권력**으로서, 타인의 의지의 지배하에 있는 조건들로서, 타인의 소유로서[47] 그와 마주 서야 한다. **대상화된 노동**이, 가치 자체가 **이기적**[48] 존재로서, **자본** — 그것의 담지자는 자본가이다 — 으로서 그와 마주 서고, 따라서 **자본가로서도** 마주 선다.

노동자가 **구매하는** 것은 [49]하나의 결과물, 특정한 가치이다. 노동시간의 양[50] = 그 자신의 노동능력에 포함된 양, 요컨대 그를 노동자로서 연명하게 하기 위해서 필요한 화폐액. 그가 구매하는 것은 화폐, 따라서 그 자신이 노동능력으로서 동일한 양만큼 이미 가지고 있는 교환가치의 다른 형태일 뿐이기 때문이다. 반면에 자본가가 구매하고 노동자가 판매하는 것은 노동능력의 사용가치, 즉 노동 자체, 가치를 창출하고 증대하는 힘이다. 요컨대 가치를 창출하고 증대하는 힘은 노동자의 것이 아니라 자본의 것이다. 자본은 이 힘을 자신과 병합함으로써 살아나고 몸속에 열정을 품은 것처럼[51] 일하기 시작한다. 그리하여 살아 있는 노동이 대상화된 노동을 유지하고 증대하기 위한 수단이 된다. 따라서 노동자가 부를 창출하는 한 살아 있는 노동은 자본의 힘이 된다. 마찬가지로 노동생산력의 모든 발전은 자본 생산력의 발전이 된다.[52] 노동자 스스로 판매하고 언제나 등가물로 대체하는 것은 노동능력 자체, 특정한 가치이며,[53] 이 가치의 크기는 높거나 낮은 한도 사이에서 변동할 수 있지만 개념적으로는 언제나 노동능력 자체가 유지될 수 있기 위해서, 즉 노동자가 노동자로서 존속할 수 있기 위해서 필요한 일정량의 생활수단으로 분해된다. 그리하여 대상화된 과거 노동이 살아 있는 현재 노동의 지배자가 된다. 주체와 객체의 관계가 전도(顚倒)된다. 이미 전제에서는 노동자의[54] 노동능력을 실현하기 위한, 따라서 실제 노동을 위한 대상적 조건들이 타인의 자립적 권력으로서 노동자에게 맞서 나타나고, 이 권력은 살아 있는 노동에 대하여 그 자신의 보존과 증대를 위한 조건으로서 — 도구, 재료, 생활수단은 스스로 더 많은 노동을 흡수하기 위해서만 노동에 맡겨진다 — 관계한다면, 이 동일한 전도가 결과에서는 더 많이 나타난다. 노동의 대상적 조건들은 그 자체가 노동의 생산물이고, 교환가치의 측면에서 관찰하면 그것들은 대상화된 형태의 노동시간일 뿐이다. 요컨대 두 가지 측면 중 어느 쪽에서 보더라도 노동의 대상적 조건들은 노동 자체의 결과이고 **노동 자신의 대상화**이며, **타인의 권력**으로서, **자립적 권력**으로서 노동과 마주 서는 것은 바로 이러한 노동 자신의 대상화, 노동의 결과로서 노동 자신이고, 또한 이 권력에 대하여 노동은 언제나 동일한 무대상성, 벌거벗은 노동능력으로서 마주 서게 된다.

노동자가 하루 종일 살기 위해서 — 즉 자신을 노동자로서 유지하기 위해서 필요한 일일 생활수단을 생산하기 위해서 — 노동일의 절반을 노동해야 한다면 그의 일일 노동능력의 교환가치[55] = 절반의 노동일이다. 반면에 이 노동능력의 사용가치는 그 능력 자체를 보존하고 생산하는 데, 또는 재생산하는 데 필요한 노동시간이 아니라 그것 스스로 노동할 수 있는 노동시간이다. 예컨대 그것의 교환가치는 $\frac{1}{2}$노동일인 반면 그것의 사용가치는 1노동일이다. 자본가는 노동능력을 그것의 교환가치대로, 그것을 유지하기 위해서 필요한 노동시간으로 구매함으로써 그 대가로 그것 자체가 노동할 수 있는 노동시간을 받는다. 즉 위의 사례에서는 반일을 지불하면 하루 종일. 그의 이윤이 얼마나 크거나 작은지는 노동자가 그에게 자신의 노동능력의 처분을 맡기는 시간이 얼마나 되는지에 [달려] 있다. 그러나 어떤 경우에도 이 관계의 요점은 노동자가 자신의 노동능력을 자본가의 처분에 맡기는 시간이 자신을 재생산하는 데 필요한 노동시간보다 길다는 것이다. 자본가가 노동능력을 구매하는 것은 오직 그것이 이러한 사용가치를 갖기 때문이다.

자본과 임노동은 동일한 관계의 두 요소를 표현할 뿐이다. 화폐는 노동자 자신이 판매하는 상품으로서의 노동능력과 교환하지 않고서는, 즉 이 특유한 상품을 시장에서 주어져 있는 것으로 발견하지 않고서는 자본이 될 수 없다. 다른 한편으로 노동이 임노동으로서 나타날 수 있는 것은 자신을 실현하기 위한 조건들, 그 **자신의** 대상적 조건들이 이기적 권력, 타인의 소유, 대자적으로 존재하고 즉자적으로 고수되는 ||60| 가치로서, 간단히 말해 자본으로서 그와 마주 설 때뿐이다. 요컨대 자본은 소재적 측면에서 볼 때 — 또는 그것이 존재하는 사용가치 면에서 볼 때 — 노동 자체의 대상적 조건들인 생활수단과 생산수단(후자의[56] 일부는 노동재료이고 일부는 노동수단)으로만 구성될 수 있다면, 형태적 측면에서 볼 때에는 이 대상적 조건들이 **소외된, 자립적** 권력으로서,[57] 살아 있는 노동에 대해 자신의 보존과 증대를 위한 단순한 수단으로서 관계하는[58] 가치 — 대상화된 노동 — 로서 노동과 마주 서야 하는 것이다.

요컨대 노동이 임노동이기 위해서는 자본, 증식력 있는 가치가 노동의 대상적 조건들이 가져야 하는 필요한 사회적 형태인 것과 마찬가지로, 임노동 ― 또는 임금제도(Salariat) ― (노동의 가격으로서의 임금)은 자본주의적 생산에서 필요한 노동의 사회적 형태이다. 따라서 임금제도의 형태[59]는 사회주의자들이 불평을 늘어놓는 참상에 책임이 없다고 생각하는, 예를 들면 바스티아 같은 이가 이 사회적 생산관계에 대해 얼마나 깊이 이해하고 있는지 알 수 있다. 〔이에 대해서는 나중에 상술할 것.〕 이 사람은 노동자들이 [60]상품을 판매할 때까지 살아가기에 충분한 화폐를 가지고 있다면 그들은 더 유리한 조건으로 자본가들과 나눠 가질 수 있을 것이라고 생각한다. 즉 달리 말해서 그들이 임노동자가 아니라면, 그들이 자신의 노동능력 대신 노동생산물을 판매할 수 있다면. 그들이 그렇게 할 수 없다는 것이 바로 그들을 임노동자로 만들고 그들의 구매자들을 자본가들로 만든다. 요컨대 관계의 본질적인 형태를 바스티아 씨는 하나의 우연한 정황으로 간주하고 있다.[61]

여기에서는 바로 고찰해야 할 몇 가지 다른 의문이 연이어 제기된다. 그러나 그에 앞서 한 가지 더 언급할 것. 앞서 살펴보았듯이 노동자는 노동과정에서 새로운 노동을 추가함으로써 ― 그리고 이것은 그가 자본가에게 판매하는 유일한 노동이다 ― 노동재료와 노동수단에 대상화된 노동을, 그것들의 가치를 보존한다. 더욱이 그는 이것을 무상으로 한다. 그것은 노동이 지닌, 살아 있는 노동으로서의 특질에 의해 이루어지며, 이를 위해서 새로운 노동량이 소요되는 것은 아니다. 〔예를 들면 노동도구 등이 개량되어야 하고 그것을 보존하기 위해 새로운 노동이 소요된다면 그것은 새로운 도구 또는 새로운 노동수단의 비례분할적 부분을 자본가가 구매해서 노동과정에 넣는 것과 마찬가지이다.〕 자본가는 이것을 무상으로 받는다. **노동이 대상화된 다음에 비로소 자본가는 노동에 대해 지불하므로 노동자가 그에게 노동을 선대하는 것**과 마찬가지이다. (이는 노동가격의 선대를 말하는 이들을 논박하는 요점이다. 노동은 제공된 다음에 지불받는다. 생산물 자체는 노동자와 아무 상관도 없다. 그가 판매하는 상품은 지불받기 전에 이미 자본가의 점유로 넘어갔다.) 그러나 자본가가 무상으로 받는 한 가지 다른 결과가 전체 거래의 결과로서 나타난다. 예를 들면 하루의 노동과정이 지나간 다음 노동자는 [62]자본가로부터 받은 화폐를 생활수단으로 바꾸고, 그럼으로써 자신의 노동능력을 유지하고 재생산함으로써 자본과 노동능력 사이의 동일한 교환이 다시 시작될 수 있다. 그러나 이 교환은 자본의 가치증식, 자본의 존속 일체에서 자본이 지속적인 생산관계가 되기 위한 조건이다. 이렇게 노동능력을 노동능력으

로서 재생산하는 것에 의해서 상품이 자본으로 전화할 수 있는 유일한 조건[63]이 재생산된다. 노동자에 의한 임금의 소비는 자본가가 그 대가로 노동을, 임금이 표현하는 것보다 더 많은 양의 노동을 돌려받는 한에서만이 아니라 그에게 이 조건을, 노동능력을 재생산해주는 한에서도 자본가에게 생산적이다. 요컨대 자본주의적 생산과정의 결과는 단지 상품과 잉여가치만이 아니라 **이러한 관계** 자체의 **재생산**이다. (나중에 밝혀지는 바와 같이 끊임없이 증가하는 규모에서 그것의 재생산.) 노동이 생산과정에서 대상화되는 한에서 — 그것은 **자본**으로서, 비노동으로서 대상화되고, 교환에서 자본이 노동자에게 양도되는 한에서 자본은 노동자의 **노동능력**을 재생산하기 위한 수단으로 전화할 뿐이다. 요컨대 과정이 종료되면 과정의 원래 조건들, 원래 요소들과 이것들의 원래 관계가 다시 생성된다. 요컨대 상품과 잉여가치가 생산되는 것과 똑같이 **자본과 임노동**의 관계가 이 생산양식에 의해 재생산된다. 처음에 들어간 것만이 마지막에 과정에서 나온다. 즉 한편에는 대상화된 노동이 자본으로, 다른 한편에는 대상 없는 노동이 벌거벗은 노동능력으로, 동일한 교환이 끊임없이 새로 반복되는 것이다. 자본의 지배 — 또는 자본주의적 생산의 토대 — 가 아직 충분하게 발전하지 않은 식민지에서는 노동자가 자신의 노동능력을 ||61| 재생산하는 데 필요한 것보다 더 많이 받고, 머지않아 자영농이 되고 — 요컨대 원래의 관계가 지속적으로 재생산되지 않는다 — , 따라서 자본가들의 커다란 탄식과, 자본과 임노동 관계를 인위적으로 도입하려는 시도들이 생겨난다. (웨이크필드.)[64]

[65]"재료는 변화를 겪는다. … 사용되는 도구, 기계류는 … 변화를 겪는다. 생산을 거치면서 여러 도구들이 점차 파괴되거나 소비된다. … 인간의 생존과 편의를 위해서 필요한 다양한 종류의 음식, 의복, 주거도 변화한다. 그것들은 /62/ 종종 소비되고 그것들의 가치는 그의 신체와 정신에 전해진 저 새로운 활력에서 재등장한다. 이 활력은 생산 작업에서 다시 사용될 새로운 자본을 형성한다."(F. 웨일랜드, 『**경제학 요강**』, 보스턴, 1843[66]년, 32쪽)[67]

/61/ 원래 어떤 조건하에서 노동자들이 노동능력을 재생산하고 평균임금 또는 그들이 노동자로서 전통적, 일반적으로 살아가는 데 필요한 생활 규모가 어떠한지에 관한 정황이 노동자들에게 갖는 중요성은 전체 관계의 이러한 재생산 — 임노동자 전체가 과정에 들어간 만큼만 과정에서 나온다는 것 — 과 연관된다. 이것은 자본주의적 생산이 진행되면서 다소 파괴되지만 그렇게 되기까지 오랜 시간이 걸린다. 노동자의 유지에 필요한 생활수단은

G103

어떤 것인지 — 즉 어떤 생활수단이 어느 정도 필요한 것으로 일반적으로 인정되는지. (이에 대해서는 **손턴**[68]을 보라.) 그러나 이것은 임금이 오로지 생활수단으로만 분해된다는 것, 노동자는 여전히 노동능력으로 귀착될 뿐이라는 것을 극명하게 증명한다. 차이가 있다면 [69]그의 욕구의 범위로 간주되는 것의 많고 적음에 있을 뿐이다. 그는 언제나 소비를 위해서만 노동한다. 차이가 있다면 그의 소비비용 = 생산비용의 크고 작음에 있을 뿐이다.

요컨대 임노동은 자본형성을 위한 필요조건이며 자본주의적 생산에 지속적인 필연적 전제를 이룬다. 따라서 첫 번째 행위, 노동능력과 화폐의 교환 또는 노동능력의 판매 자체는 직접적 생산과정(노동과정)에는 들어가지 않지만 반대로 관계 전체의 생산에는 들어간다. 그것이 없으면 화폐는 자본이 되지 못하고 노동은 임노동이 되지 못한다. 따라서 전체 노동과정도 자본의 통제하에 놓이지 않고 자본에 포섭되지 않으며, 따라서 앞서 규정된 방식으로 잉여가치의 생산도 이루어지지 않는다. 이 문제 — 이 첫 번째 행위가 자본의[70] 생산과정에 속하는지 — 는 원래 경제학자들 사이의 논쟁, 즉 임금으로 지출되는 자본 부분 — 또는 같은 말이지만 노동자가 자신의 임금과 교환하는 생활수단 — 이 자본의 일부를 구성하는지에 관한 논쟁 주제로서 다루어지는 것이다. (로시, 밀, 램지를 보라.)[71]

임금이 **생산적**이냐는 질문은 사실 자본이 생산적이냐는 질문과 똑같은 오해이다.

후자의 경우에 자본은 그것이 존재해 있는 상품들의[72] 사용가치(자본대상)로서만 이해되고 상품을 담지자로 하는 형태규정성, 특정한 사회적 생산관계로는 이해되지 않는다. 전자의 경우에는 임금 자체가 직접적 노동과정에 들어가지 않는다는 점이 강조된다.

기계가 노동과정에서 사용가치로서 기능하는 한에서는 기계의 가격이 아니라 기계 자체가 생산적이다. 기계의 가치가 생산물의 가치에서, 기계의 가격이 생산물의 가격에서 재현되는 경우에 이것이 발생하는 이유는 오로지 기계가 가격을 가지기 때문이다. 이 가격은 아무것도 생산하지 않는다. 그것은 보존되지도 않고 증대되는 것은 더더욱 아니다. 한 측면에서 본다면 임금은 노동생산성에서의 공제이다. 잉여노동은 노동자가 자신을 재생산하고 유지하기 위해 필요한 노동시간에 의해 제한되기 때문이다. 요컨대 잉여가치. 다른 한편으로 임금은 가치증식 일체의 원천[73]이고 전체 관계의 토대가 되는 노동능력 자체를 생산하는 한에서 생산적이다.

자본 중에서 임금으로[74] 지출되는 부분, 즉 노동능력의 가격은 노동과정에 직접 들어가지는 않지만 노동자가 계속 노동하려면 하루에 여러 차례 생활수단을 소비해야 하므로 아마도 일부는 노동과정으로 들어간다고 해야 할 것이다. 그렇지만 이 소비과정은 본래의 노동과정 외부에 속한다. (예를 들면 기계에서 석탄, 유류 등과 마찬가지로?) 노동능력의 보조재료(matière instrumentale)로서? 전제된 가치들이 증식과정에 들어가는 것은 그것들이 존재하는 한에서이다. 임금은 다르다. 그것은 재생산되고 새로운 노동에 의해 대체되기 때문이다. 어쨌든 임금 — 생활수단으로 분해되는 — 조차 노동기계를 돌리기 위한 석탄, 유류로만 간주한다면 그것들은 노동자에 의해서 생활수단[75]으로 소비되는 한에서만 사용가치로서 노동과정에 들어가고, 그것들이 노동자를 노동하는 기계로 유지하는 한에서 생산적이다. 그러나 그것들이 그렇게 하는 것은 그것들이 생활수단이기 때문이지 이들 생활수단이 ||62| 가격을 갖기 때문이 아니다. 그리고 이들 생활수단의 가격인 임금은 (노동과정에는 — 옮긴이) 들어가지 않는다. 노동자가 그것을 재생산해야 하기 때문이다. 생활수단의 소비와 함께 그 안에 포함되었던 가치는 파괴된다. 노동자는 새로운 노동량으로 이 가치를 대체한다. 요컨대 이 노동이 생산적이지 그것의 가격이 생산적인 것은 아니다.

　〔이미 살펴보았듯이 노동재료와 노동수단에 들어 있는 가치는 단순히 노동재료와 노동수단으로서 소비됨으로써, 즉 새로운 노동의 요소들이 됨으로써, 요컨대 새로운 노동이 그것들에 추가됨으로써 보존된다. 이제 다음과 같이 가정해보자. 어떤 생산과정을 특정한 규모로 추진하기 위해서 — 그리고 이 규모는 스스로 결정되는데 그 까닭은 필요노동시간만, 요컨대 주어진 생산력의 사회적 발전 단계에서 필요한 만큼의 노동시간만 사용되어야 하기 때문이다. 그러나 이 주어진 발전 단계는 일정량의 기계류 등, 새로운 생산에 소요되는 일정량의 생산물로 표현된다. 요컨대 기계 직기 등이 일반적으로 이용되면 수동 직기로는 아마포를 짜지 않는다. 달리 말하자면, 필요노동시간만 사용되려면 노동을 생산방식에 조응하는 조건하에 두어야 한다. 이 조건은 스스로 일정량의 기계류 등으로서, 간단히 말해 주어진 발전 단계에서 생산물을 생산하는 데 필요한 노동시간만을 사용하기 위해서 전제가 되는 노동수단으로서 나타난다. 요컨대 면사를 뽑으려면 적어도 최소한의 공장, 이러저러한 마력을 가진 증기기관, 이런저런 수의 방추를 가진 뮬 방적기 등이 필요하다. 요컨대 이들 생산조건에 들어 있는 가치가 보존

G105

되려면 ― 그리고 기계 방적에는 다시 매일 소비되어야 하는 일정량의 면화가 상응한다 ― 새로운 노동을 추가하는 것이 필요할 뿐 아니라,[76] 생산단계 자체에 의해 결정된 양의 재료를 재료로서 사용하고 기계가 움직여야[77] 하는 (매일 도구로서 사용되어야 하는) 특정한 시간[78]이 실제로 기계 사용시간으로 존재하려면 **일정량**의 새로운 노동을 추가할 필요가 있다. 매일 면화 600파운드를 짜도록 설치된 기계를 내가 가지고 있다면 (그리고 6파운드를 짜는 데 1노동일이 필요하다면) 이들 생산수단에 의해서 100노동일이 ― 기계류의 가치를 보존하기 위해서 ― 흡수되어야 한다. 새로운 노동이 어떻게든 이 가치의 보존에 종사하는[79] 것처럼 하는 것이 아니라 새로운 노동은 오히려 새로운 가치만을 추가하고 원래의 가치는 변하지 않고 생산물에서 재현된다.[80] 그러나 원래의 가치는 새로운 가치의 추가에 의해 보존될 뿐이다. 원래의 가치가 생산물에서 재현되려면 생산물로 나아가야 한다. 요컨대 기계류가 기계류로서 사용되도록 면화 600파운드를 짜야 한다면 이 600파운드는 생산물로 전화해야 하고, 요컨대 이것들을 생산물로 전화시키는 데 필요한 만큼의 노동시간이 이것들에 추가되어야 한다. 면화 600파운드와 기계의 마모된 비례분할적 부분의 가치는 단순히 생산물 자체에서 재현된다. 새로 추가된 노동은 이것을 조금도 변화시키지 않으며[81] 생산물의 가치를 증대한다. 이 중 일부가 임금(노동능력)의 가격을 대체한다. 다른 부분은 잉여가치를 창출한다. 그러나 이 총노동이 추가되지 않았더라면 원료와 기계류의 가치는 보존되지 않았을 것이다. 요컨대 노동자가 자신의 노동능력의 가치만을 재생산하는, 즉 이 가치만을 새로[82] 추가하는 이 노동 부분은 재료와 도구의 가치 중에서 이 노동량을 흡수한 부분만을 보존한다. 잉여가치를 형성하는 다른 부분이 재료와 기계류의 그 밖의 가치구성 부분을 보존한다.
[83]원료(600파운드)가 600펜스＝50실링＝2파운드스털링 10실링이라고 가정하자. 소모된 기계류는 1파운드스털링이지만 12노동시간이 1파운드스털링 10실링을 추가하여(임금의 대체와 잉여가치) 전체 상품가격은 5파운드스털링이다. 임금이 1파운드스털링이라면 10실링은 잉여노동을 표현한다. 상품에는 보존된 가치＝2파운드스털링 10실링 또는 이것의 절반이 들어 있다. 1노동일(100×1노동일, 즉 모든 노동자가 12시간 노동하므로 노동자 100명의 1노동일이라고 생각할 수 있다)의 총생산물＝5파운드스털링. 시간당 8$\frac{1}{3}$실링 또는 8실링 4펜스가 된다. 요컨대 1시간에는 4실링 2펜스가 원료와 기계류에서 대체되고 4실링 2펜스의 노동이 추가된다. (필요노동과 잉여노동.) 6노

G106

동시간 동안에는 생산물이 ‖63| 50실링＝2파운드스털링 10실링. 여기에서 보존되는[84] 원료와 기계류의 가치＝1파운드스털링 5실링. 그러나 기계를 생산적으로 활용하려면 12시간의 노동이 행해져야, 요컨대 [85]12시간의 노동을 흡수할 수 있을 만큼의 원료가 소비되어야 한다. 따라서 자본가는 이 상황을 처음 6시간 동안에는 그에게 2파운드스털링 10실링 ―50실링, 6노동시간의 생산물의 가치에 해당하는 원료 가격만 대체되는 것으로 파악할 수도 있다. [86]6시간 노동은 그것이 추가하는 노동을 통해서 6노동시간에 필요한 재료의 가치를 보존할 뿐이다. 그러나 자본가는 ― 특정한 잉여가치를 얻기 위해서, 그의 기계를 기계로서 이용하기 위해서 12시간 노동을 시켜야 하고 면화 600파운드를 소비해야 하기 때문에 ― 처음 6시간은 그에게 재료와 기계류[87]의 가치를 보존해주는 것처럼 계산한다. 오히려 전제에 따르면 **면화의 가치는 1파운드스털링 10실링＝30실링**으로 전체의 $\frac{3}{10}$[88]이다.[89]

　문제를 단순화하기 위해서 ― 여기에서 수치는 전적으로 무관하므로 ― 12노동시간 동안 2파운드스털링으로 면화(즉 면화 80파운드, 파운드당 6펜스)를 방적하고, 12[90]노동시간 동안 2파운드스털링의 기계류를 사용하며, 끝으로 새로운 노동에 의해 2파운드스털링의 가치를 추가하는데 그중에 1파운드스털링은 임금,[91] 1파운드스털링은 잉여가치, 잉여노동이라고 가정하자. 12시간 동안 2파운드스털링, 즉 12시간 동안 40실링이면, 화폐[92]로 표현된 노동시간의 가치로서 시간당 $3\frac{1}{3}$실링(3실링 4펜스)이 된다. 마찬가지로 매 시간 $3\frac{1}{3}$실링씩 면화가 가공되고, 전제에 따라 $6\frac{2}{3}$파운드가 된다. 끝으로 시간당 $3\frac{1}{3}$실링씩 기계류가 마모된다. 1시간 동안 완성되는 상품의 가치는 10실링이다. 그러나 이 10실링 중 $6\frac{2}{3}$실링(6실링 8펜스) 또는 $66\frac{2}{3}$퍼센트가 단지 전제된 가치로서 상품에서 재현될 뿐이다. 왜냐하면 1시간 노동을 흡수하려면 $3\frac{1}{3}$실링의 기계류와 $6\frac{2}{3}$파운드의 면화가 소요되기 때문이며, 그것들이 재료와 기계류로서 ― 이 비율로 재료와 기계류가 ― 노동과정에 들어갔고, 따라서 이 양에 포함된 교환가치가 새로운 상품, 예를 들면 면사로 넘어갔기 때문이다. 4시간 동안에 생산된 면사의 가치는 40실링 또는 2파운드스털링이며, 다시 그중에 $\frac{1}{3}$(즉 $13\frac{1}{3}$실링)이 새로 추가된 노동이고, 반대로 $\frac{2}{3}$ 또는 $26\frac{2}{3}$실링은 가공된 재료와 기계류에 포함된 가치의 보존일 뿐이다. 게다가 이 가치가 보존된 것은 $13\frac{1}{3}$실링의 새로운 가치가 재료에 추가되었기 때문, 즉 4시간 노동이 재료에 흡수되었기 때문이다. 또는 그것이 자신의 실현을 위해서 4시간의 방적노동을 필요로 하는 양의 재료와 기계류이기 때

문이다. 이 4시간에는 대상화된 4노동시간＝$13\frac{1}{3}$실링 이외에 아무런 가치도 창출되지 않았다. 그러나 전제된 가치의 $\frac{2}{3}$를 보존하는 이 상품 또는 4시간의 생산물의 가치는 2파운드스털링(또는 40실링)으로서 정확히 12시간 동안 방적과정을 통해 방적(소비)되어야 하는 면화의 가치와 같다. 요컨대 공장주가 처음 4시간의 생산물을 판매하면 그는 자신이 12시간 동안 소비한 면화, 또는 12시간의 노동시간을 흡수하기 위해서 사용한 면화의 가치를 대체하게 된다. 어째서일까? 전제에 따르면 12시간의 생산물에 들어간 면화의 가치는 총생산물 가치의 $\frac{1}{3}$이기 때문이다. 노동시간의 $\frac{1}{3}$ 동안 그는 면화의 $\frac{1}{3}$만을 소비하고, 따라서 이 $\frac{1}{3}$의 면화의 가치를 보존할 뿐이다. 그가 노동 $\frac{2}{3}$를 추가하면 면화 $\frac{2}{3}$를 더 소비하고 12시간 동안 면화 80파운드 전체가 생산물에, 노동과정에 실제로[93] 들어가기 때문에 면화의 총가치를 생산물에 보존한다. 그가 이제 4노동시간의 생산물을 판매하면 그 가치는 총생산물의 $\frac{1}{3}$이고, 총생산물에서 면화가 형성하는 가치 부분[94]도 마찬가지로 $\frac{1}{3}$이므로, 그는 처음[95] 4시간 동안에[96]면화의 가치를 재생산한 것처럼, 이를 4노동시간 동안 재생산한 것처럼 착각할 수 있다. 그렇지만 실제로 이 4시간 동안에는 면화의 $\frac{1}{3}$, 따라서[97] 그 가치의 $\frac{1}{3}$이 들어갈 뿐이다. 그는 12시간 동안 소비된 면화가 4시간 만에 재생산된다[98]고 생각하는 것이다. 그러나 이 계산이 나올 수 있는 것은 그가 도구의 $\frac{1}{3}$, (대상화된) 노동의 $\frac{1}{3}$ 등, 4시간 생산물 가격의 $\frac{2}{3}$를 이루는 부분을 면화에 포함했기 때문이다. 그것은 $26\frac{2}{3}$실링, 따라서 가격으로 치면 면화 $53\frac{1}{3}$파운드와 같다. 4시간만 노동한다면 12시간의 총생산물 가치의 $\frac{1}{3}$만을 상품으로[99] 가질 뿐이다. 면화는 총생산물 가치의 $\frac{1}{3}$을 구성하므로 그는 4시간 동안의 생산물에서 12시간 노동에 필요한 면화의 가치를 얻어낸다고 계산할 수 있다.|

|64| 그가 4시간 더 노동한다면 이것 또한 총생산물 가치[100]의 $\frac{1}{3}$이다. 그리고 기계류는 총생산물 가치의 $\frac{1}{3}$이므로 그는 노동시간의 두 번째 $\frac{1}{3}$이 12시간 동안 필요한 기계류의 가치를 대체한다고 착각할 수 있다. 실제로 그가 이 두 번째 $\frac{1}{3}$, 즉 이 또 하나의 4시간 생산물을 판매하면 12시간 동안 소모되는 기계류의 가치가 대체된다. 이 계산에 따르면 마지막 4시간의 생산물은[101] 원료도 기계류도 ― 이 생산물이 그것들의 가치를 포함하는데도 ― 포함하지 않고 벌거벗은 노동을 포함하게 된다. 요컨대 새로 창출된 가치를 포함하므로 2시간＝재생산된 임금(1파운드스털링)과 2시간 잉여가치, 잉여노동(마찬가지로 1파운드스털링). 실제로 마지막 4시간에 추가된 노

G108

142

동은 4시간의 가치, 즉 $13\frac{1}{3}$실링을 추가할 뿐이다. 그러나 [102]이 4시간의 생산물에 $66\frac{2}{3}$퍼센트 들어가는 원료와 수단의 가치는 단지 추가된 노동을 대체할 뿐이라는 전제에서 출발한다. 그래서 노동이 12시간 동안 추가하는 가치가 마치 4시간 동안 추가하는 것처럼 이해되는 것이다. 이 전체 계산이 나오는 것은 노동시간의 $\frac{1}{3}$이 자신뿐 아니라 생산물에 포함된 $\frac{2}{3}$의 전제된 가치도 창출하는 것으로 전제되기 때문이다. 노동시간의 $\frac{1}{3}$ 전체의 생산물[103]이 단지 노동에 의해 추가된 가치라고 가정하면 ─ 비록 이것이 $\frac{1}{3}$에 지나지 않을지라도 ─ 당연히 그 결과는 마치 3×4시간 동안 실제 $\frac{1}{3}$은 언제나 노동으로, $\frac{2}{3}$는 전제된 가치인 것처럼 계산된다. 이 계산은 자본가에게는 매우 실용적일 수 있지만 이론적으로 유효하다고 하면 실제 관계 전체를 왜곡하며, 커다란 불합리를 초래한다. 추가된 노동이 $33\frac{1}{3}$퍼센트만을 구성하는 데 비해 원료와 기계류의 **전제된** 가치만으로도 새로운 상품의 $66\frac{2}{3}$퍼센트를 구성한다. [104]$66\frac{2}{3}$퍼센트는 대상화된 노동 24시간을 나타낸다. 12시간의 새로운 노동이 자기 자신뿐 아니라 그 밖에 24시간까지, 즉 통틀어 36노동시간을 대상화한다는 이 전제는 얼마나 불합리한가.

요컨대 익살은 다음과 같다. 4노동시간, 즉 총노동일 12시간의 $\frac{1}{3}$의 생산물[105] 가격＝총생산물 가격의 $\frac{1}{3}$. 전제에 따라 면화 가격[106]은 총생산물 가격의 $\frac{1}{3}$이다.[107] 요컨대 4노동시간, 총노동일 $\frac{1}{3}$의 생산물 가격＝총생산물에 들어가는, 12노동시간 동안 방적된 면화 가격. 따라서 공장주는 처음 4노동시간은 12노동시간 동안 소비된 면화의 가격을 대체할 뿐이라고 말한다. 그러나 실제로는 처음 4노동시간의 생산물 가격은 노동과정에서 추가된 가치 즉 노동의 $\frac{1}{3}$, (우리 예에서는) $13\frac{1}{3}$실링, 면화 $13\frac{1}{3}$실링, 기계류 $13\frac{1}{3}$실링이다.[108] 마지막 두 구성요소는 생산물 가격[109]에서 재현되는데, 그것은 4시간 노동에 의해서 사용가치로서 그것들의 형체가 단지 소비되어버리고, 따라서 새로운 사용가치에서 재현되기 때문에, 따라서 그것들의 원래 교환가치를 보존했기 때문이다. 4시간 동안 $26\frac{2}{3}$실링의 면화와 기계류(이것들은 노동과정에 들어가기 전에 이 가치를 갖고 있었고 단지 새로운 생산물의 가치에서 재현되며,[110] 이는 이것들이 4시간의 방적과정을 통해 새로운 생산물에 들어갔기 때문이다)에 추가되는 것은 다름 아니라 $13\frac{1}{3}$실링, 즉 [111]새로 추가된 노동이다. (새로 추가된 노동시간의 양.) 따라서 생산물 가격[112]에서 4시간을, 즉 40실링에서 선대된 $26\frac{2}{3}$실링을 빼면 과정에서 실제로 창출된 가치[113]로는 $13\frac{1}{3}$실링, 화폐로 표현된 4시간의 노동만이 남는다. 이제 생산물 가격의 $\frac{2}{3}$, 즉 기계류

G109

를 나타내는[114] $\frac{1}{3}$ 또는 13$\frac{1}{3}$실링과 [115]노동을 나타내는 다른 $\frac{1}{3}$ 또는 13$\frac{1}{3}$실링이 면화로 평가되면 12시간 동안 소비되는 면화의 가격이 나온다. 달리 말하자면, 4노동시간 동안에는 실제로 4시간의 노동시간만이 이전에 존재하던 가치들에 추가된다. 그러나 이 가치 —[116]면화와 기계류의 양의 가치 —가 재현되는 것은 [117]그것들이 4노동시간을 흡수했기 때문에, 다시 말해 그것들이 방적의 요소들로서 면사의 구성부분이 되었기 때문이다. 따라서 4노동시간 생산물의[118] 가치에서 재현되는 면화 가격은 실제로 이 4시간의 노동과정에 재료로 들어가서 소비된 면화량의 가치와 같다. 요컨대 전제에 따라서 =13$\frac{1}{3}$실링. 그러나 4노동시간 총생산물의 **가격** =12시간 동안 소비된 면화의 **가격**. 그 까닭은 4노동시간의 생산물 =12시간 총생산물[119]의 $\frac{1}{3}$이고 면화 가격은 12시간 총생산물의 가격에서[120] $\frac{1}{3}$이기 때문이다.|

|65| 12시간 노동에 타당한 것은 1시간 노동에도 타당하다. 4시간 대 12시간의 비율은 $\frac{1}{3}$시간 대 1시간과 같다. 따라서 전체 상황을 더욱 단순화하기 위해서 [121]1시간으로 줄여보자. 주어진 전제에 따라서 1시간 생산물의 가치 =10실링이고, 그중 3$\frac{1}{3}$실링이 면화(면화 6$\frac{2}{3}$[122]파운드), 3$\frac{1}{3}$실링이 기계류, 3$\frac{1}{3}$실링이 노동시간. 노동시간이 1시간 추가된다면 총생산물의 가치 =10실링 또는 =3노동시간. 그 까닭은 새로운 생산물 면사에서 재현되는, 소비된 재료와 소비된 기계류의 가치 =6$\frac{2}{3}$실링, 전제에 따라서 =2노동시간이기 때문이다. 이제 먼저 면화와 방추의 가치가 면사의 가치[123]로 재현되는 방식과 새로 추가된 노동이 면사에 들어가는 방식을 구별하자. **첫째**, 총생산물의 가치 =3노동시간 또는 =10실링. 그중 면화와 방추에 포함된 2노동시간은 노동과정 이전에 **전제되어 있다**. 즉 2시간은 노동과정에 들어가기 전에는 면화와 방추의 가치였다. 요컨대 이것들이 $\frac{2}{3}$를 차지하는 총생산물의 가치에서 이것들은 단순히 재현되고 보존될 뿐이다. 새로운 생산물의 가치 중에 자신의 물적[124] 구성부분의 가치를 초과하는 부분은 $\frac{1}{3}$, =3$\frac{1}{3}$실링뿐이다. 이것이 이 노동과정에서 창출된, 유일한 새로운 가치이다. 노동과정과 무관하게 존재하던 원래의 가치는 보존되었을 뿐이다. 그러나 **둘째로**, 그것들은 어떻게 보존되었는가? 살아 있는 노동에 의해서 재료와 수단으로 사용됨[125]으로써, 새로운 사용가치인 면사를 생산하기 위한 요소들로서 소비됨으로써 그러했다. 노동은 오로지 그것들을 사용가치로 상대했기[126] 때문에, 즉[127] 새로운 사용가치인 면사를 생산하기 위한 요소들로서 소비했기 때문에 그것들의 교환가치를 보존했다. 따라서 면화와 방추의 교환가치가 면사의 교환가치

144

에 재현되는 것은 노동 일체, 추상적 노동, 단순한 노동시간 ─ 교환가치의 요소를 형성하는 바와 같은 노동 ─ 이 그것들에 추가되었기 때문이 아니라 이 특정한 실제 노동인 방적노동, 특정한 사용가치인 면사에서 실현되는[128] 유용[129]노동이, 특수한 합목적적 활동으로서 면화와 방추를 사용가치로서 소비하고 그것의 요소로서 활용하며 그것들을 자신의 합목적적 활동을 통해 면사의 형성요소로 만들기 때문이다. 방적공 ─ 요컨대 방적노동 ─ 이[130]가치 비율은 동일하지만 더 정교한 기계를 가지고 면화 $6\frac{1}{3}$[131]파운드를 1시간이 아니라 반 시간 동안에 면사로 전화시킬 수 있다면 반 시간의 노동시간은 전제에 따라서 $1\frac{2}{3}$[132]실링으로 표현될 것이므로 생산물의 가치$=3\frac{1}{3}$ 실링(면화에)$+3\frac{1}{3}$실링(기계에)$+1\frac{2}{3}$[133]실링의 노동일 것이다. 따라서 생산물의 가치$=8\frac{1}{3}$[134]실링이고, 여기에서 비록 면화와 기계류에 추가된 노동이 첫 번째 경우에 비해 50퍼센트 줄었지만 그것들의 가치는 첫 번째 경우에서와 마찬가지로 완전히 재현될 것이다. 그 까닭은 그것들을 면사로 전화시키는 데 반 시간의 방적노동만 소요되었기 때문이다. 요컨대 그것들이 재현된 것은 그것들이 반 시간 방적의 생산물에, 새로운 사용가치인 면사에 완전히 들어갔기 때문이다. 노동이 그것들을 교환가치로서 보존한다면 그것은 자신이 실제 노동, 특수한 사용가치를 생산하기 위한 특수한 합목적적 활동인 한에서만 그렇게 한다. 노동은 그 내용과는 무관한 추상적인 사회적 노동시간으로서가 아니라 방적노동으로서 그렇게 한다.[135]여기에서 노동은[136]**방적하기**로서만[137]면화와 방추의 가치를 생산물인 면사에서 보존한다. 다른 한편으로 그 속에서[138] 노동이 면화와 방추의 교환가치를 보존하는 이 과정에서 방적이라는 노동은 면화와 방추를 교환가치로서가 아니라 사용가치로서, 방적이라는 이 특정한 노동의 요소들로서 상대한다. 방적공[139]이 특정 기계류를 매개로 해서 면화 $6\frac{1}{3}$파운드를 면사로 전화시킬 수 있다면 면화 1파운드 가격이 6펜스이든 6실링이든 이 과정과는 전적으로 무관하다. 그 까닭은 방적공이 방적과정에서 그것을 면화로서, 방적의 재료로서 소비했기 때문이다. 1시간 방적노동을 흡수하려면 이 재료가 그만큼 소요된다. 재료의 가격은 이와 전혀 상관없다. 기계류도 마찬가지이다. 동일한 기계가 반 값에 지나지 않으면서 동일한 실적을 올린다고 해도 이것이 방적과정에는 전혀 영향을 미치지 않을 것이다. 방적공에게 유일한 조건은 그가 1시간[140] 동안 방적하는 데 필요한 규모, 그만큼의 양[141]으로 재료(면화)와 방추(기계류)를 보유하고 있다는 것이다. 면화와 방추의 가치나 가격은 방적과정 자체

G111

와는 아무 상관도 없다. 그것들은 면화와 방추 자체에 대상화된 노동시간의 결과이다. 따라서 그것들이 생산물에 재현되는 것은 오로지 그것들이 생산물에 대해 주어진 가치들로서 전제되어 있는 한에서이고, 또 상품인 면화와 방추가 사용가치로서 그것들의 소재적 규정성에 따라서 면사를 잣는 데 필요하고 요소들로서 방적과정에 들어가기 때문이다. 그러나 다른 한편으로 방적노동이 면화와 방추의 가치에 [142]새로운 가치를 추가하는 것은 그것이 이 특정한 노동, 방적인 한에서가 아니라 그것이 노동 일체이고 방적공의 노동시간이 일반적 노동시간인 한에서이다. 이 일반적 노동시간은 어떤 ||66| 사용가치에 대상화되든, 노동의 특수한 유용한 성격, 특수한 합목적성, 특수한 방식 또는 생존방식이 어떠하든 상관없다. 일반적 노동시간은 노동의 시간(척도)으로서 현존한다. 여기에서 방적노동 1시간은 노동시간 일체 1시간과 등치된다. (한 시간이든 여러 시간이든 본질과는 상관없다.) 이 1시간의 대상화된 노동시간은 [143]면화와 방추의 결합에 예를 들면 3⅓실링을 추가한다. 이것이 동일한 노동시간을 화폐로 대상화하기 때문이다. 면사 5파운드(방적된 면화 6파운드)가 1시간이 아니라 반 시간에 생산될 수 있다면 다른 경우에는 1시간이 지나서 보존되는 사용가치를 반 시간이 지나면 보존될 것이다. 동일한 품질을 가진 동일한 양의 사용가치, 주어진 품질의 면사 5파운드. 방적이라는 구체적[144] 노동, 어떤 사용가치를 생산하기 위한 활동인 한에서 노동은 과거 1시간 동안 달성했던 만큼을 반 시간 동안에 달성하고 동일한 사용가치를 창출했을 것이다. 방적에 소요되는 시간이 전자의 경우에 후자의 경우보다 2배 더 길지만 방적으로서 노동은 두 경우 모두 동일한 것을 달성한다. 노동이 스스로 사용가치[145]이고, 사용가치를 생산하기 위한 합목적적 활동인 한에서 [146]이 사용가치를 생산하는 데 필요한, 지속되어야 하는 필요[147] 시간은 전혀 상관이 없다. 면사 5파운드를 방적하기 위해서 1시간이 필요하든 반 시간이 필요하든 상관없다. 오히려 동일한 사용가치를 생산하는 데 필요한 시간이 적을수록 노동은 더 생산적이고 유용하다. 그러나 그것이 추가하는 가치는 순수하게 그 지속시간으로 측정되면서 이것을 창출한다. 방적노동은 1시간에는 반 시간보다 2배 많은 가치를 추가하고 2시간 동안에는 1시간보다 2배 많은 가치를 추가한다. 그것이 추가하는 가치는 그 자신의 지속시간에 의해 측정되고, 가치로서 생산물은 방적이라는 특수한 노동의 생산물이 아니라 특정한[148] 노동시간 일체의 질료에 지나지 않는다. 다시 말하면 방적은 그것이 노동 일체이고 그 지속이 노동시간 일체인 한에서만 문제

G112

146

가 된다. 면화와 방추의 가치가 보존되는 것은 방적노동이 이것들을 면사로 전화시켰기 때문, 즉 이것들이 이 특수한 노동방식에 의해서[149] 재료와 수단으로 사용되었기 때문이다. 면화 6파운드[150]의 가치가 증대되는 것은 오로지 [151]이 면화가 1시간의 노동시간을 흡수했기[152] 때문이다. 생산물인 면사에는 가치요소인 면화와 방추가 포함하는 것보다 1시간 더 많은 노동시간이 대상화되었다. 그러나 노동시간이 기존의 생산물이나 기존의 노동재료 일체에 추가될 수 있는 것은 이 노동시간이 어떤 특수한[153] 노동시간, 재료와 노동수단을 **자신의** 재료와 수단으로 상대하는 노동시간인 한에서만 그러하다. 요컨대 면화와 방추에 1시간의 노동시간이 추가되는 것은 그것들에 1시간의 방적노동이 추가될 수 있는 한에서이다. 그것들의 가치가 보존되는 것은 단지 노동이 방적이라는, 면화와 방추가 면사를 생산하기 위한 수단이 되는 특정한 노동이라는 노동의 특유한 성격, 나아가 그것은 살아 있는 노동 일체, 합목적적 활동이라는 소재적 규정성에서 기인한다. 그것들에 가치가 추가되는 것은 단지 방적노동이 노동 일체, 사회적 추상노동 일체라는 사실, 1시간의 방적노동이 1시간의 사회적 노동 일체, 1시간의 사회적 노동시간과 등치된다는 사실에서 기인한다. 요컨대 단순한 가치증식과정 — 이것은 실제 노동을 나타내는 추상적 표현일 뿐이다 — 에 의해서, 즉 새로운 노동시간을 추가하는 과정에 의해서 — 이 새로운 노동시간은 특정의 유용하고 합목적적인 형태로 추가되어야 하므로 — , 노동재료와 노동수단의 가치가 보존되고 생산물의 총가치의 가치 부분으로서 재현되는 것이다. 그러나 한 번은 가치를 추가하고 다른 한 번은 기존의 가치를 보존하기 위해서 이중으로 노동하는 것이 아니라, **노동시간은 방적노동처럼** [154]**유용노동, 특수노동의 형태로만 추가될 수 있으므로 재료와 수단에 새로운 가치를, 즉 노동시간을 추가함으로써 재료와 수단의 가치를 저절로 보존한다.**

그러나 또한 [155]새로운[156] 노동이 보존하는 기존 가치의 양은 새로운 노동이 기존 가치에 추가하는 가치의 양과 특정한 관계에 있다는 것, 또는 보존되는, 이미 대상화된 노동의 양은 추가되는, 비로소 대상화되는 새로운 노동시간의 양과 특정한 관계에 있다는 것, 한마디로 말하자면 직접적 노동과정과 가치증식과정 사이에 특정한 관계가 존재한다는 것도 분명하다. 주어진 일반적 생산조건하에서 기계류가 x만큼 소모되고[157] 면화 6파운드를 면사로 방적하기 위해서 **필요한** 노동시간이 1시간이라면 1시간 동안에는 면화 6파운드만 면사로 전화시킬 수 있고 기계류가 x만큼 소모될 수 있고 면

G113

사 5파운드만이 생산될 수 있다. 그러므로 면사의 가치가 면화 및 방추 x개의 가치보다 더 높은[158] 1노동시간에는 면사에서 보존되는 면화 6파운드와 방추 x개($3\frac{1}{3}$실링)의 가치인 2노동시간의 대상화된 노동시간이 더해질 것이다.[159] 면화가 1노동시간, 즉 $3\frac{1}{3}$실링만큼 증식될(즉 잉여가치를 얻을) 수 있는 것은 오직 면화 6파운드와 기계류 x가 사용되는 한에서이다. 다른 한편으로 1노동시간이 추가되어야만 이 면화와 기계류는 사용될 수 있고, 따라서 그것들의 가치가 면사에서 재현될 수 있다. 따라서 면화 72파운드의 가치가[160] 생산물에서 ||67| 면사의 가치 부분으로서 재현되려면 12노동시간이 추가되어야 한다. 특정한 양의 재료는 특정한 양의 노동시간만을 흡수한다. 그것의 가치는 (노동생산성이 주어져 있을 때) 그것이 흡수하는 노동량에 비례해서 보존된다. 따라서 면화 72파운드의 가치는 그것이 전부 면사로 방적되지 않으면 보존될 수 없다. 그러나 이는 전제에 따라서 12시간의 노동시간이 필요하다. 노동생산성이 주어져 있다면, 즉 노동이 일정 시간에 제공할 수 있는 사용가치의 양이 주어져 있다면 그것이 보존하는 주어진[161] 가치의 양은 순전히 노동 **자신의 지속시간**에 달려 있다. 또는 [162]보존되는 재료[와] 수단의 가치의 양은 순전히 추가되는 노동시간, 요컨대 새로운 가치가 창출되는 정도에 달려 있다. 가치의 보존은 가치 추가의 감소와 증가에 정비례한다. 다른 한편으로 재료와 노동수단이 주어져 있다면 그것들을 가치로서 보존하는 것은 순전히 추가된 노동의 생산성에, 노동이 그것들을 새로운 사용가치로 전화시키는 데 필요한 시간의 많고 적음에 달려 있다. 요컨대 여기에서 주어진 가치의 보존은 가치 추가[163]에 반비례한다. 즉 노동이 생산적이면 가치 보존에 필요한 노동시간은 감소한다. 그 반대의 경우에는 반대이다.

〔그러나 이제 분업에 의해서, 그리고 그보다 더욱 기계류에 의해서 독특한 상황이 도래한다.

가치의 요소, 실체로서의 노동시간은 **필요노동시간**, 요컨대 주어진 사회적, 일반적 생산조건하에서 필요한 노동시간이다. 예를 들면 1시간이 면화 6파운드를 면사로 전화시키기 위한 필요노동시간이라면 그것은 실현되기 위해서 일정한 조건들을 필요로 하는 방적노동의 시간이다. 즉 예를 들면 이런저런 만큼의 방추가 있는 뮬 방적기, 이런저런 만큼의 마력을 가진 증기기관 등등. 1시간에 면화 6파운드를 면사로 전화시키려면 이 모든 장비가 필요하다.[164] 그렇지만 이 문제는 나중에[165] 논의될 것이다.〕

G114 이제 우리의 사례로 돌아가자. 요컨대 면화 6파운드가 1시간 동안에 방적

148

된다면 면화의 가치=$3\frac{1}{3}$[166]실링, 소모된 방추 등의 가치=$3\frac{1}{3}$[167]실링, 추가된 노동의 가치=$3\frac{1}{3}$실링. 요컨대 생산물의 가치=10실링. 주어진 가치 — 면화와 방추=2[168]노동시간이므로 각각은 1[169]노동시간과 같다. 1시간이 지난 후 [170]총생산물의 가격=가격 총액=10실링, 또는 대상화된 노동시간 3시간. [171]그중 2시간은 면화와 방추로부터 생산물에 재현된 것이고 단지 1시간만이 새로 창출된 가치 또는 추가된 노동이다. [172]1노동시간 생산물의 총가치에서 각 요소의 가격이 $\frac{1}{3}$을 이룬다. 요컨대 $\frac{1}{3}$노동시간 생산물의 가격=총생산물 $\frac{1}{3}$의 가격, 즉=총생산물에 포함된 노동의 가격, 또는 면화의 가격 또는 기계류의 가격. 그 까닭은 [173]총생산물의 이들 3요소가 각각 총생산물 가격의 $\frac{1}{3}$을 구성하기[174] 때문이다. 따라서 $\frac{1}{3}$시간 노동하면 이 생산물 =$3\frac{1}{3}$[175]실링의 가치를 갖는 면사 2파운드. 이 $3\frac{1}{3}$실링을 가지고 면화를 6파운드 구매할 수 있다. 또는 $\frac{1}{3}$시간 생산물의 가격=1노동시간 내내[176] 소비된 면화의 가격. 두 번째 $\frac{1}{3}$의 가격=소모된 기계류의 가격. [177]예를 들면 $\frac{1}{3}$시간 생산물의 가격=추가된 노동 전체[178](임금에 대한 등가물을 구성하는 부분뿐 아니라 잉여가치나 이윤을 구성하는 부분도)[179] [180]의 가격. 따라서 공장주는 다음과 같이 계산할 만도 하다. 나는 면화의 가격을 지불하기 위해 $\frac{1}{3}$시간 노동하고, 마모된 기계류의 가격을 대체하기 위해 $\frac{1}{3}$시간 노동하고, 나머지 $\frac{1}{3}$시간 중 $\frac{1}{6}$시간은 임금을 대체하고 $\frac{1}{6}$시간은 잉여가치를 형성한다고. 이 계산이 실질적으로는[181] 아무리 옳다고 해도 그것이 실제 가치형성(가치증식과정)을, 따라서 필요노동과 잉여노동의 비율을 설명해야 한다면 지극히 어리석은 것이다. 말하자면 마치 노동 $\frac{1}{3}$시간이 사용된 면화의 가치를, 노동 $\frac{1}{3}$이 마모된 기계류의 가치를 창출하거나 또는 대체하는[182] 한편, $\frac{1}{3}$노동시간이 임금과 이윤의 공동 기금이 되는 새로 추가된 노동 또는 새로 창출된 가치를 구성한다는 식의 어리석은 상상을 하는 것이다.[183] 면화와 노동수단의 주어진 가치가 노동의 전체 기간(노동시간)의 생산물에서 재현되는 비율, 또는 주어진 가치, 대상화된 노동이 노동과정에서 노동시간 1시간을 추가함으로써 보존되는 비율을 표현하는 것은 실제로 평범한 방법일 뿐이다. 내가 $\frac{1}{3}$노동시간 생산물의 가격=[184]1노동시간 내내 방적된 면화의 가격=$3\frac{1}{3}$실링짜리 면화 6파운드의 가격이라고 말한다면 나는 1노동시간 생산물=$\frac{1}{3}$노동시간 생산물의 3배라는 것을 알고 있는 것이다. 따라서 $\frac{1}{3}$노동시간 생산물의 가격=$\frac{3}{3}$ 또는 1노동시간 동안 방적된 면화의 가격이라 한다면 이는 면화 가격=총생산물 가격의 $\frac{1}{3}$이라는 것, 총생산물에는 면

화 6파운드가 들어간다는 것, 요컨대 이 면화의 가치가 재현되고 이 [185]가치는 총생산물 가치의 $\frac{1}{3}$을 이룬다는 것을 의미할 뿐이다. 이것은 [186]기계류의 가치에 대해서도 마찬가지이다. 노동도 마찬가지이다. 따라서 내가 ||68|[187]일체 노동이 이루어지는 노동시간 $\frac{1}{3}$의 생산물의[188] 가격, 즉 $\frac{1}{3}$노동시간 생산물의 가격 = $\frac{1}{3}$ 또는 1노동시간[189] 동안 가공되는 재료의 가격과 기계류의 가격이라고 말한다면, 이는 1시간의 총생산물 가격에는 재료와 노동수단의 가격이 $\frac{2}{3}$만큼 들어가고, 따라서 추가된[190] 노동시간은 생산물에 대상화된 총가치의 $\frac{1}{3}$에 불과하다는 것의 다른 표현일 뿐이다. [191]1시간의 일부, $\frac{1}{3}$ 또는 $\frac{2}{3}$ 등의 **생산물 가격**이 원료, 기계류 등의 가격과 같다는 것은 $\frac{1}{3}$시간 또는 $\frac{2}{3}$시간 등에 원료와 기계류의 가격이 문자 그대로 [192]생산된다거나 또는 **재생산**된다는 것은 결코 아니다. 다만 이 부분생산물의 가격은, 또는 노동시간의 비례분할적 부분의 이들 생산물의 가격은 총생산물에서 재현되는, 보존되는 원료 등의 가격과 같다[193]는 말일 뿐이다. 다른 상상이 어리석다는 것은 추가된 노동의 가격, 추가된 가치량, 또는 새로 대상화된 노동의 양을 나타내는 마지막 $\frac{1}{3}$을 고찰하면 가장 잘 드러난다. [194]이 마지막 $\frac{1}{3}$ **생산물의 가격**은 전제에 따라 면화 $1\frac{1}{2}$[195]실링 즉 $\frac{1}{3}$노동시간 + 기계류 $1\frac{1}{2}$[196]실링 즉 $\frac{1}{3}$노동시간 + 새로 추가된 $\frac{1}{3}$노동시간, 합해서 $\frac{3}{3}$노동시간 또는 1노동시간과 같다. 요컨대 이 가격은 사실상 원료에 추가된 총노동시간을 화폐로 표현한다. 그러나 앞서 언급된 혼란스러운 상상에 따르면 $\frac{1}{3}$노동시간이 $3\frac{1}{3}$[197]실링, 즉 $\frac{3}{3}$노동시간의 생산물로 나타날 것이다. $\frac{1}{3}$노동시간의 **생산물의 가격** = 면화의 가격이 되는 첫 번째 $\frac{1}{3}$에서도 마찬가지이다. 이 $\frac{1}{3}$의 가격은 면화 2파운드의 가격 $1\frac{1}{2}$[198]실링($\frac{1}{3}$노동시간), 기계류 가격 $1\frac{1}{2}$[199]실링($\frac{1}{3}$노동시간), 그리고 실제로 새로 추가된 노동 $\frac{1}{3}$, 즉 면화 2파운드를 면사로 전화시키기 위해서 필요한 노동시간으로 구성된다. 결국 총액 = 1노동시간 = $3\frac{1}{3}$실링. 그러나 이것은 $\frac{2}{3}$노동시간에 요구되는 면화의 가격이기도 하다. 요컨대 실제로 $\frac{2}{3}$노동시간의 가치(= $2\frac{2}{3}$실링[200])가 보존되는 것은 이 첫 번째 $\frac{1}{3}$노동시간에서 그다음의 $\frac{1}{3}$노동시간에서와 마찬가지로 오로지 면화 x가 방적되고, 따라서 면화와 이용된 기계류의 가치가 재현되기 때문이다. 새로운 가치로서 추가된 것은 $\frac{1}{3}$시간의 새로 대상화된 노동뿐이다. 그러나 공장주가 첫 번째 4노동시간(또는 $\frac{1}{3}$노동시간)은 내가 12시간에 필요한 면화의 가격을 대체할 뿐이고, 두 번째 4노동시간은 내가 12노동시간에 소모하는[201] 기계류의 가격을 대체하며, 마지막 4노동시간만이 새로운 가치를 형성해서 그

G116

150

일부가[202] 임금을 대체하고 다른 일부는 잉여가치를 형성하는 것으로, 나는 이 잉여가치를 전체 생산과정의 결과로서 겨우 얻게 된다고 말한다면 공장주의 주장이 옳은 것처럼 보인다. 그러나 여기에서 그가 잊고 있는 것은, 그가 마지막 4시간의 생산물은 새로 추가된 노동시간만을 대상화하고 있다고, 즉 그것은 12노동시간인데 재료에 4노동시간, 소모된[203] 기계류에 4노동시간, 끝으로 실제로 새로 추가된 4노동시간이라고 가정한다는 점이다. 이리하여 그는, 총생산물의 가격이 36노동시간으로 이루어져 있고 그중 24노동시간만이 면화와 기계류가 면사로 가공되기 전에 가졌던 가치를 나타내며, 12노동시간 즉 총가격의 $\frac{1}{3}$이 새로 추가된 노동을, 새로 추가된 노동과 정확하게 일치하는 새로운 가치를 나타낸다는 결과를 얻게 되는 것이다.)[204]

〔화폐에 대하여 노동자가 자신의 노동능력을 상품으로 판매하기 위해 내놓는다는 것은 다음을 전제로 한다.

1) 노동조건들, 노동의 대상적 조건들[205]이 **타인의**[206] **권력**, 소외된 조건으로 노동자에게 마주 선다는 것. 타인의 소유. 이는 무엇보다도 토지소유로서의 토지를, 노동자에게 토지가 타인의 소유로서 마주 선다고 전제한다. **벌거벗은 노동능력.**

2) 노동자가 자신에게 소외된 노동조건뿐 아니라 자기 자신의 노동능력에 대해서도 인격으로서 관계한다는 것, 요컨대 그는 자신의 노동능력을 소유자로서 처분하며 스스로는 대상적 노동조건에 속하지 않는다는 것, 즉 스스로는 노동수단으로서 타인에 의해 소유되지 않는다는 것. **자유로운 노동자.**

3) 그의 노동의 대상적 조건들 자체가 그에게는 단지 **대상화된** 노동으로서, 즉 가치로서, 화폐와 상품으로서 마주 선다는 것. 이 대상화된 노동은 오직 보존되고 증대되기 위해서, 증식되기 위해서, 더 많은 화폐가 되기 위해서 살아 있는 노동과 교환되고, 노동의 대상적 조건들이 노동자의 생활수단으로 구성되어 있는 한 노동자는 그 일부를 손에 넣기 위해서 이 대상화된 노동과 자신의 노동능력을 교환한다. 요컨대 이 관계에서 노동의 대상적 조건들은 **더 자립적**이 되며, 고수되고 자신의 증대만을 지향하는 **가치**로서만 나타난다. 따라서 이 관계의 전체 내용도 노동에서 소외된 그의 노동조건들이 현상하는 방식과 마찬가지로 [207]정치적, 종교적, 그 외 어떤 장식도 없이 ||69| 순수한 경제적 형태로 현존한다. 그것은 순수한 화폐관계이다. 자본가와 노동자.[208]대상화된 노동과 살아 있는 노동능력. 주인과 농노, 성직자

와 신도, 영주와 가신, 장인과 도제 등이 아니다. 모든 사회 상태에서 지배하는 계급(또는 계급들)은 언제나 노동의 대상적 조건들을 점유하는 계급이고 이 조건들의 담지자는 노동하는 경우에조차도 노동자로서가 아니라 소유자로서 노동한다. 복무하는 계급은 언제나 자신의 노동능력만을 보유하고 있는, 또는 노동능력으로서 소유자가 점유하는[209] (노예제[210])[211] 계급이다(예를 들면 이 계급이 인도, 이집트[212] 등에서처럼 토지를 점유[213]하는 것처럼 나타나는 경우에도 그것의 소유자는 왕이거나 어떤 카스트 등이다). 그러나 이 모든 관계는 주인과 농노, 자유인과 노예, 반신(半神)과 보통 인간 등의 관계로 치장되어 나타나며 쌍방의 의식에서도 그러한 관계로서 존재한다는 점에서 자본과 구별된다. 오직 자본에서만 이 관계로부터 정치적, 종교적, 그 외 관념적 장식이 모두 벗겨져 있다. 그것은 ― 쌍방의 의식 속에서 ― 단순한 매매관계로 환원된다. 노동조건들은 적나라하게 노동조건으로서 노동에 마주 서고, **대상화된 노동**, **가치**, **화폐**로서 마주 서는데, 화폐는 자신을 단순한 노동형태로 인식하고 **대상화된 노동**으로서 보존되고 증대되기 위해서만 노동과 교환된다. 요컨대 이 관계는 순수하게 단순한 생산관계 ― 순수하게 경제적인 관계 ― 로서 나타난다. 그리고 이 토대 위에서 다시 지배관계가 발전하는 한에서 그것은 단지 노동조건의 대리인인 구매자가 노동능력의 보유자인 판매자와 마주 서는 관계에서 유래하는 것으로 의식된다.)

이제 임금제도(Salariat)에 관한 문제로 다시 돌아가자.

이미 살펴보았듯이 노동과정 ― 요컨대 사용가치의 생산, 합목적적인 활동으로서 노동의 실현인 한에서의 생산과정 ― 에서는 노동재료와 노동수단의 가치들[214]이 노동 자체를 위해서는 전혀 존재하지[215] 않는다. 그것들은 노동을 실현하기 위한 대상적 조건으로서만, 노동의 대상적 요소들로서만 존재하며, 그러한 것으로서 노동에 의해 소비된다.[216] 그러나 노동재료와 노동수단의 교환가치가 노동과정 자체에는 들어가지 않는다는 것은 달리 말하자면 그것들이 상품으로서 노동과정에 들어가지 않는다는 의미일 뿐이다. 기계는 기계로서 기여하고 면화는 면화로서 기여하는 것이고, 그것들이 특정한[217] 양의 사회적 노동을 나타내는 한에서는 둘 중 어느 것도 그렇지 않다. 사회적 노동의 질료로서 그것들의 사용가치는 오히려 말소되었고 그것들은 화폐이다. 실제로 바닷속의 생선, 탄광의 석탄처럼 재료에 비용이 들지 않는 노동과정이 있다. 그렇다고 해서 여기에서 상품으로서 그것들의 속성이 생산과정과 아무 상관이 없다고 결론짓는 것도 잘못이다. 그 까닭은 생산과정은 사용가치의 생산일 뿐 아니라 교환가치의 생산이기도 하고 생산물의 생산일 뿐 아니라 상품의 생산이기도 하기 때문이다. 또는 그것의 생산물은 단순한 사용가치가 아니라 특정한 교환가치를 가진 사용가치이고 이 교환가치는 부분적으로 노동재료와 노동수단 자체가 상품으로서 갖는 교환가치에 의해서 규정되기 때문이다. 이것들은 상품으로서 생산과정에 들어간다. 그렇지 않다면 그것들은 생산과정에서 상품으로서 나올 수 없을 것이다. 노동과정에서는 노동재료와 노동수단이 상품으로서가 아니라 단순한 사용가치로서 나타나기 때문에 그것들의 가치는 생산과정과는 아무 상관이 없다. 상품이라고 하는 그것들의 특질이 생산과정과는 아무 상관도 없다고 말하고자 한다면 그것은 생산과정이 노동과정일 뿐 아니라 동시에 가치증식과정이기도 하다는 것이 생산과정과는 무관하다고 말하는 것이나 마찬가지이다. 이는 다시 생산과정이 자가소비를 위해 이루어진다고 하는 것과 같다. 이는 전제와 모순된다. 그러나 단순한 가치증식과정과 관련해서도 노동재료와 노동수단의 가치는 생산적이지 않다.[218] 그 가치는 생산물에서 재현될 뿐, 보존될 뿐이기 때문이다.

이제 임금(Salair) 또는 노동능력의 가격으로 돌아가자. 노동능력의 가격 또는 임금은 **생산적이지 않다**. 즉 [219]"생산적"이라는 말을 그것이 노동과정 자체에 요소로서 들어가야 한다는 것으로 이해한다면. 사용가치를 생산하는 것, 노동재료와 노동수단을 합목적적으로 사용하는 것은 노동자가 자신의 노동능력을 판매한 가격이 아니라 노동자 자신 ― 자기 노동능력을 활동시키는 인간 ―[220]이다. 또는 노동과정에 들어가는 한 그는 그의 노동능력의 활동, 에너지로서 ― 노동으로서 ― 들어가는 것이다. 이제 ||70| 이렇게 말할 수 있다. 임금은 노동자가 노동자로서 살기 위해서, 그가 살아 있는 노동능력으로서 유지되기 위해서, 간단히 말해서 그가 노동하는 동안 생명을 유지하기 위해서 필요한 생활수단으로 분해된다고. 기계에 의해서 소비되는 석탄, 유류 등이 노동과정에 들어가는 것과 마찬가지로 노동자를 노동자로서 운동시키는 생활수단도 노동과정에 들어간다. 노동하는 동안 그의 생계비는 기계 등에 의해서 소모된 보조재료와 마찬가지로 노동과정의 한 계기이다. 그렇지만 첫째로 여기에서 ― 기계에서 ― 도 [221]석탄, 유류 등은, 간단히 말해 보조재료는 사용가치로서만[222] 노동과정에 들어간다. 그것들의 가격은 노동과정과는 아무 상관이 없다. 그러면 노동자의 생활수단의 가격인 임금에 대해서도 그러한가?

여기에서는 다음 질문만이 중요하다.

노동자가 소비하는 — 요컨대 노동자로서 그의 생계비를 구성하는 — 생활수단은 (보조재료들이 소비되는 것과 마찬가지로) 자본에 의해서 생산과정의 계기로서 소비되는 것으로 간주될 수 있는가? 이것은 물론 실제로 그러하다. 그렇지만 첫 번째 행위는 언제나 교환행위이다.

경제학자들 사이에서의 쟁점은 다음과 같다. 노동자가 소비하고 [223] 그의 노동의 가격인 임금에 의해서 대표되는 생활수단[224]은 노동수단(재료와 노동수단)과 마찬가지로 자본의 일부를 구성하는가? 개인들은 상품보유자[225]로서만 — 구매자 형태로서든 판매자 형태로서든 — 마주 서는 것으로 가정되기 때문에 노동수단은 또한[226] 생활수단이기도 하다. 요컨대 노동수단을 갖지 않은 자는 교환할 상품이 없고(자가소비를 위한 생산은 논외로 하고, 문제가 되는 생산물은 상품이라고 가정한다면), 요컨대 [227]교환으로 얻을 수 있는 생활수단도 없다. 다른 한편으로는 직접적 생활수단도 마찬가지로 노동수단이다. 노동하기 위해서는 살아야 하고 살기 위해서는 매일 이러저러한 생활수단을 소비해야 하기 때문이다. 따라서 대상 없이,[228] 벌거벗은 노동능력으로서 자기실현의, 자기 현실성의 물적[229] 조건에 마주 서는 노동능력은 마찬가지로 생활수단 또는 노동수단에 마주 서거나 [230]또는 양자가 동등하게 **자본**으로서 노동능력에 마주 선다. 자본은 화폐, 교환가치의 자립적 현존, 대상화된 일반적인[231] 사회적 노동이기는 하다. 그러나 [232]이것은 자본의 형태일 뿐이다. 그것이 자본으로서 — 즉 보존되고 증대되는 가치로서 — 실현되려면 노동조건으로 전환되어야 하고, 바꿔 말하면 이 노동조건이 자본의 소재적 현존을, 실질적 사용가치를 구성하고 이 사용가치 속에서 자본이 교환가치로서 실존해야 한다. 그러나 노동과정을 위한 주요 조건 (Hauptbedingung)은 노동자 자신이다. 요컨대 본질적으로 노동능력을 구매하는 자본의 구성부분. 시장에 생활수단이 없다면 노동자에게 화폐로 지불하는 것이 자본에는 아무런 소용도 없을 것이다. 화폐는 시장에 있는 특정한 양의 생활수단에 대해 노동자가 받는 어음일 뿐이다. 따라서 자본가는 생활수단을 잠재적으로($\delta\upsilon\nu\acute{\alpha}\mu\epsilon\iota$)[233] 가지며, 이것이 그의 권력의 구성부분을 이룬다. 덧붙여 말하자면, 자본주의적 생산이 아니라 해도 생계비는 여전히 (원래는 자연이 이것을 무상으로 제공한다) 노동재료[234] 및 노동수단과 마찬가지로 전적으로 노동과정의 필요조건일 것이다.[235] 그러나 노동 일체가 자신을 실현하기 위해서 필요로 하는 모든 대상적 계기는 노동수단 못지않게 노동에게 소외된, 자본 편에 서 있는 생활수단으로 나타난다.

로시 등이 말하고자 하거나 실제로 말하는 것은 ─ 그들이 말하고 싶었든 그렇지 않든 ─ **임노동** 자체는 노동과정의 필요조건이 아니라는 것 이외에 아무것도 아니다. 다만 그러면서 그들은 그렇다면 **자본**에 대해서도 마찬가지로 말할 수 있다는 것을 잊고 있을 뿐이다.

〔여기에서도 (보충설명[236]에서) 동일한 자본 ─ 그러나 그가 여기에서 의미하는 것은 가치이다 ─ 이 **이중으로**, 즉 자본가에 의해서는 생산적으로, 노동자에 의해서는 비생산적으로 소비된다는 세의 불합리함에 대해서도 더 자세히 설명할 것.〕

〔동직조합 산업 또는 중세의 노동형태에 특징적인 **노동도구의 소유**.〕 G120

요컨대 생산과정이 자본에 포섭되어 있는, 바꿔 말하면 자본과 임노동의 관계에 기초해 있는, 게다가 그 결과로서 자본이 규정적이고 지배적인 생산양식, 사회적 생산양식을 우리는 **자본주의적 생산**이라 부른다.

노동자는 유통형태 W ─ G ─ W를 거친다. 그는 구매하기 위해서 판매한다. 그는 화폐를 상품과 ─ 그것이 사용가치, 생활수단인 한에서 ─[237]교환하기 위해서 노동능력을 화폐와 교환한다. 그 목적은 개인적 소비이다. 단순유통의 본성에 따라 그는 기껏해야 절약이나 각별한 근면을 통해 재물을 모을 수 있으나 부를 창출하지는 못한다. 반면에 자본가는 G ─ W ─ G. 그는[238] 판매하기 위해서 구매한다.[239] 이 ||71| 운동의 목적은 교환가치, 즉 치부(致富)이다.

우리는 임노동을 자본과 교환되고 자본으로 전화하며 자본을 증식하는 자유로운 노동으로만 이해한다. 이른바 **서비스노동**(*Dienste*)은 여기에서 모두 제외된다. 그것들의 나머지 특징이 무엇이든 그것들을 받고는 화폐가 지출된다.[240] 그것들에게는 화폐가 선대되는 것이 아니다. 그것들에게 화폐는 언제나 사용가치를 손에 넣기 위한, 사라지는 형태로서의 교환가치일 뿐이다. 소비하기 위한(노동을 통해서 소비하기 위해서가 아니라)[241] 상품 구매가 생산적 소비와는, 즉 자본주의적 관점에서 보면 아무 상관 없듯이 자본가가 사인(私人)으로서 ─ 상품 생산과정 밖에서 ─[242] 소비하는 서비스도 그러하다. 그것이 매우 유용하다고 할지라도. 여기에서 그것의 내용은 전혀 상관없다. 서비스 자체가 ─ 경제적으로 평가되는 한에서 ─ 자본주의적 생산의 토대 위에서는 다른 생산관계에서와는 다르게 평가되는 것이 당연하다. 그러나 이에 관한 연구는 자본주의적 생산 자체의 기본적 요소들이 해명된 다음에 비로소 가능하다. 모든 서비스는 예컨대 나에게 바지를 만들어주는 재단사의 경우처럼 그 서비스 자체가 직접 상품을 창출하든, 또는 [243] 나를 보호해주는 군인, 마찬가지로 판사 등의 경우처럼 뭔가를 하든, 또는 내가 심미적 즐거움을 누리기 위해서 음악가의 연주[244]를 구매하든, 또는 부러진 다리를 치료하기 위해서 구매하는 의사이든 언제나 오직 노동의 소재적 내용, 그것의 유용성만이 중요한 반면에 그것이 노동이라는 정황은 나와는 전혀 상관없다. 자본을 창출하는 임노동에서 실제로 그것의 내용은 나와 무관하다. 어떤 특정한 노동방식이든 나에게는 그것이 사회적 노동 일체이고, 따라서 교환가치의 실체, 화폐[245]인 한에서만 유효하다. 따라서 저 노동자들, 창녀에서 교황에 이르기까지 서비스 제공자들은 직접적 생산과정에서 결코 이용되지 않는다. 〔덧붙여 말하자면 "생산적 노동"에 관한 상세한 내용은 "자본과 노동" 절에 넣을 것.〕 한쪽의 노동을 구매함으로써 나는 돈을 벌고 다른 쪽의 노동을 구매함으로써 나는 돈을 지출한다. 전자는 부자로 만들고 후자는 가난하게 만든다. 경찰, 판사, 군인, 형리처럼 노동 자체가 한 가지 돈벌이 조건이 되는 것도 가능하다. 그러나 노동이 그렇게 되는 것은 언제나 "가중적(erschwerend) 정황"으로서만 그러할 뿐이고 직접적 과정과는 아무 상관이 없다.

G121

우리는 유통에서 출발하여 자본주의적 생산에 이르렀다. 이것은 **역사적** 진행이기도 하다. 따라서 자본주의적 생산의 발전은 어느 나라에서든 이전의[246] 다른 생산 기반 위에서 이미 상업이 발전한 것을 전제로 한다. 〔이에 대해서는 좀 더 자세하게 말할 것.〕[247]

이제 우리가 다음으로 고찰할 것은 **잉여가치**에 대한 더 상세한 설명이다. 여기에서 규명되는 것은 [248]잉여가치의 생산이 생산의 본래 목적이 되면서, 또는 생산이 자본주의적 생산이 되면서, 자본에 대한 노동과정의, 대상화된 노동에 대한 살아 있는 노동의, 과거 노동에 대한 현재 노동의 처음에는 단지 형식적인 포섭이 노동과정의 방식 자체를 크게 변화시킨다는 것이다. 요컨대 자본관계에 ― 그것이 발전된 것으로 등장하기 위해서는 ― 특정한 생산양식과 생산력 발전이 조응한다는 것이다.

〔서비스노동에서도 나는 서비스노동자의 노동능력을 소비하지만 그것은 이 노동능력의 사용가치가 노동인 한에서가 아니라 그의 노동이 특정한 사용가치를 갖는 한에서이다.〕

보충설명

[1]세가 『맬서스에게 보내는 편지』(파리-런던, 1820년,[2] 36쪽)에 쓴 것과 관련해서는[3] 『최근 맬서스가 주장하는 수요의 성질과 소비의 필요에 대한 원리 연구』(런던, 1821년)에 이렇게 실려 있다.

[4]"세 씨가 자신의 **학설**이라고 부르는 것의 대부분은 이처럼 허세 부리는 말투로 되어 있다. … 그는 36쪽에서 맬서스에게 이렇게 말한다. '만약 당신이 이 모든 주장에서 역설적인 특징을 발견한다면 부디 이것들이 표현하는 **실체**를 보기 바란다. 그러면 그것들이 매우 단순하고 매우 합리적임을 알게 될 것이 틀림없다.' 확실히 그렇다. 그리고 동시에 그것들은 동일한 과정에 의해서 전혀 독창적이거나 중요하지 않은 것으로 나타날 개연성이 매우 크다. '나는 이 분석이 없이는 당신이 **사실**들을 전체적으로 설명할 수 없을 것이라고, 예를 들면 **동일한** ‖72‖ **자본**이 어떻게 **두 번**, 즉 기업가에 의해서는 **생산적으로**, 노동자에 의해서는 비생산적으로 **소비되는지**를 설명할 수 없을 것이라고 당신과 내기할 수 있다.' '유럽 곳곳에서는' 어리석은 표현방식을 **사실**이라고 주장하는 것에 양해가 이루어져 있는 것 같다."(같은 책, 110쪽, 주 11) 세는 교환하기를, 그 특정한 경우에는 구매하기를 판매되는 화폐의 **소비**라 부르는 재치를 부린다.[5]

자본가가 100탈러를 주고 노동을 구매한다면 이 100탈러가 이중으로, 자본가에 의해서는 생산적으로, 노동자에 의해서는 비생산적으로 소비된다고 세는 주장한다. 자본가가 100탈러를 노동능력과[6] 교환한다면 그가 비록 "생산인" 목적을 위해 이 100탈러를 지출했을지라도 그는 생산적으로든 비생산적으로든 소비한 것이 아니다. 그는 100탈러를 화폐형태에서 상품형태로 전화시킨 것 이외에 아무것도 하지 않았다. 그가 생산적으로 소비하는 것은 ― 그가 화폐로 구매한 이 상품, 즉 노동능력이다. 그는 자기 자신이 소비할 사용가치[7]를 제공하도록 노동자를 활용한다면, 즉 서비스노동 제공자로 이용한다면 그는 노동능력을 비생산적으로 소비할 수도 있을 것이다. 화폐는 바로 노동능력과의 이 교환을 통해서 비로소 자본이 된다. 자본**으로서 소비되는** 것이 아니라 오히려[8] 생산되고 보존되고 입증되는 것이다. 다른 한편으로 노동자는 자본을 소비하는 것이 아니다. 그의 수중에서 화폐는 바로 자본이기를 중단했고 그에게는 유통수단일 뿐이다. (이와 동시에, 상품과 교환되는 모든 유통수단과 마찬가지로 그의 상품의, 교환가치 형태로서의 현존이 여기에서는 생활수단과 교환되기 위한 잠정적인 형태일 뿐이고, 또 그래야 한다는 것은 당연하다.) 노동능력은 소비되는 한에서 자본으로 전화한다. 자본가의 화폐는 노동자[9]에 의해서 소비되는 한에서 노동자를 위한 생활수단으로 전화하고, 자본가의 수중에서 노동자의 수중으로 넘어가자마자 자본 또는 자본의 구성요소(잠재적으로 δυνάμει)이기를 중단했다. 그러나 원래 세의 억지 주장의 기초가 되는 것은 다음과 같다. 그는 동일한 가치(그에게 자본은 **가치액**에 지나지 않는다)가 이중으로, 즉 한 번은 자본가에 의해서, 다른 한 번은 노동자에 의해서 소비된다고 생각한다. 여기에서는 동일한 가치를 갖는 두 상품이 교환된다는 것, 한 가치가 아니라 두 가치가, 한편에는 화폐가 [10]다른 한편에서는 상품(**노동능력**)이 관여하고 있음을 그는 망각하고 있다. 노동자가 비생산적으로(즉 그럼으로써 자신을 위해 부를 창출하지 않고) 소비하는 것은 그 자신[11]의 노동능력이다(자본가의 화폐가 아니다). 자본가가 생산적으로 소비하는 것은 그의 화폐가 아니라 노동자의 노동능력이다. 양측의 소비과정은 교환에 의해 매개된다.

세에 따르면 어떤 구매 또는 판매에서든 구매자의 목적이 상품의 개인적[12] 소비이거나 판매자의 목적이 생산인[13] 경우에, **동일한** 가치가 이중으로, 즉 자신의 상품을 화폐(교환가치)로 전화시키는 판매자에 의해서는 생산적으로, 자신의 화폐를 일시적 향락으로 용해하는 구매자에 의해서는 비생산적으로 소비된다. 그렇지만 여기에서는 2개의 상품과 2개의 가치가 관여하고 있다. 세의 주장이 의미가 있다고 한다면 그것은 그가 말하지 않은 의미에서만 그렇다. 즉 자본가는 동일한 가치를 두 번 생산적으로 소비한다는 것이다. 첫째는 그가 노동능력을 생산적으로 소비함으로써, 둘째는 그의 화폐를 노동자가 비생산적으로 소비하지만 그 소비의 결과는 노동능력의 재생산이며 요컨대 자본이 자본으로서 작용하는 기반이 되는 관계를 재생산함으로써. 따라서 맬서스는 후자만큼은 올바르게 지적하고 있다. 〔노동자의 소비 일체가 그가 노동하도록, 즉 자본가를 위해서 생산하도록 하는 한가지 조건인 한에서는 맬서스는 핵심을 파악하고 있다.〕"그(노동자)는 **자신을 고용하는 사람에게는,** 또한 국가에는 **생산적 소비자이지만,** 엄밀히 말해 **자신에게는 그렇지 않다.**"(맬서스, 『경제학의 주요 개념』, 존 카제노브 엮음, 런던, 1853년, 30쪽)[14]

램지는 자본 중에 임금으로 전화하는 부분은 **필요한** 자본 부분이 아니라 노동자의 [15]"비참한" 빈곤 때문에 **우연히** 자본 부분을 이룰 뿐이라고 설명

G123

한다. 즉 그는 고정자본[16]을 노동재료와 노동수단으로, 유동자본을 노동자의 생존수단으로 이해하고 있다. 그러고 나서 그는 이렇게 말한다. "**유동자본**은 노동자의 노동생산물이 완성되기 이전에 노동자에게 선대되는 생존수단 및 그 외 필수품으로만[17] 구성된다."(램지, 『부의 분배에 관한 고찰』, 에든버러, 1836년, 23쪽) "정확히 말하면 유동자본이 아니라 고정자본만이 국부의 원천이다."(같은 책) "생산물이 완성될 때까지는 노동자들이 지불받지 못한다고 **가정한다면** ||73| 유동자본은 조금도 필요하지 않을 것이다."[18](이는 다름 아니라 노동의 대상적 조건 — 생활수단 — 이 자본이라는 형태를 취하지 않는다는 말이 아닌가? 여기에서는 이미 생산의 이들 대상적 조건 **자체**가 자본이 아니라 특정한 사회적 생산관계의 표현으로서 비로소 자본이 된다는 점이 시인되고 있다.) (생활수단은 생활수단이기를 중단하지 않을 것이다. 마찬가지로 그것은 생산의 필요조건이기를 중단하지도 않을 것이다. 그러나 그것은 — **자본**이기를 — 중단할 것이다.) [19]"생산은 같은 크기일 것이다.[20] 이는 **유동자본**이 생산에서 **직접적**[21] 행위자가 아니고 **생산에 전혀 필수적이지도 않고 단지 인민대중의 비참한 빈곤에 의해서 필요한 것으로 만들어진 편의일 뿐**이라는 것을 입증한다.[22]"[23](같은 책, 24쪽) 즉 바꿔 말하면 임노동은 노동의 절대적 형태가 아니라 역사적 형태일 뿐이다. 노동자에게 그의 생활수단이 **자본**으로서 소외된 형태로 마주 서는 것이 생산에 필요한 것은 아니다. 그러나 자본의 다른 요소들과 자본 일체에 대해서도 마찬가지로 말할 수 있다. 반대의 경우를 보자. 자본의 이 한 부분이 자본형태를 취하지 않으면 다른 부분도 그러하다. 그 까닭은 화폐가 자본이 되는, 또는 노동조건이 노동에 대하여 자립적 권력으로서 등장하는 전체 관계가 발생하지 않을 것이기 때문이다. 따라서 자본의 본질적 형태를 구성하는 것이 그에게는 "단지 인민대중의 비참한 빈곤에 의해서 필요한 것으로 만들어진 편의"[24쪽]로 나타날 뿐이다. 생활수단은 "노동자에게 **선대됨**"[24][23쪽]으로써 자본이 된다. 램지의 또 다른 생각은 다음 문장에서 더 분명히 드러난다. "국가적 관점에서 볼 때 고정자본(노동재료와 노동수단)[25]만이 **생산비용의 요소**[26]를 이룬다."(같은 책, 26쪽) 생산비용 — 더 많은 화폐를 만들기 위해서 선대되는, 돈벌이(Geldmachen)를 위한 수단이 되는 **선대된 화폐** — 은 [27]자본가에게는 임금, 즉 그가 노동능력에 대해 지불하는 가격이다. [28]노동자가 노동자가 아니라 노동하는 소유주라면 생산물이 완성되기 전에 그가 소비하는 생활수단은 그에게 이런 의미에서의 **생산비용**으로 나타나지 않을 것이다. 그에게는 반대로 전체 생산과정

G124

이 그의 생활수단을 생산하기 위한 수단으로만 나타날 것이기 때문이다. 이와는 반대로 램지가 주장하는 바는 새로운 생산물을 생산하기 위해서 사용되고 소비되어야 하는 생산물인 노동재료와 노동수단은 자본가의 관점에서뿐 아니라 국가적 관점에서도 — 즉 그에게는 특정 사회계급이 아니라 사회를 위한 생산이라는 관점에서도 생산과정의 필요조건이고 항상 생산과정에 들어가야 한다는 것이다. 여기에서 그가 말하는 **자본**은 노동과정의 대상적 조건 일체일 뿐이고 사회적 관계를 전혀 표현하지 않고, 어떤 사회적 형태를 가지든 단지 모든 생산과정에서 요구되는 **사물들**의 다른 이름일 뿐이다. 이에 따르면 자본은 기술적(技術的)으로 규정된 사물일 뿐이다. 이로써 바로 그것을 자본으로 만드는 것이 말소되었다. 램지는 이렇게 말할 수도 있었을 것이다. 생산수단이 즉자적으로 유효한[29] 가치로서, 노동에 대하여 자립적인[30] 권력으로서 나타나는 것은 다만 "편의"일 뿐이라고. 만일 생산수단이 노동자의 사회적 소유물이라면 "고정자본"이 될 기회가 전혀 없을 것이며, 그래도 생산은 여전히 동일한 생산으로 머무를 것이라고.

〔가치증식과정은 사실상 특정한 사회적 형태의 노동과정 — 또는 노동과정의 특정한 사회적 형태 — 에 지나지 않고, 상이한 두 가지 실제 과정이 아니라 한 번은 내용에 따라 다른 한 번은 형태에 따라 고찰된 **동일한** 과정에 지나지 않지만, 우리는 노동과정의 상이한 요소들의 관계가 가치증식과정에서는 새로운 규정들[31]을 얻는다는 것을 이미 보았다. 여기에서는 한 가지 계기가 강조되어야 한다[32](이 계기는 나중에 유통, 고정자본의 규정 등에서 중요해진다). 생산수단, 예를 들면 도구, 기계류, 건물 등은 노동과정에서 그 전체가 사용되지만, 이른바 보조재료를 제외하고 생산수단이 동일한 노동과정에서 (유일한 (일회적인)[33] 노동과정에서 한꺼번에) **소비**되는 것은 예외적인 경우일 뿐이다. 생산수단은 동일한 방식으로 반복되는 과정에서 기여한다. 그러나 그것이 가치증식과정에 ||74| 들어가는 것은, — 또는 같은 말이지만 — 그것이 [34]생산물의 가치구성 요소로서 재현되는 것은, 그것이 **노동과정**에서 사용되는 한에서이다.〕

로시도 램지와 비슷하다. 먼저 제27강[35]에서 그는 자본에 대한 일반적인 설명을 제시한다. "자본은 **생산된** 부 중에서 재생산을 위해 **정해진** 부분이다." 364쪽. 그렇지만 이것은 사용가치인 한에서의 자본에 — 그 형태가 아니라 **소재적** 내용에 — 관한 것일 뿐이다. 따라서 로시가 단지 자본의 형태로부터만 설명될 수 있는 구성요소 — 생필품(approvisionnement), 즉 노동능력과 교환되는 부분 ― 을 자본의 필요한 구성요소가 아니라고, 전혀 **개념적** 구성요소가 아니라고 선언하는 것, 요컨대 [36]한편으로는 **자본**을 필요한 생산행위자로 선언하면서 다른 한편으로는 **임노동**을 필요하지 않은 생산행위자 또는 생산관계로 선언하는 것은 조금도 이상한 일이 아니다. 원래 그는 자본을 "**생산도구**"로만 이해한다. 그에 따르면 자본-도구와 자본-재료를 구별하는 것은 가능하겠지만, 원래 경제학자들은 원료를 자본이라 잘못 부르고 있다. "그것(원재료)은 실제로 생산도구인가? 그것들은 차라리 생산자의 도구가 가공해야 하는 대상이 아닌가?"(『강의』, 367쪽) 나중에 그는 "**생산도구**(instrument de production),[37] 그것은 자신에게 작용하는 원료, 주체이면서 동시에 객체이고, 능동자이면서 수동자인 원료이다"(같은 책, 372[38]쪽)라고 설명한다. 실제로 그는 372쪽에서 대놓고 자본을 "**생산수단**"[39](moyen de production)이라 부른다. 생필품(approvisionnement)이 자본의 [40]일부를 구성한다는 주장에 대한 로시의 반박에 대해서는 여기에서 두 가지를 구별해야 한다. 바꿔 말하면 그는 두 가지를 혼동한다. **첫째로** 그는 임노동 일체 ― 자본가가 임금을 선대하는 것 ― 를 생산의 필연적인 형태로, 바꿔 말하면 임노동을 노동의 필연적인 형태로 간주하지 않는다. 다만 여기에서 그는 **자본**이 노동조건 또는 생산조건의 필연적인 형태가 아님(즉 절대적이지 않고 오히려 특정한 역사적 형태에 불과함)을 망각한다. 달리 말하자면 노동과정은 자본에 포섭되지 않고서도 이루어질 수 있다. 그것은 이 특정한 사회적 형태를 필연적인 것으로 전제하지 않는다. 생산과정 자체가 반드시 자본주의적 생산과정인 것은 아니다. 그러나 여기에서 다시 그는 자본에 의한 노동능력의 구매를 임노동에 **본질적**인 것이 아니라 우연적인 것으로 간주하는 오류를 범하고 있다. 생산을 위해서는 생산조건이 필요하지만, **자본** 즉 특수 계급에 의한 이 생산조건의 전유와 노동능력의 상품으로서의 현존에서 초래되는 G126 관계가 필요한 것은 아니다. 임노동을 (또는 자본의 자립적 형태도) 인정하면서 임노동이 자본을 성립시킨다는, 자본에 대한 임노동의 관계는 지워버리는 어리석음을 저지르고 있다. **자본**이 사회적 생산의 필연적 형태가 아니라고 하는 것은 단지 **임노동**이 사회적 노동의 일시적인 역사적 형태일 뿐이라고 말하는 것이다. 자본주의적 생산이 등장하기 위해서는 노동자와 노동조건이 분리되는 역사적[41] 과정만이 전제가 되는 것이 아니다. 자본주의적 생산은 **이 관계를 언제나 더 큰 규모로 재생산하며** 이 관계를 첨예화한다. 이것은 자본의 일반적 개념을 고찰할 때 이미 드러나지만 이 분리(집중 등)를 본질적으로 야기하는 경쟁에서 더욱 분명해질 것이다.[42] 실제 생산과정에서는 자본을 구성하는 대상들이 자본으로서가 아니라 노동재료[43]와 노동수단으로서 노동자에게 마주 선다. 그렇지만 노동자는 그것들이 타인 소유 등, 자본이라는 의식을 가진다. 그러나 그가 아니라 자본가에게 속하는, 그의 **판매된** 노동에 대해서도 마찬가지로 말할 수 있다.│

│75│ 그러나 **둘째로**, 로시의 반론에는 한 가지 논점이 더 들어 있다. (첫 번째 논점은 노동능력과 화폐의 교환이었다. 로시가 이 작업이 생산 일체에[44]필연적인 것은 아니라고 설명하는 한 그는 옳다. 그가 자본주의적 생산을 위해 존재하지 않으면 안 되는 이 관계를 자본주의적 생산의 비본질적이고 우연적인 계기로 간주하는 한에서는 틀렸다.) 즉 [45]우리가 이미 살펴보았듯이 먼저 노동자가 자신의 노동능력[46]을, 즉 노동능력에 대한 일시적 처분을 판매한다는 것이다. 여기에는 그가 자신을 노동자로서 유지하기 위해서 필요한 생활수단을 교환을 통해 획득한다는 것, 더 특수하게는, 그가 "생산노동을 하는 동안"[370쪽] 생존수단을 보유한다는 것이 포함된다. 그가 노동자로서 생산과정에 들어가고 이 과정에 있는 동안에 계속 자신의 노동능력을 활동시키고 실현하기 위해 이것이 전제되어 있는 것이다. 우리가 본 바와 같이 로시는 자본을 어떤 새로운 생산물을 생산하기 위해서 필요한 생산수단(원료, 도구)에 지나지 않는 것으로 이해한다. 예를 들면 기계에 의해 소비되는 석탄, 유류 등이나 가축에 의해 소비되는 사료처럼 노동자의 생활수단도 그러한 생산수단에 속하는가 하는 문제가 제기된다. 간단히 말하자면 보조재료. 노동자의 생활수단도 보조재료에 속하는가? 노예의 경우에는 그의 생활수단이 보조재료로 간주되는 것은 당연한데 이는 그가 단순한 생산도구이기 때문에, 따라서 그가 소비하는 것은 단순한 보조재료이기 때문이다. (이미 앞서[47] 언급한 바와 같이 이것은 노동의 가격(임금)[48]이 노동재료 및 노동수단의 가격과 마찬가지로 본래의 노동과정에는 들어가지 않는다는 것을 증명한다. 세 가지 모두 비록 상이한 방식으로나마 가치증식과정에는 들어가지만.) 이 문제에 답하려면 이것을 두 가지로 나눌 필요가 있다.

첫째, [49]노동과정을 그 자체로서 자본과는 무관하게 고찰하는 것. 이 문제를 제기한 사람들은 여기에서 노동과정의 계기들 그 자체[50]를 자본이라 부르기 때문이다. **둘째**, 노동과정이 자본에 포섭되었을 때 이것이 얼마나 수정되는가를 질문하는 것. **요컨대 첫째**, 우리가 노동과정 자체를 고찰하면 그 과정의 대상적 조건들인 노동재료와 노동수단은 단지 어떤 사용가치를 생

G127

산하기 위한 인간의 합목적적 활동으로서 노동 자체의 대상적 조건들에 지나지 않는다. 이것들에 대하여 노동자는 주체로서 관계한다. 물론 그의 노동능력을 활동시키기 위해서 그는 노동자로서 전제되어 있다. 따라서 노동력을 개발하기 위해서 그의 생존에 필요한 생활수단[51]도 전제되어 있다. 그러나 이 생활수단이 생활수단으로서 노동과정에 들어가지는 않는다. 그가 노동하는 소유주로서 이 과정에 들어가는[52] 것이다. 그러나 노동과정의 다양한 계기들을 그 결과인 생산물과 관련하여 고찰하면 이 관계는 변한다. 생산물과 관련해서는 세 계기 모두 생산물의 매개 계기로서, 요컨대 생산수단으로서 나타난다. 생산재료, 생산도구, 생산적 활동 자체는 모두 생산물을 생산하기 위한 수단, 즉 생산수단이다. 기계의 유지수단[53](유류, 석탄 등)은 그 **가격**과 상관없이 여기서는 [54] 생산수단의 일부를 이루지만 생산과정 동안 노동자의 유지수단도 마찬가지로 생산수단의 일부를 이룬다. 반면에 노동하는 소유주[55]는 그의 생활수단을 생산물을 생산하기 위한 전제로서 간주하는 것이 아니라 생산물 자체를 언제나 생활수단으로서만 간주할 것이다. 그렇지만 이러한 관점이 본질을 변화시키는 것은 아니다. 그가 노동자로서 소비해야 하고, 자신의 노동능력을 활동시키기 위해 없어서는 안 되는 생활수단 부분은 기계가 소비하는 석탄 및 유류와 마찬가지로 생산과정을 위해 불가결하다. 그러한 한에서 사회의 소비기금은 사회의 생산수단의 일부를 이루고[56](더 나아가 고찰하면, 전체 생산과정이 사회의 또는 사회적 인간 자신의 재생산과정으로만 나타나는 경우에 이것은 다시 사라져버린다), 또 이 한계 안에서 노동자의 소비는 경제적으로는 역마(役馬)[57]나 기계의 소비와 구별되지 않는다. 요컨대 자본 중에서 노동능력에 대해 지불하거나 임금을 구성하는 부분은 노동자가 소비하는 생활수단이 직접 생산과정 자체에서 소비되고, 소비되어야 하는 한에서 본래의 생산과정에 들어간다. 그러나 그렇게 지출되는[58] 자본 중에서 생산과정[59]에 직접 들어가지 않은 부분도 그것이 노동능력과 교환되기 전에는 자본의 일부를 구성하며, 이는 자본관계의 형성을 위해 필요한 전제이다.|

G128

|76| 자본가는 노동능력에 대해 지불했다. 노동자들이 그렇게 받는 생활수단의 대부분은 소비되고 또 노동과정 자체에 있는 동안에 반드시 소비된다. 노동자가 노예라면 자본가는 그에게 이 부분을 단순한 보조재료로서 선대해야 할 것이다. 여기에서는 노동자가 자본가를 대신해 그렇게 한다. 자본가에게 노동자는 단순한 생산행위자이며 그가 소비하는 생활수단은 이 생

산행위자를 움직이는 데 필요한 석탄과 유류이다. 이것이 자본가의 관점이며, 또한 그는 이 관점에 따라서 행동한다. 소나 기계가 더 저렴한 생산행위자라면 노동자는 그것들로 대체된다. 두 가지 과정, 1) 노동능력과 화폐의 교환, 2) 이 노동능력의 소비과정 = 노동과정(생산과정)의 차이가 임노동의 본질에 속하는 한 이 관점은 경제적으로 틀렸다. 이제 우리는 방금 (2)에서) 고찰한 사례로 돌아가지 않고 로시의 비난을 좀 더 자세히 고찰하고자 한다. 이 사례와 관련한 로시의 언급을 보자. "**경제학을 기업가의 관점에서**[60]만 주목하고, 어떤 기업가든 조달할 수 있는 순생산물, 교환 가능한 생산물만을 고찰하는 자들은 실제로 인간, 소, 증기기관 사이의 차이를 깨닫지 못하는 것이 틀림없다. 그들의 눈에는 그들이 진지하게 주목할 만한 가치가 있는 것으로 간주하는 문제가 한 가지 있을 뿐이다. 원가의 문제, 즉 기업가가 증기기관, 소, 노동자에게 요구하는 것에 대해 얼마를 지불해야 하는가에 관한 문제이다."(로시, 『**경제학 방법론**』, 『**경제학. 논문집**』, 제1권, 브뤼셀, 1844년, 83쪽) 그래도 "기업가의", 즉 자본가의 "관점"이 어쨌든 자본주의적 생산을 고찰할 때 본질적인 계기인 것처럼 보인다. 그렇지만 이것은 자본과 노동의 관계에 속하는 것이다.

그러나 우리가 로시 씨에게서 본질적으로 고찰해야 하는 것은 한편으로는 그가 **임노동**은, 따라서 자본주의적 생산도 노동의 그리고 생산의 필연적인 (절대적인)[61] 형태가 아니라는 것을 인정하면서, 다른 한편으로 이 인정을 부정하고 결국 어떤 역사적 이해와도 동떨어져 있다는 방식이다.

로시의 첫 번째 반론은 다음과 같다. "노동자가 자신의 소득으로 살아간다면, 그가 자신의 노동에 대한 보상으로 살아간다면 어떻게 동일한 사물이 **생산 현상**에서 **생산력**을 계산할 때 두 번, 즉 한 번은 **노동의 보수**로 다른 한 번은 자본으로 나타난다고 주장할 수 있는가?"[62](『**경제학 강의**』, 369쪽) 여기에서 먼저 언급해야 할 것. 일반적으로 표현하자면 이 주장이 의미하는 것은 임금이 두 번, 한 번은 생산관계로, 한 번은 분배관계로 등장한다는 것이다. 이것을 로시는 틀렸다고 생각하며, **동일한 것**이 현상하는 두 가지 상이한 형태를 서로 아무 상관 없는[63] 독립적인 두 관계로 간주하는 경제학자들과 비교하는 한 로시의 말은 옳다. 우리는 이 문제를 재론할 것이고 생산관계는 분배관계이며 그 역도 성립한다는 것을 일반적으로 보이고자 한다. 그러나 나아가 임금은 생산 현상으로 들어가지만, 즉 생산관계를 나타내지만 **생산력의 계산**에는 들어가지 않는다고 할 수도 있다. 즉 로시 씨가 말하는 생산력을 생산관계에 의해 조건 지어지는 한에서 생산력의 발전이 아니라 노동과정 일체 또는 생산과정 일체 그 자체 — 다른 어떤 일정한 사회적 형태도 도외시한 — 에 속하는 계기로서만 이해한다면. 다른 한편으로 생필품(approvisionnement)은 아직 노동능력과 **교환되지** 않은 한에서 자본의 구성요소를 이룬다. 그러나 그것이 교환 **이전에** 자본의 구성요소를 이루지 않는다면 이 교환은 일어나지 않을 것이다. 교환되면 그것은 자본이기를 중지하고 소득이 된다. 직접적 생산과정 자체로 들어가는 것은 실제로는 임금이 아니라 노동능력일 뿐이다. 내가 곡물을 생산했다면 그것은 내가 판매할 때까지 내 자본의 일부를 이룬다.[64] 그것은 한 소비자의 소득을 이룬다. (소비자가 그것을 생산이 아니라 개인적 소비에 사용한다면 적어도 그러할 수 있다.) 그러나 실제로 생필품은 ‖77‖ 노동자가 그것을 소득으로 받고 소득으로 소비한 다음에도 계속 **자본의 생산력**이다. 노동자의 재생산은 자본의 주요 생산력의 재생산이기 때문이다.[65]

"노동자에 대한 보상은 자본가가 그것을 노동자에게 **선대하기** 때문에 자본이라고들 한다. [66]1년 동안 살 수 있을 만큼 충분히 가진 노동자 가족들만 있다면 **임금은 없을 것이다.** 노동자는 자본가에게 이렇게 말할 수 있을 것이다. 너는 공동의 작업을 위해 자본을 선대해라, 나는 노동을 제공하겠다. 생산물은 일정한 비율에 따라 우리 사이에서 분배된다. 생산물이 실현되자마자 각자는 자신의 몫을 가져간다. 그러면 노동자들을 위한 **선대**는 없을 것이다. 노동이 정지되더라도 그들은 계속 소비할 것이다. 그들이 소비하는 것은 소비기금에 속할 것이고 자본에 속하지 않을 것이다. [67]요컨대[68] 노동자에 대한 선대는 **필연적**이지 않다. 말하자면 **임금은 생산의 구성요소가 아니다. 그것은 하나의 우연이며 우리 사회 상태의 한 형태일 뿐이다.** 반면에 생산하기 위해서는 자본, 토지, 노동[69]이 반드시 필요하다. **둘째로,** 임금은 이중으로 사용된다.[70] 임금이 자본이라고들 하는데, 그것은 무엇을 대표하는가? 노동이다. [71]임금이라는 것은 결국 노동이고 그 역도 성립한다. 따라서 선대된 임금이 자본의 일부를 이룬다면 단지 자본과 토지라는 두 가지 생산도구에 대해서 논할 수밖에 없을 것이다.[72]"(같은 책, [369/]370쪽)[73]

G130

노동자가 1년 치 생활수단을 보유하고 있다면 자본가가 그에게 선대할 필요가 없을 것이라고 로시처럼 말한다면, 노동자가 1년 치 노동재료와 노동수단을 보유하고 있다면 그는 이들 노동조건을 위해서 자본가의 개입이 필요하지 않을 것이라고 말할 수도 있을 것이다. 요컨대 "노동재료와 노동수단"이 자본으로 나타나는 정황은 "생산의 구성요소가 아니다".[74] 그것들을 자본으로 만드는 것은 "하나의 우연이며 우리 사회 상태의 한 형태일 뿐이다." 그것들은 여전히 "생산기금"에 속하지만 자본에는 결코 속하지 않을 것이다. 자본이 존재하지 않게 될 것이다. 노동을 **임노동**으로 만드는 특정한 형태, 노동의 역사적으로 특정한 사회적 형태가 하나의 사회적 우연이라면, 노동의 [75]대상적 조건들을 **자본**으로, 또는 **생산조건들**을 자본으로 만드는 형태도 마찬가지이다. 노동을 **임노동**으로, **생산조건들**을 **자본**으로 만드는 것은 동일한 사회적 우연이다. 실제로 노동자들이 보유하는 것이 설령 이 한 가지 생산조건 — 1년 치 생활수단 — 뿐이라 해도 그들의 노동은 임노동이 아닐 것이고, 또한 모든 **생산조건**을 보유한 것이 될 것이다.[76] 그러면 그들은 이 잉여 생활수단의 일부를 판매하고 그 대신 생산수단(재료와 도구)을 구매해서 스스로 상품을 생산하면 될 것이다. 요컨대 로시 씨가 여기에서 명확히 하고자 하지만 제대로 명확히 하지는 못한 것은 생산의 특정한 사회적 형태가 **역사적** 필연성일 수는 있을지라도 그렇다고 **절대적** 필연성은 아니며, 따라서 생산의 영원불변한 조건이라고 할 수는 없다는 것이다. 우리는 이 자백을 잘못 활용하는 것을 받아들일 수는 없지만 이 자백은 받아들인다.

요컨대 생산하기 위해서라면 노동이 임노동이고 따라서 무엇보다도 생활수단이 노동자에게 원래 자본의 구성요소로 마주 서는 것이 절대적으로 필요한 것은 아니다. 그러나 로시는 다음과 같이 설명을 계속한다. "반면에 생산하기 위해서는 자본, 토지, 노동이 반드시 필요하다."[77] 만약에 그가 "반면에[78] 생산하기 위해서는 **토지**(노동재료, 노동공간,[79] 그리고 무엇보다도 생활수단), **노동수단**[80](도구 등), **노동**이 반드시[81] 필요"하지만 생산하기 위해 반드시 "지대, 자본, 임노동"이 필요한 것은 아니라고 말했다면 이 명제는 옳다.[82] 그러나 그는 그렇게 [83]노동과 토지로부터 특정한 사회적 형태들 — 부르주아 경제학에서는 노동과 토지가 이들 형태로 등장한다 — 을, 노동과 토지의 임노동과 토지소유라는 형태를 벗겨낸다. 반면에 노동수단에는 **자본**이라는 경제적 성격을 남겨둔다. 그는 ||78| 노동수단을 소재적 생산조건으로서뿐 아니라 **자본**이라는 특정한 사회적[84] 형태로서도 파악하며, 따라서 자본이 화폐와 토지의 전유 없이, 임노동 없이 가능하다는 어리석음에 이른다.

나아가 로시는 [85]선대된 임금이 자본의 일부를 이룬다면 모든 경제학자들이 가정하듯이 토지, 자본, 노동이라는 세 가지 생산도구가 있는 것이 아니라 토지와 자본이라는 두 가지 생산도구만 있다고 말한다. 실제로 여기에서

G131

문제가 되는 것은 노동과정의 단순한 계기들 자체이고 이 노동과정에서는 노동재료(토지), 노동수단(로시가 자본이라고 잘못 부르는 것)과 노동만이 나타난다. 그러나 자본은 전혀 나타나지 않는다. 그러나 전체 노동과정이 자본에 포섭되고 노동과정에서 나타나는 세 요소가 모두 자본가에 의해 전유되는 한에서는 재료, 수단, 노동이라는 세 요소 모두 **자본**의 소재적 요소로서 나타난다. 이는 바로 이들 요소가 특정한 사회적 관계 아래로 포섭된 것으로, 이 관계는 **추상적**으로 고찰된 — 즉 노동과정의 모든 사회적 형태에 똑같이 공통적인 한에서는 —[86]노동과정과는 전혀 관계가 없다. 로시에게서 여전히 특징적인 것은 그가 인격화된 노동생산물과 살아 있는 노동능력의 관계, 즉 자본과 임노동 관계의 요체를 이루는 관계를 자본주의적 생산 자체에서 **비본질적인** 형태로, 단순한 우연으로 간주한다는 점이다. (불쌍한 **바스티아**를 보라.[87] 로시는 적어도 자본과 임노동이 생산의 영원한 사회적 형태는 아니라는 것을 눈치채고 있다.)[88]

지금까지 우리는 로시의 두 가지 반론을 들었다. 임금이 (처음부터) 자본의 일부를 이룬다면 동일한 사물이 두 번, 첫 번째는 생산관계로서 두 번째는 분배관계로서 등장한다는 반론. 둘째로, 그렇다면 노동과정에 있는 생산 요소는 세 가지(재료, 수단, 노동)로 세어서는 안 되고 두 요소, 즉 재료(그가 여기에서 **토지**라 일컫는 것)와 노동수단 즉 그가 여기에서 자본이라 일컫는 것만 세어야 한다는 반론.

"기업가와 노동자 사이에서는 무슨 일이 일어나는가? 모든 생산물이 아침에 시작되어 저녁에 완성되고, 공급된 상품들을 구매할 의향이 있는 구매자들이 언제나 시장에 있다면 **본래의 임금은 없을** 것이다. 그렇지만 현실은 그렇지 않다. 한 가지 생산물을 실현하려면 몇 달, 몇 년이 필요하다. … **자기 팔밖에 가진 게 없는 노동자**는 사업의 완성(종료)을 마냥 기다릴 수 없다.[89] 그는 제삼의 국외자[90]에게 말할 수 있는 것을 기업가, 자본가, 차지농, 공장주에게 말한다. 그는 자신의 신임장(Creditiv)을 구매하는 것을 그(제삼자)에게 제안할 수 있을 것이다. 그는 제삼자에게 이렇게 말할 수 있을 것이다. 내가 이만큼의 옷감을 생산하는 데 기여했으니 너희는 내가 받을 권리가 있는 보상을 구매하지 않겠는가? 제삼의 국외자가 제안을 받아들이고 약정된 가격을 지불한다면 국외자가 지불하는 화폐가 기업가의 자본의 일부를 이룬다고 말할 수 있는가? 그가 노동자와 맺은 계약은 생산의 현상 중 하나라고 말할 수 있는가?[91] [92]그렇지 않다. 그는 좋든 나쁘든 투기를 한 것이고 이것

G132

은 공공의 부에 무엇 하나 더하거나 덜어내지 않았다. **그것이 임금이다.** 노동자는 제삼자에게 할 수도 있을 제안을 공장주에게 한다.[93] **기업가는 생산을 용이하게 해줄 수 있는 이 조치를 수락한다.**[94] **그러나 이 조치는 다름 아니라 생산적 작업에 접목된 부차적인 작업, 전혀 다른 성격의 작업에 지나지 않는다.**[95]**그것은 생산에 필수 불가결한 사실이 아니다. 그것은 다른 노동조직에서는 사라질 수 있다. 오늘날에조차 그것이 일어나지 않는 생산이 있다.**[96] **요컨대 임금은 부의 분배형태 중 하나이지 생산의 요소가 아니다.** 기업가가 임금을 지불하는 데 바치는 기금 부분은 자본의 일부를 이루지 않으며, 이는 공장주가 어음을 할인 매입하거나 투기를 하는 데 쓰는 금액이 그렇지 않은 것과 같다. 그것은 하나의 **별개의 작업**(*opération à part*)이며, 의심할 나위 없이 생산의 진행을 촉진할 수는 있지만 그것을 **직접적 생산도구**라 부를 수는 없다."[97](같은 책, 370쪽)|

|79| 요컨대 여기에서 재치가 분명하게 드러난다. **생산관계**는 (생산 전체 내에서 개인들의 사회적 관계가 어떻게 고찰되든) **"직접적 생산도구가 아니다".** 화폐와 노동능력의 교환을 조건 짓는 자본과 임노동의 관계는 "직접적 생산도구"가 아니다. 그러므로 생산물 자체의 생산이냐 상품의 생산이냐에 따라 생산과정은 본질적으로 변하지만 상품의 가치는 "직접적 생산도구"가 아니다. 기계의 **"가치"**, 고정자본으로서 기계의 현존 등은 "직접적 생산도구"가 아니다.[98] 기계는 상품, 교환가치가 전혀 없는 사회에서도 생산적일 것이다. 문제는 이 "생산관계"가 "다른 노동 조직에서는 사라질 수 있는지"가 결코 아니라 자본주의적 노동조직에서는 무엇을 가지고 생산관계라고 할 것인가를 연구하는 것이다. 로시는 그러한 관계하에서는 "본래의 임금"은 있을 수 없다는 것을 인정한다(370쪽). 그리고 그는 내가 "비본래적인 임금"을 더는 임금이라 부르지 않는 것을 허락할 것이다. 다만 그가 망각하는 것은 그 경우에는 "본래의" 자본도 이미 없을 것이라는 점이다. "누구나 자기 노동의 생산물을 기대할 수 있다면 **오늘날의 임금형태는 사라져버릴 것이다.**[99] 그러면 오늘날 본래 의미의 자본가와 동시에 노동자이기도 한 자본가 사이에 존재하는 공통점이 노동자와 자본가 사이에도 존재하게 될 것이다."(371쪽)[100] 이 상황에서 오늘날의 생산형태가 어떻게 될 것인지에 대해서 로시는 명확하게 말하지 않았다. 물론 그가 사회적 생산형태를 도외시한 채 생산을 단지 기술적 과정으로 간주하고, 다른 한편으로는 자본을 새로운 생산물을 생산하기 위해서 소비되는 생산물에 지나지 않는 것으로 이해한다면 그에게는

G133

168

이 모든 것이 상관없을 수 있다. 적어도 그는 임금이라는 형태가 "생산의 필수 불가결한 사실"은 아니라고 선언하는 장점은 있다.

"생산노동 동안의 노동자의 생활수단을 도외시하면서 노동능력(puissance de travail)을 이해한다는 것은 **관념적 존재**(un être de raison)를 이해하는 것과 같다. 노동이라는 것은, 노동능력이라는 것은 결국 동시에 노동자(travailleurs)와 생활수단, 노동자(ouvrier)와 임금을 말하는 것이다. … 동일한 요소가 자본이라는 이름으로 다시 등장한다. 마치 동일한 사물이 동시에 두 가지 상이한 생산도구의 일부를 이룰 수 있는 것처럼."(같은 책, 370, 371쪽)[101] 벌거벗은(bloss) 노동능력은 사실 **"관념적 존재"**[102]이다. 그러나 이 관념적 존재는 실재한다. 따라서 노동자가 자신의 노동능력을 판매할 수 없다면 그는 굶어 죽는다. 그리고 자본주의적 생산은 노동능력(puissance de travail)이 그러한 관념적 존재로 환원되는 것에 기초한다.

[103] 따라서 시스몽디가 이렇게 말하는 것은 옳다. **"노동능력**은 … 판매되지 않으면 **아무것도 아니다.**"(시스몽디, 『신경제학 원리』, 제1권, 114[104]쪽)[105]

로시가 어리석은 것은 "임노동"을 자본주의 생산에 "비본질적인" 것으로 설명하려 한다는 점이다.

기계에 대해서도 로시는 이렇게 말할 수 있을 것이다. 자본의 일부를 구성하는 것은 기계의 가치가 아니라 기계라고. 기계의 이 **가치**는 기계 제조업자에게 지불되고 아마도 그에 의해서 소득으로 소모될 것이라고. 따라서 기계의 가치는 생산과정에서 두 번, 즉 한 번은 기계 제조업자의 소득으로 다른 한 번은 면방적업자 등의 자본 또는 자본구성 요소로 나타나지 않을 것이라고.

그 밖에 특징적인 것: 로시는 노동자가 부자라면 임금, 즉 임노동은 불필요할 것이라고 말한다. 존 스튜어트 밀 씨는 이렇게 말한다. 노동을 **공짜**로 가질 수 있다면 "임금은 **생산력이 없다**(no productive power). 임금은 생산력의 가격이다. 임금이 노동과 더불어 상품의 생산[생산물의, 사용가치의 생산이라고 해야 할 것이다]에 기여하지 않는 것은 **기계의 가격**이 기계 자체와 함께[106] 생산에[107] 기여하지 않는 것과 마찬가지이다. **구매하지 않아도 노동을 가질 수 있다면** 임금은 필요 없을 수 있다."(존 St. 밀, 『경제학에서 해결되지 않은 문제들에 대한 에세이』, 런던, 1844년, [90/]91쪽)|[108]

|80| 자본의 단순히 일반적인 형태가 [109]보존되고 증식되는 가치로 간주되는 한에서 자본은 비물질적인 것으로 설명되고, 따라서 손에 잡히는 사물

이나 관념밖에 모르는 경제학자 ─ 그에게 관계는 존재하지 않는다 ─ 의 관점에서는 단순한 관념으로 설명된다. 가치로서 자본은 특정한 소재적 현존방식, 자본이 존재할 때의 모습인 사용가치에는 무관심하다.[110] 이 소재적 요소가 자본을 자본으로 만드는 것이 아니다.[111] **"자본은 본질에서 언제나 비물질적이다. 왜냐하면**[112] 자본을 구성하는 것은 질료가 아니라 이 질료의 **가치**, 유형적인 것을 갖지 않는 가치이기 때문이다."(세, 『경제학 개론』, 제3판, 제2권, 파리, 1817년, 429쪽[113]) 또는 시스몽디: "자본은 상업상의 **개념**이다 (Le capital est une *Idée* commerciale)."(시스몽디*Sism*, 『**경제학 연구**』, 제2권, 브뤼셀, 1837년, 273쪽, LX[114])

G134

자본이 모두 가치일지라도 가치 자체는 아직 자본이 아니다. 여기에서도 경제학자들은 다시 노동과정 내에서의 자본의 소재적 형체로 도주한다. 노동과정 자체가 자본의 생산과정으로 나타나고 자본에 포섭되는 한에서는 (우리가 본 바와 같이 그 자체로서는 결코 자본을 전제로 하는 것이 아니라 모든 생산양식에 고유한) 노동과정의 어떤 특수한 측면을 주목하느냐에 따라서 자본이 생산물이 된다거나 또는 자본이 생산수단이라거나 원료라거나 노동도구라고 말할 수 있다.[115] 예를 들어 램지는 원료와 노동수단이 자본을 구성한다고 말한다. 로시는 엄밀히 말해 도구만이 자본이라고 말한다. 여기에서는 노동과정의 요소들이 특수한 경제적 규정성으로 정립되지 않은 한에서 고찰된다. (**형태규정의 이러한 삭제**는 노동과정 내에서도 외양에 지나지 않는다는 점은 나중에 밝혀질 것이다.)[116] [117]노동과정(자본의 생산과정)은 자신의 단순한 형태로 환원되면 자본의 생산과정으로 나타나는 것이 아니라 생산과정 일체로서 나타나며, 자본은 여기에서 **노동과는 달리** 원료와 노동도구라는 소재적 규정성으로만 나타난다. (그러나 실제로는 여기에서도 **노동**은 자본 자신의 현존이고 자본에 병합되어 있다.) 경제학자들이 자본을 모든 생산의 필연적인 요소로서 제시하기 위해서 주목하는 것이 이 측면이고 이것은 자의적 추상일 뿐 아니라 과정 자체에서는 사라져버리는 추상이다. 그들이 그렇게 하는 것은 물론 그들이 [118]하나의 계기를 자의적으로 주목하기 때문일 뿐이다.

"노동과 자본 … 전자는 **직접적 노동** … 후자는 **축적된 노동**,[119] 즉 이전 노동의 결과인 것."(제임스 밀, 앞의 책)(『경제학 요강』, 런던, 1821년, 75쪽)[120] "축적된 노동 … 직접적 노동."[121](R. 토런스, 『부의 생산에 관한 고찰』, 런던, 1821년, 제1장)[122]

[123]**리카도**, 『**원리**』, 89쪽. "**자본**은 한 나라의 부에서 생산에 사용되는 부분

이고, 노동을 실행하는 데 필요한 식품, 의복, 도구, 원료, 기계류 등으로 구성된다."[124]

"**자본**은 특수한 종류의 부일 뿐이다. 즉 우리의 부족분을 직접 충족하는 데가 아니라 다른 유용한 물품을 획득하는 데 정해진 것이다."[125] (**토런스**, 앞의 책, 5쪽) "미개인이 야수를 쫓을 때 던지는 최초의 돌과, 손에 닿지 않는 열매를 따기 위해서 잡는 최초의 막대기에서 우리는 다른 물품을 획득하는 데 G135 도움을 줄 목적으로 물품을 전유하는 것을 보며, 따라서 자본의 기원을 발견한다."(**토런스**, 앞의 책, 70/71[126]쪽)

자본, "**교환 가능한 가치를 보유한 모든 물품**", 과거 노동이 축적된 결과.(H. C. 케리, 『경제학 원리』, 제1부, 필라델피아, 1837년, 294쪽)

"어떤 기금이 물적 생산에 바쳐진다면 그것은 **자본**이라는 명칭을 얻는다."(**시토르흐**, 『경제학 강의』, 세 엮음, 제1권, 파리, 1823년, 207쪽) "부는 생산에 기여하는 한에서만 자본이다.[127]"(같은 책, 219쪽) "국민적 자본의 요소는[128] 1) 토지 개량, 2) 건축물, 3) 작업도구 또는 용구, 4) 생활수단, 5) 재료, 6) 제품."(같은 책, 229쪽 이하)|

|81| "토지도 아니고 노동도 아닌 모든 생산력이 **자본**[129]이다. 그것은 재생산에 사용되는, 완전히 생산되거나 부분적으로 생산된 모든 힘을 포함한다."(**로시**, 앞의 책, 271쪽)

"**자본**[130]과 부의 그 외의 모든 부분 사이에는 아무런 차이도 없다. 어떤 사물이 **자본**이 되는 것은 사람들이 그것을 **사용하는 방식**[131]에 의해서만 결정된다. 즉 생산적인 작업에 원료, 도구, 생필품으로 사용될 때 그것은 자본이 된다."(**셰르뷜리에**, 『부냐 빈곤이냐』,[132] 1841년, 18쪽)

그러나 자본주의 생산에서 중요한 것은 단지 생산물 또는 상품을 생산하는 것이 결코 아니라 생산에 던져진 가치보다 더 많은 가치를 생산하는 것이다. 따라서 다음과 같은 설명들.

자본은 생산에 사용된, 그리고 일반적으로 이윤을 획득하기 위해서 사용된 부의 부분이다.(**찰머스**, 『경제학 개론』, 제2판, 런던, 1832년, 75쪽)[133] 이 규정을 자본의 정의(定義)에 받아들인 것은 주로 맬서스이다. (시스몽디의 정의는 더 섬세해졌다. 이윤이 이미 잉여가치의 더 발전된 형태이므로.)

"**자본**. 부의 생산과 분배에서 이윤을 목표로 보유되거나 사용되는 한 나라의 비축물(즉 축적된 부)[134] 부분."(**T. R. 맬서스**, 『경제학의 주요 개념』, 신판, 존 **카제노브** 엮음, 런던, 1853년, 10쪽)

"**선행 노동**(자본) … **현재 노동**."[135](A. 스미스, 『국부론』, E. G. 웨이크필드의 주해, 런던, 1835년, 제1권, [230/]231쪽)

요컨대 우리는 다음을 얻었다. 1) 자본은 화폐이다. 자본은 상품이다. 자본이 등장하는 최초의 형태에서 고찰한다면. 2) 자본은 직접적인, 현재 노동에 대립하는 축적된(선행하는) 노동이다. 살아 있는 노동과 대립되어 고찰됨과 동시에 가치가 자본의 실체로서 고찰되는 한에서는. 3) 자본은 노동수단, 노동재료, 새로운 생산물을 형성하기 위한 생산물 일체. 노동과정, 물적 생산과정이 고찰되는 한에서는. 자본은 [136]그중에 노동능력과 교환되는 구성요소가 사용가치의 관점에서 고찰되는 한에서는 생활수단이다.

G136 전체 노동과정(직접적 생산과정)이 생산물을 결과로서 얻는다면 자본은 이제 생산물로서 존재한다. 그러나 이것은 자본의 사용가치로서의 단순한 현존이다. 다만 이 사용가치가 이제는 노동과정 또는 생산과정 ── 자본이 통과한 과정 ── 의 결과로서 주어진다는 것뿐이다. 생산물에 사로잡혀 노동과정이 동시에 가치증식과정이라는 것, 따라서 그 결과는 사용가치(생산물)일 뿐 아니라 동시에 [137]교환가치라는 것, 사용가치와 교환가치의 통일=상품이라는 것을 망각한다면, 자본은 단순한 생산물로 전환되었고, 판매되면서, 상품이 되면서 비로소[138] 다시 자본이 된다는 어리석은 생각이 생겨난다. 마찬가지로 어리석은 생각이 다른 관점에서 주장될 수도 있다. 노동과정 자체에서는 노동재료와 수단이 이미 생산물, 요컨대 상품이라는 사실(우리의 전제에 따르면 모든 생산물은 상품이므로)이 아무 상관이 없다(사라진다). 여기에서는 상품과 생산물 자체가 사용가치, 요컨대 예를 들면 원료인 한에서만 문제가 될 뿐이다. 요컨대 전에는 자본이었던 것이 이제는 원료로 전화했다고 말할 수 있다. 한 생산과정의 결과인 것이 다른 생산과정의 원료(또는 노동도구)(전제)라는 사실이 이러한 형태로 표현되는 것이다. 예를 들면 프루동이 이런 식이다.

"무엇이 **생산물 관념**을 갑자기 **자본 관념**으로 변화하게 하는가? 그것은[139] **가치 관념**이다. 즉 자본이 되기 위해서 생산물은 정당한 평가를 받아야 하고, 구매되거나 판매되어야 하고, 그 가격이 교섭되고 일종의 법적 합의에 의해서 확정되어 있어야 한다." 예를 들면 "도축장을 떠나는 가죽은 **도축업자의 생산물**이다. 이 가죽을 무두장이가 구매한다고 하자. 이 무두장이는 곧바로 가죽 또는 가죽의 가치를 영업 기금으로 돌린다. 무두장이의 노동을 통해서 이 자본은 다시 생산물이 된다."(『신용의 무상성』, [178~180쪽])(XVI,

29쪽 등을 보라)|[140]

|82| 프루동 씨는 잘못된 형이상학적 장치로 뻔한 관념을 만들어내서 공중에게 재생산하는 것을 좋아한다. 그는 가죽이 도축장을 떠나기 전에는 도축업자의 장부에서 가치로서 나타나지 않는다고 생각하는 것인가? 사실상 그가 말하는 것은 상품 = 자본이라는 것뿐인데 이것은 틀렸다. 분명히 모든 자본은 상품이나 화폐로서 존재하기는 하지만, 그렇다고 해서 상품이나 화폐 자체가 자본인 것은 아직 아니기 때문이다. 화폐와 상품의 "관념"(notion)으로부터 자본의 관념이 어떻게 발전하는지가 설명되어야 한다. 그는 노동과정만을 볼 뿐 가치증식과정은 보지 않는다. 이 가치증식과정 때문에 총생산과정의 생산물이 [141]사용가치일 뿐 아니라 특정한 교환가치를 갖는 사용가치, 즉 상품이 된다.[142] 이 상품이 그 가치 이상으로 판매되든 그 이하로 판매되든, 상품이 법적 협정(convention légale)을 통과하는 것은 상품에 새로운 형태규정을 부여하지 않고 생산물을 상품으로 만들지도 않으며 상품을 자본으로 만드는 것은 더더욱 아니다. 여기에서는 [143]노동과정이고, 그 결과가 사용가치인 한에서 자본의 생산과정에 일면적으로 주목하고 있다. 자본은 사물로, 단순한 사물로 간주된다.

G137

[144]마찬가지로 프루동은 어리석게도 이렇게 말한다 — 그리고 이는 미사여구의 사회주의가 경제적 규정과 관련하여 **사회**를 고찰하는 방식에서 나타나는 특징이다 — . "**자본과 생산물의 차이가 사회에서는 존재하지 않는다.** 이 차이는 개인에게 전적으로 **주관적인 것**이다."[145] [146][같은 책, 250쪽] 특정한[147] 사회적 형태를 그는 주관적이라 하고, 주관적 추상을 사회라 부른다. 생산물 자체는 노동방식의 특정한 사회적 형태가 무엇이든 상관없이 어떠한 노동방식에도 있는 것이다. 생산물이 **자본**이 되는[148] 것은 그것이 특정한, 역사적으로 특정한 사회적 생산관계[149]를 나타내는 한에서만 그러하다. P 씨가 사회의 관점에서 고찰한다는 것은 바로 특정한[150] **사회적** 관계나 경제적 형태규정성을 표현하는 **차이**를 간과하고 그것을 사상한다는 뜻이다. 마치 사회의 관점에서 보면 노예도 시민도 존재하지 않고 양자 모두 인간이라고 말하는 듯하다. 오히려 이들이 인간인 것은 사회 **밖에서**이다. 노예인 것과 시민인 것은 인간 a와 b의 특정한[151] 사회적 현존방식이다. 인간 a는 자체로서는 노예가 아니다. 그는 그가 속해 있는 사회[152]에서, 사회에 의해서 노예가 된다. 노예이고 시민인 것은 인간 a와 b의 사회적 규정, 관계이다. P가 여기에서 자본과 생산물에 대해 말하는 것은, 사회의 관점에서 보면

자본가와 노동자 사이에 차이가 존재하지 않는다는 것인데, 이 차이야말로 바로 사회의 관점에서만 존재하는 것이다. 특징적인 것은 그가 상품 범주(관념)[153]로부터 자본 범주로 나아가지 못하는 무능을 거창한 상투어로 은폐하는 것이다.

덧붙여 말하자면 생산물의 자본으로의 전화에 대해서 말하는 똑같은 어리석음 — 실제로 자본을 특수하게 사용되는 사물로서 생각하는 일반적인 편협한 관념 — 은 다른 경제학자들에게서도 볼 수 있지만 이들에게서는 어리석음이 덜 허풍스럽게 나타난다. 예를 들면 **프랜시스 웨일랜드**, **『경제학 요강』**, **제10쇄 1,000부**, 보스턴, 1843년, 25쪽. "우리가 우리 자신의 근로와 결합하여 생산물로 만들어낼 목적으로 획득하는 재료는 **자본**이라 불린다. 그리고 노동이 수행되고 가치가 창출된 다음에는 **생산물**이라 불린다. 그러므로 동일한 물품이 어떤 이에게는 **생산물**이고 다른 이에게는 **자본**일 수 있다. 가죽은 무두장이에게는 생산물이고 제화공에게는 자본이다."|[154]

|83| J. B. 세 씨에 대해서는 무슨 말을 해도 놀라서는 안 된다.[155] 예를 들면 그는 우리에게 "가치"는 "어떤 사물이 가치가 있는 것"[156]이고 "가격"은 "어떤 사물의 표현된 가치"[157]라고 말한 뒤에 이렇게 말한다. "토지의 **노동**, 동물과 기계의 노동도 마찬가지로 **가치**이다. **왜냐하면** 그것들에 **가격**이 부여되고 구매되기 때문이다."[158] 그래서 그는 임금을 "근로 능력에 대한 **임차료**"[159] — 노동능력의 임대 — 라고 설명하면서, "더 엄밀히 말하면 근로의 생산적 서비스의 구매에 대한 가격"이라고 말함으로써 자신의 말을 이해하지 못한다는 것을 증명하고 있다.[160] 여기에서 노동은 노동과정에서 현상하는 바와 같이 **사용가치**를 생산하기 위한 활동으로서 단순하게 받아들여진다. 이런 의미에서는 원료도, 아주 일반적으로 표현하자면 토지도, 그리고 생산수단(자본)도 노동과정에서 생산적 서비스를 제공한다. 이것이 바로 그것들의 **사용가치**가 작동하는 것이다. 이렇게 생산의 모든 요소가 생산에서 활동하는 사용가치라는 단순한 요소로 환원되어버리면, 임금이 노동의 생산적 서비스의 가격으로 현상하듯이 이윤과 지대는 생산물과 토지의 생산적 서비스의 가격으로 현상한다. 이 경우에는 도처에서 사용가치와는 전혀 무관한 교환가치의 특정한 형태들이 사용가치로 설명된다.

〔중상주의 전체의 기초에는 잉여가치가 단순한 유통에서, 즉 기존 가치들의 다른 분배에서 유래한다는 관념이 있다.〕

〔자본 개념에 가치의 보존과 재생산뿐 아니라 **가치의 증식**, 즉 가치의 배

G138

중, 잉여가치의 정립이 얼마나 포함되는지는 무엇보다도 예전 이탈리아[161] 경제학자들에게서 이 잉여가치의 생산만이 **가치의 재생산**이라 불린다는 사실에서 볼 수 있다[162](나중에 보게 되겠지만[163] 이는 중농주의자들에게서 가장 극명하게 드러난다). 예를 들면 **베리**. [164]"**가치의 재생산**[165]은 농업생산물이나 공업생산물의 가격 중에서 재료와 그 가공에 필요한 비용의 **최초 가치**를 초과하는 양이다. 농업에서는 종자와 농민의 소비 비용이 공제되고, 마찬가지로 매뉴팩처에서는 원료와 수공업자의 소비가 공제된다. 그리고 남는 잔여에 해당하는 만큼 **재생산에서 가치가** 해마다 창출된다."(**P. 베리**, 『**경제학 고찰**』, **쿠스토디**, 근세 편, 제15권, 26, 27쪽)[166] 〔같은 **P. 베리**는 (중상주의자이지만) 상품이 그 가치 또는 평균가격(prezzo commune)으로 판매된다면 누가 구매자이고 누가 판매자이든 상관없다는 사실, 또는 잉여가치는 구매자와 판매자의 차이에서 생겨날 수 없다는 사실을 인정한다. 그는 이때 어떤 이가[167] 교환행위에서 구매자이든 판매자이든 상관없어야 한다고 말한다. "평균가격이란 두드러진[168] 손실이나 이익을 보지 않으면서 구매자가 판매자가 될 수 있고 판매자가 구매자가 될 수 있는 가격이다. 예를 들면 비단의 평균가격이 파운드당 질리아토 은화 1개라면 이는 비단 100파운드를 가진 자가 질리아토 은화 100개를 가진 자와 똑같이 부유하다는 뜻이다. 그 까닭은 전자는 비단을 판매해서 쉽게 질리아토 은화 100개를 얻을 수 있고, 마찬가지로 후자는 질리아토 은화 100개를 양도함으로써 비단 100파운드를 가질 수 있기 때문이다. … **평균가격은** 계약 **당사자 누구도** 가난해지지 **않는 가격이다.**"[169](같은 책, 34, 35[170]쪽)〕|

|84| 자본을 보존하고 증대하는 것만이 자본 자체를 위해서 **사용가치**를 가진다. 요컨대 **노동** 또는 **노동능력**. (노동은 노동능력의 기능, 실현, 활동일 뿐이다.) 〔노동을 실현하기 위한 조건들은 당연히 포함되어 있다. 그것들이 없으면 자본은 노동능력[171]을 사용할 수 없고 소비할 수 없기 때문이다.〕 따라서 노동은 자본을 위한 **하나의** 사용가치(*ein Gebrauchswert*)가 아니다. 그것은 자본의 **유일한** 사용가치(*der Gebrauchswert*)이다. "자본을 위한 직접적인 시장, 또는 자본을 위한 영역은 **노동**이라 말할 수 있다."(『최근 맬서스가 주장하는 수요의 성질과 소비의 필요에 대한 **원리 연구**』, 런던, 1821년, 20쪽)[172]

〔**노동능력과 자본의 교환에 대하여.** "임금은 노동의 시장가격에 지나지 않고, 노동자가 그것을 받았다면 그가 처분할 수 있는[173] 상품에 대한 충분한 가치를 받은 것이다. 그는 그 이상을 요구할 수 없다."(**존 웨이드**, 『중간계급과

G139

노동자계급의 역사』, 제3판, 런던, 1835년, 177[174]쪽)〕

〔**생산적 소비.**[175] "상품의 소비가 **생산과정**의 일부를 이루는 생산적 소비 … 이 경우에 **가치의 소비**는 없고, 동일한 가치가 새로운 형태로 존재한다."(S. P. 뉴먼, 『경제학 요강』, 앤도버/뉴욕, 1835년, 296쪽)[176] [177] ("**자본은 소비기금**과 전적으로 마찬가지로 소비된다. 그러나 그것은 소비되면서 **재생산**된다. 자본은 **산업적 소비**에, 즉 **재생산**에 사용되도록 정해진 부의 양이다."(H. 시토르흐, 『경제학 강의』, 세 엮음, 제1권, 파리, 1823년, 209쪽)[178])

구매과정에서 자본과 교환되는 것은 노동**능력**이지 **노동**이 아니라는 것. "당신이 노동을 **상품**이라 부른다 해도 그것은 교환되기 위해서 먼저 생산되고, 그런 다음에 다른 상품과 교환되는 시장으로 옮겨지고 거기에서 그 시점에 시장에 있을 수 있는 각각의 수량에 따라서 교환되는 상품과 같은 것이 아니다. 노동은 시장에 나오는 순간에 **창출**된다. 아니, 차라리 노동은 창출되기 **전에** 시장으로 나온다."(『**경제학에서 몇몇 용어상의 논쟁에 대한 고찰**』, 런던, 1821년, 75, 76쪽)[179]

자본의 생산과정은 전체로서 고찰하면[180] 두 부분으로 나뉜다. 1) 자본과 노동능력의[181] 교환. 이것은 화폐(가치)로서 존재하는 자본의 특정한 구성요소들과 노동의 대상적 조건 ─ 그것 자체가 상품인(요컨대 이전 노동의 생산물도)[182] 한에서 ─ 의 교환을 필연적 결과(Corollar)로서 포함한다. 이 첫 번째 단계는 존재하는 자본의 일부가 노동자의 생활수단으로 전화하는 것, 즉 동시에 노동능력의 보존과 재생산을 위한 수단으로 전화하는 것을 포함한다. 〔(이 생활수단의 일부가 노동과정 **동안에** 노동을 생산하기 위해서 소모되는 한 노동자가 소비하는 생활수단은 원료 및 생산수단과 마찬가지로 (유지비용으로서) 자본이 생산과정에서 이것들로 나뉘는 노동의 대상적 조건들에 포함될 수 있다. 또는 그것은 재생산적 소비의 계기로 간주될 수 있다. 또는 끝으로 생산과정 동안 기계가 소비하는 석탄 및 유류와 마찬가지로 생산물의 생산수단으로 간주될 수 있다.)〕 2) 실제 노동과정에서 **노동**은 **자본**으로 전화한다. 즉 그것은 **대상화된**(대상적) **노동**이, 그것도 **자립적으로** ─ 자본가의 소유, 자본가의 경제적 현존으로서 ─ 살아 있는 노동능력에 대하여 마주 서는 대상화된 노동이 된다. **이러한 노동의 자본으로의 전화**에 대해서는 "그들(노동자)은 자신들의 노동을 곡물[183](즉 생활수단 일체)과 교환한다. 이 곡물은 **그들에게는 소득**(소비기금)이 된다. … 다른 한편 **그들의 노동**은 그들의 주인을 위한 **자본**이 되었다."(시스몽디Sism, 『신경제학 원리』, 제1권, 90쪽) "그(노동자)는 **살기 위해**

서 **생활수단**을 요구하고 공장주는 **벌기** 위해서 **노동**을 요구한다."(S, 앞의 책, 91쪽)[184] "교환을 위해 자신의 노동을 내주고 그것을 **자본**으로 전화시키는 노동자들."(시스몽디Sis, 앞의 책, 105쪽)

"부[185]의 급속한 증가가 임금노동자들에게 어떤 이익을 가져다주든 그 것이 그들의 빈곤의 원인을 치유하지는 못한다. … 그들은 자본에 대한 모 든 권리를 박탈당했고, 그 결과 **그들의 노동을 판매하고** 이 노동의 생산물 에 대한 모든 요구를 포기할 의무가 있다."(셰르빌리에Cherb, 『부냐 빈곤이냐』, 68쪽)[186]

〔"사회질서에서 부는 **타인의 노동**에 의해 재생산되는 **속성을 획득**했고 그 소유자들은 이를 위해 경쟁하지 않아도 된다. 부는 **노동과 마찬가지로 노 동에 의해서 매년 결실**을 낳고 이는 매년 소멸될 수 있지만 부자가 그로 인 해 가난해지지는 않는다. 이 결실은 **자본**에서 유래하는 **소득**이다."(시스몽디 Sism, 『신경제학 원리』, 제1권, 82쪽)|[187]

|85| 〔다양한 소득형태: (임금을 제외하면) 이윤, 이자, 지대 등(조세 도)[188]은 **잉여가치**가 분할되고 [189]상이한 계급들에게 분배되는 상이한 구성 요소들일 뿐이다. 여기에서는 당분간 그것들이 단지 잉여가치라는 일반적 인 형태로서만 고찰된다. 나중에 잉여가치에서 이루어질 수 있는 분할은 당 연히 그것의 양이나 질에 아무런 변화도 가져오지 않는다. 그 밖에도 산업자 본가가 이자, 지대 등을 지불하는 중개자라는 것도 물론 잘 알려져 있다. "노 동은 부의 원천. 부는 노동의 생산물. 소득은 부의 일부로서 이 공동의 원천 에서 유래해야 한다. 사람들은 **지대, 이윤, 임금**이라는 세 가지 상이한 소득 을 토지, 축적된 자본, 노동이라는 세 가지 상이한 원천에서 도출하는 데 익 숙해 있다. 소득의 이러한 3분할은 인간노동의 결실의 분배에 관여하는 세 가지 상이한 방식일 뿐이다."[190](**시스몽디**Sism, 앞의 책, 제1권, 85쪽)〕

〔"생산물은 자본으로 전화하기 전에 전유되어 있다. 이 전화가 생산물을 전유에서 면제해주는 것은 아니다."(셰르빌리에Cherb, 54[191]쪽)〕〔"프롤레타 리아는 일정한 생필품을 받고 자신의 노동을 **판매**[192]함으로써 자본의 다른 부분에 대한 모든 권리를 완전히 포기한다. 이들 생산물의 귀속은 이전과 동 일하다. 그것은 앞서 설명한 계약에 의해서 결코 수정되지 않는다."(같은 책, 58쪽)〕

이러한 노동의 자본으로의 전화에 사실상 자본관계의 모든 비밀이 들어 있다.

G141

자본주의적 생산을 전체로서 고찰하면 다음과 같은 결론이 나온다. 이 과정의 본래적인 생산물로서 고찰되어야 하는 것은 **상품**만이 아니다(상품의 단순한 **사용가치**, **생산물**만 고찰되어야 하는 것은 더더욱 아니다). **잉여가치**만 고찰되어야 하는 것도 아니다. 그것이 전체 과정에서 목적으로 떠오르고 이를 특징짓는 결과이기는 하지만. 이 개별자 — 상품, 즉 처음에 선대된 자본의 가치보다 더 큰 가치를 갖는 상품 — 만 생산되는 것이 아니라 자본이 생산되고 임노동이 생산된다. 또는 이 관계가 재생산되고 영구화된다. 그 밖에 이에 대해서는 생산과정을 더 상세히 개진한 다음 더 자세히[193] 설명할 것이다.

여기에서 잉여가치와 임금, 양자는 지금까지는 아직 나타나지 않은 형태로, 즉 한편으로는 **소득**의 형태[194]로, 요컨대 **분배형태**로, 따라서 다른 한편으로는 **소비기금**의 특정한 형태로. 그렇지만 이 규정은 당분간 아직은 불필요하므로(그러나 우리가 I. 4의 [195]본원적 축적에 이르면 필요해진다)[196] 우리는 자본의 생산과정을 더 상세히 고찰하고 나서 이 형태규정성을 고찰하고자 한다. 여기에서 임금은 임금제도가 자본주의적 생산의 전제이기 때문에 하나의 **생산형태**로서 우리에게 나타난다. 이는 우리가 **잉여가치**와 그것의 산출[197]을 하나의 생산관계로서의 **자본** 개념에 수용한 것과 전적으로 마찬가지이다. 그렇게 한 다음에 비로소 둘째로 이들 생산관계가 어떻게 동시에 분배관계로서 현상하는지를 증명할 수 있다(이 기회에 노동능력을 노동자의 자본으로 이해하는 어리석음도 조명해야 한다). 요컨대 그것은 부분적으로는 부르주아적 생산관계와 분배관계를 [198]이질적인 관계로 고찰하는 불합리함을 증명하기 위해서 필요할 것이다. 예를 들어 J. St. 밀과 그 외 많은 경제학자들이 생산관계는 자연적이고 영원한 법칙으로 파악하면서 분배관계는 인위적이고 역사적으로 등장했으며[199] 인간 사회의 통제 등에 좌우되는 법칙으로 파악하는 것처럼. 다른 한편으로 잉여가치를 예를 들면 소득으로 명명하는 것은(요컨대 소득 범주 일체는) 예를 들면 자본축적에 대해 고찰할 때처럼 단순화를 위한 정식이다.

G142

어떤 노동이 생산적인가, 또는 임금이나 자본이 생산적인가 하는 문제, 또는 임금과 잉여가치를 소득으로 표현하는 문제는 상대적 잉여가치에 관한 고찰의 마지막에서 논의될 것이다. (또는 임노동과 자본의 관계에서도 부분적으로?) (W — G — W로서의 노동자, G — W — G로서의 자본가, 전자(후자의 오기로 판단됨 — 옮긴이)의 절약과 축장 등도 마찬가지이다.)

²⁰⁰〔내 노트에서 가져온 보충설명. 사용가치로서 노동은 **자본을 위해서만** 존재하며, 자본 자신을 위한 **유일한** 사용가치(*der* Gebrauchswert), 즉 자본이 **증식**되는 것을 매개하는 활동이다. 따라서 사용가치로서 노동은 노동자를 위한 것이 아니며, 따라서 부의 **생산력**으로서는, 치부 수단이나 활동으로서는 노동자를 위한 것이 아니다. 노동은 ||86| 자본을 위한 **사용가치**이고 노동자에게는 **단순한 교환가치**, 주어진 교환가치이다. 노동은 자본과의 교환행위에서 화폐를 위한 판매를 통해 그러한 사용가치로 정립된다. 어떤 사물의 사용가치는 판매자 자신에게는 아무런 상관이 없고 구매자에게만 상관이 있다. 노동자에 의해서 **사용가치**로서 자본에 판매되는 노동(능력)이 노동자에게는 그가 실현하고자 하는 그의 **교환가치**이지만, 이 교환가치는 (상품가격 일체처럼) 이 교환행위 이전에 이미 **규정되어** 있고 조건으로서 이 행위에 전제되어 있다. 따라서 노동능력의 교환가치는 노동능력이 자본²⁰¹과의 교환과정에서 실현되기 전에 **전제되어** 있고, 사전에 규정되어 있으며, (화폐로 전환됨으로써) 형식적 수정을 겪을 뿐이다. 그것은 노동의 사용가치에 의해 규정되지 않는다. 노동자 자신에게 노동은 교환가치를 생산하는 것이 아니라 **교환가치인** 한에서만 사용가치를 가질 뿐이다. 자본에게는 노동이 사용가치인 한에서만 교환가치를 가진다. 노동이 교환가치와 구별되는 것으로서 사용가치인 것은 노동자 자신을 위해서가 아니라 자본을 위해서일 뿐이다. 요컨대 노동자는 사전에 규정된, 즉 과거의 과정에 의해서 규정된 단순한 교환가치로서 노동을 교환한다. 그는 노동 자체를 **대상화된 노동** ─ 노동이 일정량의 노동인 한에서만, 노동의 등가물이 이미 측정되고 주어진 것인 한에서만 ─ 으로서 교환하는 것이다. 자본은 살아 있는 노동으로서, 부의 일반적 생산력으로서, 부를 증대하는 활동으로서 노동을 사들인다. 요컨대 에서(『구약성경』에서 아브라함의 아들 이삭이 낳은 쌍둥이 가운데 형 ─ 옮긴이)가 불콩 요리 한 접시를 받고 장자의 권리를 ²⁰²내준 것처럼²⁰³ 노동자가 이 교환을 통해 노동능력의 주어진 가치크기²⁰⁴를 받고 자신의 **창조력**을 바침으로써 **부유해질 수 없다**는 것은 분명하다. 오히려 그는 자신의 노동이 갖는 창조력이 자본의 힘으로서, **타인의 권력**으로서 자신에 맞서 확립되므로 빈곤해질 수밖에 없다. 그는 부의 생산력인 노동을 **양도한다**. 자본은 노동을 그러한 것으로서 전유한다. 따라서 노동과 노동생산물 소유의 분리, 노동과 부의 분리가 이 교환행위 자체에 정립되어 있다. 결과로서 역설적으로 현상하는 것이 이미 전제 자체에 들어 있는 것이다. 요컨대 그의 노동의 생산

G143

성이, 그의 노동 일체가 **능력**이 아니라 운동, **실제** 노동인 한에서 노동자에 맞서 **타인의 권력이 된다.** 반대로 자본은 **타인의 노동을 전유**함으로써 스스로 증식된다. 그럼으로써 자본과 노동의 교환 결과로서 적어도 증식 가능성이 정립된다. 이 관계는 생산행위 자체에서 (자본이 타인의 노동을 실제로 소비하는 곳에서) 비로소 **실현된다. 전제된** 교환가치로서 노동능력이 화폐 등가물과 교환되는 것과 마찬가지로 이 등가물은 소비될 상품 등가물과 다시 교환된다.[205] 이 교환과정에서 노동은 생산적이지 않다. 노동은 자본을 위해서 비로소 생산적이 된다. 유통에서 노동은 그것이 유통에 던져 넣은 것, 노동 자체의 생산물도 아니고 노동 자체의 가치도 아닌, 사전에 결정된 양의 상품을 건져낼 수 있을 뿐이다. 〔따라서 문명의 모든 발전, 다른 말로 하자면 사회적 생산력 — 노동 자체의 생산력 — 의 모든 증대는 노동자가 아니라 자본가를 부유하게 만든다. 요컨대 노동을 지배하는 권력을 증대하고 자본의 생산력 — 노동에 대한 **객체적 권력**을 증대할 뿐이다.〕 노동의 자본으로의 전화는 **즉자적으로** 자본과 노동의 교환행위의 결과이다. **이 전화**는 **생산과정** 자체에서 비로소 **정립**된다.〕

〔세와 그 일당에게 도구 등은 그것들이 수행하는 **생산적 서비스** 때문에 보상 청구권을 가지며 이 보상은 도구 소유자에게 주어진다. 이렇게 노동도구의 **자립성**, 노동도구의 **사회적** 규정, 즉 그것의 자본으로서의 규정이 먼저 전제되고 자본가의 청구권이 추론되는 것이다.〕

〔"이윤은 교환함으로써 만들어지는 것이 아니다. 거래 이전에 존재하지 않았다면 그 이후에도 존재할 수 없을 것이다."(램지, 앞의 책, 184쪽)〕[206]
〔"모든 토지는 농업의 원료이다."(P. 베리, 앞의 책, 218쪽)〕|

|87| 〔엥겔스가 알려준 사례: 1주일에 면사 1파운드를 방적하는 방추가 10,000개＝10,000파운드＝면사 550파운드스털링[207]＝면사 1파운드당 $1\frac{1}{10}$ 실링.〕

원료＝면사 10,000파운드

부산물 15퍼센트＝1500＝11500

파운드당 7펜스＝11500   336파운드스털링[208]   이윤 60.[209]

G144 방추 1개당 1파운드스털링이므로 방추 10,000개는   10000파운드스털링
연간 마모 $12\frac{1}{2}$ 퍼센트＝   1250파운드스털링

요컨대 주당 ························· 24
석탄, 유류 등 ······················ 40 } 84(490 중 $5\frac{5}{6}$)[210]
증기기관의 마모 ···················· 20

임금 70, 면사 1파운드[211]의 가격 $1\frac{1}{10}$ 실링.
요컨대 10,000파운드의 가격은   550파운드스털링
                                              490
                                                60파운드스털링

———

                        490. (임금 490의 $\frac{1}{7}$)

따라서 **원료** $\frac{490}{336}$ ($\frac{336}{490}$의 오기로 보임 — 옮긴이)$=68\frac{4}{7}$퍼센트, **임금** $14\frac{2}{7}$퍼센트.

기계류 등 $17\frac{2}{7}$퍼센트. 따라서 원료 및 기계류$=85\frac{5}{7}$퍼센트. **임금** $14\frac{2}{7}$. 임금 $\frac{1}{7}$(70), 원료 및 기계류 ($\frac{6}{7}$)(420). 따라서 임금 $\frac{1}{7}$, 기계류 및 원료 $\frac{6}{7}$. 이 $\frac{6}{7}$ 중에서 원료에 $\frac{4}{7}+\frac{1}{7}$의 $\frac{4}{5}$가 해당된다. 따라서 기계류에 $\frac{1}{7}+\frac{1}{7}$의 $\frac{1}{5}$. 따라서 **원료는**[212] $\frac{5}{7}$ 약간 미만, **기계류** $\frac{1}{7}$ 약간 초과, **노동자** $\frac{1}{7}$.)[213]

———

《맨체스터 가디언》(1861년 9월 18일) **화폐 기사**[214]에는 이렇게 실려 있다.
"우리는 고위직 신사로부터 조방(粗紡)과 관련하여 다음과 같은 명세서를 받았다.

1860년 9월 17일	**파운드당**	**차익**	**파운드당 방적비용**
면화비용	$6\frac{1}{4}$펜스 }	4펜스	3펜스
16번 날실 판매가격	$10\frac{1}{4}$펜스 }		

이윤: 파운드당 1펜스

1861년 9월 17일			
면화비용	9펜스 }	2펜스	$3\frac{1}{2}$펜스
16번 날실 판매가격	11펜스 }		

손실: 파운드당 $1\frac{1}{2}$펜스."

첫 번째 사례(1860년)에서 보면 날실 1파운드의 가치는 $10\frac{1}{4}$펜스이고 그중[215] 1페니가 이윤이 된다. 따라서 그의 선대는 $9\frac{1}{4}$펜스이다. 1페니는 그것의 $10\frac{30}{37}$ 퍼센트가 된다. 그러나 원료 $6\frac{1}{4}$을 빼면 4펜스가 남는다. 그중[216]방적비용으로 3펜스가 감해진다. 잘못된 것이지만, 여기에서 임금이 절반으로 오른다고 가정하면 우리는 $1\frac{1}{2}$펜스에 대하여 1페니의 잉여가치를 얻는다. 요컨대 $=3:2$ 또는 $66\frac{2}{3}$퍼센트. [217]$66\frac{2}{3}$퍼센트는 $=$ 정확히 한 단위의 $\frac{2}{3}$. ||88| 시간으로 표현하자면 노동자는 자신을 위해 노동하는 3시간마다[218] 고용주를 위해 2시간을 노동한다. 요컨대 1시간[219]마다 $\frac{2}{3}$시간. 그러므로 노동자가 전부 10시간 노동한다면 그중 6시간은 그에게, 4시간($\frac{12}{3}$시간)은 고용주에게 돌아간다($3:2=6:4$). 그가 10시간 중에 4시간을 그의 고용주에게 준다면 1시간에 $\frac{4}{10}$시간$=24$분. 1시간에서 36분은 자신을 위해서 노동한다 ($36:24=3:2$). 〔$36\times2=72$이고 $24\times3=72$이므로.〕

우리가 ― 노동과정에서 ― 본 것처럼 노동과정의 모든 요소가 이 과정의 결과 ― 생산물 ― 와 관련해서는 **생산수단**이라 불릴 수 있다. 반면에 생산물을 생산하는 데 필요한 상이한 요소들의 **가치** ― 생산물을 생산하기 위해 **선대된** 가치 ― (지출된[220] 가치)가 고찰되면 이 가치들은 생산물의 **생산비용**이라 불린다. 요컨대 생산비용은 생산물을 생산하는 데 필요한 노동시간(노동재료와 수단에 포함된 노동시간이든, 노동과정에서 새로 추가된 노동시간이든)의 합계로 ― 생산물에 대상화된, 가공된 총노동시간으로 ― 환산된다. **생산비용**의 이러한 정식은 우리에게 일단 단순한 명칭일 뿐이고[221] 지금까지의 규정들에 새로운 것은 아무것도 추가하지 않는다. [222]생산물의 가치 = 재료의 가치, 수단의 가치, 그리고 노동수단을 매개로 재료에 추가된 노동의 가치의 합계. 이 명제는 순전히 분석적이다. 실제로 상품의 가치는 그것에 대상화된 노동시간의 양에 의해서 결정된다는 명제의 다른 표현일 뿐이다. 우리는 좀 더 나중에 비로소 생산비용의 정식에 대해 상술할 기회가 있을 것이다. (즉 자본과 이윤에서. 여기에서는 모순이 나타나는데, 한편으로 생산물의 가치 = 생산비용, 즉 생산물을 생산하기 위해 선대된 가치이고, 다른 한편으로 (이윤에 들어 있는 것으로) 생산물의 가치는 잉여가치를 포함하는 한에서는 생산비용의 가치보다 크다. 이 모순은 다음과 같다. 자본가에게 생산비용 = 그가 선대한 가치들의 합계,[223] 따라서 생산물의 가치 = 선대된 자본의 가치. 다른 한편으로 생산물의 실제 생산비용 = 그것에 포함된 노동시간의 합계. 그러나 그것에 포함된 노동시간의 합계 > 자본가가 선대한 또는 지불한[224] 노동시간의 합계. 그리고 자본가가 **지**

182

불하거나 **선대한** 가치를 초과하는 생산물의 이 잉여가치가 바로 잉여가치를 이룬다. 우리의 규정에서는 이윤을 구성하는 **절대적 크기**.)[225] | [226]

[추가 보충설명][1]

/I-A/[2][3]자본과 노동 사이의 교환에서는 두 가지가 구별되어야 한다.

1) **노동능력의 판매**. 이는 다른 어떤 구매나 판매와 마찬가지로 단순한 구매와 판매, 단순한 유통관계이다. 이 관계를 고찰할 때 구매된 상품의 사용 또는 소비는 상관없다.

조화론자들은 자본과 노동의 관계를 이 첫 번째 행위로 축소하고자 한다. 여기에서는 구매자와 판매자가 **상품보유자**로서 마주 설 뿐이고 이 거래의 특유하고 다른 것과 구별되는 특징은 나타나지 않기 때문이다.

2) **자본이 교환으로 갖게 된 상품**(노동능력)**의 소비**, 그것의 사용가치의 사용은 여기에서는 특유한 경제적 관계를 이룬다. 반면에 상품의 단순한 구매와 판매에서는 상품의 사용가치가 이 사용가치의 실현 — 소비 — 과 전적으로 마찬가지로 경제적 관계 자체에는 상관없다.

자본과 노동의 교환에서 첫 번째 행위는 교환(구매 또는 판매)이고 단순유통의 영역에 속한다. 교환자들은 구매자와 판매자로서만 마주 선다. 두 번째 행위는 교환과는 질적으로 상이한 과정이다. 그것은 본질적으로 다른 범주이다.[4]

/II-A/[5][6]노동자가 판매하는 것은 그의 노동능력[7]에 대한 처분권(Disposition) — 시간적으로 정해진 처분권 — 이다. 그렇지만 성과급 체계는 마치 노동자가 **생산물에서 특정한 지분**을 받는 것 같은 허상을 가져온다. 그러나 이것은 노동시간을 측정하는 다른 형태일 뿐이다. 너는 12시간 노동한다고 말하는 대신 너는 개당 얼마를 받는다, 또는 시간당 평균 생산물의 양이 얼마인지가 경험에 의해 확인되었으므로 우리는 생산물로 시간 수를 측정한다고 말하는 것이다. 이 최저치를 제공할 수 없는 노동자는 해고된다. (유어를 보라.)[8]

구매와 판매의 일반적인 관계에 따라서 노동자가 가진 상품의 **교환가치**는 구매자가 상품을 **사용하는** 방식이 아니라 그 자체에 포함되어 있는 대상화된 노동의 양에 의해서만 규정될 수 있다. 요컨대 이 경우에는 노동자 자신을 생산하는 데 쓰이는 노동량에 의해서. 그 까닭은 그가 공급하는 상품은 재능, 능력으로서만 존재하고 그의 신체, 그의 인격 이외에 다른 현존은 갖지 않기 때문이다. 그를 신체적으로 유지할 뿐 아니라 **특수한** 능력을 개발하기 위해서 그를 변화시키는 데 필요한 노동시간이 노동자 자신을 생산하는 데 필요한 노동시간이다.

이 교환에서 노동자는 화폐를 실제로 **주화**로서만, 즉 그가 화폐를 주고 교 G147 환하는 생활수단이라는 사라져버리는 형태를 받는다. 그에게는 부가 아니라 생활수단이 교환의 목적이다.

노동능력은 노동자가 개별화된[9] 교환에 의해서 소모하는 것이 아니라 **노동자로서의 생애** 동안 계속 새롭게 반복할 수 있는 기금인 한에서 노동자의 자본으로 불렸다. 그렇다면 동일한 주체가 반복해서 수행하는 과정의 기금은 모두 자본일 것이다. 그러면 예컨대 눈은 시각의 자본. 상투어들. 노동이 노동자에게는—그가 노동할 수 있는 한—언제나 교환의 원천, 즉 교환 일체가 아니라 자본과의 교환의 원천이라는 사실은, 그가 자신의 노동능력에 대한 **한시적 처분권**만을 협상한다는 개념 규정, 따라서 절반쯤 배불리 먹고 절반쯤 숙면을 취하고, 그가 자신의 생명 발현을 다시 새롭게 재생산할 수 있기 위해서 필요한 양의 소재를 섭취한 뒤에, 언제나 동일한 교환행위를 다시 새롭게 반복할 수 있다는 개념 규정에 들어 있다. 부르주아 경제학을 미화하는 앞잡이들은 노동자가 살아 있고 일정한 생활과정을 매일 반복할 수 있다는 것에 경탄하면서 이는 자본의 대단한 업적이라고 노동자에게 선전할 것이 아니라 노동자가 끊임없이 반복되는 노동 후에도 교환에 내놓을 수 있는 것은 언제나 자신의 살아 있는 직접적 노동 자체**밖에 없다**는 사실을 오히려 더 주목해야 할 것이다. 이 반복 자체는 사실상 겉모습일 뿐이다. **그가 자본과 교환하는 것**은 (자본이 노동자에 대하여 상이한, 연속적인 자본가들에 의해 대표될지라도) 그가 예를 들면 30년 동안 지출하는 **그의 노동능력 전체**이다. 그가 이 능력을 일정 분량씩 판매하는 데 따라서 그에 대한 지불도 일정 분량씩 이루어진다. 이것은 사태의 본질에 결코 아무런 변화도 가하지 않으며, 오로지 노동자가 노동을 반복하고 자본과의 교환을 반복하려면 일정 시간 잠을 자야 하기 때문에 노동이 **그의**[10] **자본**을 이룬다는 추론은 결코 가능하지 않다. 사실 이 추론으로 그의 자본으로 이해되는 것은 그의 노동의 제약, 그것의 중단이며, 그가 영구기관이 아니라는 사실이다. 자본가가 원하는 것은 노동자의 **생명력 일정량을 중단 없이 가능한 한 많이 낭비하는 것**뿐이며, 표준노동일을 둘러싼 투쟁이 이를 증명하고 있다.|[11]

[12]/III-95a/A/ 노동자 자신에게 **노동능력**은 교환가치를 **생산해서가** 아니라 **교환가치인** 한에서만 **사용가치**를 가진다. 사용가치로서 노동은 자본을 **위해서만** 존재하며, 자본 자신을 위한 **유일한** 사용가치(*der* Gebrauchswert),

즉 자본이 **증대되는** 것을 매개하는 활동이다. 자본은 **과정**으로서의, **가치증식과정**으로서의 자립적 교환가치이다.[13]

    노동으로부터 소유의 분리는 자본과 노동 사이의 교환의 필연적 법칙으로 현상한다. **비자본**으로서, **대상화되지 않은 노동**으로서 노동능력은 1) **부정적으로**, 비원료, 비노동도구, 비생산물, 비생활수단, 비화폐로 현상한다. 모든 노동수단과 생활수단, 모든 대상성에서 분리된 **노동**, 단순한 가능성으로서의 노동. 이 완전한 박탈, 모든 대상성을 잃어버린 **노동의 가능성. 절대적 빈곤**으로서의 노동능력, 즉 대상적 부(富)의 완전한 배제. 노동능력이 보유한 대상성은 노동자 자신의 신체, 그 자신의 대상성뿐이다. 2) **긍정적으로, 대상화**되지 않은 노동, 노동 자체의 비대상적, 주체적 실존. 대상으로서의 노동이 아니라 활동으로서의, 가치의 살아 있는 원천으로서의 노동. 일반적 부의 실제[14]로서의 자본에 대하여 활동에서 입증되는 부의 일반적 가능성으로서. 노동은 한편으로 **대상으로서 절대적 빈곤**이고 주체와 활동으로서 부의 일반적 가능성이다. 이것이 대립물로서, 자본의 대상적 현존으로서 자본에 의해 **전제**되어 있고, 다른 한편으로는 스스로도 자본을 전제로 하는 노동이다.[15]

    자본가가 노동자에게 지불하는 것은 다른 모든 상품의 구매자의 경우와 마찬가지로[16] 이 교환과정 이전에 결정된 상품의 **교환가치**이다. 자본가가 받는 것은 노동능력의 **사용가치** — 노동 자체 — 이며, 이 노동의 치부활동은 노동자가 **아니라 자본가의 것**이다. 요컨대 노동자는 이 과정을 통해 부유해지는 것이 아니라 자신에게 **낯설고** 자신을 지배하는 권력으로서 부를 창출한다.|

    |V-175a/A| 노동이 재료와 도구를 이용하고 소비하면서 이것들을 이런저런 형태로 보존하고, 그것들에 대상화된 노동, 그것들의 교환가치도 보존하는, 생명을 불어넣는 자연력은 노동의 자연력 또는 사회적 힘 — 이것들은 과거 노동의 산물, 또는 반복되어야 하는 과거 노동의 산물이 아니다 — (예를 들면 노동자의 역사적 발전 등)과 마찬가지로 노동이 아니라 **자본의 힘**이 된다. 따라서 자본에 의해 지불되지도 않는다. 노동이 사고할 수 있는 것에 대해 지불받지 못하는 것과 마찬가지로.[17]

¹⁸이미 대상화된 노동에 새로운 노동량을 추가함으로써 대상화된 노동으로서 전자의 질을 보존하는, 노동이 지닌 특유한 질은 지불받지 않으며, 또한 그것은 노동의 자연속성이므로 노동자에게도 아무런 비용이 들지 않는다. **생산과정**에서는 노동의 대상적 현존 계기들 ─ 재료와 도구 ─ 로부터 노동의 분리가 **지양된다.** 자본과 임노동의 현존은 이 분리에 기초한다. **실제** 생산과정에서 실제로 이루어지는 이 분리의 지양에 대해 자본가는 지불하지 않는다. 이 지양은 또한 자본가와 노동자 사이의 교환에 의해서 이루어지는 것이 아니다 ─ **생산과정에서 노동 자체**에 의해서 이루어진다. 그러나 그러한 **현재의** 노동으로서 노동 자체가 이미 자본에 병합되어 있고 자본의 한 계기이다. 요컨대 노동의 이 보존력이 **자본의 자기보존력**으로서 현상한다. 노동자는 새로운 노동을 추가했을 뿐이다. 과거 노동 ─ 자본이 그 속에 존재하는 ─ 은 **가치**로서 영원한 실존을, 이 가치의 소재적 현존과는 전혀 무관하게 가진다. 사태가 자본과 노동에는 이렇게 현상한다.¹⁹

2) 절대적 잉여가치

[1]여기에서 개진된 견해는 엄밀하게[2] 수학적으로도 옳다. 예를 들면 미분계산에서 $y = f(x) + C$에서 C는 상수라고 하자. x가 $x + \varDelta x$로 변화해도 이로 인해 C의 가치가 변하지는 않는다. 상수는 변하지 않으므로 $dC = 0$일 것이다. 따라서 상수의 미분은 0이다.[3]

a) 특정한, 즉 임금으로 지출된 자본 부분과의 단순한 비율로서 잉여가치

교환가치의 일반적 개념에 따라서 표현하자면, 생산과정이 끝나면서 자본이 갖는 잉여가치는 다음과 같다. 생산물에 대상화된 노동시간(또는 생산물에 포함된 노동의 양)이 생산과정 동안에 선대된 최초의 자본에 포함된 노동시간보다 많다는 것이다. 이것이 가능한 것은 오로지 (상품이 그것의 가치대로 판매된다고 전제하면)[4] 노동가격(임금)에 대상화된 노동시간이 생산과정에서 그것을 대체하는 살아 있는 노동시간보다 적기 때문이다. 자본 편에서 잉여가치로 나타나는 것이 노동자 편에서는 **잉여노동**(Surplusarbeit)(*Mehrarbeit* 라고 쓰고 이어서 괄호 안에 Surplusarbeit를 썼음 — 옮긴이)으로 나타난다. 잉여가치는 노동자가 자신의 노동능력의 가치[5]로서 자신의 임금으로 받은 대상화된 노동량을 넘어서 주는 노동의 초과분**일 뿐이다.**

이미 살펴본 것처럼 자본과 노동능력 사이의 교환에서는 등가물끼리 교환된다. 그러나 생산과정에서 나타나고 자본가 측에서 볼 때 이 거래의 모든 목적을 이루는 거래[6]의 결과는 자본가가 특정한[7] 양의 대상화된 노동을 주고 그것보다 많은 양의 살아 있는 노동을 구매하는 것, 또는 임금에 대상화 된 노동시간은 노동자가 자본가를 위해서 노동하는 시간, 따라서 생산물에 대상화되는 노동시간보다 적다는 것이다. 자본과 노동능력 사이의 교환에 의해 매개된다는(또는 노동능력이 그 **가치대로** 판매되는) 상황은 잉여가치의 분석만을 다루는 여기에서는 아무 상관도 없게 된다.[8] 여기에서 문제가 되 는 것은 한편으로는 임금(노동능력의 가치)에 대상화된 노동시간이 얼마만 큼인가, 다른 한편으로 노동자가 그 대신에 실제로 자본가에게 내주는 노동 시간, 또는 그의 노동능력의 사용이 **얼마만큼인가**이다.

대상화된 노동이 살아 있는 노동과 교환되는 비율 — 요컨대 **노동능력의 가치**와 자본가에 의한 **이 노동능력의 활용**의 차이 — 은 생산과정 자체에서 는 다른 형태를 취한다. 즉 여기에서는 살아 있는[9]노동 자체가 시간으로 측 정되는 두 개의 양으로 분할되는 것으로서,[10] 이 두 개의 양의 비율로서 나 타난다. 즉 첫째로, 노동자는 자신의 노동능력의 가치를 대체한다. 그의 일 일 생활수단의 가치[11]가 10노동시간이라고 가정하자. 그는 10시간을 노동 하면 이 가치를 재생산한다.[12]이 노동시간 부분을 우리는 **필요노동시간**[13]이 라 부르고자 한다. 노동재료와 노동수단 — 대상적[14] 노동조건들 — 이 그의 소유라고 가정하자. 그러면 10노동시간에 해당하는 만큼의 생활수단을 날 마다 전유하기 위해서는 전제에 따라 그가 자신의 노동능력을 재생산하고 삶을 계속 살 수 있도록 매일 10시간 노동해야, 10노동시간의 가치를 매일 재생산해야 한다. 그가 10시간 노동해서 얻은 생산물은 가공된 원료[15]와 소 모된 노동도구에 포함된 노동시간＋그가 원료에 새로[16] 추가한 10시간 노 동과 같을 것이다. 그가 생산을 계속하고자 한다면, 즉 생산조건을 유지하고 자 한다면[17] 생산물의 후자 부분만을 소비할 수 있을 것이다. 그 까닭은 그 가 원료와 노동수단을 끊임없이 대체할 수 있으려면, 즉 10시간 노동을 실 현(사용)하는 데 필요한 만큼의 원료와 노동수단을 매일 새롭게 보유하려면 그의 생산물의 가치에서 원료와 노동수단의 가치를 매일 공제해야 하기 때 문이다. 노동자가 매일 필요로 하는 평균적인[18] 생활수단의 가치가 10노동 시간과 같다면 그는 자신의 소비를 매일 갱신하고 노동자로서 필요한 노동 조건을 조달할 수 있도록 매일 평균적으로[19] 10노동시간 노동해야 한다. 그

가 노동조건들 — 노동재료와 노동수단 — 의 소유자이든 아니든, 그의 노 동이 자본에 포섭되어 있든 포섭되어 있지 않든 상관없이 이 노동은 그 자 신을 위해서, 그 ‖96|[20] 자신의 자기보존을 위해서 **필요**할 것이다. 노동자계

---

a) 특정한, 즉 임금으로 지출된 자본 부분과의 단순한 비율로서 잉여가치 **189**

제3노트 95쪽

190

급 자신을 보존하기 위해서 필요한 노동시간으로서 우리는 이 노동시간 부분을 **필요노동시간**이라 부를 수 있다.

그러나 다른 관점에서도 볼 수 있다.

노동능력 자체의 가치를 재생산하기 위해서 필요한 노동시간 — 즉 [21]노동자의 소비가 매일 반복될 수 있도록 필요한 노동자의 일일 생산 — 또는 노동자 스스로 임금의 형태로 매일 받고 매일 폐기하는 가치를 생산물에 추가하는 노동시간은, 전체 자본관계가 노동자계급의 지속적인 현존, 이 계급의 부단한 재생산을 전제로 하고 자본주의적 생산이 노동자계급의 지속적인 상존, 보존, 재생산을 자신에게 필요한 전제로 하는 한에서, 자본가의 관점에서도 **필요노동시간**이다.

나아가 [22]생산에 선대된 자본의 가치가 단순히 보존되고 재생산되기만 한다고, 즉 자본가가 생산과정에서 새로운 가치를 창출하지 않는다고 가정하자. 그래서 노동자가 자신이 임금형태로 받는 만큼의 노동시간을 원료에 추가한다면, 즉 그가 자신의 임금의 가치를 재생산한다면 생산물의 가치가 선대된 자본의 가치와 단지 같을 뿐이라는 것은 분명하다. 노동자가 자신의 일일 생활수단의 가치[23]를 재생산하기 위해서 필요한 노동시간은 동시에 자본이 자신의 가치를 단순 보존하고 재생산하기 위해서 필요한 노동시간이다.

우리는 10시간의 노동시간 = 임금에 포함된 노동시간이라고 가정했다. 말하자면 노동자가 자본가에게 임금 가치의 등가물만을 돌려주는 노동시간은 동시에 **필요노동시간**, 노동자계급 자신의 유지를 위해서뿐 아니라 선대된 자본의 단순 보존과 재생산을 위해서도, 마지막으로 [24]자본관계 일체의 가능성을 위해서도 필요한 노동시간이다.

요컨대 전제한 바에 따라 노동자가 노동하는 첫 번째 10시간은 **필요노동시간**이고 이것은 동시에 그가 임금형태로 받은 대상화된 노동시간에 대한 등가물일 따름이다. 노동자가 이 10시간을 넘어서, 이 필요노동시간을 넘어서 노동하는 모든 노동시간[25]을 우리는 **잉여노동**이라 부르고자 한다. 그가 11시간을 노동한다면 그는 1시간의 잉여노동을 제공한 것이고, 12시간을 노동한다면 2시간의 잉여노동을 제공한 것이 된다. 첫 번째 경우에는 생산물이 선대된 자본의 가치를 넘어서 1시간의 잉여가치, 두 번째 경우에는 2시간의 잉여가치가 된다. 그러나 어떤 상황에서도 생산물의 잉여가치는 [26]잉여노동의 대상화일 뿐이다. [27]가치 일체가 오로지 대상화된 노동시간이듯이 잉여가치는 단지 **대상화된** 잉여노동시간[28]이다. 요컨대 잉여가치는 노동자가 필요노동시간을 넘어서 자본가를 위해서 노동하는 노동시간으로 귀결된다.

우리가 살펴본 것은 다음과 같다. 자본가는 노동자에게 그의 노동능력의 일일 가치의 등가물을 지불한다.[29] 그러나 그 대가로 그는 노동능력을 그 자체의 가치 이상으로 이용할 권리를 얻는다. 노동능력을 매일 재생산하기 위해서 매일 10노동시간이 필요하다면 자본가는 노동자로 하여금 예를 들면[30] 12시간 노동하도록 한다. 요컨대 실제로 그는 10시간의 대상화된 (임금에 대상화된) 노동시간을 12시간의 살아 있는 노동시간과 교환한다. 자본가가 대상화된, 선대된 자본에 대상화된 노동시간을 살아 있는 노동시간과 교환하는 비율은 노동자의 필요노동시간과 잉여노동, 즉 그가 필요노동시간을 초과해서 노동하는 시간의 비율과 같다. 요컨대 그 비율은[31] 노동자 자신의 노동시간의 두 부분 — 필요노동시간과 잉여노동 — 의 비율이다. 필요노동시간은 임금을 재생산하기 위해서 필요한 노동시간과 같다. 요컨대 그것은 노동자가 자본가에게 되돌려주는 단순한[32] 등가물이다. 노동자는 특정한 노동시간을 화폐로 받았다. 그것을 그는 살아 있는 노동시간 형태로 돌려준다. 요컨대 필요노동시간은 **지불된** 노동시간이다. 반면에 잉여노동에 대해서는 등가가 지불되지 않았다. 달리 말하자면 잉여노동은 **노동자 자신을 위해서는** 어떠한 등가물에도 대상화되지 않았다.[33] 오히려 잉여노동은 자본가가 노동||97|[34]능력을 그 자체의 가치를 초과해서 활용하는 것이다. 따라서 그것은 **비지불**노동시간이다. 대상화된 노동이 살아 있는 노동과 교환되는 비율은 노동자의 필요노동시간과 그의 잉여노동시간의 비율로 환원되고, 후자의 비율은 **지불**노동시간과 **비지불**노동시간의 비율로 환원된다. 잉여노동과 같은 잉여가치는 비지불노동시간과 같다. 요컨대 잉여가치는 **비지불노동시간**으로 환원되고 잉여가치의 수준은 필요노동에 대한 잉여노동의 비율, 또는 지불노동에 대한 비지불노동의 비율에 좌우된다.

이제 자본을 고찰해보면 [35]그것은 원래 세 구성부분으로 나뉜다. (채취산업과 같은 일부 산업에서는 두 가지로만. 그러나 우리는 가장 완성된 형태, 제조업 형태를 가정한다.) 원료,[36] 생산도구,[37] 끝으로 무엇보다도 먼저 노동능력과 교환되는 자본 부분. 여기에서 문제가 되는 것은 자본의 교환가치[38]뿐이다. 소비된 원료와 생산수단에 포함된 자본의 가치 부분에 관한 한, 우리는 그것이 생산물에서 단지 재현될 뿐이라는 것을 보았다. 자본의 이 부분[39]은 그것이 생산과정과는 무관하게 보유하는 그것의 가치보다 더 많은 것을 결코 생

G155

192

산물의 가치에 추가하지 않는다.[40] 우리는 이 자본 부분을 생산물의 가치와 관련해서 자본의 **불변** 부분이라 부를 수 있다. 이 부분의 가치는 **1절에서** 언급한 바와 같이 증가하거나 감소할 수 있지만 이 증가나 감소는 이들 가치가 재료와 생산도구의 가치로서 들어가는 생산과정과는 아무 상관도 없다.[41] 10시간이 아니라 12시간 노동한다면 2시간의 잉여노동을 흡수하기 위해서 더 많은 원료가 필요한 것은 당연하다. 따라서 우리가 불변자본이라 부르는 것은 원료가 흡수해야 하는 노동의 양, 생산과정에서 대상화되어야 하는 노동의 양에 따라서 다양한 크기, 즉 가치량,[42] 가치크기를 가지고 생산과정에 들어갈 것이다. 그러나 선대된 자본의 총액[43]에서 [44]그것의 가치량이 어떤 비율을 차지하든 그것의 가치크기가 생산물에서 변함없이 재현되는 한 **불변**이다. 이미 살펴본 것처럼 불변자본의 가치크기 자체는 엄밀한 의미에서 재생산되지 않는다. 그것은 오히려 노동재료와 노동수단이 노동에 의해서 (그것의 사용가치에 따라서)[45] 새로운 생산물의 요소가 되고 그로 인해 그것들의 가치가 이 생산물에서 재현됨으로써 단지 보존될 뿐이다. 그렇지만 이 가치는 단순히 그것들 자체를 생산하는 데 필요한 노동시간에 의해서 결정된다. 그것들은 생산과정 **이전에** 그것들 자신에 포함되어 있던 만큼의 노동시간을 생산물에 포함된 노동시간에 덧붙일 뿐이다. 요컨대 **가변적인** 것은 자본의 세 번째 부분, 즉 노동능력과 교환되거나 임금으로 선대되는 부분뿐이다. 첫째로 그것은 실제로 재생산된다. 노동능력의 가치는 [46]또는 임금은 폐기되고, (가치와 사용가치는)[47] 노동자에 의해서 소비된다. 그러나 이 가치는 새로운 등가물로 대체된다. 노동자가 원료에 추가하거나 생산물에 실현하는 동일한 양의 살아 있는 노동시간[48]이 임금에 대상화된 노동시간을 대신한다. 그러나 둘째로 [49]자본의 이 가치 부분[50]은 재생산되고 단지 새로운 등가물로 대체될[51] 뿐 아니라 실제 생산과정에서는 노동량＝그 자신에 포함된 노동＋초과노동량, 즉 잉여노동과 교환되고, 노동자는 자신의 임금을 재생산하기 위해서, 요컨대 임금으로 환원되는 자본의 가치구성 부분에 포함된 노동시간[52]을 넘어서 이 잉여노동을 수행하는 것이다. 그러므로 불변자본에 포함된 노동시간[53]을 C, 가변자본에 포함된 노동시간[54]을 V, [55]노동자가 필요노동시간을 넘어서 노동하는 시간을 M이라 부르면 P에 포함된 노동시간, 또는 생산물의 가치[56]＝C＋V＋M이다. 처음에 자본은 C＋V와 같았다. 따라서 자본의 처음 가치를 넘는 초과분은 M이다. 그러나 C의 가치는 단순히 생산물에서 재현되는 반면에 V의 가치는 첫째로 V로서 재생산되고,

G156

둘째로 M만큼 증대된다. 그러므로 V가 V+M으로 재생산되면서 자본의 가치 부분 V만이 변했다. 요컨대 M은 V가 변화한 결과일 뿐이다.[+] 그리고 잉여가치가 창출되는 비율은 V : M으로,[57] 총자본 가운데 가치구성 요소 V에 포함된 노동시간이 살아 있는 노동시간과 교환된 비율로, ||98|[58] 또는 같은 말이지만, 잉여노동에 대한 필요노동의 비율, V : M의 비율로[59] 표현된다. [60]새로 창출된 가치는 V의 변화, V에서 V+M으로의 전화에서 유래할 뿐이다. 자본의 가치를 증대하거나 잉여가치를 정립하는 것은 자본의 이 부분뿐이다. 따라서 잉여가치가 정립되는 **비율**은 V에 대한 M의 비율, V로 표현되는 자본의 가치 부분이 재생산될 뿐 아니라 증대되는 비율이다. 최상의 증거는 V가 그 자신에 포함된 노동시간과 같은 노동시간에 의해서 단순히 대체될 뿐이라면 잉여가치는 전혀 창출되지 않고 오히려 생산물의 가치＝선대된 자본의 가치라는 사실이다.

요컨대 잉여가치 일체가 다름 아니라 자본에 대상화된 노동과 교환되는 살아 있는 노동의 초과분에 지나지 않는다면, 다시 말해 노동자가 필요노동을 초과해서 노동하는 비지불노동시간에 지나지 않는다면 잉여가치의 크기, 자신이 대체하는 가치에 대한 잉여가치의 비율, 잉여가치가 증가하는 비율은 M : V의 비율, 필요노동에 대한 잉여노동의 비율, 또는 같은 말이지만, 자본가가 임금으로 선대한 노동시간의 노동의 잉여에 대한 비율 등으로 결정된다. 요컨대 필요(임금을 재생산하는)[62]노동시간＝10시간이고 노동자가 12시간 노동한다면 잉여가치는 2시간과 같고 선대된 가치가 증대되는 비율＝2 : 10 ＝ $\frac{1}{5}$ ＝20퍼센트이고, 이는 [63]불변자본 부분[64] C에 포함된 노동시간의 총합이 얼마이든, 50이든, 60이든, 100이든, x노동시간이든, 간단히 말해 불변자본 부분에 대한 가변자본의 비율이 얼마이든 상관없다. 우리가 본 바와 같이 이 불변 부분의 가치는 생산물에서 단순히 재현될 뿐이고 생산과정 자체 동안에 진행되는 가치 창출과는 전적으로 무관하다.

G157　　잉여가치＝잉여노동, 그리고 잉여가치의 비율은 필요노동에 대한 잉여노동의 비율로 명확하게 파악하는 것이 매우 중요하다. 여기에서는 우선 이윤과 이윤율에 관한 통상적인 관념은 완전히 잊어야 한다. 잉여가치와 이윤이 어떤 관계에 있는지는 나중에 밝혀질 것이다.

[+]　C＝0이고 자본가가 임금(가변자본)만을 선대했다고 가정하자. 그러면 어느 생산물 부분도 C를 대체하지는 않지만 **M**의 크기는 **동일하다**.[61]

따라서 우리는 잉여가치, 잉여가치율, 잉여가치가 증가하는 비율 — 잉여가치의 크기를 측정하는 척도 — 에 관한 견해를 몇 가지 사례를 들어 설명할 것이다. 이들 사례는 통계 자료에서 빌려 온 것이다. 따라서 여기에서는 노동시간이 어디에서나 화폐로 표현되어 나타난다. 나아가 계산에서는 상이한 명칭, 예를 들면 이윤 이외에 이자, 조세, 지대 등을 갖는 상이한 항목들이 나타난다.[65] 이들은 모두 상이한 명칭을 갖는 상이한 잉여가치 부분[66]이다. 잉여가치가 상이한 계급들 사이에서 어떻게 분배되는지, 즉 산업자본가가 그중에서 얼마를 상이한 부류에 할애하고 그 자신이 얼마나 차지하는지는 잉여가치 자체를 파악하는 데는 전혀 상관이 없다. 그러나 스스로 노동하지 않는, 스스로 노동자로서[67] 물적 생산과정에 참여하지 않는 모든 이가 — 어떤 부류에 속하든 — 물적 생산물의 가치 할당에 참여할 수 있는 것은 그들이 생산물의 잉여가치를 자신들끼리 분배하는 한에서이다. 그 까닭은 원료와 기계류의 가치가, 자본의 **불변**가치 부분이 대체되어야 하기 때문이다. 필요노동시간도 마찬가지이다. 그 까닭은 노동자계급이 타인을 위해 노동할 수 있기 이전에 먼저 자신의 생명을 유지하기 위해서 필요한 양의 노동시간을 노동해야 하기 때문이다. 이 잉여가치로 구매될 수 있고, 비노동자에게 분배될 수 있는 것은 가치, 그들의 잉여노동과 동일한 x뿐이며, 사용가치도 그러하다.

일체 변하는 것, 자신의 가치를 변화시키는 것, 잉여가치를 정립하는 것은 자본의 가변 부분, 즉 생산과정에서 더 많은 양의 살아 있는 노동시간과 교환되는 대상화된 노동량뿐이다. 그리고 새로 창출된 이 가치의 크기는 생산과정 이전에 이 노동량에 포함된 노동에 대해서 가변 부분이 교환으로 얻는 살아 있는 잉여노동의 양의 비율에 전적으로 좌우된다.|

|99|[68] 두 번째 사례로서, 잉여노동과 잉여가치에 대한 경제학자들의 오해로는 시니어를 인용할 수 있다.

이제 잉여가치에 대해서 다음 사항들만을 더 고찰하고자 한다.

〔1〕 잉여노동의 척도. 잉여노동을 무한히 끌어가려는 자본의 충동. 2)[69] 잉여가치는 개별 노동자가 필요노동시간을 넘어서 노동하는 시간 수에 좌우될 뿐 아니라 동시적인 노동일의 수, 즉 자본가가 활용하는 노동자 수에도 좌우된다. 3) 잉여노동의 생산자(Producent)로서 자본의 관계. 필요를 넘어서 노동하기. 자본의 문명적 성격, 노동시간과 자유시간. 대립. 잉여노동과 잉여생산물. 요컨대 최종적으로는 인구와 자본의 관계. 4) 노동자는 자신의

생산물을 다시 구매할 수 없다는 프루동 씨의 명제,[70] 또는 생산물 부분의 가격 등. 5) 잉여가치의 이 형태는 절대적 형태. 그것은 한편에는 생산조건들의 소유자 계급, 다른 한편에는 노동계급이라는 계급들의 대립에 기초하는 모든 생산양식에 남아 있다.]

b) 필요노동에 대한 잉여노동의 비율.
잉여노동의 척도

자본은 화폐축장과 마찬가지로 무한한 자기 치부(致富) 경향을 갖고 있다. 잉여가치는 잉여노동으로 환원되므로 자본은 잉여노동을 증대하는 무한한 충동을 가진다. 임금으로 지출된 대상화된 노동과 교환하여 자본은 최대한 많은 양의 살아 있는 노동시간을 돌려받고자 한다. 즉 임금을 재생산하기 위해서, 즉 노동자 자신의 일일 생활수단의 가치를 재생산하는 데 필요한 노동시간을 넘는 노동시간의 잉여를 최대한 많이 돌려받고자 한다. 이러한 점에서 볼 때 자본의 무한한 방종에 대해서는 자본의 역사 전체가 증거를 보여준다. 그러한 경향은 어디에서나 적나라하게 드러나며, 때로는 [1]물리적 조건에 의해서 때로는 (그러한 경향 자체가 비로소 만들어내는) 사회적 걸림돌에 의해서 제어될 뿐이다. 이에 대해서는 여기에서 상술하지 않겠다. 다만 이 경향을 확인할 필요는 있다. 이러한 점에서 흥미로운 것은 예컨대 영국의 근대적 공장제도를 예를 들면 [2]도나우 후작령의 부역노동[3]과 비교하는 것이다. 전자는 발전된 자본주의 형태에 속하고 후자는 가장 조야한 형태의 농노제도에 속하는데, 두 형태에서는 타인의 잉여노동(Mehrarbeit, Surplusarbeit로 나란히 씀 — 옮긴이)의 전유가 치부의 직접적인 원천으로서 명확하게 드러난다. 공장제도에서, 자연적 한계를 넘어서 노동시간을 부자연스럽게 연장하기 위해서 발전된 자본주의 생산양식에 추가되는 특수한 정황들은 이 연구를 진행하면서 비로소 자세히 암시될 수 있을 것이다.

왈라키아(루마니아의 남부 지역 — 옮긴이)의 부역노동을 영국의 임노동과 비교할 때는 다음 사항을 견지할 것. 한 노동자의 일일 총노동시간이 12 또는 14시간으로 이루어져 있고 두 경우에 필요노동시간이 10시간에 지나지 않는다면, 노동자는 첫 번째 경우에는 주 6일에 6×2 즉 12시간을, 두 번째 경우에는 6×4 즉 24시간을 잉여노동으로 제공할 것이다. 첫 번째 경우에 [그는] 6일 중 하루를, 두 번째 경우에는 이틀을 자본가를 위해서 등가물을 받지 않고 노동할 것이다. 상황은 1년 내내 매주 노동자가 1주일에 하루, 이틀 또는 x일을 자본가를 위해서, 그 외의 날들은 자신을 위해서 노동하는 것으로 귀결될 것이다. 이러한 관계는 부역, 예를 들면 왈라키아의 부역에서는 직접적으로 나타나는 형태이다. 이 일반적인[4] 관계는 두 경우에서 형태 — 관계의 매개 는 상이할지라도 본질에서는 동일하다.

G159

^{5}그렇지만 개인의 일일^6 노동시간의 길이에는 자연적 제약이 존재한다. ^{7}식사에 필요한 시간은 물론 노동능력과 그 기관(器官)이 쉴 수 있는 수면, 회복, 휴식이 필요하다. 이것들이 없으면 작업을 계속하거나 또는 새로 시작할^8 수 없다. 영국에서는 12시간 하루가 "노동일"(working day)이라 불릴지라도 **낮**(*Tag*) 자체는 노동기간의 자연적 척도로 볼 수 있다. 그렇지만 노동일의 한계는 불분명하며 우리는 상이한 민족들에게서, 그리고 동일한 민족에서도 특수한 산업부문들에서는 10시간에서 17(18)^{9}시간에 이르는 것을 볼 수 있다. 노동시간과 휴식시간은 이동될 수 있으므로 예를 들면 밤 동안에 노동하고 낮에 휴식하고 잠잘^{10} 수 있다. 또는 노동일^{11}이 밤과 낮 사이에 분산될 수 있다. 그래서 우리는 예컨대 모스크바에 있는 러시아의 공장들에서는 24시간, 즉 밤낮으로 계속 노동하는 것을 발견하게 된다. (영국 면직공업의 초창기에 대체로 그러했던 것과 마찬가지로.) 이 경우에는 2개 조(sets^{12})^{13}의 노동자가 투입된다. 첫 번째 조는 낮에 6시간 노동하고 두 번째 조가 교대한다. 그리고 나서 첫 번째 조가 밤에 다시 6시간 노동하고 이어서 6시간은 두 번째 조가 다시 교대하는 것이다. 또는 (인용될 재단사의 경우처럼) 지금도 (그리고 제빵공의 경우처럼) 30시간 계속 노동하고 나서 중단할 수도 있다 등등.|^{14}

^{15}|100|^{16} 노동시간의 추출에 관한 (여기에서 제시될) 사례들도 가치, 즉 부 자체가 바로 노동시간으로 어떻게 환원되는지를 명료하게 드러내기 때문에 유용하다.

이미 살펴보았듯이 자본가는 노동능력에 대해 그것의 등가만큼 지불하고, 노동능력의 가치 이상으로의 활용은 상품교환의 법칙 — 즉 상품이 그것에 포함된 노동시간에 비례해서, 또는 그 생산에 필요한 노동시간에 비례해서 교환된다는 법칙 — 에 따라 이루어지는 이 작업과 모순되지 않으며, 오히려 여기에서 판매되는 상품의 사용가치의 특유한 본성에서 유래한다. 따라서 노동능력이 자본가에 의해서 어느 정도 활용되는지, 또는 실제 생산과정^{17}에서 노동시간의 길이가 어느 정도까지 연장되는지는 전적으로 상관없는 것처럼, 즉 관계 자체의 본성에 의해 주어지지 않는 것처럼 보인다. 즉 달리 말하자면, ^{18}자본이 노동능력의 생산비^{19}에 의해 결정되는 일정량의 대상화된 노동을 주고 교환해서 얻는 살아 있는^{20} 잉여노동의 크기, 요컨대 살아 있는 총노동시간의 크기도 ^{21}이 경제적 관계 자체의 본성에 의해 제한되지 않는 것은 ^{22}구매자가 상품의 사용가치를 활용하는 방식이 매매관계 일체에 의해서 규정되지 않는 것과 마찬가지인 것처럼 보인다. 오히려 매매관

G160

198

계는 그런 방식과 상관이 없다. 반면에 여기에서 예를 들면 나중에 경제적으로 수요와 공급의 관계나 국가 개입 같은 것에서 유래하는 제약들은 일반적 관계 자체에는 포함되지 않는 것처럼 보인다.

그렇지만 다음을 고려해야 한다. 자본 측에서 볼 때 노동능력의 활용(또는 우리가 앞에서 이야기한 것처럼 노동능력의 소비. 그것의 소비가 동시에 노동의 가치증식과정, 노동의 대상화라는 것이 바로 노동능력의 본성이다)인 것이 노동자 측에서는 노동하기, 즉 생명력의 지출이다. 노동이 일정한 시간 길이를 넘어 연장되면 — 다시 말해 노동능력이 일정한 수준을 넘어 활용되면 — 노동능력은 보존되는 것이 아니라 일시적으로나 최종적으로 파괴된다. 예를 들면 자본가가 노동자를 오늘 20시간 노동시키면 내일은 12시간의 정상 노동시간을 노동할 수 없거나, 어쩌면 몇 시간조차도 노동할 수 없을지도 모른다. 이런 초과노동이 장기간 지속되면 노동자는 자신을, 따라서 그가 어쩌면 20년이나 30년은 보존했을지 모르는 노동능력을 아마도 7년밖에 보존하지 못할 것이다. 예컨대 미국 남부 주에서 조면기(cottongin)가 발명되기 전에 노예들이 — 12시간 밭일을 한 다음 — 면화를 씨에서 분리하기 위해서 수행해야 했던 매뉴팩처 노동(가내노동Hausarbeit) 2시간이 그들의 평균수명을 7년까지 단축했다는 사실은 잘 알려져 있다. 같은 상황이 현재 쿠바에서도 일어나고 있는데, 여기에서는 흑인들이 12시간 밭일을 한 다음에 [23]설탕이나 담배의 가공과 관련된 매뉴팩처 노동에 2시간 종사하고 있다.

그러나 노동자가 노동능력을 그 **가치**대로 판매한다면 — 우리 연구의 출발점이 되는 전제 — 상품이 그 가치대로 판매된다는 전제에서 출발하는 것과 마찬가지로 — 이는 노동자가 전부터 이어진 방식으로 노동자로서 존속할 수 있게 해주는 일일 평균임금을 받는다고, 요컨대 그가 전날과 마찬가지로 다음 날에도 (자연적 연령이 수반하거나 그의 노동방식이 즉자대자적으로 수반하는 마모는 제외하고) 정상적인 건강 상태를 유지한다고, 그의 노동능력이 특정한 정상적 기간, 예컨대 20년 동안[24] 재생산되거나 유지된다고, 즉 전날과 동일한 방식으로 다시 이용될 수 있다고 전제하는 것일 뿐이다. 따라서 잉여노동이 노동능력의 정상적인 지속을 강제로 단축하는,[25] 또는 일시적으로 [26]폐기하는, 즉 손상하거나 완전히 파괴하는 초과노동의 범위까지 확대된다면 이 조건에 위배되는 것이다. 노동자는 자신의 노동능력의 사용을 — 그가 노동능력을 가치대로 판매한다면 — 처분에 맡기는 것이지만 노동능력 자체의 가치가 파괴되지 않는 범위에서, 임금이 그에게 일정한 정상적

인 평균시간 동안 노동능력을 재생산하고 유지할 수 있게 해주는 범위에서만 그렇게 한다. 자본가가 이 정상적인 노동시간을 넘어서 노동자를 사용하면 그는 노동능력을 파괴하는 것이고, 그럼으로써 그것의 가치를 파괴하는 것이다. 그러나 그는 노동능력의 일일 평균||101|[27]가치를 구매했을 뿐이지 노동능력이 그날 외에 다른 날에 갖는 가치를 구매한 것은 결코 아니다. 다시 말해 그는 노동능력이 20년 동안 갖는[28] 가치를 7년간으로 구매한 것은 아니다.

요컨대 한편으로는 노동능력의 소비 자체가 가치증식, 가치창출이라는 것이 이 상품의 — 노동능력의 — 특유한 사용가치에서 유래하는 것처럼, 다른 한편으로는 그것의 교환가치[29]를 파괴하지 않으려면 [30]그것이 사용될 수 있는, 활용되는 범위가 일정한 한도 내에서 [31]제한되어야 한다는 것은 이 사용가치의 특유한 본성에서 유래한다.

우리는 여기에서 노동자가 자신의 노동능력을 그 가치대로 판매한다고 가정하고 있지만 그와 함께 총시간, 즉 필요노동시간과 잉여노동시간의 합계는 그것이 예컨대 12시간, 13시간, 또는 14시간이라고 정하더라도[32] 표준노동일을 초과하지 않는다고 가정하고, 이들 시간은 모두 노동자가 자신의 노동능력을 통상적인 건강 상태와 작업능력으로 일정한 정상적 평균기간 동안 유지하고 매일 새롭게 재생산하기 [위해서] 노동하는 시간이라고 가정하는 것이다.

그런데 앞의 서술에서 드러난 것은 여기에는 일반적인 관계에서 하나의 이율배반(Antinomie)이 나타난다는 것으로, 그 이율배반은 다음과 같다. 한편으로는, 일정한 시간[33] 이상으로 노동시간을 연장하는 것을 절대적으로 방해하는 자연적 제약을 제외한다면, [34]자본과 노동의 일반적 관계 — 노동능력의 판매 — 에서는 잉여노동의 한계가 발생하지 않는다. 다른 한편으로는, 노동능력의 [35]사용이 판매되는 것은 그것이 노동능력으로서 유지되고 재생산되는 범위, 요컨대 그것의 가치도 일정한 정상적인 기간 동안 유지되는 범위까지인데도, 잉여노동이 노동능력 자체의 가치를 파괴하는 한에서 경계가 불분명한 어느 한계를 넘는 잉여노동은 노동자에 의한 노동능력의 판매에 의해 주어지는[36] 관계 자체의 본질에 모순된다.

현실에서 어떤 상품이 그 가치 이상으로 판매되는가 아니면 그 이하로 판매되는가는 구매자와 판매자의 (매번[37] 경제적으로 결정되는) 상대적[38] 권력관계에 좌우된다는 것을 우리는 알고 있다. 마찬가지로 여기에서도 노동자

G162

200

가 정상적인 한도를 넘어서 잉여노동을 제공하는지 아닌지는 그가 자본의 무한한 요구에 맞서 발휘할 수 있는 저항 능력에 좌우될 것이다. 그렇지만 근대 산업의 역사가 가르쳐주는 것은 [39]자본의 무한한 요구는 노동자의 산발적인 노력에 의해서는 결코 억지될 수 없고, 일일 총노동시간이 일정한 한도를 (지금까지는 대부분 일단 일부[40] 영역뿐이지만) 발견할 때까지 투쟁이 먼저 계급투쟁의 형태를 취하고, 그럼으로써[41] 국가권력의 개입을 초래해야 한다는 사실이다.

노예소유주가 흑인을 7년 만에 소모하면 새로 흑인을 구매해서 대체하지 않을 수 없는 것과 마찬가지로 자본은 노동자계급의 지속적 현존이 기본 전제이므로 노동자의 급속한 소모에 대해서도 다시 지불해야 한다고 생각하는 사람들도 있을 것이다. 개별 자본가 A는 이러한 "암살 아닌 살인"[42]을 통해 부자가 될 수 있는 반면에 자본가 B나 자본가 B세대는 아마도 비용을 지불해야 할 것이다.[43] 그렇지만 개별 자본가는 자본가계급의 전체 이익에 끊임없이 반발한다. 다른 한편으로 근대 산업의 역사는, 비록 단명하고 급속하게 교체되며 말하자면 설익은 채 수확되는 인간 세대들로 흐름을 형성하기는 하지만, 항상적인 과잉인구가 가능하다는 것을 보여주었다. (웨이크필드의 해당 출처를 보라.)[44]

c) 초과노동의 이점

평균적 필요노동시간＝10시간, 정상적 잉여노동＝2시간, 요컨대 노동자의 일일 총노동시간＝12시간이라고 가정하자. 이제 자본가가 주 6일간 매일 13시간, 즉 정상적 또는 평균적 잉여노동시간을 1시간 초과해서 노동하도록 시킨다고 가정하자. 그러면 이는 1주일에 6시간＝$\frac{1}{2}$ 노동일이 된다. 이제 고려해야 할 것은 이 6시간[1]의 잉여가치만이 아니다. 6시간의 잉여노동을 전유하기 위해서 자본가는 정상적인 비율에 따르면 [2]1명의 노동자를 3일 동안,[3] 또는 3명의 노동자를 1일 동안[4] 고용해야, 즉 30시간(3×10)의 필요노동시간을 지불해야 할 것이다. 그는 정상적인 관계에서라면 6시간의 잉여노동을 전유하기 위해서 지불해야 할 3일의 필요노동시간을 지불하지 않고도 매일 이 초과 1시간의 잉여노동을 통해서 1주일에 반일 분량의 잉여노동을 획득한다. 첫 번째 경우 잉여가치는 20퍼센트, 두 번째 경우에는 30퍼센트이다. 그러나 후자의 10퍼센트 잉여가치는 그에게 아무런 필요노동시간도 소요되지 않는다.

[1]d) 동시적 노동일

잉여가치의 양은 분명 개별 노동자가 필요노동시간을 넘어서 수행하는 잉여노동에 좌우될 뿐 아니라 자본이 동시에 고용하는 노동자의 수, 다시 말해 자본이 활용하는, 그 각각이 필요노동시간+잉여노동시간인 동시적 노동일의 수에도 마찬가지로 좌우된다.[2] 필요노동시간=10시간, 잉여노동=2시간으로 한 노동자의 총노동일이 12시간과 같다면 잉여가치의 크기는 그 자신의 크기×자본이 고용하는 노동자의 수, 즉 잉여가치를 낳는 동시적 노동일의 수와 곱한 그 자신의 크기에 좌우된다. 동시적 노동일이란 [3]일정한 수의 노동자가 동일한 날에 노동하는 시간을 의미한다. 예를 들면 어떤 자본가가 각자 12시간씩 노동하는 6명의 노동자를 고용한다면 그가 생산과정에서 대상화하는, 즉 가치라는 대상적 형태로 전환되는 것은 6일의 동시적 노동일 또는 72시간[4]이다. 한 노동자의 잉여노동이 10시간의 필요노동시간에 대하여 2시간이라면 노동자 6명의 잉여노동=6×2=12. (요컨대 동시에 고용된 노동자의 수와 개별 노동자의 잉여노동을 곱한 것.) 요컨대 n명의 노동자에 의해서는 n×2이고 n×2 생산물의 크기는 노동자의 수 또는 동시적 노동일의 수를 표현하는 n이라는 요소에 좌우된다. 이에 못지않게 분명한 것은 잉여가치 총액의 **양**이 노동자의 수와 함께 증가하고 그것에 좌우된다고 해도 [5]필요노동시간에 대한 잉여가치의 **비율**, 또는 노동을 매입하는 데 선대된 자본이 증식되는 비율, 즉 잉여가치의 [6]**비례적 크기**는 변하지 않는다는 사실, 요컨대 지불노동과 비지불노동의 상호간 비율이 불변이라는 사실이다. 2 : 10은 20퍼센트이고 2×6 : 10×6, 또는 12 : 60도 마찬가지. (2 : 10=12 : 60) (또는 더 일반적으로 표현하자면 2 : 10=n×2 : n×10. 2·n·10=10·n·2이므로.) 필요노동시간에 대한 잉여가치의 비율이 주어져 있다고 전제하면 잉여가치의 금액은 노동자(동시적 노동일)의 수가 증가하는 데 비례해서만 증가한다. 노동자의 수가 주어져 있다고 전제하면 잉여가치의 금액, 양은 잉여가치 자체, 즉 잉여노동의 길이가 증가하는 데 비례해서만 증가한다. 2×n(n은 노동자 수)은 4×$\frac{n}{2}$과 같다.

요컨대 분명한 사실은 필요노동시간과 잉여노동의 일정한 비율이 주어져 있다면 — 또는 노동자가 노동하는 총시간이 우리가 **표준노동일**이라 부르고자 하는 것에 이르렀다면 — 잉여가치의 양은 동시에 고용된 노동자의 수에 좌우되고, 이 수가 증가하는 경우에만 증가할 수 있다는 것이다.

G164

따라서 우리는 표준노동일을 노동능력을 소비하고 활용하는 **척도**로 간주한다.

요컨대 잉여가치의 양은 인구와 우리가 곧 탐구할 여타 정황(자본의 규모 등)에 좌우된다.

다음 사실만은 미리 분명히 해두자. 상품보유자 또는 화폐보유자가 자신의 화폐나 상품, 간단히 말해 자신이 보유하고 있는 가치를 자본으로서 증식하기 위해, 따라서 자신을 자본가로서 생산하기 위해서는 그가 일정한 최소한의 노동자를 동시에 고용할 능력이 있어야 한다는 것이 처음부터 필요하다. 이러한 관점에서 볼 때에도 생산적 자본으로서 사용될 수 있으려면 일정한 **최소한의** [7]규모의 가치가 전제된다. 이 규모의 첫 번째 조건은 이미 다음에서 발생한다. 노동자가 노동자로 살아가려면 필요노동시간, 예를 들면 10시간을 흡수하는 데 필요한 금액만큼의 원료(와 노동수단)가 필요하다. 자본가는 적어도 잉여노동시간을 흡수하는 데 필요한 만큼의 원료를 (또는 그만큼의 보조재료 등도) 더 구매할 수 있어야 한다. 그러나 둘째로, [8]필요노동시간이 10시간이고 잉여노동시간이 2시간이라고 가정하면, 자본가가 스스로 노동하지 않으면서 매일 자신의 자본의 가치[9]를 초과해서 10노동시간의 가치를 벌어들이기 위해서는 이미 5명의 노동자를 고용해야 할 것이다. 그러나 그가 잉여가치 형태로 매일 벌어들이는 것은 ||103|[10] 단지 그가 자신의 노동자 한 사람처럼 살아갈 수 있게 해줄 것이다. 이것조차도 그의 목적이 노동자의 경우와 마찬가지로 단순한 생계 유지이고 자본주의적 생산에서 전제되는 자본 증대가 아니라는 조건하에서일 뿐이다. 그 자신이 같이 노동해서 스스로 임금을 번다면 그의 생활양식은 아직 노동자의 그것과 거의 구별되지 않을 것이며(그에게는 약간 많이 지불받는 노동자의 지위가 주어질 뿐이다)(그리고 이 **경계**는 동직조합법에 의해서 고정된다),[11] 특히 그가 자신의 자본을 증대한다면, 즉 일부 잉여가치를 자본화한다면 어떤 경우에도 노동자의 생활양식에 매우 가까울 것이다. 중세 동직조합 장인, 그리고 부분적으로는 오늘날 수공업 장인의 상태도 그러하다. 그들은 자본가로서 생산하지 않는다.

요컨대 필요노동시간이 주어지고 그것에 대한 잉여노동의 비율이 주어지면 — 한마디로 총액＝필요노동시간＋잉여노동의 지속 시간인 표준**노동일**이 주어지면 **잉여노동의 양**, 말하자면 **잉여가치의 양**은 동시적 노동일의 수, 또는 자본이 동시에 움직일 수 있는 노동자의 수에 좌우된다. 달리 말하

G165

204

면 잉여가치의 양—그것의 총액—은 주어져 있고 시장에 존재하는 노동능력의 양, 요컨대 노동인구의 규모와 이 인구가 증가하는 비율에 좌우된다. 따라서 인구의 자연적 증가와 그에 따라 [12] 시장에 존재하는 노동능력의 증가는 잉여가치(즉 잉여노동)의 절대적 금액의 증가를 위한 토대를 제공하므로 **자본의 생산력**이다.[13]

다른 한편으로 더 큰 규모의 노동자를 이용하려면 자본이 증가해야 하는 것은 분명하다. 첫째로, **불변**자본 부분, 즉 그 가치가 생산물에 재현되는 데 그치는 자본 부분이 증가해야 한다. 더 많은 노동을 흡수하려면 더 많은 원료가 필요하다. 마찬가지로 더 불확정적인 비율이기는 하지만 노동수단도 더 많이 필요하다. 손노동이 중심요소(Hauptfaktor)이고 생산이 수공업적으로 운영된다고 가정하면(—그리고 우리가 아직 절대적 잉여가치 형태만을 고찰하는 여기에서는 이 가정이 유효하다. 왜냐하면 이 잉여가치 형태는 자본에 의해 변환된 생산양식(봉건적 생산양식을 의미함—옮긴이)에서도 여전히 기본 형태이지만 자본이 노동과정을 **형식적으로**만 포섭했던 동안에는, 요컨대 인간의 손노동[14] 이 중심요소였던 이전의 생산양식이 단지 자본의 통제하에 놓이는 데 지나지 않았던 동안에는, 이때까지 절대적 잉여가치 형태가 자본의 생산양식에서 고유하고 이 생산양식의 사실상 유일한 형태이기 때문이다—), 도구와 노동수단의 수는 노동자 자신의 수 및 더 많은 수의 노동자가 노동재료로 필요로 하는 원료의 양과 거의 동등하게 증가해야 한다. 그리하여 자본의 **불변** 부분 전체의 가치는 사용되는 노동자 수가 증가하는 것에 비례해서 증가한다. 둘째로, 그러나 노동능력과 교환되는 **가변**자본 부분은 (불변자본이 증가하는 것과 같이)[15] 노동자 수 또는 동시적 노동일의 수가 증가하는 것에 비례해서 증가해야 한다. 이 가변자본 부분은 수공업적 산업의 전제하에서[16] 가장 크게 증가할 것이다. 중요한 생산요소인 개별자의 손노동[17]은 주어진 시간 동안 적은 양의 생산물만을 제공하고, 따라서 생산과정에서 소비된 원료가 투입된 노동에 비해[18] 적고, 마찬가지로 수공업 도구들도 단순하고 스스로 적은 가치를 나타낼 뿐이기 때문이다.[19] 가변자본 부분은 자본의 가장 큰 구성부분을 이루므로 자본이 증가할 때 가장 크게 증가해야 한다.[20] 바꿔 말하면 가변자본 부분이 자본의 가장 큰 부분을 이루므로 더 많은 노동능력과 교환할 때 가장 두드러지게 증가해야 하는 부분이 바로 이 부분이다. 예를 들면 내가 $\frac{2}{5}$ 는 불변, $\frac{3}{5}$ 은 임금으로 지출되는 어떤 자본을 활용한다면 자본이 n명의 노동자가 아니라 2×n명의 노동자를 사용한다고 할 때 계산은 다음과 같을 것이다. 초기 자본은 $n(\frac{2}{5} + \frac{3}{5}) = \frac{2n}{5} + \frac{3n}{5}$. 이제는 $\frac{4n}{5} + \frac{6n}{5}$. 자본 가운데 임금으로 지출된 부분, 또는 가변 부분은 노동자 수가 증가하는 것과 똑같은 비율로, 처음부터 더 큰 규모로 전제되어 있었던 것과 똑같은 비율로 언제나 불변 부분보다 크다.

요컨대 한편으로는 주어진 조건하에서 잉여가치의 양, 요컨대 총자본의 양이 증가하려면 인구가 증가해야 한다. 다른 한편으로 인구가 증가하려면 자본이 이미 증가해 있다는 사실이 전제되어 있다. 그러므로 여기에서는 악순환인 것처럼 보인다. 〔여기에서는 미해결인 채 놓아두어야 하고 설명할 수 없다. 제5장에 속함.[21]〕|

|104|[22]평균임금이 노동인구가 유지될 뿐 아니라 어떤 비율로든 끊임없이 증가하는 데 충분하다고 가정하면 처음부터 자본 증가를 위한 노동인구 증가가 주어지는 한편, 동시에 잉여노동의 증가, 요컨대 인구 증가에 의한 자본의 증가도 주어진다. 원래 자본주의적 생산에서는 이 가정에서 출발해야 한다. 자본주의적 생산은 잉여가치, 즉 자본의 부단한 증가를 포함하기 때문이다. 자본주의적 생산 자체가 어떻게 인구 증가에 기여하는지에 대해서는 여기에서는 아직[23] 탐구하지 않겠다.

자본 밑에서 임노동자로서 노동하는 인구의 수 또는 시장에 존재하는 노동능력의 수는 절대적 인구가 증가하지 않아도 또는 노동인구가 절대적으로 증가하지 않을지라도 증가할 수 있다. 예컨대 부녀자 및 아동과 같은 노동자 가족의 구성원이 자본에 복무하도록 강제당하면, 그리고 예전에는 그렇지 않았다면[24] 노동인구의 절대적[25] 수가 증가하지 않았는데도 임노동자 수는 증가했다. 이러한 증가는[26]자본의 가변 부분 즉 노동과 교환되는 부분이 증가하지 않고서도 이루어질 수 있다. 이 가족은 예전에 그들의 생계를 해결해주었던 것과 동일한 임금을 여전히 받을 수 있을 것이다. 다만 그들은 동일한 임금을 받으면서 더 많은 노동을 제공해야 할 것이다.

G167 다른 한편으로는 전체 인구가 절대적으로 증가하지 않아도 절대적 노동인구는 증가할 수 있다. 예전에는 노동조건들을 보유하고 그것들을 이용해 노동했던[27]인구 부분 — 독립 수공업자,[28]영세 농민, 끝으로 소자본가 — 이 자본주의적 생산의 영향을 받은 결과 그들의 노동조건(그것에 대한 소유권)을 박탈당하면 임노동자로 전환될 수 있고, 그리하여 절대 인구수가 증가하지 않았을지라도 노동자 인구의 수는 절대적으로 증가할 수 있다. 단지 다양한 계급들의 수적 규모[29]와 그들이 절대 인구에서 차지하는 비율은 증가

206

(문맥상 '변화'를 잘못 쓴 것으로 보임 — 옮긴이)했을 것이다. 그러나 잘 알려진 바와 같이 이는 자본주의적 생산에서 발생하는 집중이 초래한 결과의 하나이다. 이 경우에 절대적 노동자 인구[30]의 규모는 증가했을 것이다. 생산에 활용되는 주어진 부의 규모가 절대적으로 증가하지는 않았을 것이다. 그러나 부 가운데 자본으로 전화하고 자본으로서 기능하는 부분은(증가했을 것이다 — 옮긴이).

첫 번째 경우에는 절대적 노동자 인구[31]가 증가하지 않고도, 두 번째 경우에는 절대적 총인구가 증가하지 않고도 두 경우 모두 임노동자 수가 증가하는데, 첫 번째 경우에는 임금으로 지출된 자본이 증가하지 않고서도, 두 번째 경우에는 재생산되도록 규정된 부의 절대 규모가 사전에[32] 증가하지 않았더라도 임노동자 수가 증가한다. 그럼으로써 동시에 잉여노동과 잉여가치의 증가가 주어질 것이고, 따라서 인구의 절대적 증가에 필요한 자본 증가가 잠재적으로(δυνάμει) 주어질 것이다. 〔이 모든 것은 축적에서 고찰될 것이다.〕

e) 잉여노동의 성격[1]

노동하지(사용가치 생산에 직접[2] 참여하지) 않으면서 사는 사람이 조금이라도 있는 사회가 존재하자마자 사회의 상부구조 전체가 노동자의 잉여노동을 존재조건으로 한다는 것은 분명하다. 사회가 이 잉여노동으로부터 얻는 것은 두 가지다. **첫째는** 생활의 물적 조건들로, 노동자들이 자신의 노동능력을 재생산하는 데 필요한 생산물을 초과해서 제공하는 생산물을 사회가 나눠 가지고 그것으로 살아가는 것이다. **둘째는** [3]여가를 위해서든 [4]직접적으로는 생산적이지 않은 활동(예를 들면 전쟁[5], 국가제도)을 수행하기 위해서든, 직접적으로는 실용적이지 않은 목표를 추구하는 인간의 능력이나 사회적 능력(Potenz)(예술 등, 학문)을 발전시키기 위해서든, 사회가 처분할 수 있는 자유시간은 노동대중의 잉여노동을, 즉 이들이 [6]자신의 물적 생활을 생산하는 데 필요한 것보다 더 많은 시간을 물적 생산에서 지출해야 하는 것을 전제로 한다. 노동하지 않는 사회 부분의 **자유시간**은 **잉여노동**이나 **초과노동**, 노동하는 부분의 **잉여노동시간**을 기반으로 한다. 한쪽의 자유로운[7] 발전은 [8]노동자들이 모든 시간, 요컨대 그들이 발전할 여지를[9] 단지 ||105|[10] 특정한 사용가치를 생산하는 데 사용해야 하는 것을 기반으로 한다. 한쪽의 인간적 능력의 발전은 다른 쪽의 발전을 가두어두는 제약을 기반으로 한다. 지금까지의 모든 문명과 사회 발전은 이러한 적대관계를 기반으로 한다. 요컨대 **한편으로** 한쪽의 자유시간은 다른 쪽의 노동에 예속된 시간 — 그들이 단순한 노동능력[11]으로서 현존하고 활동하는 시간 — 중 초과노동시간에 조응한다. **다른 한편으로** 잉여노동은 더 많은 가치로 실현될 뿐 아니라 **잉여생산물** — 노동계급이 자신의 생존을 위해 필요로 하고 소비하는 정도를 넘는 초과생산 — 으로도 실현된다. 가치는 사용가치에 존재한다. 따라서 잉여가치는 잉여생산물에. 잉여노동은 잉여생산에. 그리고 이것이 물적 생산에 직접 흡수되지 않은 모든 계급의 생존을 위한 토대를 이룬다. 그리하여 사회는 자신의 물적 토대를 이루는 노동대중의 무발전(無發展)을 통해서 대립 속에서 발전한다. 잉여생산물이 잉여가치를 표현할 필요는 전혀 없다. 밀 2쿼터가 과거 밀 1쿼터와 동일한 노동시간의 생산물이라면 이 2쿼터는 과거 1쿼터보다 더 많은 가치를 표현하지 않는다. 그러나 생산력 발전이 일정하게 주어진 것으로 전제되면 잉여가치는 언제나 잉여생산물로 나타난다. 즉 2시간 동안 창출된 생산물(사용가치)[12]은 1시간 동안에 창출된 생산물의 2배이다. 더 명

208

확히 표현하자면, 노동대중이 자신의 노동능력의 재생산, 자신의 생존에 필요한 한도, 즉 **필요노동**을 초과해서 노동하는 잉여노동시간, 잉여가치로 나타나는 이 잉여노동시간은 동시에 잉여생산물(Mehrproduct, Surplusproduct)로 물질화되며 이 잉여생산물은 노동계급 이외에 살고 있는 모든 계급, 사회상부구조 전체의 물적 존재 기반[13]이다. 그것은 [14]**동시에 시간을 자유롭게** 하고 이들 계급에게 여타 능력을 발전시키기 위한 가용시간(disposable Zeit)을 제공한다. 그러므로 한편에서의 잉여노동시간의 생산은 동시에 다른 한편에서의 **자유**시간의 생산이다. 모든 인간적 발전은 인간의 자연적 생존에 직접 필요한 발전을 넘어서는 한에서 바로 이 자유시간을 활용하는 것이고, 이 시간을 필요한 토대로서 전제한다. 그러므로 사회의 자유시간은 부자유시간, 자신의 생존을 위해 필요한 노동시간을 넘어서 연장된 노동자의 노동시간의 생산을 통해서 생산된다. 한편의 자유시간은 다른 한편의 예속된 시간과 조응한다.

G169

여기에서 고찰하는 ― 필요노동시간의 한도를 초과하는 ― 잉여노동의 형태를 자본이 가지는 것은 순수한 자연 상태를 넘어서 발전이 이루어지고, 따라서 한편의 사회적 발전이 다른 한편의 노동을 자연적 토대로 삼는 적대적 발전이 이루어지는 모든 사회형태와 공통적이다.

우리는 또 하나의 다른 형태를 알게 되겠지만 여기에서 고찰하는 바와 같은 잉여노동시간 ― 절대적 ― 은 또한 자본주의적 생산에서도 여전히 토대를 이루고 있다.

여기에서는 노동자와 자본가의 대립만이 있는 이상 노동하지 않는 모든 계급은 잉여노동의 생산물을 자본가와 나누어야 한다. 그리하여 이 잉여노동시간은 그들의 생존을 위한 물적 토대를 창출할 뿐 아니라 동시에 그들의 **자유시간**, 그들의 발전영역도 창출한다.

절대적 잉여가치, 즉 절대적 잉여노동은 이후에도 언제나 지배적인 형태를 이룬다.

식물이 토양으로 살고, 동물이 식물 또는 초식동물로 살아가는 것처럼 사회에서 자유시간, 생활수단의 직접적인 생산에 흡수되지 않는 가용시간을 갖는 부분은 노동자의 잉여노동으로 살아간다. 따라서 부는 가용시간이다.[15]

우리는 경제학자 등이 어떻게 이 대립을 자연적인 것으로 간주하는지 보게 될 것이다.

잉여가치는 일단 잉여생산물로 나타나지만 식량 생산에 사용되는 노동시간과 비교할 때 다른 모든 노동은 이미 가용시간이므로 왜 중농주의자들이 잉여가치의 근원을 농업에서의 잉여생산물에서 찾는지는 분명하다. 그들은 단지 이 잉여생산물을 자연의 단순한 선물로 잘못 간주한다.|

|106|[16]여기에서는 이미 다음과 같이 언급할 수 있다.

상품생산에 사용되는 노동영역들은 그 필요성의 정도에 따라서 구분되고, 이 정도는 이 영역들이 창출하는 사용가치가 육체적 생존을 위해 요구되는 상대적[17] 필요성에 좌우된다. 이러한 종류의 **필요**노동은 사용가치와 관련되고 교환가치와는 관련되지 않는다. 즉 여기에서 문제가 되는 것은 노동자에게 생존을 위해서 필요한 생산물의 합계로 환원될 수 있는, 그러한 가치를 창출하기 위해서 필요한 노동시간이 아니다. 그것은 다양한 노동의 생산물로 충족되는 욕구의 상대적 필요성과 관련된다. 이 점을 고려할 때 농업노동(이는 직접적인 식량을 조달하는 데 필요한 모든 노동을 의미한다)이 가장 필요한 노동이다. 스튜어트가 말한 바와 같이 이 노동이 비로소 산업을 위해 동원할 수 있는 자유로운 인력(free hands)을 창출한다.[18] 그렇지만 여기에서는 다시 다음을 구별해야 한다. 한편이 자신의 가용시간을 모두 농업에 투입하기 때문에 다른 한편은 가용시간을 제조업에 투입할 수 있다. 분업. 그리고 마찬가지로 다른 모든 영역의 잉여노동은 다른 모든 영역에 원료를 공급하는 농업에서의 잉여노동에 기초한다. "농업노동을 하지 않고 유지될 수 있는 사람의 상대적인 수는 전적으로 경작[19]의 생산력으로 측정되어야 한다는 것은 분명하다."(R. 존스, 『부의 분배에 대한 고찰』, 런던, 1831년, 159/160[20]쪽)[21]

보충설명

b에 대하여. 런던에서[1] 아직도 계속되는 건축부문 노동자와 건축업자(자본가)[2] 사이의 투쟁에서 노동자들은 무엇보다도 고용주들이 작성한 시간제(이에 따르면 양측의 계약은 시간당으로만 유효하다. 실제로 1시간이 표준일로서 정해져 있다)에 대해 다음과 같이 이의를 제기한다. **첫째.** 이 제도에 의해서 각 표준일(표준노동일), 요컨대 하루 총노동(필요노동과 잉여노동의 합)의 어떤 한계도 폐지될 것이다. 그러한 표준일의 확정은 예를 들면 템스강 부두의 노동자들처럼 법적으로든 실질적으로든 그러한 표준일이 존재하지 않는 모든 부문에서 최악의 굴욕 상태에 있는 노동자계급의 지속적인 목표이다. 그들은 그러한 표준일이 노동자의[3] 평균수명의 척도를 이룰 뿐 아니라 그들의 전체 발전을 지배한다고 강조한다. **둘째.** 이러한 시간제에 의해서 초과노동 ── 즉 정상적이고 전통적인 기준을 넘는 잉여노동의 초과분 ── 에 대한 추가급여(extrapay)가 없어진다는 것이다. 이 추가급여는 한편으로는 특별한 경우에 고용주들이 표준일을 넘어서 노동을 시킬 [수 있게 해준다]면 다른 한편으로는 노동일을 무한히 연장하려는 그들의 충동에 황금 사슬을 채운다.[4] 이것이 노동자들이 추가급여를 요구해온[5] 이유의 하나였다. 그들이 초과노동에 대해 추가급여를 요구한 두 번째 이유는 표준일을 연장함에 따라 양적 차이뿐 아니라 질적 차이가 나타나고, 그럼으로써 노동능력의 일일[6] **가치** 자체가 다른 평가를 받아야 하기 때문이다. 예를 들면 12시간 노동 대신 13시간 노동이 들어서면 그렇지 않은 경우에는 20년 동안 소진되는 노동능력의 평균 노동일[7]이 추산되어야 하는 반면에 예를 들면 15년 동안 소진되는 노동능력의 평균일이 추산되어야 한다. **셋째.** 일부 노동자가 초과노동을 함으로써 그만큼의 부분이 실업자가 되고 고용된 노동자의 임금이 실업자가 받을 임금에 의해 압박을 받기 때문이다.

〔절대적 잉여가치와 상대적 잉여가치를 합치면 다음 사실이 분명해진다. 노동생산성이 불변이고 노동자 수도 그러하다면[8] 잉여가치는 잉여노동이 증가하는 한에서, 따라서 총노동일(노동능력 사용의 척도)이 그것의 [9]주어진 한계를 넘어서 연장되는 한에서만 증가할 수 있다. 총노동일이 불변이고 노동자 수도 그러하다면, 잉여가치는 노동생산성이 증가하거나 또는 같은 말이지만 필요노동에 소요되는 노동일 부분이 단축되어야만 증가할 수 있다. [10]총노동일과 노동생산성이 불변이라면 [11]잉여가치율, 즉 필요노동시간에

대한 잉여가치의 비율은 불변이지만 잉여가치량은 두 경우 모두 동시적 노동일의 증가, 즉 인구 증가와 함께 증가할 수 있다. 반대로, 잉여가치율이 하락할 수 있는 것은 잉여노동이 감소하는 경우, 따라서 노동생산성은 불변인데 총노동일이 단축되거나, 아니면 총노동일의 길이는 불변인데 노동생산성이 감소하는 경우, 따라서 필요노동에 소요되는 노동일 부분이 증가하는 경우뿐이다. 두 경우 모두 잉여가치율이 불변이어도 동시적 노동일의 수, 즉 인구(즉 노동인구)가 감소하면 잉여가치량은 감소할 수 있다.

이러한 모든 정황에서는 노동자가 자신의 노동능력을 그 **가치**대로 판매한다는 것, 즉 [12]노동의 **가격** 또는 임금이 노동능력의 **가치**와 일치한다는 것이 전제되어 있다. 이 전제는 이미 자주 반복한 바와 같이 ||107|[13] 연구 전체의 기초가 된다. 임금 자체가 얼마나 노동능력의 가치 이상 또는 이하로 상승하거나 하락하는가 하는 것은 필요노동과 잉여노동 사이의 분배가 이루어지는 특수한 형태들(일급, 주급, 성과급, 시급 등)이 나타나는 것에 대한 서술과 마찬가지로[14] 임금에 관한 장에 속한다. 그렇지만 여기에서는 다음과 같이 일반적으로 언급할 수 있다. 임금의 최저한도, 노동능력의 생산비 자체가 더 낮은 수준으로 계속[15] 억제된다면 잉여가치는 상대적으로뿐 아니라 항상적으로 증가할[16] 것이고, 그럼으로써 잉여노동은 마치 노동생산성이 증대된 것과 마찬가지로 증가할 것이다. 결과를 놓고 본다면, 어느 노동자의 노동이 더 생산적이 되어 이전에는 10시간이 필요했던 **동일한** 생활수단을 8시간에 생산할 수 있기[17] 때문에 12시간 중에서 지금까지처럼 10시간이 아니라 8시간만을 자신을 위해 노동하는 경우와, 생산에 10시간이 필요했던 이전의 질 좋은 생활수단 대신에 이제는 8시간이면 생산할 수 있는 질 **나쁜** 생활수단을 받는 경우는 분명히 같다. 어느 경우든 자본가는 2시간의 잉여노동을 획득할 것이고, 이전에는 10시간의 생산물을 주고 12시간의 생산물을 얻은 반면에 이제는 8시간의 생산물을 주고 12시간의 생산물을 얻게 될 것이다. 나아가 노동능력 가치 자체의 그러한 하락이 일어나지 않더라도, 다시 말해 노동자의 생활양식의 하락, 지속적인 악화가 일어나지 않더라도 임금이 정상적인 최저한도 아래로 일시적으로 하락한다면, 같은 말이지만, 노동능력의 일상적인 가격이 일상적인 가치 아래로 일시적으로 하락한다면 — 그것이 이루어지는 시간 동안 — 위에서 설명한 경우와 같을 것이다. 단지 앞에서는 항구적인 것이 여기에서는 일시적일 뿐이다. 노동자들 사이의 경쟁 등의 결과로 자본가가 임금을 그 최저한도 아래로 억누른다면, 그것

G172

은 달리 말하자면 그가 노동일의 양에서 정상적으로는 필요노동시간에서, 즉 노동자의 노동시간 중 그 자신에게 귀속되는 부분에서 일부분을 공제하는 것에 지나지 않는다. 노동생산성 향상의 결과가 아닌 필요노동시간의 어떠한 감소도[18] 실제로는 필요노동시간의 감소가 아니라 자본에 의한 필요노동시간의 전유이며, 잉여노동의 영역을 넘어서는 침해이다. 노동자가 정상적인 임금보다 낮은 임금을 받는다면 그것은 자신의 노동능력을 정상적인 조건에서 재생산하는 데 필요한 것보다 적은 노동시간의 생산물을 받는 것이어서, 그가 10시간의 노동시간이 필요한데도 10시간의 필요노동시간 중 8시간의 생산물만을 받고 2시간은 자본이 전유하는 것이나 마찬가지이다. 자본가의 잉여가치에 관한 한, 이 잉여가치, 즉 잉여노동으로 보자면 자본가가 노동자에게 그가 정상적인 생존에 필요한 10시간을 지불하면서 자본을 위해서 2시간 동안 잉여노동을 수행하도록 하는 것이나, 10시간만 노동하도록 하면서 노동자에게는 그의 정상적인 생존에 필요한 생활수단을 살 수 없는 8시간을 지불하는 것이나 전적으로 똑같다. 노동생산성이 불변인데도 임금을 억제하는 것은 필요노동시간의 영역을 침해함으로써, 필요노동시간을 강제적으로 중단하여 잉여노동을 증대하는 것이다. 자본가에게는 동일한 노동시간에 대하여 더 적게 지불하는 것이나 동일한 임금으로 더 오래 노동하도록 하는 것이나 동일하다는 것은 분명하다.[19]]

e에 대한 보충설명. 자본주의적 생산에서 자본이 [20]노동자로 하여금 필요노동시간을 넘어서 — 즉 노동자로서 그 자신의 생활욕구를 충족하는 데 필요한[21] 노동시간을 넘어서 — 노동하도록 강제하는 한에서 자본은 살아 있는 노동에 대한 과거 노동의 지배관계로서 — **잉여노동**을, 그럼으로써 **잉여가치**를 창출하고 생산한다. 잉여노동은 노동자, 개별자의 필요(Bedürftigkeit)의 한계를 넘어서는 노동이고, 비록 자본가가 여기에서는 먼저[22] 사회의 이름으로 이 잉여노동을 챙겨 넣기는 하지만, 실제로는 사회를 위한 노동이다. 이미 설명한 바와 같이 이 잉여노동은 한편으로는 사회의 자유시간을 위한 토대이고, 다른 한편으로는 그럼으로써 사회의 전체적 발전과 문화 일체의 물적 토대이다. 사회 대중으로 하여금 그들의 직접적인 필요를 넘어서 이러한 노동을 하도록 강제하는 것이 자본의 강제인 한에서 자본은 문화를 창조하는 것이고,[23] 하나의 역사–사회적 기능을 수행하는 것이다. 그럼으로써 노동자 자신의 직접적인 육체적 욕구에 의해 소요되는 시간을 넘어서 사회 일반의 근면(Arbeitsamkeit) 일체가 창출된다.

사회가 계급 적대관계에 기초하기 때문에 한편에서는 생산조건의 보유자가 지배하고 다른 한편에서는 생산조건의 보유에서 배제된 무산자들이 노동해야 하고 자신의 노동을 통해 자신과 지배자들을 유지해야 하는 곳에서는 어디에서나, 모든 지배계급이, 예를 들면 노예제에서는 임노동에서보다 훨씬 직접적인 형태로 이러한 동일한 강제를 일정한 한계 안에서 행사하고, 따라서 마찬가지로 ^{24}단순한 자연적 필요(Naturbedürftigkeit)에 의해서 노동에 정립되어 있는 한계를 넘어서 노동을 강요하는 것이 분명하기는 하다. 그러나 **사용가치**가 지배하는 모든 상태에서는 노동자들의 생활수단^{25} 이외에 지배자들에게 일종의 가부장적 부를, 일정한 양의 사용가치를 제공하도록 연장되기까지 하는 한에서 노동시간은 더욱 상관없다. 그러나 **교환가치가** 생산의 규정적 요소가 됨에 따라 자연적 필요의 척도를 넘어서는 노동시간의 연장은 갈수록 결정적이 된다. 예를 들면 거의 무역을 하지 않는 민족들이면서 노예제와 농노제가 지배하는 경우에 ||108|^{26} 초과노동은 생각할 수 없다. 따라서 노예제와 농노제는 예를 들면 카르타고인과 같은 상업민족에게서 가장 혐오스러운 형태를 취한다. 그러나 다른 민족들과 연관이 있는 시기에 노예제와 농노제를 자신들의 생산의 토대로서 유지하는 민족들의 경우, 그리고 자본주의적 생산에서, 요컨대 예를 들면 미 연방의 남부 주들에서는 더욱 그러하다.

자본주의적 생산에서 비로소 교환가치가 전체 생산과 전체 사회구조를 지배하므로 자본이 노동에 대해 필요의 한계를 넘어서 나아가도록 가하는 강제가 가장 크다. 마찬가지로 자본에서 비로소 **필요노동시간**(사회적 필요노동시간)이 모든 생산물의 가치크기를 포괄적으로 결정하므로 여기에서 비로소 노동자들이 어떤 대상을 생산하기 위해서든 일반적으로 사회적인 생산조건하에서 **필요한 노동시간**만을 사용하도록^{27} 일반적으로 강제되면서 자본하에서 노동강도는 더 높은 수준에 이른다. 노예주의 채찍이 자본관계의 강제^{28}와 같은 정도로 이 강도를 달성할^{29} 수는 없다. 자본관계에서는 자유로운 노동자들이 자신의 필요욕구를 충족하기 위해서 1) 자신의 노동시간을 **필요노동시간**으로 전환하고 이 시간에 사회 일반적으로 (경쟁에 의해서) 규정된 정도의 강도를 부여하며, 2) 그 자신을 위한^{30} 필요노동시간을 노동해도 되도록(할 수 있도록) 잉여노동을 제공해야 한다. 반면에 노예는 동물과 같은 방식으로 자신의 필요욕구를 충족하고 따라서 채찍^{31} 등이 그에게 얼마나 이 생활수단을 대체하는 노동을 제공하게끔 하는지, 얼마나 충분

G174

한 동기가 되는지는 그의 자연적 소질에 달려 있다. 노동자는 [32]생활수단을 스스로 조달하기 위해서, [33]자신의 생명을 쟁취하기 위해서 노동한다. 노예는 노동하도록 강제되기 위해서 타인에 의해 목숨이 부지된다.

요컨대 자본관계는 이러한 방식으로 더 생산적이다 — 그 이유는 첫째로 자본관계에서는 생산물 자체나 사용가치가 아니라 노동시간 자체, 교환가치가 중요하기 때문이다. 둘째로 자유로운 노동자는 자신의 노동을 판매하는 한에서만, 요컨대 외적 강제가 아니라 자신의 이해(Interesse)에 의해 강제되는 한에서만 생활욕구를 충족할 수 있기 때문이다.

분업은 어떤 상품의 각 생산자[34]가 이 특정한 상품에 대한 자신의 욕구가 필요로 하는 것보다 더 많은 노동시간[35]을 이 상품의 생산에 사용하는 경우에만 존재할 수 있다. 그러나 그렇다고 해서 [36]각 생산자의 노동시간 일체가 그의 필요 범위를 넘어서 연장된다는 결론이 내려지는 것은 아직 아니다. 오히려 그의 욕구의 범위 — 이 범위는 물론 처음부터 분업, 고용의 분화와 더불어 확대되지만 — 가 그의 노동시간의 총량을 결정할 것이다. 예를 들면 자신의 모든 생활수단을 스스로 생산하는 농민은 하루 종일 밭에서 일할 필요가 있는 것은 아니지만 예를 들면 12시간을 밭일과 잡다한 가사노동에 나누어야 할 것이다. 그가 이제 12시간의 전체 [37]노동시간을 [38]농업에 투입하고 이 12시간의 생산물 중 잉여를 다른 노동의 생산물과 교환하는 것은 그 자신이 노동시간의 일부는 농업에 투입하고, 다른 일부는 다른 사업영역에 투입하는 것과 마찬가지이다. 그가 노동하는 12시간은 여전히 그 **자신의 욕구**를 충족하기 위해서 요구되는 노동시간이고 그의 자연적이거나 오히려 사회적인 필요의 한계 내에서의 노동시간이다. 그러나 자본은 동시에 노동시간의 이러한 자연적이거나 전통적인 제약을 넘어서고, 그래서 노동 강도를 사회적 생산단계에 좌우되도록 함으로써 독립적인 자영생산자나 외적 강제하에서만 노동하는 노예의 구습에서 벗어나게 한다. 모든 생산영역이 자본주의적 생산으로 들어가면 잉여노동 — 일반적 노동시간 — 의 단순한 일반적[39] 증가의 결과로 사업영역의 분화, 노동의 다양성 및 교환에 들어오는 상품의 다양성이 증가한다. [40]어떤 사업영역에서 100명이 — 잉여노동 또는 총노동시간이 단축되어 — 이전에는 110명이 하던 시간만큼 노동한다면 10명은 다른 새로운[41] 사업영역에 투입될 수 있을 것이고, 이전에 이 10명을 고용하기 위해서 필요하던 자본 부분[42]도 마찬가지이다. 따라서 자생적이거나 전통적인 제약을 넘어서는 — 노동시간의 단순한 이탈 — 이전

G175

은 사회적[43] 노동이 새로운 생산영역에서 활용되게 할 것이다. **노동시간이 자유로워짐으로써** — 잉여노동은 **자유시간**을 창출할 뿐 아니라 한 생산영역에 묶여 있던 노동능력,[44] 노동 일체를 새로운 생산영역을 위해 **자유롭게** (이것이 요점이다) 한다. 그러나 어떤 [45]범위의 욕구들이 ||109|[46] 충족되자마자 **새로운 욕구들**이 자유롭게 되고 창출되는 것은 인간 본성의 발전법칙이다. 따라서 자본은 노동자의 자연적 욕구의 충족을 위해 정해진 한도를 넘어서 노동시간을 연장함으로써 사회적 — 사회 전체에서의 — 분업의 증대, 생산의 다양성 증대, 사회적 욕구의 범위와 충족수단의 확대를 추동하고, 따라서 인간의 생산능력의 발전과 함께 인간의 여러 가지 소질이 새로운 방향에서 발휘되도록 추동한다. 그러나 잉여노동시간이 자유시간의 조건이듯이 욕구의 범위와 충족수단의 이러한 확대는 노동자가 필요한 생활욕구에 속박되는 것을 조건으로 한다.

a)에 대한 보충설명.

[47]**첫째로. 나소 W. 시니어**는 그의 저서 『**공장법에 관한 서한집, 그것이 면직공업에 미치는 영향**』(런던, 1837년, 12, 13쪽)에서 이렇게 말하고 있다.

"현행법 아래에서 18세 미만의 사람을 고용한 공장에서는 [48]하루에 $11\frac{1}{2}$시간, 즉 주중 5일 동안에는 12시간, 토요일에는 9시간을 초과해서 작업할 수 없다. 다음 분석이 보여주는 바는 그러한 공장에서는 전체 순이윤(Net Profit)이 **마지막 1시간**에 도출된다(유래한다, is derived)는 사실이다. 어떤 공장주가 10만 파운드스털링을 — 8만 파운드스털링은 공장 건물[49]과 기계에, 2만 파운드스털링은 원료와 임금에 — 지출한다고 하자. 총자본이 1년에 1회전하고 총소득[50](총이윤gross profit)이 15퍼센트라고 가정하면 공장의 연간 소득[51]은 115,000파운드스털링의 가치를 갖는 상품에 달해야 하고 2만 파운드의 유동자본이 2개월보다 약간 긴 주기로 화폐에서 상품으로, 상품에서 화폐로 지속적으로 전화, 재전화함으로써 재생산[52]된다. 이 115,000파운드스털링 중에서 23의 반($11\frac{1}{2}$ — 옮긴이) 노동시간 각각은 매일 $\frac{5}{115}$ 또는 $\frac{1}{23}$을 생산한다. 115,000파운드스털링 전체를 이루는[53] 이 $\frac{23}{23}$ 중에서 $\frac{20}{23}$, 즉 10만 파운드스털링은 자본을 대체할 뿐이다. $\frac{1}{23}$ 또는 15,000파운드스털링(이윤) 중 5,000파운드스털링[54]은 공장과 기계류의 마모를 대체한다. 나머지 $\frac{2}{23}$, 즉 매일의 마지막 반 시간 2회가 10퍼센트의 순이윤을 생산한다. 따라서 (가격이 불변이고) 공장에서 $11\frac{1}{2}$시간이 아니라 13노동시간 작업해도 된다면 유동자본에 약 2,600파운드스털링을 추가함으로써 순이윤[55]은 2배 이상

G176

216

증가할 것이다. 다른 한편으로, 노동시간이 매일 1시간씩 단축된다면, 가격이 불변일 때,[56] 순이윤은 사라질 것이고, $1\frac{1}{2}$시간 단축되면 총이윤도 사라질 것이다." **첫째.** 시니어가 제시한 실증 자료의 옳고 그름은 우리의 연구 대상과는 상관이 없다.[57] 그렇지만 곁들여 말하자면, 매수할 수 없는 진실에 대한 사랑[58]뿐 아니라 완벽한 전문 지식[59] 또한 탁월했던 영국[60] 공장감독관 **레너드**[61] **호너**는 시니어 씨가 [62]맨체스터 공장주들의 충실한 받아쓰기로 1837년에[63] 내세웠던 저 진술이 허위임을 입증했다(레너드[64] 호너,『**시니어에게 보내는 편지**』, **런던, 1837년**을 보라).[65]

　둘째. 시니어의 인용문은 과학의 해설자들이 지배계급의 앞잡이로 전락하자마자[66] 구제할 길 없이[67] 빠지게 되는 우둔화[68]를 특징적으로 보여준다. [69]시니어는 인용된 저서를 면방적 공장주들의 이익을 위해서 집필했고, 집필하기에 앞서 공장주들로부터 저술 자료를 얻기 위해서 일부러[70] 맨체스터를 방문했다. [71]옥스퍼드의[72] 경제학 교수이자 현존하는 가장 저명한 영국인 경제학자 중 한 명인 시니어는 인용문에서, 자신의 제자가 저질렀더라면 용서하지 않았을, 조야한[73] 오류를 범했다. 그는 [74]면방적공장에서의 연간 노동, 또는 같은 말이지만, 1년 동안 [75]매일 $11\frac{1}{2}$ [시간]의 노동[76]이 그 노동 자체에 의해서 기계를 매개로 하여 원료인 면화에 ‖110‖[77] 추가된 노동시간 또는 가치 이외에 생산물에 포함된 원료의 가치와 생산 중에 마모된 기계류와 공장 건물의 가치도[78] 창출한다는 주장을 내세운다. 이에 따르면 예를 들어 면방적공장에서 노동자들은 [79]방적노동(즉 가치) 이외에 $11\frac{1}{2}$시간의 노동시간 동안에 그들이 가공하는[80] 면화를 생산하고, 면화를 가공하는 데 이용하는 기계류와 이 과정이 진행되는 공장 건물을 동시에 생산하는 것이 된다. 이 경우에만 시니어 씨는 $\frac{23}{2}$[81]시간의 일일 노동시간이 1년간 115,000파운드, 즉 연간 총생산물의 가치를 형성한다고 말할 수 있을 것이다. 시니어는 다음과 같이 계산한다. 노동자들은 하루 동안[82] 면화 가치를 "대체하기" 위한, 요컨대 창출하기 위한 만큼의 시간, 기계류와 공장의 마모 부분의 가치를 "대체하기" 위한 만큼의 시간, 자신의 임금을 생산하기 위한 만큼의 시간, 그리고 이윤을 생산하기 위한 만큼의 시간을 노동한다고. 노동자가 자신의 노동시간 이외에 그가 가공하는[83] 원료와 그가 사용하는[84] 기계류에 포함된 노동시간도 동시에 노동한다는, 요컨대 원료와 기계류가 완성된 생산물로서 그의 노동조건을 이루는[85] 것과 **동일한 시간에** 그것들을 생산한다는 이러한 유치하고 어리석은 상상은 시니어가 전적으로 공장주들이 그에게

G177

전달한 교훈에 지배되어 그들의 실용적인 계산방식을 [86]개악한 것으로써 설명된다. 이 계산방식은 이론적으로도[87] 아주 옳기는 하지만, 한편으로는 시니어가 관찰한다고 내세우는 관계, 즉 노동시간과 이윤의 관계와는 전혀 상관없고,[88] 다른 한편으로는 노동자가 자신의 노동조건에 추가하는 가치뿐 아니라 이 노동조건 자체의 가치도 생산한다는 어리석은 상상도 쉽게 만들어낸다. 이 실용적인 계산은 다음과 같다. 예컨대 12노동시간의 총생산물 가치가 $\frac{1}{3}$은 노동재료 즉 면화의 가치, $\frac{1}{3}$은 노동수단 즉 기계류의 가치, $\frac{1}{3}$은 새로 추가된 노동 즉 방적노동으로 구성되어 있다고 가정하자.[89] 여기에서 수치 비율은 중요하지 않다. 그래도 어떤 특정한 비율을 가정해야 한다. 이 생산물의 가치가 3파운드스털링과 같다고 가정하자. 그러면 공장주는 다음과 같이 계산한다. 일일 노동시간의 $\frac{1}{3}$, 요컨대 4시간 노동시간의[90] 생산물 가치는 내가 12시간을 위해서 또는 총생산물로 가공된[91] 면화의 가치와 같다. 일일 노동시간의 두 번째 $\frac{1}{3}$의 생산물[92]가치는 내가 12시간 동안 마모시키는 기계류의 가치와 같다. 끝으로 일일 노동시간의 세 번째 $\frac{1}{3}$의 생산물[93] 가치는 임금 더하기 이윤과 같다. 요컨대 그는 [94]일일 노동시간의 $\frac{1}{3}$은 면화 가치를, 두 번째 $\frac{1}{3}$은 기계류의 가치를 대체해주고, 끝으로 세 번째 $\frac{1}{3}$은 임금과 이윤을 이룬다고 말할 수도 있다. 그러나 이는 사실 [95]일일 노동시간 전체가 한편으로는 이 노동시간과는 무관하게 이미 존재하는 면화와 기계류의 가치에 자신 말고는, 즉 한편으로는 임금을 다른 한편으로는 이윤을 이루는 가치 말고는 아무것도 추가하지 않는다는 것을 뜻할 뿐이다. 즉 하루의 최초 $\frac{1}{3}$ 부분 또는 최초 4시간의 생산물가치는[96] 12노동시간 총생산물 가치의 $\frac{1}{3}$과 같다. 12시간의 총생산물 가치＝3파운드스털링이라면 이 최초 4시간의 생산물가치는[97] 1파운드스털링과 같다. 그러나 이 1파운드스털링의 가치 중에서[98] $\frac{2}{3}$, 요컨대 $13\frac{1}{3}$실링은 (전제에 따라서) 면화와 기계류의 기존 가치로 이루어진다. 새로 추가된 가치는 $\frac{1}{3}$ 또는 $6\frac{2}{3}$실링의 가치, 4노동시간의 가치뿐이다. 노동일의 최초[99] $\frac{1}{3}$의 **생산물**가치＝1파운드스털링이다. 그 까닭은 이 생산물에서 $\frac{2}{3}$ 또는 $13\frac{1}{3}$실링은 원료와 마모된 기계류의,[100]전제되어 있던, 그리고 생산물에 재현될 뿐인 가치이기 때문이다. 노동이 4시간 동안 창출한 [101]가치는 $6\frac{2}{3}$실링뿐이고, 따라서 12시간에는 20실링 또는 1파운드스털링을 창출할 뿐이다. [102]4시간 노동시간의 **생산물**가치는 새로 **추가된 노동**인 방적노동이 새로 창출한 가치[103]와는 전혀 다른 것이며 이 노동은 전제에 따라서 기존의 가치를 $\frac{1}{3}$만큼 증대할 뿐이다. 방적노동[104]은 처음 4시

218

간 동안에는 12시간분의 원료가 아니라 4시간분의 원료를 가공한다. 그러나 4시간 방사(紡絲)[105]의 가치가 12시간 동안 가공된 면화의 가치[106]와 같다면 그것은 단지 전제에 따라서 면화의 가치가 매 시간의 방사 가치의 $\frac{1}{3}$을 이루었고, 요컨대 12시간에 생산된 방사 가치의 $\frac{1}{3}$도 이루었다[107]는 사실, 즉 4시간 동안 생산된 방사의 가치와 같다[108]는 사실에 기인할 뿐이다. 공장주는 그에게 12시간 노동의 생산물이 3일간의 면화 가치를 대체한다고 계산할 수도 있을 것이고, 그렇다고 여기에서 문제가 되는 관계 자체에 어떤 영향을 미치지는 않을 것이다. 공장주에게는 이 계산이 실질적인 가치가 있다. 그가 노동하는 생산단계에서는 특정한 양의 노동시간을 흡수하는 데 필요한 만큼의 면화가 가공되어야 한다. 면화가 12시간의 총생산물 가치 가운데 ||111|[109] $\frac{1}{3}$을 차지한다면 총노동일 12시간의 $\frac{1}{3}$ 또는 4시간의 생산물은 12시간 동안에 가공된 면화의 가치와 같다. 특정한 생산과정에서, 요컨대 예를 들면 방적에서 노동자는 자신의 노동시간(여기에서는 방적)에 의해 측정된 가치 이외에는 아무런 가치도 창출하지 않으며, 이 노동시간의 일부는 임금[110]을 대체하고, 다른 일부는 자본가에게 귀속되는 잉여가치를 이룬다는 사실을 견지하는 것이 얼마나 중요한지 알 수 있다.

[111](실제로 노동자가 원료의 가치나 기계류 등의 어떤 부분에서도 **생산**하거나 **재생산**하는 것은 한 푼도 없다. 원료의 가치와 생산에서 소비되는 기계류의 가치에 그는 자신의 노동을 추가할 뿐이며, 이 노동이 새로 생산된 가치로서 그중 일부는 그 자신의 임금과 같고 다른 부분은 자본가가 얻는 잉여가치와 같다. 따라서 자본가와 노동자 사이에서 분배될 수 있는 것도 — 생산이 지속되려면 — 전체 생산물이 아니라 [112]생산물에서 그것에 선대된 자본을 뺀 나머지일 뿐이다. 시니어가 뜻하는 것 — 노동은 이중으로, 즉 자신의 가치와 그 재료 등의 가치를 생산한다는 — 과 같은 자본의 "대체"에는 노동시간이 하나도 들어가지 않는다. 시니어의 주장은 단지 노동자가 노동하는 $11\frac{1}{2}$ 시간 중에서 $10\frac{1}{2}$ 시간은 그의 임금을 이루고, $\frac{2}{2}$ 또는 1시간만이 그의 잉여노동시간을 이룬다는 것으로 귀결될 뿐이다.)[113]

G179

셋째. 시니어 씨의 모든 비과학적 논의는 그가 중요한 것을, 즉 임금으로 지출된 자본을 정확히 규정하지 않고 그것을 원료에 지출된 자본과 혼동하는 것이다. 그렇지만 [114]그가 제시하는 비율이 옳다면 노동자는 $11\frac{1}{2}$ 시간 또는 반 시간 23회 중에서 21회를 자신을 위해서 노동하고 반 시간 2회만을[115] 자본가에게 잉여노동으로 제공할 것이다. 이에 따르면 필요노동에 대한 잉여노동의 비율은 2 : 21 = [116]1 : $10\frac{1}{2}$이다. 이는 즉 $9\frac{11}{21}$[117]퍼센트이고 이것이 전체 자본에 대해서는 10퍼센트 이윤을 준다는 것이다![118] 잉여가치의 본성에 관해 그가 아무것도 모른다는 것을 보여주는 가장 특이한 사실은 다음과 같다:[119] 그는 반 시간 23[120]회 또는 $11\frac{1}{2}$ 시간 중에서 1시간만이 잉여노동, 즉 잉여가치를 이룬다고 가정하고, 따라서 노동자가 이 1시간에 잉여노동을, 그것도 $1\frac{1}{2}$ 시간의 잉여노동을 추가한다면, 반 시간 2회가 아니라 반 시간 5회를 (요컨대 전부 13시간을) 노동한다면 순이윤이 **2배 이상으로** 증가할 것이라는 사실에 놀란다. 전체 잉여노동 또는 잉여가치가 1시간과 같다는 전제하에서는 노동시간이 이 1시간만큼 단축되면, 요컨대 잉여노동이 전혀 수행되지 않으면 순이윤 전체가 사라진다는 발견도 마찬가지로 순진하다. 한편으로는 잉여가치가, 요컨대 이윤도 단순한 잉여노동으로 환원된다는 발견에 대한 놀라움과, 다른 한편으로는 동시에 이 관계에 대한 몰이해를 보게 되는데, 이것이 시니어 씨에게는 공장주들의 영향으로 인해 면 생산에서의 기묘함으로서만 눈에 띈다.

둘째로.[121] 노동자가 임금으로 받는 화폐는 [122]그가 생활욕구들을 충족하기 위해서 필요한 상품들에 들어 있는 노동시간을 나타낸다. 잉여가치는 노동자[123]가 교환에서 이들 상품을 위해서 이들 상품에 포함된 것보다 더 많은 노동시간을, 즉 일정량의 대상화된 노동과 교환하면서 그보다 많은 살아 있는 노동을 돌려줌으로써 발생한다. 그는 [124]자기 임금의 범위를 이루는 이들 상품을 그 상품들의 생산에 필요한 것보다 더 많은 노동을 주고 구매한다. "어떤 상품을 생산하는 데 노동량이 얼마나 필요하든, 현재의 사회 상태에서는 노동자가 그것을 획득하거나 소유하려면 그것을 자연에서 구매하기 위해 필요한 것보다 더 많은 노동을 언제나 주어야 한다. 노동자에게 이처럼 상승한 자연가격(Natural Price)은 사회가격(Social Price)이다."(**Th**. 호지스킨, 『대중 경제학』, 런던, 1827년, 220[125]쪽)[126]

G180 "그 자신도 공장주인 브러더턴[127]은 하원에서 공장주들이 그들의 노동자들(그들의 사람들men, Leute)을 매일 1시간만이라도 더 오래 노동시킬 수 있다면 매주 100파운드스털링의 이윤을 추가할 수 있을 것이라고 말했다."(**램지**, 앞의 책, 102쪽)[128]

"잉여노동이 없는 곳에서는 잉여생산물이 있을 수 없고, 따라서 자본이 있을 수 없다."(『국난의 원인과 대책』, 런던, 1821년, 4쪽)|[129]

|112|[130] "어떤 주어진 시기에, 어떤 주어진 나라 또는 세계에서 **어떤 주어진 이윤율**보다 적지 않은 수익을 달성하도록 투자할 수 있는 자본의 양은 자

제3노트 111쪽

본을 지출함으로써 기존의 인간 수로 하여금 수행하도록 유도할 수 있는 노동의 양에 주로 좌우되는 것 같다."[131](『최근 맬서스가 주장하는 수요의 성질과 소비의 필요에 대한 원리 연구』, 런던, 1821년, 20쪽)[132]

106, 107[133]**쪽에 대하여.** "노동자가 빵 대신 감자를 먹고 살게 할 수 있다면 그의 노동으로부터 더 많이 착취할 수 있다는 것은 이론의 여지가 없이 옳다. 즉 그가 빵을 먹고 살 때는 자신과 가족을 부양하기 위해서 월요일과 화요일의 노동을 확보해야 했다면, 감자를 먹고 살 때는 월요일의 절반밖에 필요하지 않을 것이다. 월요일의 나머지 절반과 화요일 전체는 국가나 자본가에게 봉사하는 데 이용할 수 있을 것이다."(『국난의 원인과 대책』, 런던, 1821, **26쪽**)[134]

"자본가에게 **예정되어 있는 것**이 무엇이든 그는 노동자의 잉여노동을 **받을 수 있을**[135] 뿐이다. 노동자도 **살아야 하기** 때문이다. 그러나 자본이 양적으로 증가함에 따라 가치 면에서 감소하지 않는다면 자본가는 노동자가 생존**할 수 있기** 위해 필요한 것을 넘어서는 모든 시간의 노동생산물을 그로부터 강제할 것임은 분명한 사실이다. 그리고 아무리 지독하고 역겨운 것처럼 보일지라도 결국 자본가는 최소한의 노동으로 생산할 수 있는 식품에 투기할 것이고, 드디어 노동자에게 이렇게 말할 것이다. '보릿가루가 더 싸니 너는 빵을 먹어서는 안 된다. 비트 뿌리와 감자로도 먹고살 수 있으니 고기를 먹어서는 안 된다.'"(같은 책, 23/24[136]쪽)

e) **107**[137]**쪽에 대한 보충설명.** [138]"부는 가용시간일 뿐 다른 아무것도 아니다."(『국난의 원인과 대책』, 6쪽)

자본주의적 생산에서 노동자의 노동은 **자립적 노동자**의 경우보다 훨씬 길다. 그 까닭은 그 비율이 **그의 욕구**에 대한 노동의 비율에 의해서가 아니라 잉여노동에 대한 자본의 무한한, 제약 없는 욕구에 의해서 결정되기 때문이다. "예를 들면 농민의 노동은 농민의 특정한 욕구들을 지향하지 않기 때문에 이미 더 많을 것이다."[139](J. G. **뷔슈**, 『화폐유통에 관한 연구』, 제1부, 함부르크와 킬, 1800년, 90쪽)[140]

e. **104**[141]**쪽에 대하여.**

노동자에게 잉여노동을 강제하는 관계는 그에게 자본으로서 마주 서는 노동조건의 현존이다. 그에게 어떤 외적 강제가 가해지는 것은 아니지만 ─ 상품이 그 가치에 의해 규정되는 세계에서 ─ 그가 살아가기 위해서는 노동능력을 상품으로 판매하도록 강제되고, 그 자신의 가치를 넘어서는 이 노

G183

222

동능력의 가치증식은 자본에 귀속된다.[142] 그리하여 그의 잉여노동은 생산의 다양성을 증대하는 것과 마찬가지로 타인을 위한 **자유시간**을 창출한다. 경제학자들은 이 관계를 **자연관계** 또는 **신의 섭리로 이해하기를 좋아한다.**[143] 자본에 의해 만들어진 근면에 대해서 말하자면 다음과 같다. "(노동에 대한) 법적 강제는 너무 많은 곤란, 폭력, 소음과 결부되어 있고 악의 등을 낳는다. 반면에 **굶주림**은 평화롭고 조용하며 꾸준한 압력을 가한다. 그러나 근면과 노동을 위한 가장 자연스러운 동기로서 그것은 가장 강력한 힘을 발휘한다."(**구빈법론**, 인류 복지의 지지자 지음』, 1786년(**J. 타운센드** 목사), 재판, 런던, 1817년, 15쪽)[144] 자본관계는 노동자가 자신의 노동능력을 판매하도록 강제되는 것, 요컨대 본질적으로 [145] 자신의 노동능력 자체를 판매해야만 한다는 것을 전제로 하므로 타운센드는 이렇게 말한다.[146] "빈민이 어느 정도 경솔해야 한다는 것, 공동체에서 가장 비굴하고 불결하며 비천한 일[147]을 수행하는 사람들이 언제나 있어야 한다는 것은 **하나의 자연법칙**[148]인 것 같다. 그럼으로써 인류 행복의 재고는 증가하고 그들보다 우아한 사람들은 고된 일에서 벗어나 방해받지 않고 더 고상한 소명을 수행할 수 있다."[149](같은 책, 39쪽) "구빈법은 신과 자연이 ||113|[150] 이 세상에 세운 제도의 조화와 아름다움, 균형과 질서를 파괴하는 경향이 있다."(41[151]쪽) 이 성직자 타운센드는 이른바 인구론의 본래 발견자는 아니지만 이 이론에 처음으로 형태를 부여했고, 맬서스는 그 형태로 인구론을 자기 것으로 만들고 그것을 커다란 학술적 자본으로 삼았다. 특이한 것은 베네치아의 수도승 오르테스(『**국민적 경제학에 관하여**』, 전 6권, 1774년, 맬서스보다 훨씬 똑똑한)를 제외하고는 주로 영국 국교회의 성직자들이 (타운센드가 말하듯이)[152] "긴급한 식욕"과 "큐피드의 화살을 무디게 하는 경향이 있는 억제력"과 씨름했다는 사실이다. 가톨릭의 미신(타운센드는 superstition이라 말한다)과는 반대로 그들은 성직자 자신들을 위해서는 "생육하고 번식하라"[153]를 요구하면서 노동계급에게는 금욕을 설교한다. "가장 유용한 직업을 가진 인간들이 많이 태어나는 것이 신의 섭리다."(갈리아니, 『**화폐에 대하여**』, 쿠스토디 엮음,(『이탈리아 경제학 고전 전집』—옮긴이), 제3권, 78쪽)

시토르흐는 말한다. 국부의 진전은 "다음과 같은 **유용한** 사회계급을 만들어낸다. 가장 지루하고 비천하며 불쾌한 일을 수행하는, 한마디로 말하자면 인생에서 모든 불편하고 굴욕적인 것을 짊어지고, 바로 그럼으로써 다른 계급들이 고상한 과업에 성공적으로 헌신하는 데 필요한 **시간**과 마음의 평정,

전래의 품격을 조달해주는 사회계급이다."(『**경제학 강의**』, 세 엮음, 제3권, 파리, 1823년, 223쪽)[154] "우리가 사는 곳에서는 욕구 충족을 위해 노동이 필요하고, **그렇기 때문에 적어도 사회의 일부는 쉴 새 없이 노동해야 한다 …**"(모턴 이든 경, 『**빈민의 상태: 또는 노르만 정복기부터 지금까지 영국 노동계급의 역사**』, 런던, **1797년, 제1권, 제1부, 제1장**)[155]

102쪽 d[156]**에 대하여.** 이 법칙[157]은 노동생산성이 불변이고 표준일이 주어져 있다면 잉여가치의 양은 동시에[158] 사용되는 노동자의 수에 따라 증가한다는 사실을 뜻할 뿐이다. 이로부터 모든 생산영역[159](예를 들면 농업)에서 더 많은 양의 노동이 사용되어도 노동생산성은 불변이라는 결론이 나오는 것은 아니다. (이를 주석으로 달 것.)

다른 조건이 불변이라면 자본주의적 생산에 기초할 때 한 나라의 부는 프롤레타리아, 임노동에 의존하는 인구 부분의 수에 달려 있다는 결론이 내려진다. "주인은 노예를 많이 가질수록 부유해진다. 이로부터 내려지는 결론은 대중을 동일하게 억압할 때 한 나라는 프롤레타리아가 많을수록 부유해진다는 것이다."(콜랭, 『**경제학. 혁명과 이른바 사회주의 유토피아의 원천**』, 제3권, **파리, 1857년**, 331쪽)

a에 대한 보충설명. 잉여가치에 관한 예시.

[160]제이컵[161]에 따르면 1815년에 밀 가격은 쿼터당 80실링이었고 평균 생산물은 에이커당 22부셸(지금은 32부셸), 요컨대 에이커당 평균 생산물은 11파운드스털링이다. 그는 밀짚으로 수확하기, 타작하기, 시장으로 운반하기에 필요한 지출을 어림잡는다. 그러고 나서는 다음과 같이 항목을 계산한다.

	파운드스털링	실링		파운드스털링	실링
종자(밀)	1	9	십일조. 지방세. 조세	1	1
비료	2	10	지대	1	8
	3	19			
임금	3	10	차지농의 이윤. 이자	1	2
	7	9		3	11

이 표에서 오른쪽 조세, 공과금, 지대, 차지농의 이윤과 이자는 [162]차지농(자

제3노트 113쪽

본가)이 받는 총잉여가치를 나타내지만,[163] [164]이 총잉여가치의 부분들은 다양한 명칭과 명목으로 국가, 지주 등에게 양도된다. 즉 총잉여가치＝3파운드스털링 11실링. 불변자본(종자와 비료)＝3파운드스털링 19실링. 노동에 지출된 자본은 3파운드스털링 10실링. 잉여가치와 잉여가치의 비율이 문제가 될 경우에는[165] 이 ||114|[166] 마지막 자본 부분, 즉 가변자본만을 고찰해야 한다. 요컨대 이번 경우에는 임금으로 지출된 자본에 대한 잉여가치의 비율은, 다시 말해 임금으로 지출된 자본이 증대되는 비율은 3파운드스털링 10실링에 대한 3파운드스털링 11실링의 비율이다.[167] 노동에 지출된 3파운드스털링 10실링의 자본은 7파운드스털링 1실링의 자본으로 재생산된다. 그중에서 3파운드스털링 10실링은 임금의 대체만을 나타내고, 반면에 3파운드스털링 11실링은 잉여가치를 나타낸다. 요컨대 잉여가치는 100퍼센트 이상이 된다. 따라서 필요노동시간은 [168]잉여노동과 똑같은 크기는 아니고 대략 그것과 같으므로 [169]12시간의 표준노동일에서 6시간은 자본가([170]이 잉여가치에 관여하는 다양한 사람들을 포함하여)에게 귀속된다. 예를 들면 80실링이라는 밀 1쿼터의 이 [171]가격이 그것의 가치를 초과하는 경우, 요컨대 그 가격의 일부가 다른 상품들이 그 가치 이하로 밀을 받고 판매된 데 기인하는 경우가 있을 수 있다. 그러나 첫째로 중요한 것은 처음부터 잉여가치 일체를, 따라서 잉여가치율을 어떻게 이해해야 하는지를 명확히 하는 것뿐이다. 다른 한편으로는 밀 1셰펠의 시장가격이 그것의 가치보다 약 10실링 높을 때 그것이 차지농이 받는 잉여가치를 증대하는 것은 그가 농업노동자에게 정상가치를 초과한 농업노동자의 노동에 대하여 정상가치를 넘는 이 초과분을 지불하지 않는 한에서만 그러하다.

[172] 근대 영국 농업의 다른 사례, 그것도 고도로 조직된 대농장(high formed estate)의 다음과 같은 [173]실제의 수지 명세서를 보자.

생산 자체를 위한 연간 지출		차지농의 소득과 공과금	
	파운드스털링		파운드스털링
비료	686	지대	843
종자	150	조세	150
사료	100	십일조	(누락)
손실.		이윤	488
영업관계자에게			
지불 등	453		

	1389	1481
임금	1690	
	—	
	3079	

(F. W. 뉴먼, 『경제학 강의』, 런던, 1851년, 166[, 167]쪽) 요컨대 이 사례에서는 가변자본 또는 살아 있는 노동과 교환된 자본이 1690파운드스털링에 달한다. 그것은 1690+1481=3171파운드스털링으로 재생산된다. 잉여가치는 [174]1481파운드스털링, 잉여가치가 유래하는 자본 부분에 대한 잉여가치의 비율 = $\frac{1481}{1690}$[175] 즉 [176]87퍼센트를 약간 상회한다.

〔"이윤을 향한 억누를 수 없는 정열, 저주받은 황금을 향한 탐욕(auri sacri fames)이 항상 자본가를 규정한다."(매컬럭, 『경제학 원리』, 런던, 1825[177]년, 163쪽)[178]〕[179]

e. 104[180]**쪽에 대하여.** "한 사람이 쉴 수 있는 것은 다른 사람이 노동하기 때문이다."(시스몽디, 『신경제학 원리』, 제1권, 76/77[181]쪽)[182]   G188

e. 107[183]**쪽에 대하여.** 생산물이 다양해짐에 따라 잉여노동은 생산의 일부가 사치품 생산에 투입되도록 하거나, 같은 말이지만 사치품과 (대외무역을 통해서) 교환되도록 함으로써 **사치품 생산**을 초래한다.

"생산물의 잉여가 존재하게 되면 잉여노동은 사치품에 투입되어야 한다. 기본 욕구를 충족하기 위한 대상의 소비는 제한되어 있다. 사치품 소비는 무한하다."(시스몽디Sism., 앞의 책, 제1권, 78쪽) "사치는 **타인의 노동**으로 구매할 때에만 가능하다. 쉬지 않고 열심히 일하는 노동은 노동이 장신구 따위가 아니라 생활필수품만을 조달할 수 있을 때에만 가능하다."(같은 책, 79쪽)[184]

〔따라서 자본을 위한 **노동자의 수요**는 자본가가 필요로 하는 유일한 수요이다. 즉 자본가에게 모든 것의 중심이 되는 것은 대상화된 노동과 교환되어 살아 있는 노동이 제공되는 비율이다. "노동**으로부터의** 수요에 대하여, 즉 재화와 ‖115‖[185] 교환하여 노동을 주는 것, 또는 — 결국엔 같은 것으로 귀결되지만 그것을 다른 형태로 고려하고자 한다면 — **완성된 생산물**과 교환하여 노동자에게 맡겨진 일정한 물체에 부여된 미래의 **추가 가치** ⋯ 를 주는 것에 대하여. 이것이 실질 수요이고, **어떤** 수요가 요구되는 한 이 수요를 증가시키는 것이 생산자에게 중요하며, 재화가 증가했을 때 서로 줄 수 있는 수요와는 본질적으로 무관하다."[186](『최근 맬서스가 주장하는 수요의 성질과 소비의 필요에 대한 원리 연구』, 런던, 1821년, 57[187]쪽)〕[188]

[189]예를 들면 제임스 밀이 "사회의 상당 부분이 **여가**의 이점을 누리기 위해서는 자본에 대한 수익이 커야 한다는 것은 분명하다"(제임스 밀,『**경제학 요강**』, 런던, 1821년, 50쪽)고 말할 때 그것이 의미하는 바는 많은 사람이 여가를 누리려면 임노동자가 많이 일해야 한다는 것 또는 일부의 자유시간은 노동자의 필요노동시간에 대한 잉여노동시간의 비율에 좌우된다는 것에 지나지 않는다.

자본가의 과제는 "지출된 자본〔살아 있는 노동과 교환된 자본〕으로 **가능한 한 노동을 많이 얻어내는 것**"이다.(J. G. 쿠르셀-스뇌유,『**공업·상업·농업 기업의 이론과 실제**』, 제2판, 파리, 1857년, 62쪽)

자본의 [190]증식, 자본이 자신의 가치를 초과해서 생산하는 잉여가치는, 요컨대 자본의 생산적 권능(Macht)은 그가 전유하는 잉여노동에 있다는 것을 예를 들면 **J. St. 밀**은 이렇게 말한다. "엄밀히 말하면 **자본은 생산적 권능이 없다**. 유일한 생산적 권능은 의심할 나위 없이 도구의 지원을 받아 원료에 영향을 미치는 노동의 권능이다. … **자본의 생산적 권능**은 자본가가 자신의 자본을 매개로 해서 **명령**할 수 있는 실제적인 생산적 권능(노동)의 양에 지나지 않는다."(J. St. 밀,『**경제학에서 해결되지 않은 문제들에 대한 에세이**』, 런던, **1844년**, 90, 91쪽)

a)에 대하여. 자본을 재생산하고 증대할 때 원료와 기계류의 가치 자체가 생산과정에서는 전혀 무관하다는 것이 분명하다. 원료 중에 아마를 예로 들어보자. 생산단계가, 기술 발전의 일정한 수준이 주어져 있다면 아마가 예컨대 아마포로 변형되기 위해서 얼마만큼의 노동을 흡수할 수 있는지는 아마의 **가치**가 아니라 그것의 **양**에 달려 있고, 이것은 어느 기계가 노동자 100명에게 주는 도움은 이 기계의 가격이 아니라 그것의 사용가치에 달려 있는 것과 마찬가지이다.

114[191]**쪽에 대하여.** 또는 다른 예를 들어보자. [192] 사이먼스(J. C.)의『**국내외의 기술과 장인**』(에든버러, 1839년, [233쪽])은 예를 들면 글래스고에서 일반적으로 제조되고 있는 것과 같은 양질의 캘리코(면직물의 일종 — 옮긴이)나 셔츠 직물을 짜도록 만들어진 직기 500개를 갖춘 글래스고 기계 직물업자에 대해서 다음과 같은 계산을 보여준다.

공장과 기계류 설치 비용	18,000 파운드스털링
연간 생산물. 24야드 직물 150,000필. 1필당 6실링	45,000 파운드스털링

G189

고정자본의 이자, 기계류의 감가상각비	1,800
이 중 900(5퍼센트)을 이자로 계산하고자 함.	
증기기관, 유류, 수지, 기계류의 수리 등	2,000
원사와 아마	32,000
임금	7,500
이윤	1,700
	———
	45,000

이 경우에 이자와 이윤은 1,700＋900＝2,600이다. 자본 중에서 노동에 지출되어 재생산되고 증대되는 부분은 7,500파운드스털링. 잉여가치＝2,600. 요컨대[193] 잉여가치율은 약 33[194]퍼센트(계산상으로는 약 35퍼센트가 됨 — 옮긴이).|

|116|[195] **b.) 99)에 대하여.**

R. 존스는『부의 분배에 대한 고찰』, 런던, **1831년**에서 부역노동, 또는 그가 labour rent(노동지대)라 부르는 것[196]을 지대,[197] 여기서는 단지 지주에게 귀속되는 잉여가치의 특정한 형태로서만 간주되어야 하는 가장 본래적인 형태의 지대로 올바르게 고찰하고 있다.[198] 요컨대 농업노동자가 토지의 일부를 점유하여 자신의 생계를 위해서 경작하는 형태이다. 그들이 이 토지에 투입하는 노동시간[199]은 임노동자가 자신의 임금을 대체하는 데 쓰는 필요노동시간에 해당한다. 그러나 예를 들면 근대적 일일 농업노동자가 — 공장노동자가 자신의 필요노동과 잉여노동을 실현하기 위해서 같은 기계류를 사용하는 것과 마찬가지로 — 동일한 토지(차지농이 임차한 토지)에서 자신의 전체 노동시간을 — 임금을 대체하는 부분뿐 아니라 잉여가치를 형성하는 부분도 — 실현한다면, 여기에서는 시간의 분할이 (게다가 임노동에서보다 훨씬 명확하게) 이루어질 뿐 아니라 이 노동시간이 실현되는 생산조건(생산영역)들의 분할도 이루어진다.

G190

예를 들면 부역노동자는 일주일에 며칠은 자신이 보유하도록 할당된 토지를 경작한다. 그 외의 날에는 주인의 영지에서 토지소유주를 위해서 노동한다. 이러한 형태의 노동과 임노동의 공통점은 노동자가 생산조건들의 소유주[200]에게 주는 것이 다른 생산양식과는 달리 생산물도 화폐도 아닌 **노동 자체**라는 점이다. 필요노동과 잉여노동이 상이한 두 토지에서 수행되기 때문에 잉여노동이 여기에서는 [201]임노동에서보다 더 명확하게, 필요노동과 분리되어 나타난다. 부역노동자는 자신의 노동능력을 재생산하기 위해서 필요한 노동을 [202]그가 점유한 경지에서 수행한다. 토지소유주를 위한 잉여노동은 주인의 영지에서 수행한다. 이러한 공간적 분할을 통해서 총노동시간이 상이한 두 부분으로 분리되는 것도 그만큼 명확하게 나타나지만,[203] 반면에 임노동자에 대해서는 그가 12시간 중 가령[204] 2시간을 자본가를 위해서 노동한다고 말할 수 있는 만큼 매 시간 중에서 또는 12시간의 다른 임의의 비례분할적 부분 중에서 $\frac{1}{6}$ 을 자본가를 위해서 노동한다고 말할 수 있다. 요컨대 첫째로 필요노동과 잉여노동[205]으로의 분할, 자신의 노동능력 재생산을 위한 노동과 생산조건 소유주를 위한 노동의 분할은 임노동 형태에서보다 부역노동 형태에서 더 두드러지고 명확하게 나타난다. 둘째로 그 결과[206]잉여노동은 비지불노동이고 잉여가치 전체는 잉여노동, 즉 비지불노동으로 귀결된다는 것이 임노동에서보다 부역노동 형태에서 더 뚜렷하게 나타난다. 부역노동자들이 일주일에 닷새는 자신들의 경지에서 노동하고 여섯째 날에 주인의 영지에서 노동한다면 그들이 이 여섯째 날에 비지불노동을 수행하고 자신들을 위해서가 아니라 타인[을 위해서] 노동한다는 것, 이 타인의 소득 전체는 그들의 비지불노동의 생산물이라는 것은 분명하다. 바로 그렇기 때문에[207] 이 비지불노동은 부역노동이라 불린다. 공장노동자가 매일 12시간 중에서 2시간을 자본가를 위해서 노동한다면 이것은 그가 일주일에 닷새는 자신을 위해서, 하루는 자본가를 위해서 노동하는 것과 같다. 요컨대 사실상 그가 일주일에 하루는 자본가를 위해서 부역노동을 수행하는 것과 같다. 전체 부역노동 제도에서는[208] 임금형태가 결여되어 있고 이 것이 관계를 더 명확하게 만든다. 부역노동자는 자신의 필요노동을 실현하는 데 필요한 생산조건들을 한꺼번에 지정해서 받는다. 따라서 그는 자신의 임금을 스스로 지불하거나 자신의 필요노동의 생산물을 직접 전유한다. 반면에 임노동자의 경우는 그의 총생산물[209]이 일단 자본으로 전화하고 난 다음 임금형태로 다시 그에게 되돌아온다. 만약 일주일에 하루 주인을 위해 노동하는 부역노동자가 일주일 전체의 생산물을 주인에게 넘겨주어야 하고 주인이 그것을 화폐로 전화시켜서 이 화폐 가운데 $\frac{5}{6}$ 를 그에게 넘겨준다면 부역노동자는 이 측면에서 본다면 임노동자로[210] 전환될 것이다. 반대로 매일 2시간 자본가를 위해 노동하는 임노동자가 그의 닷새간 노동의 생산물 또는 생산물가치를 스스로 수금하고 (두 관계에서 생산조건, 즉 노동재료와 수단을 위한 가치의 공제는 비록 상이한 형태로나마 이루어진다) 엿새째에는 자본을 위해서 무상으로 노동한다면 그는 부역노동자로 전환될 것이다. 필요노동과 잉여노동의 본질 및 관계가 고찰되는 한에서 결과는 같다.

230

부역노동은 크고 작은 규모로 모든 형태의 농노제와 결합되어 발견된다. 그러나 슬라브족 나라들과 로마인들이 점령했던 도나우 지방에서 특히 그러했고 지금도 부분적으로는 그러하듯이, 부역노동이 순수하게, 지배적인 생산관계[211]로서 나타나는 곳에서는 ||117|[212] 부역노동이 농노제를 토대로 해서 농노제로부터 유래한 것이 아니라 오히려 반대로 농노제가 부역노동으로부터 유래했다고 확실하게 말할 수 있다. 부역노동은 일종의 공동체를 기초로 하며 공동체 구성원들이 생계를 위해 필요한 노동을 넘어서 일부는 (공동체의) 예비기금으로, 일부는 공동체의 정치적, 종교적 욕구를 해결하기 위해서 수행하는 잉여노동[213]이 [214]예비기금이나 정치적, 종교적 지위를 자신들의 사적 소유로 강탈한 가족들을 위한 부역노동으로 점차 전환된다. 도나우 공국, 마찬가지로 러시아에서도 이 강탈과정은 상세하게 나타낼 수 있다. 왈라키아의 보야르(Bojar, 루마니아 지주 귀족 — 옮긴이)와 영국 공장주 측의 타인의 노동시간에 대한 탐욕을 비교할 때 흥미 있는 점은 두 경우 모두 타인 노동의 전유가 부의 직접적 원천으로 나타난다는 것이다. 잉여가치는 잉여노동으로.

〔"고용주는 시간과 노동을 **절약하기**[215] 위해 언제나 전력을 다할 것이다."(**두걸드**[216] **스튜어트**, 『**경제학 강의**』, **제1권**, **에든버러**, **1855년**, **W. 해밀턴** 엮음, 『**전집**』, **제8권**, **318쪽**) **107쪽에 대하여**. **e에 대한 보충설명에 대하여**.〕

부역노동에서는 잉여노동이 가장 본래적인, "자립적이고"[217] "자유로운" 형태로 나타난다. 자유롭다는 것은 노예제에서 노예의 하루 전체는 가축과 마찬가지로 소유주의 것이고 당연히 소유주는 노예에게 먹이를 주어야 한다는 점에서 그렇다는 것이다.

[218]몰다비아나 왈라키아[219]에서조차 아직도 부역노동과 함께[220] 현물지대도. 우리는 여기에서 1831년에 시행된 **레글르망 오르가니크**(*Règlement Organique*, 1831년 러시아 보호령이었던 몰다비아와 왈라키아의 최초 헌법 — 옮긴이)를 예로 들어 보자. 보유지, 가축 등이 실제로 왈라키아 농민에게 **속한다**는 사실, 강탈에 의해서 소유주를 위한 공납이 등장했다는 사실, 러시아의 규정은 강탈을 법으로 승격했다는 사실은 여기에서 우리 목적과는 무관하며, 따라서 이 기회에 언급해둘 따름이다. 현물지대는 건초의 $\frac{1}{5}$, 포도주의 $\frac{1}{20}$, 나머지 모든 생산물의 $\frac{1}{10}$[로] 구성된다(이는 모두 왈라키아의 경우이다).[221] 농민이 소유하는 것은 1) 주택과 채소밭을 위해서 평지에 400스타젠 (1스타젠은 약 2제곱미터), 산지에 300스타젠, 2) 경지 3포고네(pogones, 왈라

G192

키아에서 토지 면적을 측정하기 위해 사용된 척도로서 1포고네는 약 3,022제곱미터 ─ 옮긴이)(1½ 헥타르), 3) 목초지 3포고네(뿔이 있는 가축 5마리를 위한 목초지).[222]

여기에 덧붙여서 언급할 것. 이 농노제 법전은 러시아인들에 의해 (키셀료프 치하에서)[223] 자유 법전으로 선포되었고 유럽의 인정을 받았다는 것.[224] 둘째, 실제로 보야르가 이 법을 기초했다는 것.[225] 셋째, 비율로 보면 왈라키아보다 몰다비아에서 훨씬 더 심하다는 것.

이 법에 따르면 각 농민은 소유주에게 1년에 1) 총 12노동일, 2) 경작노동 1일, 3) 목재 운반 1일의 의무를 진다.[226] 그렇지만 이 1일은 시간이 아니라 수행해야 하는 작업으로 측정되었다. 따라서 레글르망 오르가니크 자체가 12노동일은 손노동 36일의 생산물과 같고 경작노동 1일=3일, 목재 운반 1일도 마찬가지로=3일이라고 규정한다. 모두 합하면 42일.[227] 그러나 여기에 이른바 **요바기**(iobagie)(Dienst, servitude)[228] 즉 소유주의 임시적인 생산 요구[229]를 위한 노동이 추가된다. 이 임시적 노동은 100가구가 사는 마을에서는 남자 4명, 63~75가구가 사는 마을에서는 3명, 38~50가구가 사는 마을에서는 2명, 13~25가족이 사는 마을에서는 1명에 의해 제공되는 것이다.[230] 이 요바기는 왈라키아 농민 1인당 14노동일로 추정되었다.[231] 그리하여 법으로 정해진 부역노동=42+14=56노동일이다.[232] 왈라키아에서 연간 경작일 수는 사나운 날씨 때문에[233] 210일이고, 그중 일요일과 휴일이 40일, 악천후 때문에 평균 30일, 합쳐서 70일이 빠져나간다. 남는 것은 140일이다.[234] 그중 56일이 부역일로 빠진다. 남는 것은 84일이다.[235] 그러나 이 비율은 영국의 농업노동자가 자신의 임금을 위해서 노동하는 시간을 차지농, 교회, 국가, 지주 등에게 분배되는 잉여가치를 생산하기 위해서 노동하는 시간과 비교할 때보다 나쁘지는 않다.

이것이 소유주에게 법적으로 허가된 부역일, 법적 잉여노동이다.[236] 그렇지만 이 법은 법조문을 어기지 않으면서 부역노동이 더욱 연장될 수 있도록 설계되었다. 즉 하루 일과를 완수할 수 있기 위해서는[237] 다음 날의 노동시간에 추가분이 발생하도록 하루 일과가 규정되어 있다.[238] 예를 들면 "김매기 하루 작업은 12페르슈(perche, 길이 또는 면적의 단위. 1에이커의 약 $\frac{1}{100}$ ─ 옮긴이)로 측정되어 있지만 이것은 한 사람이 하루에 작업할 수 있는 면적의 2배를"[239] 특히 옥수수 밭에서 "할당하게 되도록" 규정되어 있다. 실제로 김매기 하루 일과는 "5월에 시작해서 10월에 종료한다"[240]는 규정에 맞추어

설계되어 있다.|

|118|[241] 대(大)보야르 중 한 사람은 스스로 이렇게 말했다. "몰다비아에서 레글르망 오르가니크로 정해진 농민의 12노동일[242]은 실제로는 365일에 해당한다."[311쪽] 보야르들이 농민의 노동시간을 전유하기 위해서 얼마나 빈틈없이[243] 이 법을 활용했는지는 E. 르뇨, 『도나우 공국의 정치·사회사』, 파리, 1855년, 305쪽 이하에서 자세히 살펴볼 수 있다.

이제 이것을 영국의 자본주의적 생산에서 노동시간 ─ 잉여노동시간 ─ 을 향한 탐욕[244]과 비교해보자.

여기에서 나는 영국에서 기계류가 발명된 이후 초과노동의 역사를 상술할 생각은 없다. 사실은 다음과 같다. 과로의 결과로 페스트가 발병해서 확산되었을 때 자본가와 노동자 공히 위협받았다는 것, 자본가들의 대대적인 저항에도 불구하고 국가가 표준노동일을 공장에 도입해야 했다는 것(훗날 대륙 도처에서 많든 적든 이를 따라 했다),[245] 이 순간에도 이러한 표준노동일의 도입이 본래의 공장에서 다른 노동영역(표백, 날염, 염색)으로 확대되어야 했다는 것, 이 순간에도 이 과정은 계속 진행되고 있고 그것을 둘러싼 투쟁(예를 들면 10시간 노동법을 시행하기 위해서, 또 노팅엄의 레이스 제조업으로 공장법을 확대하기 위해서 등)은 계속되고 있다는 것이다. 이 과정의 초기 단계들에 관한 세부 사항에 대해서는 F. 엥겔스, 『영국 노동자계급의 상태』, 라이프치히, 1845년을 참고할 것. 그렇지만 공장주들의 실천적[246] 저항은 그들의 대변자이자 옹호자[247]인 직업적 경제주의자들의 이론적 저항보다 크지 않다. 투크의 『물가의 역사』의 공동 편집자인 뉴마치[248] 씨가 영국기술협회(협회 명칭은 확인할 것)의 지난 1861년 9월 맨체스터 총회에서 경제학 부문 의장으로서 공장 등에서의 표준노동일에 대한 법적 규제와 강제적[249] 단축의 필요성을 통찰한 것은 오늘날의[250] 경제학의 최신 업적의 하나로서 그 선행자들보다 뛰어난 것이라고 강조하도록 압박을 느끼지 않았던가![251]

내 목적은 단지 보야르의 갈망과 비교하기 위해서 최신 공장 보고서에서 G194 몇 가지 인용문을 제시하는 것이며, 마찬가지로 공장법이 아직 도입되지 않은 산업부문(레이스 공장) 또는 최근에 비로소 도입된 산업부문(날염공장)에 관한 한두 가지 사례를 제시하는 것이다. 여기에서는 영국에 비하면 왈라키아에서는 아직은 강하게 작용하지 않는 경향을 보여주는 몇 가지 증거가 중요할 뿐이다.

첫 번째 예시.[252] 노팅엄의 레이스 제조업.

《데일리 텔레그래프》, 1860년 1월 17일 자.

"1860년 1월 14일 노팅엄 시 공회당에서 열린 회의를 주재한 치안판사 브로턴 씨는 레이스 제조업에 종사하는 지역 주민 일부는 다른 문명사회에서는 예를 찾아볼 수 없는 고통과 궁핍에 시달린다고 말했다. … 9~10세 정도의 아이들이 새벽 2시, 3시, 4시경에 더러운 침대에서 끌려나와 그저 입에 풀칠만이라도 하기 위해 밤 10시, 11시, 12시까지 노동을 강제당하고 있는데, 그동안 아이들의 팔다리는 시들어버리고 골격은 왜소해지고[253] 얼굴은 세파에 찌들고[254] 그들의 인간성은 돌처럼 무감각하게 굳어져버려 보기에도 끔찍할 지경이다. … 우리는 맬럿 씨나 다른 공장주들이 등장해서 어떤 논의에도 항의하는 것에 놀라지 않는다. … 이 제도는 몬터규 밸피 목사가 서술한 바와 같이 무제한적인 노예제도, 즉 사회적으로나 육체적으로, 도덕적으로나 정신적으로 노예제도이다. 성인 남성의 노동시간을 **하루 18시간으로 制限하라**[255]고 청원하기 위해 공공 집회를 개최하려는 도시가 있다는 것을 어떻게 생각해야 할까? … 우리는 버지니아나 캐롤라이나의 면화 재배업자를 비난한다. 그렇지만 그곳에 채찍의 공포나 인신매매가 있다 하더라도 그들의 흑인 시장이,[256] 자본가의 이익을 위해 ‖119‖[257] 망사와 옷깃을 제조하면서 자행되고 있는 완만한 인신공양보다 더 혐오스럽겠는가?"

〔(원문은 다음과 같다: … (마르크스는 이 문단에《데일리 텔레그래프》의 원문을 영어로 옮겨놓았으나 위의 인용문과 별로 다르지 않아서 따로 번역하지 않았다. 일부 다른 부분에 대해서는 위 문단에 주를 달아두었다. ― 옮긴이)

G195 ‖120‖[258] 공장제도가 전혀 **달라졌다**는 잘못된 견해가 존재하므로 나는 (그 하나의 예를 ― 옮긴이) 이 각주에서,『호적 총국』1857년 10월 28일 자(『결혼, 출생, 사망 등록에 관한 사분기 보고서. 호적본서장관의[259] 직권으로 간행』, 제35호, 6쪽)에서 인용한다. "(맨체스터의) 딘스 게이트 지역의 리(Leigh) 씨는 맨체스터 주민이 매우 주목할 만한 다음과 같은 현명한 의견을 이야기했다. 그곳에서 아동의 생활은 매우 슬프다. … 검시를 받은 사례들을 제외하고 총 사망자 수는 224명이고 이 중에서 156명은 5세 미만의 아동이었다. … 이렇게 높은 비율은 **일찍이** 들어본 적이 **없다**. 성인의 생명에 영향을 미치는 통상적인 여건은 상당한 정도로 중단된 반면에 어린 생명에 악영향을 미치는 여건은 활발하게 작동하고 있다. … 아동 중 87명은 한 살도 되기 전에 죽었다. 소홀하게 다루어진 설사, 백일해에 걸린 동안 환기가 되지 않는 방에 가둬두는 것, **적절한 영양의 결핍**, 수두증과 뇌출혈뿐 아니라 소모증(消耗症)과

경련을 일으키는 **아편의 과잉 투여**, 이 모든 것이 (아동) 사망률이 아직도 그렇게 높은 … 이유를 설명해줄 것이다.")[260]

/119/ 두 번째 예시. 공장 보고서.

"기만적인 공장주는 오전 6시 15분 전에 (때로는 더 일찍, 때로는 더 늦게) 작업을 시작하고 오후 6시 15분에 (때로는 더 일찍, 때로는 더 늦게) 작업을 마친다. 그는 명목상 아침식사 시간으로 정해진 반 시간에서 앞뒤로 5분씩을, 명목상 점심식사 시간으로 정해진 1시간에서 앞뒤로 10분씩을 빼앗는다. 토요일에는 오후 2시 이후에도 15분간(때로는 더 많이, 때로는 적게) 더 작업한다.

그리하여 그의 **이익**(*gain*)[261]〔여기에서 이익은 훔친 잉여노동과 직접 동일시된다〕은 다음과 같다.

오전 6시 이전	15분	5일간	**토요일**		**주간**
오후 6시 이후	15분	합계	오전 6시 이전	15분	**총이익**
아침식사 시간[262]	10분		아침식사 시간[263]	10분	
점심식사 시간	20분		오후 2시 이후	15분	
	60분	300분		40분	340분

또는 주당 5시간 40분으로 여기에서 휴일과 임시 휴업으로 인한 2주를 빼고 연간 50주로 곱하면 **27노동일**과 같다."(하원의 명령으로 *1859년 8월 9일* 인쇄된 『공장규제법』,[264]에 있는 「공장감독관 L. 호너의 공장법 개정안」, 4, 5쪽)

"그것(법정시간을 넘는 초과노동)에 의해 얻어지는 이윤은 많은 사람들(공장주)에게 저항하기에 너무나 큰 유혹인 것 같다. 그들은 발각되지 않을 것으로 기대하면서 계산한다. 그리고 기소된 자들이 지불해야 했던 벌금과 재판 비용은 소액이므로 발각될지라도 여전히 상당한 **이익**[265]이 있을 것이라고 생각한다."(『공장감독관 보고서. 1856년 10월 31일까지의 반기(半期) 보고서』, 34쪽) "하루에 5분씩 연장된 노동은 주를 곱하면 1년에 2½일의 생산과 같다."(같은 책, 35쪽) "하루 동안 **작은 절도들이 누적되어**[266] 추가시간이 얻어지는 경우에는 공장감독관들이 그것을 입증해내기가 매우 어렵다."(같은 책, 35쪽. 여기에서는 그렇게 얻은 초과시간이 영국의 공식 공장감독관에 의해 직설적으로 *theft*, "절도"로 표현되고 있다.)|

/120/ 이러한 **작은 절도들**은 "**몇 분 훔치기**"(같은 책, 48쪽), 나아가 "**몇 분 가로채기**"(같은 책), "또는 명칭이 붙은 대로 '뜯어먹기' 또는 '점심시간 갉

G196

아먹기'"(같은 책)라고도 불린다. "매우 믿을 만한 어떤 공장주가 내게 이렇게 말했다. '만일 당신이 내게 하루에 10분씩만 초과노동을 시키도록 해준다면 당신은 1년에 1,000(파운드스털링 — 옮긴이)을 내 호주머니에 넣어주는 셈입니다.'"(같은 책, 48쪽)[267]

공장감독관들에 따르면 영국 **날염공장**에서 노동시간은 사실상 무제한적이고 1857년에만 해도 8세 이상의 아동이 아침 6시부터 저녁 9시까지(15시간) 일했다. "날염공장에서 노동시간은 법적 제한이 있음에도 불구하고 사실상 무제한이라고 해도 무방하다. 노동에 대한 유일한 제한은 날염공장법(빅토리아 8과 9 C. 29)[268] 제22조에 포함되어 있는데, 어떤 — 즉 8~13세의 — 아동도 오후 10시부터 다음 날 오전 6시까지로 정의된 **야간**에는 노동해서는 안 된다고 규정하고 있다. **따라서 8세 아동이 열기로 숨이 막히는 공간에서 여러 가지로 공장노동과 유사한 노동에, 휴식이나 간식을 위해서 노동을 멈추지 않고 계속해서, 오전 6시부터 오후 10시까지(16시간) 자주 합법적으로 고용될 수 있다.** 그리고 13세가 된 소년은 어떠한 제한도 없이 밤낮으로 몇 시간이든 합법적으로 고용될 수 있다. 내 구역에서 지난 반년간, 8세 이상의 아동은 오전 6시부터 오후 9시까지 고용되었다."[269](『**공장감독관 보고서. 1857년 10월 31일**』, 39쪽, A. 레드그레이브 씨의 보고)

G197 "오전 6시 이전과 오후 6시 이후, 그리고 **명목상으로는** 식사시간으로 정해진 시간의 전후로 조금씩 쪼개어 매일 **1시간씩** 추가하면 **1년을 13개월로 만드는 것**과 거의 같다."[270](『**공장감독관 보고서. 1858년 4월 30일**』, 9[, 10]쪽, L. 호너 씨의 보고) 공장감독관들은 매우 분노하면서 이익은 노동시간, 잉여노동시간에 지나지 않고 따라서 초과이익은 표준노동일을 **초과하는** 잉여노동시간에 지나지 않는다는 것을 분명히 하고 있다.|

|121| 따라서 공황의 시기에도 초과시간을 노동시키려는 노력은 조금도 변하지 않는다. 일주일에 삼사일만 노동한다면 이윤 일체[271]는 이 삼사일간 이루어진 노동의 잉여시간에만 존재한다. 요컨대 **초과이윤**은 정상적인 잉여시간을 넘어서, 따라서 법정 표준노동일을 넘어서 노동이 이루어지는 비지불 잉여시간에만 있다. 2시간의 잉여노동에 주당 3일을 곱하면 당연히 잉여가치는 주당 6일을 곱할 때의 절반에 지나지 않는다. 따라서 공황에는 **실제로 노동이 이루어지는 날들**에 **초과시간**을, 즉 다른 때보다 더 오래 비지불 노동시간을 노동시키려는 유혹이 그만큼 강하다. (다른 공장주들은 임금을 인하함으로써, 즉 노동이 이루어지는 삼사일간의 필요노동시간을 단축함으로써 사

실상 같은 짓을 한다.) 따라서 1857~58년[272]: "이렇게 경기가 나쁜 시기에 초과노동이 있어야 한다는 것은 모순된 것처럼 보일지도 모른다. 〔공장주들이 공황 동안에 **비지불** 노동시간에서 가능한 한 큰[273] 부분을 낚아채려 하는 것은 전혀 모순되지 않는다.〕 그러나 바로 이 불경기가 비양심적인 사람들을 위법으로 몰아가고, 그들은 **그것으로 초과이윤을**[274] 얻는 것이다."(『보고서. **1858년 4월 30일**』, [10쪽,] L. 호너 씨의 보고) 〔시기가 나쁠수록, 거래가 적을수록 행해진 거래당 이윤은 커야 한다.〕 따라서 앞의 글에서 호너는 그의 담당 구역에서 공장 122개가 완전히 폐업하고 143개가 휴업하고[275] 나머지 공장도 조업을 단축하던 시기에도 법정시간을 넘어서는 초과노동은 계속되었다고 언급하고 있다(같은 책). 마찬가지로 공장감독관 T. J. **하월**은 같은 해[276] 다음과 같이 보고하고 있다. "(대부분의 공장에서 경기가 좋지 않아 절반의 시간밖에 조업을 하지 않는데도)[277] 나는 노동일 동안 휴식과 식사를 위해 허용된 시간을 침범하고 아침에는 정시보다 5분 이상 먼저 시작하며 저녁에는 정시보다 5분 이상 늦게 마침으로써 노동자로부터 하루에 $\frac{1}{2}$ 시간이나 $\frac{3}{4}$ 시간을 빼앗는다는 **불만을 통상적인 수만큼** 계속 접수하고 있다. 통틀어 하루에 $\frac{1}{2}$ 시간에서 $\frac{3}{4}$ 시간에 달하는 이러한 작은 절도행위는 **적발하기** 매우 **어렵다**."[278](같은 책, 25쪽. T. J. **하월**의 보고)

"매일 여섯 차례 각각의 시간에서 몇 분씩을 취해 이루어진 초과노동의 체계적인 과정을 입증하는 것은 감독관 한 사람의 감시로는 확실히 불가능하다."(『보고서. 1856년 10월 31일』, [35쪽]. L. 호너) "노동 제한이 편의적이라는 것이 **원칙적 승인은 아닐지라도 실제로 현재 일반적으로 묵인되고**[279] 있고 일반적으로 의견이 일치하고 있다 등등."(『보고서. 1855년 10월 31일』, 77쪽) 자본주의적 생산, 따라서 공장 체제가 대륙에서 발전함에 따라서 각 정부(프랑스, 프로이센, 오스트리아 등)는 노동시간 제한에 관한 영국의 사례를 어떻게든(d'une manière ou d'une autre) 뒤따르도록 강제되었다. 약간의 수정이 있었지만 그들은 대부분 영국의 공장법을 모방했고 모방할 수밖에 없었다.|

|122| [280]1848년 이전에 프랑스에는 사실상 공장에서의[281] 노동일을 제한하기 위한 법률이 없었다. 공장(동력 또는 지속적인 화력을 사용하는 공장, 제조소, 작업장과 20명 이상을 고용하는 모든 시설)에서 아동노동을 제한하기 위한 1841년 3월 22일 자 법률(이 법률의 기초가 되는 것은 Wm IV. 3과 4 C. 103)[282]은 **사문화**되었고 오늘에 이르기까지 **노르 주**에서만 실제로 시행되었다. 그 밖에도 이 법에 따르면 **13세 미만의 아동**을 야간(오후 9시부터 오전

5시 사이에)에도 "긴급한 수리 상황이나 수차(水車) 정지에" 투입할 수 있다. **13세 이상 아동**은 "그들의 노동이 불가결하다면" 야간에도.

1848년 3월 2일 임시정부는 공장에서만이 아니라 모든 매뉴팩처와 작업장에서도 아동은 물론 성인 노동자까지 파리에서는 10시간, 지방에서는 11시간으로 노동시간을 제한하는 법률을 통과시켰다. 임시정부는 표준노동일이 파리에서는 11시간, 지방에서는 12시간이라는 잘못된 전제에서 출발했다. 그러나 "대다수의 방적공장에서는 노동이 14~15시간 지속되어 노동자, 특히 아동의 건강과 품행에 큰 해를 끼쳤다. 그리고 더 장시간이기도 했다."(블랑키, 『1848년 프랑스 노동자계급에 관하여』)[283]

국민의회는 이 법률을 **1848년 9월 8일**[284] 자 법률을 통해 다음과 같이 수정했다. "공장과 제조소에서 노동자의 일일 노동은 12시간을 초과해서는 안 된다. 작업이나 도구의 속성이 그것을 요구하는 경우에 정부는 이 조항 적용에 예외를 규정할 권한이 있다." 1851년 5월 17일 자 법령에 의해 정부는 이 **예외 규정**을 지정했다. 한편으로는 1848년 9월 8일[285] 자 법률이 적용될 수 없는 다양한 부문이 규정되었다. 나아가 다음과 같은 제한이 더해졌다.[286]
"일과를 마치면서 하는 기계류 청소, 동력기, 보일러, 기계류, 건물의 고장으로 인해 필요해진 작업. 다음의 경우에는 노동이 연장될 수 있다. 염색작업, 표백작업, 면 날염작업에서 옷감 세탁 및 펴기를 위해서 일과를 마치면서 1시간. 설탕공장, 정련소, 화학공장에서는 2시간. 염색작업, 날염작업, 마무리 작업은 공장주의 선택에 따라 도지사(Préfet)의 인가를 받아 연간 **120일** 동안 2시간."[287] 〔공장**감독관 A. 레드그레이브**는 『보고서. 1855년 10월 31일』 80쪽에서, 프랑스에서 이 법률의 시행과 관련하여 다음과 같이 언급하고 있다. "여러 명의 공장주가 확인해준 바에 따르면 그들이 노동일을 연장하기 위한 허가를 받으려 할 때 노동자들은 어느 때의 노동일이 연장되면 다른 때의 정상적 노동시간 수가 단축될 것이라는 이유로 반대했다. … 그리고 그들은 하루 12시간을 초과하는 노동에 특히 반대했는데, 그 까닭은 이 시간을 확정한 법률이 공화국의 입법 중에서 그들에게 남아 있는 유일하게 좋은 것이기 때문이다."

"노동일의 연장은 노동자가 **선택**할 수 있다. … 상호 합의될 때 … (12시간을 초과하는) 시간당 임금률은 일반적으로 통상 임금보다 높다."[288](같은 책, 80쪽) A. 레드그레이브는 초과노동과 그에 따른 신체적 탈진[289]과 정신적 사기 저하의 결과 "루앙과 릴의 노동인구가 … 감소했고" "증가가 미미"해졌

G199

238

으며, "영국에서는 '공장 불구자'라 불리는 희생자를 낳는 종류의 불구로 인해 많은 이들이 괴로움을 겪고 있다"고 81쪽에서 언급하고 있다.(같은 책, 81쪽)

"하루 12시간의 노동이 인체에 충분한 요구라는 사실은 인정되어야 한다. 그리고 식사를 위해 필요한 중간 휴식, 출퇴근에 필요한 시간이 노동시간에 추가되면 노동자가 처분할 수 있는 남는 시간은 **과도하지 않다.**[290](같은 책, 81쪽, A. 레드그레이브)

10시간 노동법에 반대하는 영국 공장주들의 위선적인 궤변(이의 제기) 중에는 다음과 같은 것이 있다. "10시간 노동법안에 대한 많은 반대 중의 하나는 청년과 여성에게 **너무 많은 여가시간**[291]을 주는 것은 그들에게 교육이 부족하기 때문에 ||123| 낭비하거나 악용할 위험이 있다는 것이다. 그리고 교육이 진전되고 10시간 법안이 공장 인구에게 제공하도록 제안하고 있는 여가시간을 유익한 정신적, 사회적 활동에 사용하기 위한 수단이 제공될 **때까지는**[292] 품행을 위해서 **하루 종일 공장에서 보내는** 것이 더 바람직하다는 것이다."(같은 책, 87쪽, A. 레드그레이브)〕

〔매콜리가 기존 질서에 대한 옹호자 ─ 다만 과거에 대해서는 감찰관 카토이고 현재를 추종하는 ─ 인 휘그당원으로 행동할 수 있기 위해서 경제적 사실을 얼마나 심하게 왜곡하는지는 다음 인용문 등에서. "아동을 너무 어린 나이에 노동하도록 하는 관행, 스스로를 보호할 수 없는 이들의 정당한 보호자인 국가가 우리 시대에는 현명하고 인도적으로 금지해버린 관행이 17세기에는 매뉴팩처 체제의 규모에 비하면 거의 믿을 수 없을 만큼 만연했다. 의류 무역의 중심지인 노리치에서는 여섯 살짜리 작은 피조물이 노동능력이 있다고 취급되었다. 그 당시 여러 저술가들, 그리고 그들 중 소문날 정도로 자애로운 몇몇은 이 **도시 한 곳**[293]에서만도 어린 소년 소녀가 그들 자신의 생계에 필요한 것보다 1년간 12,000파운드스털링을 초과하는 부를 창출했다는 사실을 의기양양하게 언급하고 있다. 과거의 역사를 자세히 살펴볼수록 우리 시대에 새로운 사회적 폐해가 넘쳐난다고 생각하는 사람들과 다른 이유를 우리는 점점 더 많이 발견하게 된다. 진실은 폐해가 거의 예외 없이 오래되었다는 것이다. 새로운 것은 이 폐해를 식별하는 지혜와 그것들을 바로잡는 인간애이다."(매콜리, 『영국사』, 제1권, **417**[294]쪽) 이 구절은 정반대, 즉 당시에 아동노동은 아직 예외적인 현상이었고 바로 그렇기 때문에 경제주의자들은 이 현상을 각별히 명예스러운 것으로 의기양양하게 언급한다

G200

는 것을 입증한다. 애처로운 나이의 아동들이 공장에서 소모되는 것을 현대의 어떤 저술가가 각별하게 눈에 띄는 것으로 언급할 것인가? 차일드나 컬페퍼 같은 저술가를 양식을 가지고 읽는 자라면 누구나 동일한 결론에 이를 것이다.)

법정 노동시간은 "제한된 시간 내에 기계류를 청소하는 것이 아니라 이 일을 시키기 위해 아동, 청소년, 여성을 식사시간을 쪼개어, 그리고 토요일에는 2시 이후에 공장에 붙들어둠으로써" 자주 초과된다(『보고서. **1856년 4월 30일**』, 12쪽, L. 호너).

또한 이러한 초과노동은 "성과급으로 고용되지 않고 주급을 받는" 노동자에게서도 이루어진다.(『**공장감독관 보고서. 1859년 4월 30일**』, [8,] 9쪽, **L. 호너**)

(호너 씨는 최초의 공장감독관 중 한 사람으로 1833년 공장조사위원이었으며 공장감독 초기 시절에 심각한 어려움과 씨름해야 했다.) **1859년 4월 30일** 자 그의 최종[295] 보고서에서 호너는 이렇게 말하고 있다. "아동 교육은 **겉보기에는** 규정되어 있지만 많은 경우에 철저한 가짜이다. 차단막이 없는 기계류에 의한 부상과 사망으로부터 노동자의 보호는 마찬가지로 **겉보기에는** 규정되어 있지만 실제로는 사문화되었다. 사고 보고는 대부분 공금의 낭비에 불과하다. … 매우 상당한 정도의 초과노동이 아직도 만연해 있다. 그리고 대부분의 경우 적발과 처벌에 대항하는, **법률 자체가 제공하는**[296] 보호를 동반하고 있다."(같은 책, 9, 8쪽)

(13세 이상 아동은 성인 남자와 같은 시간만큼 고용될 자격이 있다. 13세 미만 아동은 반일제 노동자.)|

|124| "사실은 1833년 법 이전에는 청소년과 아동이 **철야, 종일, 또는 양쪽으로 다**[297] 임의대로 노동했다는 것이다."(『**보고서. 1860년 4월 30일**』, [50,] 51쪽) 1833년 법에 따라 **야간**은 오후 8시 반부터 오전 5시 반 사이. 공장주들은 "오전 5시 반부터 오후 8시 반 사이에는 어떤 시한으로든 그들의 법정 노동시간을 취하도록" 허용되었다. "낮"과 "밤"의 이러한 의미는 그 후 1850년까지 모든 공장법을 통틀어 노동시간의 제한은 있었으나 유지되었고, 1850년에 비로소 노동이 허용되는 낮 시간이 오전 6시부터 오후 6시까지, 겨울에는 공장주가 원한다면 오전 7시부터 오후 7시까지로 정해졌다.[298]

"사고 대부분은 대형 공장에서 발생했다. … 1천 마력은 될 것 같은 동력을 유지하면서 노동이 계속되는 시간을 단 1분이라도 더 취하려는 영원한 다툼은 필연적으로 위험을 초래한다. 그러한 공장에서는 순간순간이 이윤의 요소

G201

이다. ― 모든 이가 모든 순간에 주의하는 것이 요구된다. 여기에서는 … 생명과 무기적(inorganic) 힘 사이의 끊임없는 갈등을 목격하게 될 것이다. 여기에서는 정신적 에너지는 지시해야 하고 동물적 에너지는 활동하고 방추의 회전과 같은 속도로 유지되어야 한다. 과도한 흥분이나 열기에 의해서 그들에게 가해지는 과로에도 불구하고 그들은 우물쭈물해서는 안 된다. 주위의 다양한 움직임에 주의를 빼앗겨 작업을 중단하는 일은 한시라도 있어서는 안 된다. 지체될 때마다 손실이 발생하기 때문이다."(『공장감독관 보고서. 1860년 4월 30일』, 56쪽)

[299] "수년 동안 보고서를 발표해온 **아동고용위원회**[300]는 많은 범죄행위를 조명했는데, 이것들은 아직도 계속되고 있고 일부는 공장이나 날염작업장이 이제까지 저지른 어떤 범죄보다 훨씬 심각한 것이다. … 의회에 책임을 지고 진행 상황을 반년마다 보고하는 의무를 다하는 유급 관리에 의한 조직적인 감독 체계가 없다면 법은 머지않아 효력을 상실할 것이다. 이는 1833년 공장법 이전의 모든 공장법이 효과가 없었다는 것으로 증명되었고 오늘날에는 프랑스에서 ― 1841년 공장법이 체계적 감독에 관해 아무 조항도 포함하지 않았기 때문에 ― 그러한 것과 같다."(『**공장감독관** 보고서. **1858년 10월 31일**』, 10쪽)

공장법들은 "과거 장시간 노동자들의 조로(早老)를 종식했다. **노동자들을 그들 자신의 시간의 주인으로 만듦으로써**[301] 그들이 궁극적으로 정치권력을 장악하도록 이끌어가는 도덕적 에너지를 그들에게 주었다."(『공장감독관 보고서. **1859년 10월 31일**』, 47쪽)

"훨씬 더 큰 이익은 **노동자 자신의 시간**과 그가 고용주에게 속하는 시간의 구분이 드디어 명확해졌다는 것이다. **이제 노동자는 그가 판매하는 시간이 언제 끝나는지, 자신의 시간은 언제 시작되는지를 안다.** 그리고 이것을 미리 확실히 알게 됨으로써 **자신의 시간을 자신의 목적을 위해서 미리 배분해둘 수 있게 되었다!**"(같은 책, 52쪽)[302] 이는 표준일의 제정과 관련하여 매우 중요하다.[303] 1833년 이전에는 "주인은 돈벌이 말고는 다른 것을 할 시간이 없고 하인은 노동 말고는 다른 것을 할 시간이 없었다."(같은 책, 48쪽)

"이익을 추구하는 공장주들의 탐욕이 빚어낸 잔혹함은 스페인 사람들이 아메리카를 정복할 때 금을 좇으며 저지른 잔혹함도 거의 능가할 수 없다."(존 웨이드, 『중간계급과 노동계급의 역사』, 제3판, 런던, 1835년, 114쪽) G202

[304] |124a| "(성인 남성, 여성 방직공과 같은) 어떤 계층의 노동자들은 초과노

동시간에 직접적인 이해관계를 갖고 있으며, 그들보다 연소한 계층에 약간의 영향력을 행사한다고 생각할 수 있다. 게다가 당연한 일이지만 후자는 그들의 고용주가 처벌의 대상이 될 법한 증언이나 정보를 제공하면 해고될지도 모른다는 불안을 느낀다. … (연소한 노동자들이) 위법한 시간에 노동하다가 발각될 때조차, 그들이 치안판사 앞에서 사실을 입증하기 위해 증언하는 것은 일자리를 잃을 위험을 무릅쓰고 하는 것이므로 신뢰할 수 있는 경우는 드물다."(『공장감독관 보고서. 1860[305]년 10월 31일까지의 반기 보고서』, 8쪽)

"어떤 공장이 400명을 고용하고 있는데, 그중 절반은 '성과급'에 따라 노동하고 … 노동시간이 길어지는 것에 직접적인 이해관계를 가진다. 나머지 200명은 일급을 받고 다른 노동자들과 같은 시간만큼 노동해도 초과시간에 대해 추가로 지불받지 않는다. 일부 지역에서는 규칙적으로 정규시간보다 5분 일찍 시작하고 5분 늦게 끝나는 관행이 생겨났다. 매일 3번의 시작시간과 종료시간이 있다. 그리하여 6번에 걸쳐 시간당 5분, 반 시간이 매일 얻어지는데 한 사람으로부터만이 아니라 일급을 받으면서 노동하는 200명으로부터 그러하다. 이 200명의 하루 반 시간 노동은 1명의 50시간 노동 또는 1명의 일주일 노동의 $\frac{5}{6}$와 같으며, **고용주에게 명백한 이익**[306]이다."(같은 책, 9쪽)

성과급으로 지불되면[307] 노동자는 물론 자신의 초과노동에 대해 얼마간 몫을 가지며 그가 노동한 잉여시간의 일부를 자기 것으로 전유한다. 그러나 자본가는 1시간의 초과노동에 대해 표준노동일의 1시간과 똑같이 지불하거나 더 많이 지불할지라도 보다 신속한 자본 증식 이외에 고정적 잉여이윤[308]을 얻는다. 그 까닭은 1) 노동이 행해지는 기계(예를 들면 방추, 방적기)를 증가시킬 필요가 없기 때문이다. 동일한 노동자가 12시간을 노동하든 15시간을 노동하든 동일한 역직기를 써서 동시에 노동한다. [309] 요컨대 이러한 잉여시간에 의한 생산에서는 자본지출의 일부가 생략된다. 2) 표준노동일이 12시간이고 그중 2시간이 잉여노동이라면 2시간의 잉여시간을 위해서 10시간이 지불되어야 한다.[310]

여기에서는 [311]30분($\frac{1}{2}$시간) 중에서 [312]$\frac{1}{6}$=5분이 자본가의 이득이 되고 그에게 25분이 지불된다. 잉여시간은 노동자가 먼저 자신을 위해서 10시간 노동하는 것에 달려 있다. 여기에서 이는 노동자가 자신의 필요한[313] 임금을 벌었다는 것을 이미 전제로 했다. 요컨대 그는 초과노동의 비례분할적 부분을 감수할 수 있다.

초과노동이 **무상**이라면 자본은 필요노동시간[314]을 지불하지 않고도 그것을 획득할 수 있다. 매일 10시간 노동한다면 100노동시간의 초과노동 = 임금이 **완전히 절약되는** 노동자 10명의 노동시간.| G203

|124b| 표백업과 염색업에 관한 법은 1861년 8월 1일에 시행될 예정이었다.

본래 공장법의 **주요** 규정들은 다음과 같다.

"16세 미만은 누구나 증명서를 발급하는 외과의사의 진찰을 받아야 한다. 8세 미만 아동은 고용될 수 없다. 8세 이상 13세 미만 아동은 반일만 고용될 수 있고 매일 학교를 가야 한다. 여성과 18세 미만의 청소년은 아침 6시 이전, 저녁 6시 이후, 토요일 오후 2시 이후에 고용될 수 없다. 여성과 청소년은 식사시간 동안에 일할 수 없고 어떤 제조공정이 수행되고 있는 동안에 공장 안의 어디에도 머무르도록 허용되지 않는다. 13세 미만 아동은 같은 날 정오 이전과 오후 1시 이후 양쪽에 걸쳐 고용될 수 없다."(같은 책, 22, 23쪽)[315] — "작업시간은 공공 시계, 일반적으로는 가장 가까운 기차역의 시계에 의해 관리된다. … 식사시간이나 그 외에 법으로 금지된 시간에 누군가 공장 안에서 발견되면 그들이 지정된 시간에 공장을 떠나려 하지 않는다거나 특히 토요일 오후에 작업을 중단시키려면 강압이 필요하다고 변명하기도 한다. 그러나 기계가 멈춘 뒤에도 인력이 공장에 남아서 기계를 청소하거나 유사한 다른 작업을 하고 있다면, 그것은 다만 오후 6시 이전이나 토요일 오후 2시 이전에 청소 등을 위해 충분한 시간을 별도로 주지 않았기 때문일 것이다."(같은 책, 23쪽) 공장법에서 식사시간과 관련된 규정들. "모든 청소년과 여성, 성인에게는 오전 7시 반부터 오후 6시 사이에 동시에 1시간 반이 주어져야 한다. 이 중에서 1시간은 오후 3시 이전에 주어져야 하고 누구든 오후 1시 이전에 휴식 30분이 없이 5시간 이상 고용되어서는 안 된다. 전국적으로 정비공의 통상적인 식사시간[316]은 아침식사 반 시간과 점심식사 1시간이다."(같은 책, 24쪽)

그 밖에 공장법의 규정.

"부모는 자녀를 일주일에 5일, 하루에 3시간 학교에 보내야 한다. 고용주는 전주에 아동이 5일간 매일 3시간 학교에 다녔다는 교장의 증명서를 매주 월요일 아침에 확보하지 않으면 아동을 고용하는 것이 제한된다."(같은 책, 26쪽)

과거 몇 세기, 자본주의적 생산에 선행하는 시기에도 우리는 마찬가지로

강제적인, 즉 정부에 의한 법적 규제들을 볼 수 있다. 그러나 그것은 **특정한 시간 동안** 노동하도록 노동자를 강제하기 위해서였던 반면에 지금의 규제들은 모두 그와 반대로[317] 노동자를 **특정한 시간 동안만** 노동시키도록 자본가를 강제하기 위한 것이다. 발전된 자본에 맞서서 노동시간을 제한할 수 있는 것은 정부의 강제뿐이다. 자본이 비로소 발전하는 단계에서는 ||124c| 노동자를 강제로[318] 임노동자로 전환하기 위해서 정부의 강제가 등장한다.

G204

"인구가 빈약하고 토지는 풍부할 때 자유로운 노동자는 게으르고 건방지다. 인위적인 규제는 그가 노동하도록 강제하는 데 유용할 뿐 아니라 절대적으로 필요한 것이었다. 칼라일 씨에 따르면 오늘날 우리 서인도 제도의 해방된 흑인들은 뜨거운 태양이 공짜이고 호박도 거의 공짜로 가질 수 있기 때문에 노동하려 하지 않는다. 칼라일 씨는 그들 자신을 위해서라도 노동을 강제하는 법적 규제가 절대적으로 필요하다고 생각하는 것 같다. 그 까닭은 그들이 원래의 야만 상태로 빠르게 되돌아갈 것이기 때문이다. 영국에서 500년 전에 경험에 의해서 발견된 사실은 빈민은 일할 필요도 없고 일하려 하지도 않는다는 것이다. 14세기 심각한 전염병이 인구를 감소시켰기 때문에 **적당한 조건으로** 사람들을 노동하게 하는 것이 감당할 수 없을 만큼 어려웠고 왕국의 산업을 위협하는 수준까지 이르렀다. 그에 따라서 1349년에는 빈민에게 노동을 강제하고 임금에 개입하는 법률이 에드워드 3세 재임 23년째에 제정되었다. 계속해서 몇 세기에 걸쳐 같은 목적으로 몇 개의 법이 제정되었다. 농업노동자의 임금뿐 아니라 수공업자의 임금도, 하루 노동뿐 아니라 성과급 노동의 가격도, 빈민이 노동해야 하는 시간도, 그뿐 아니라 (오늘날의 공장법에서처럼) **식사를 위한 휴식시간까지도** 법으로 규정되었다. 임금을 노동자에게는 **불리하게** 고용주에게는 유리하게 규제한 의회 법률들이 464년이라는 오랜 기간 동안 지속되었다. 인구는 증가했다. 그러자 이들 법률은 불필요하고 부담스러운 것으로 인식되었고 실제로도 그러했다. 1813년에 그것들은 모두 폐지되었다."(**『자유무역의 궤변』, 제7판, 런던, 1850년,** 205, 206쪽)[319]

"1496년 법령에 따르면 식량은 수공업자 소득의 $\frac{1}{3}$, **노동자** 소득의 $\frac{1}{2}$의 등가물로 간주된다. 이것은 노동자들의 자립도가 오늘날보다 높았음을 보여준다. 그 까닭은 노동자와 수공업자의 식량은 그들의 임금에 대하여 이제는 더 높은 비율로 계산되기 때문이다. **식사와 휴식을 위한 시간은 오늘날보다 훨씬 자유스러웠다.** 그것은 예를 들면 3월부터 9월까지는 아침식사에 1시

244

간, 점심식사에 1½시간, 오후 간식(noon-meate)에 ½시간(따라서 총 3시간)
이었다.[320] 겨울에는 아침 5시부터 날이 저물 때까지 노동했다. 반면에 지금
면방적공장에서는 ||124d| 아침식사에 ½시간, 점심식사에 1시간[321]으로
요컨대 1½시간, **15세기의 정확히 절반에 불과하다.**(존 웨이드, 『**중간계급과 노
동자계급의 역사**』, 제3판, 런던, 1835년, 25, 24쪽과 577, 578쪽)[322]

    1860년 **표백염색노동법**이 발포되었다.

G205

    날염노동법, 표백염색노동법, 공장법의 규정들은 상이하다.

    "표백 등 노동법[323]은 모든 여성과 청소년의 노동시간을 **오전 6시부터 오
후 8시** 사이로 제한하고 아동은 **오후 6시 이후** 노동시킬 수 없다. 날염노동법
은 여성과 청소년, 아동의 시간을 오전 6시부터 오후 10시 사이로 제한하고
아동의 경우 토요일을 제외하고 오후 6시 이전에 매일 5시간 학교를 다니
는 것을 조건으로 한다."(『**공장감독관 보고서. 1861년 10월 31일**』, 20, 21쪽) "공
장법은 하루에 1½시간을 허용할 것과 이 1½시간을 오전 7시 30분부터 오
후 6시 사이에 취하며 그중 1시간은 오후 3시 이전에 주어져야 하고 아동,
청소년, 여성은 오후 1시 이전에 적어도 30분의 식사를 위한 휴식시간을 갖
지 않고서는 5시간 이상 고용되어서는 안 된다고 규정하고 있다. … 날염법
에는 … **식사시간에 대한** 규정이 **전혀 없다.**[324] 따라서 청소년과 여성은 아침
6시부터 밤 10시까지 식사를 위해 중단하지 않고 노동할 수 있다."(같은 책,
21쪽) "날염공장에서 아동은 아침 6시부터 밤 10시 사이에 노동할 수 있다.
… 표백노동법에 의하면 아동은 공장법에 따라서만 노동할 수 있는 반면에
청소년과 여성[325]의 노동은 낮에 해오던 노동을 계속해서 밤 8시까지 할 수
있다."(같은 책, 22쪽)

    "예를 들어 **비단공장**을 보면, **1850년** 이후 11세 이상(요컨대 11~13세)[326]
의 아동을 하루에 10½시간 동안 생사(生絲)를 감고 꼬는 데 고용하는 것은
합법적이다. 1844년부터 1850년까지 그들의 일일 노동은 10시간, 토요일은
그보다 짧은 시간, 그 이전에는 9시간으로 제한되었다. 이러한 변화는 비단
공장의 노동이 다른 섬유공장에서보다 쉽고, 다른 관점에서 본다면 건강에
해로울 가능성이 더 적다는 이유로 이루어졌다."(같은 책, 26쪽) "비단공장
노동이 다른 직물공장 노동보다 건강에 좋은 직업이라는, 1850년에 제기된
주장은 전적으로 ||124e| 증거가 없을 뿐 아니라 실제로는 정반대였다. 비
단공장 지역의 평균 사망률이 매우 높았고 여성의 경우에는 랭커셔의 면직
공장 지역에서보다 높았기 때문이다. 랭커셔 지역에서는 아동이 반일만 노

동하는 게 사실이지만 면직업을 건강에 해롭게 만드는 환경 요인 때문에 폐질환 사망률이 높을 수밖에 없다고 가정할 수 있다."(같은 책, 27쪽)

애슐리 경은 10시간 노동법안에 관한 연설(1844년 3월 15일)에서 당시 오스트리아 공장에서 노동시간은 "하루에 15시간이고, 17시간도 드물지 않다"고 말하고 있다.(『10시간 공장법안』, 런던, 1844년, 5쪽) 스위스에서는 규제가 매우 엄격하다. "아르가우 주에서는 14세 미만 아동이 $12\frac{1}{2}$시간 이상 노동하는 것이 허용되지 않으며 교육이 공장주에게 강제되고 있다." 취리히 주에서는 "노동시간이 12시간으로 제한되어 있고 10세 미만 아동의 고용은 허용되지 않는다. … 프로이센에서는 1839년 법에 의해서 16세 미만 남녀 아동은 하루 10시간 이상 고용될 수 없고 9세 미만 아동은 아예 고용될 수 없다."([5,] 6쪽)[327]

G206

---

[328]/V-196/ [329]부감독관 베이커가 "보기에는 어쩌면 이제 막 18세가 되었을 듯한 젊은 여성들을 관찰한" 것에 대해 보고한 바에 따르면(『공장감독관 보고서』, 1843년) "이 여성들은 식사시간이 겨우 $1\frac{1}{2}$시간일 뿐이고 오전 6시부터 오후 10시까지 노동해야 했다. 그가 말하는 다른 사례로는 70도에서 80도의 온도에서 밤새 노동해야 하는 여성도 있다. … (호너 씨는 1843년의 『공장감독관 보고서』에서 다음과 같이 말하고 있다.) 이제 막 18세가 된 많은 젊은 여성들이 아침식사 15분과 점심식사 45분을 제외하고는 아침 5시 반부터 밤 8시까지 쉴 새 없이 노동하는 것을 보았다. 그들은 24시간 중에서 15시간 반을 노동한다고 해도 틀리지 않을 것이다. (손더스 씨가 1843[330]년의 『공장감독관 보고서』에서 말하기를) 그들 중에는 몇 주 동안 불과 며칠의 휴일을 빼고 2시간도 되지 않는 식사시간을 포함해 아침 6시부터 밤 12시까지 일하는 여성들도 있었다. 따라서 한 주의 닷새 동안 집까지 오가는 시간과 잠자는 시간을 위해 그녀들에게 주어진 시간은 24시간 중 6시간뿐이다."(같은 책, 20, 21쪽)

노동시간의 강제적[331] 연장의 결과 노동능력의 조기 소모, 달리 말하자면 조로.

"1833년에 랭커셔의 매우 유력한 공장주 애시워스 씨가 내게 편지를 보냈다. 이 편지에는 다음과 같은 매우 흥미 있는 구절이 있다. '40세가 되거나 또는 그 직후에 죽거나 노동에 부적합해진다는 말을 듣는 노인들에 대해서 자연스럽게 묻게 되겠지요.' 40세의 '노인들'이라는 구절을 주목하라!"(같은 책, 12쪽) 정부 조사관 매킨토시 씨(1832년 위원회가 채택한 자료에 반하는 자료를 수집하기 위해서 특별히 파견된 조사관 중 한 명)는 1833년 자신의 보고서에서 이렇게 말한다. "그러한 방식으로 아동들이 종사하고 있는 것을 보고 각오는 했지만 늙어버린 사람들이 스스로 말하는 **나이**는 정말 **믿기 어렵다**.[332] 그만큼 그들의 조로는 완벽하다."(같은 책, 13쪽)

———

/III-124e/ 1816년 R. 필 경은 1802년 도제법을 심사하기 위한 하원위원회를 간신히 발족시켰다. 그중에서도 프레스턴에 있는 한 공장의 감독관인 존 모스의 증언에 따르면 도제법은 늘 무시되어왔다. 이 증인은 도제법의 존재조차 알지 못했다. 공장에서 일하는 아동은 거의 모두 런던 교구에서 온 도제들이었는데 1년 내내 아침 5시부터 밤 8시까지 두 끼 식사를 위해 1시간을 휴식하면서 노동했다.[333] 일요일 아침 6시부터 12시까지 변함없이 한 주를 위해 기계류를 청소하는 노동을 했다(15시간).[334]

런던에 있는 빵집들의 평균노동은 17시간. 면방적공업 초기에는 17시간이 통상적. 그 직후에 야간노동 도입.[335]

잉여가치율

노동자가 필요노동을 10시간, 잉여노동을 2시간 한다면 비율은 $\frac{2}{10} = \frac{1}{5} =$ 20퍼센트. 만약 12시간이라는 총노동일을 고려하면서 노동자가 $\frac{5}{6}$, 자본가가 $\frac{1}{6}$ 을 받는다고 한다면 잘못된 계산이 이루어진다, 즉 착취율을 잘못 확인하게 된다. 이 경우에는 비율이 $\frac{1}{6}$ ($\frac{12}{6} =$ 2시간), $= 16\frac{2}{3}$퍼센트일 것이다. 생산물이 계산되면, 그것도 생산물 중에 임금과 등가인 부분에 대한 잉여생산물의 비율이 아니라 총생산물의 비례분할적 부분으로서 잉여생산물이 계산되면 동일한 오류가 발생할 것이다. 이 점은 잉여가치를 규정하기 위해서 매우 중요할 뿐 아니라 나중에 이윤율을 정확하게 규정하기 위해서도 결정적으로 중요하다.

|124f| "그(면방적공업 발전 초기에 활동하던 기업가 중 하나)가 나에게 놀라운 생각을 전해주었다. 나는 그 생각이 원래 그의 것인지 아닌지는 모르겠지만 그는 그런 생각을 할 만하다. 그것은 **야간노동의 조직화**[1]에 관한 것이다. 노동자들을 두 그룹으로 나누고, 각 그룹은 이틀에 하루는 아침까지 밤새 일하는 것이다. 그러면 방직기는 쉬지 않게 된다. 지금까지 17시간으로 제한되었던 노동은 7시간이라는 긴 시간 동안 방직기의 가치, 임차료 등 막대한 자본을 쉬게 해왔다. 이 하루 7시간 동안의 이익을 이제 더는 잃지 않게 될 것이다. 그는 야간임금을 도입하는 것에 의해서 조명을 위한 부대비용을, 그리고 그 이상의 것을 되찾을 수 있게 해주는 체계를 설명했다."(생제르맹 르뒤크, 『**리처드 아크라이트 경(1760~1792)**』, 파리, 1841[2]년, 145, 146쪽)[3]

이것은 현재 모스크바 면방적공장에서 규범. 지금도 맨체스터 거울공장에서 시행되는 제도는 이보다 훨씬 더 끔찍해서 아동도 투입된다. 즉 2개 팀[4]이 24시간 밤낮으로 6시간마다 교체된다. 배비지에서 읽을 수 있다(『**기계 경제론**』, 런던, 1832년).[5]

"튈(Tüll, 커튼용 망사 — 옮긴이)을 생산하는 최초의 기계들은 매우 비싸서 처음 구매할 때는 1,000에서 1,200 또는 1,300파운드스털링이나 되었다. 이 기계를 하나라도 갖고 있는 공장주들은 모두 그것이 더 많이 생산한다는 것을 곧 알아차렸지만 기계의 가동이 하루 8시간으로 제한되어 있었기 때문에 가격 면에서 기존의 생산방법과 경쟁할 수 없었다. 이 단점은 기계를 최초로 설치할 때 들어가는 거액에 기인했다. 그러나 공장주들은 초기 자본을 그대로 지출하면서 운전자금에 지출을 약간 추가하면 같은 기계를 24시간 가동

G208

할 수 있다는 것을 알아차렸다. 공장주들이 그렇게 실현한 이익은 다른 사람들로 하여금 기계를 개량하는 방법에 관심을 기울이도록 했다. 그리하여 틀이 더 신속하고 더 대량으로 만들어지는 것과 동시에 기계 구매가격은 현저하게 떨어졌다."(제22장)[6]

뉴라나크에 있는 면방적공장에서 오언의 전임자이자 자선가이기도 한 **데일**은 10세 미만의 아동조차[7] 여전히 13시간을 사용하고 있었다. [8]"그토록 심사숙고한 조치에 필요한 부대비용을 충당하고 시설 일반을 유지하기 위해서는 이들 아동을 여름이나 겨울이나 아침 6시부터 저녁 7시까지 면방적공장에 고용하는 것이 불가피했다. … 공공 양육기관의 관리인들은 절약이라는 것을 잘못 생각하고 있어서 이 시설의 소유자들이 6세, 7세, 8세 어린이들을 돌보지 않으면 자신들에게 보살피도록 맡겨진 아동을 보내지 않으려 했다."(**헨리 그레이 맥나브**, 『로버트 오언의 새로운 견해와 스코틀랜드 뉴라나크의 시설에 대한 **공정한 검토**』, **라퐁 드 라데바** 옮김, 파리, 1821년, 64쪽) "데일 씨의 조치들과 이 아동들의 복지를 위한 자애로운 배려는 결국 거의 아무런 쓸모도 없고 성과도 없는 것으로 드러났다. 그는 자기가 사용하기 위해 이들을 받아들였으며 그들의 노동이 없다면 그들을 키울 수 없었다."(같은 책, 65쪽) "불행은 고아원에서 ||124g| 보내온 아동이 일하기에는 너무 어린 경우 적어도 4년은 더 보살핌을 받아야 하고 초등교육을 받아야 했다는 사실에 기인했다. … **우리의 현재 공장체제에서**[9] 최상의 인간적인 조건에서조차 고아원 출신 견습공들의 상태에 관한 믿을 만하고 과장되지 않은 모습이 이 정도라면 열악한 상황에서 이 아동들의 상태는 얼마나 비참하겠는가?"(같은 책, 66쪽)

오언이 관리를 맡게 되자,

"공공 양육기관에서 견습공을 조달하는 체제는 폐지되었다. … 공장에서 6세부터 8세까지 아동을 고용하는 관행이 없어졌다."(74쪽)

"24시간 중 16시간이던 노동시간이 하루 $10\frac{1}{2}$시간으로 단축되었다."(98쪽) 이는 물론 사회변혁적인 것으로 간주되었다. 경제학자들과 벤담파 "철학자들"의 요란한 비명.

———

"그러나 사고야자가 숲에서 야생으로 자라는 아시아 군도의 동쪽 섬에서 G209

는 빵을 얻기가 더 쉽다. 줄기에 구멍을 뚫고 속이 익었는지 확인한 다음 줄기를 도려내어 여러 토막으로 잘라서 속을 긁어내고 물을 섞어 걸러내면 온전하게 사용 가능한 사고 가루가 된다. 나무 한 그루에서 보통 300파운드를 얻는데 500~600파운드까지도 얻을 수 있다. 사람들은 그곳에서, 우리가 숲에 가서 땔감을 해 오듯이 숲에 들어가 빵을 잘라 오는 것이다."(J. F. 쇼우, 『토지, 식물과 인간』, 제2판, 라이프치히, 1854년, 148쪽)[10]

[11]이 빵 벌채자가 자신의 모든 욕구를 충족하는 데 1주일에 하루(12시간)가 필요하다고 가정하자. 자본주의적 생산이 도입된다면 이 하루의 생산물을 전유하기 위해서 그는 주당 6일을 노동해야 할 것이다.

─────

잉여노동은 당연히 필요노동과 동일한 종류의 노동으로 구성된다. 노동자가 방적공이라면 그의 잉여노동은 방적이고 그의 잉여생산물은 방사이다. 그가 광부라면 등등. 요컨대 노동의 종류, 그것의 특수한 특질, 그것이 속하는 특수한 영역은 필요노동에 대한 잉여노동의 비율과 아무 상관도 없다. 따라서 상이한 노동일의 상호 가치 비율도, 또는 같은 말이지만, 다양한 정도의 숙련된 노동의 하루가 비숙련 평균노동의 하루와[12] 등치되는가 하는 비율도 마찬가지로 상관이 없다. 이러한 조정은 여기에서 연구되는 비율에 아무런 영향을 미치지 않는다. 따라서 (서술의) 단순화를 위해서는 언제나 자본가가 사용하는 모든 노동자의 노동이 평균적 비숙련노동, 단순노동이라고 가정할 수 있다. 어차피 자본가의 계산(노동의 화폐표현)에서 노동은 ─ 어떤 종류의 노동이든 ─ **이 표현으로** 실제로 사실상 환원된다. ||124h| 다양한 종류의 **평균노동**에서 어떤 것은 기술[13]을, 또 어떤 것은 힘을 더 필요로 하는 등의 질적 차이는 실제로 서로 상쇄된다. 그러나 **동일한** 노동을 수행하는 노동자들의 **개인적 상이성**에 관해서는 이렇게 말할 수 있다. 이 상이성은 수공업적 기업에서 (그리고 이른바 비생산적 노동의 비교적 고급한 분야에서) 가장 크다. 그것은 갈수록 사라지며, 분업과 기계가 지배하는 발전된 자본주의적 생산에서는 거의 계산할 수 없을 정도로 제한되어 있다. (도제의 짧은 수업기간은 제외하고.) 평균임금은 평균적 노동자가 노동자로서 생명을 유지하기에 충분할 만큼 높아야 한다. 이때 평균실적은 여기에서 노동자로서 작업장에 들어가도록 허용되기 위한 전제이다. 이 평균보다 높거

G210

나 낮은[14] 것은 예외이고 전체 작업장을 고찰하면 전체 인력은 평균적 생산 조건하에서 특정 부문의 평균시간에 평균생산물을 공급한다. 일급, 주급 등에서는 사실상 이러한 개인적 차이에 대해 고려가 이루어지지 않는다. 그러나 성과급에서는 아마도. 이것은 자본가와 노동자의 관계를 아무것도 변화시키지 않는다. A의 노동시간이 B의 노동시간보다 높다면 그의 임금도 높을 것이고, 그가 창출하는 잉여가치도 그럴 것이다. 그의 작업량이 평균 이하로 내려가고 따라서 그의 임금도 평균 이하로 내려가면 잉여가치도 평균 이하로 내려간다. 그러나 작업장 전체는 평균을 공급해야 한다. 평균 이상과 이하는 보완되며, 어차피 노동자 대부분이 수행하는 평균은 불변이다. 이 문제는 임금 편에서 고찰할 것. 여기에서 고찰되는 관계와는 아무 상관도 없다. 덧붙여 성과급은 영국 공장에서는 매우 일찍부터. 주어진 노동시간에 평균적으로 얼마나 수행될 수 있는지가 일단 확인되면(동시에 노동시간의 수가 매일 주어진다면) 그것에 기초해 임금이 결정되었다. 그리고 실제로 임금(총액)은 10시간일 때보다 17시간일 때가 더 낮았다. **비상한** 초과시간 노동이 이루어질 경우에만 차이가 노동자에게 혜택이 될 것이므로 그들이 이 비상한 잉여노동 중 일부를 전유할 것이다. 그 밖에 일급 등에서 비상한 잉여노동이 이루어지는 경우에도 마찬가지이다.

　이미 살펴보았듯이 **가치**는 인간이 자신의 노동에 대하여 동일하고 일반적인 노동으로, 또 이 형태에서 사회적인 노동으로 관계한다는 사실에 기초한다. 이것은 인간의 모든 사유와 마찬가지로 하나의 추상이며, 인간이 사고하고 감각적인 개별성과 우연성을 추상하는 능력을 보유하는 한에서 사회적 관계가 인간들 사이에서. 동일한 시간에 이루어지는 두 개인의 노동이 (동일한 분야일지라도) **절대적으로 동일**하지 않다는 이유로 노동시간에 의한 가치규정을 공격하는 경제학자 부류는 애초에 인간의 사회적 관계가 동물의 그것과 어떻게 구별되는지 모르는 것이다. 그들은 짐승이다. 짐승이기 때문에 이 애송이들은 두 개의 사용가치가 서로 절대적으로 동일한 것이 아니라는(두 장의 잎은 서로 절대적으로 같지 않다 ― **라이프니츠**)[15] 사실을 어렵지 않게 간과하고 서로 절대적으로는 어떤 척도도 갖지 않는 사용가치들을 **유용성의 정도에 따라서** 교환가치로서 평가하는 것은 더더욱 어려워하지 않는다.

12시간이라는 평균[16]노동일의 화폐적 표현(화폐는 오랫동안 실제로 그러했던 것처럼 가치를 유지한다고 가정함) = 10실링이라면 12시간을 노동하는 노동자가 노동대상에 10실링 이상을 결코 추가할 수 없다는 것은 분명하다. 따라서 그가 매일 필요한 생활수단의 총액이 5실링이라면 자본가는 5실링을 지불해야 하고 잉여가치 5실링을 얻는다. 6이면 4, 7이면 3. 반대로 3이면 7[17] 등. 노동시간 ── 노동일의 길이 ── 이 주어져 있으면 다음 사실이 확인된다. 즉 필요노동과 잉여노동의 합계는 일정 불변의 가치를 갖는 생산물, 화폐의 가치가 불변인 한 그 가치와 등가의 화폐적 표현을 갖는 생산물로 나타난다.

3) 상대적 잉여가치

지금까지 고찰한 잉여가치 형태를 우리는 **절대적 잉여가치**라 부른다. 그 까닭은 이 잉여가치의 존재 자체, 그것의 성장비율, 그것의 증가는 동시에 **창출된** 가치(생산된 가치)의 절대적 증대이기 때문이다. 우리가 이미 보았듯이, 절대적 잉여가치는 필요노동일을 그 한계를 넘어서 연장함으로써 생겨나고 [1]그것의 [2]절대적 크기는 이 연장의 크기와 같은 반면에 [3]그것의 상대적 크기 — 비례적 잉여가치 또는 잉여가치율 — 는 필요노동시간에 대한 그 연장의 비율 즉 유량에 대한 유율의 비율로써 주어진다.[4] 필요노동시간이 10시간이라면 노동시간은 2, 3, 4, 5시간 연장된다. 그 결과[5] 10노동시간의 가치 대신 12~15시간의 가치가 창출된다. [6]**표준노동일**의 연장, 즉 필요노동시간과 잉여노동시간의 합계의 연장은 여기에서 잉여가치가 증가하고 증대되는 과정이다.

이제 [7]총노동일이 정상적인 한계에 도달했다고 가정하자. 그러면 비로소 잉여가치, 즉 잉여노동시간을 정립하려는 자본의 [8]경향이 독특하고 특징적인 방식으로 나타난다. 표준노동일이 12시간, 그중 필요노동시간이 10시간, 잉여노동시간이 2시간이라고 가정하자. 이 시간을 넘어서는 연장, 즉 절대적 잉여가치의 증가[9]는 논외로 하자. 물론 그러한 제약이 — [10]그것을 어떻게 설정하든 — 관철되고 등장할 것임은 분명하다. (문제를 완전히 순수하게 대면하기 위해서는 노동인구가 주어져 있고[11] 절대적 잉여가치의 **총액**이 더는 증가할 수 없다고 가정할 수도 있다.) 그러면 총노동일의 연장에 의해서는 잉여가치가 증가할 수 없는 이 경우에 잉여가치는 도대체 어떻게 해야 더[12] 증가할 수 있는가? **필요노동시간의 단축**에 의해서. 총노동일이 12시간, 필요노동시간이 10시간, 잉여노동시간이 2시간이라면 필요노동시간이 예를 들어

[13] 10시간에서 9시간으로 $\frac{1}{10}$ 단축된다면 잉여가치 또는 잉여노동시간은 — 총노동일을 연장하지 않고서도 — 2시간에서 3시간으로 50퍼센트 증가할 수 있다. 잉여노동시간의 양, 따라서 잉여가치는 총노동일의 동시적 연장에 의해서 잉여노동시간이 직접 증대되는 것으로만이 아니라 필요노동시간이 단축되는 것으로도, 요컨대 노동시간이 필요노동시간에서 잉여노동시간으로 **전환**됨으로써도 증가할 수 있다.[14] 표준노동일은 연장되지 않지만 [15]필요노동시간은 단축되고 총노동일이 임금을 대체하기 위한 노동과 잉여가치를 창출하기 위한 노동으로 나누어지는 비율 일체가 변할 수 있다.

이미 살펴본 것처럼 필요노동시간은 임금에, 노동능력의 구매가격에 포함된 노동시간(사실상 임금을 생산하는 데 필요한 노동시간)을 대체하는 노동시간에 (지불노동시간에) 지나지 않는다. 필요노동시간은 임금을 삭감함으로써 단축할 수 있다. [16]임금의 가치가 강제로 인하된다면 임금에 포함된 노동시간, 요컨대 임금을 재생산하기 위해서, 그것을 대체하기 위해서 지불되는 노동시간도 감소한다. 임금의 가치와 함께 이 가치의 등가물도 하락할 것이다. 이 가치에 상응하거나 오히려 동일한 대가도. 물론 이러한 일은 실제로도 일어난다. [17]노동능력의 가격은 다른 모든 상품의 가격과 마찬가지로 실제로 그 가치 이상으로 상승하거나 가치 이하로 하락한다. 그러나 그것은 아무 문제도 되지 않는다. 그 까닭은 우리가 상품가격이 그 가치와 일치한다는 전제에서 출발하기 때문이다. 또는 **이 전제하에서** 현상들을 고찰하기 때문이다. 요컨대 여기에서 문제가 되는 필요노동시간의 단축은 노동능력이 그 가치대로 판매되고 노동자는 정상적 임금을 받는다는 전제, 요컨대 노동능력의 정상적이고 전통적인 재생산에 소요되는 생활수단의 합계에서는 감축이 이루어지지 않는다는 전제하에서 설명[되어야] 한다.|

|126| 〔임금을 평균 척도 이하로 인하함으로써 잉여가치를 증가시키는 것은 (노동생산성의 향상이 없으면)[18] 노동자를 정상적인 생활조건 아래로 떨어뜨림으로써 이윤을 증가시키는 것[19]이다. 다른 한편으로 임금을 그것의 정상적인 평균 척도 이상으로 상승시키는 것은 (마찬가지로 노동생산성이 불변이라면) 노동자가 자기 자신의 잉여노동의 일부에 참여하고 일부를 전유하는 것이다. 첫 번째 경우에는 자본가가 노동자의 필수적인 조건, 그의 생계에 필요한 노동시간을 침범하는 것이다. 두 번째 경우에는 노동자가 그 자신의 잉여노동의 일부를 갖는다. 두 경우에 한쪽이 잃는 것을 다른 쪽이 얻는다. 그러나 [20]자본가가 화폐로 얻는 것을 노동자는 생명으로 잃고, 다른 경

우에는 자본가가 타인 노동을 도용하는 비율에서 잃는 것을 노동자는 생활의 즐거움으로 얻는다.]

노동능력의 가격이 가치와 같다는 전제, 요컨대 임금이 정상 임금 이하로 인하되거나 떨어지지 않는다는 전제하에서 이루어지는 필요노동시간의 단축은 **노동생산성의 향상,** 또는 같은 말이지만, **노동생산력의** 더 높은[21] **발전**에 의해서만 가능하다.

상품을 고찰하면서 우리가 본 것은 다음과 같다. 노동생산력이 상승하면 동일한 사용가치가 더 짧은 노동시간에, 또는 더 많은 양의 동일한 사용가치가 동일한 노동시간(또는 더 적은 시간, 그러나 이는 두 번째 경우에 포함된다)에 생산된다. 상품의 교환가치는 하락하지만, 즉 상품에 대상화된 노동시간이 더 적어지고 상품생산에 더 적은 노동이 소요되지만 상품의 사용가치는 불변이다. 노동능력의 정상적인[22] 재생산에 필요한 생활수단의 총액은 그것의 교환가치가 아니라 그것의 사용가치에 의해서 — 질적으로나 양적으로 — 규정되고,[23] 요컨대 그것을 생산하는 데 필요한 노동시간, 그것에 대상화된 노동시간에 의해서가 아니라 이 노동시간의 결과에 의해서, 생산물에서 나타나는 바와 같은 실제 노동에 의해서 규정된다. 요컨대 실제[24] 노동의 생산성 향상으로 인해 동일한 생활수단의 총액이 더 짧은 노동시간에 생산될[25] 수 있다면 노동능력의 가치는 하락하고, 따라서 노동능력은 여전히 그 가치대로 판매되지만 노동능력을 재생산하기 위해서, 그것의 대가를 생산하기 위해서 필요한 노동시간, 즉 필요노동시간은 감소한다. 어떤 다른 상품이 여전히 동일한 사용가치를 가질지라도 그것에 포함된 노동시간이 $\frac{1}{100}$만큼 감소했기 때문에 지금은 전보다 $\frac{1}{100}$만큼 비용이 적게 든다면 그것은 여전히 그 가치대로 판매되는 것과 마찬가지이다. 여기에서 노동능력의 가치, 따라서 필요노동시간이 감소하는 것은[26] 노동능력의 가격이 그 가치 이하로 하락하기 때문이 아니라[27] 그것의 가치 자체가 하락했기 때문에, 즉 노동능력에 더 적은 노동시간이 대상화되었고 따라서 그것의 재생산에 필요한 노동시간이 감소했기 때문이다. 이 경우에는 필요노동시간이 감소했기 때문에 잉여노동시간이 증가한다.[28] 이전에는 총노동일 중에 필요노동시간이 차지했던 양이 이제는 자유롭게 되어 잉여노동시간으로 병합된다. 필요노동시간의 일부가 잉여노동시간으로 전환된다. 요컨대 이전에는 생산물의 총가치 중에서 임금으로 들어갔던 부분이 이제는 잉여가치(자본가의 이윤)로 들어가는 것이다. 이러한 형태의 잉여가치를 나는 **상대적 잉여가치**라 부른다.

이제 우선 분명한 것은 [29]노동생산력의 증대는 이 노동의 생산물이 [30]식량, 땔감, 주택, 의복 등처럼 소비에 직접 들어가거나 또는 이들 생산물의 생산에 필요한 불변자본(원료와 노동도구)으로 들어가는 한에서는 노동능력의 가치 또는 그들의 필요노동시간을 감소시킨다는 사실이다. 그 까닭은 생산물에 들어가는 불변자본의 가치는 생산물의 가치에 재현되므로 생산물의 가치는 생산물 자체의 생산에 필요한 노동시간이 감소하는 경우뿐 아니라 그 생산물의 생산조건들을 생산하는 데 필요한 노동시간[31]이 감소하는 경우에도, 요컨대 노동자의 소비에 들어가는 생산물을 생산하는 데 필요한 원료와 노동도구의 가치, 간단히 말해 불변자본의 가치가 감소하는 경우에도 마찬가지로 하락하기 때문이다. (**램지[32]를 보라.**)[33]

〔생산물에서 가치의 재현 또는 단순 보존과 이 가치의 재생산의 차이는 다음과 같다. 후자의 경우에는 교환가치가 포함되어 있던 사용가치의 소모에 의해서 사라진 교환가치를 새로운 등가물이 대신한다. 전자의 경우에는 처음의 가치 대신 새로운 등가물이 정립되는 것이 아니다. 예를 들면 탁자에 재현되는 목재의 가치는 새로 창출된 등가물에 의해서 대체되지 않는다. 목재는 사전에 가치를 가지고 있었고 목재 가치의 생산은 탁자의 가치를 생산하기 위한 전제이므로 목재의 가치는 탁자에 재현될 뿐이다.〕

그러나 둘째로, 노동자 자신이 노동하는 노동영역의 노동자를 가정하자. 이전에는 1시간에 캘리코 1엘레밖에 생산하지 못했던 어느 방직공장 [34]노동자가 노동생산력 향상의 결과 1시간에 20[35]엘레를 생산한다면 이 20엘레 안에 포함된 이전보다 더 많은 불변자본을 제하고 나면, 20엘레가 노동자 자신에 의해 창출된 ||127| 가치인 한, 이전의 1엘레가 갖고 있던 가치보다 더 많은 가치를 갖는 것이 아니다. 다른 모든 노동영역에서 노동생산력이 방직업에서의 혁신 이전과 동일한 수준이라면 노동자는 자신의 노동생산력이 향상되었음에도 불구하고 1시간으로 이전보다 더 많은 생활수단을 구매하지 못할 것이다 — 즉 그는 여전히 1노동시간이 대상화된 상품을 살 수 있을 뿐이다. 요컨대 그 자신의 노동영역에서의 생산력 증대, 그 자신의 노동생산성 향상은 캘리코가 예컨대[36] 의복 소재로서 그 자신의 소비에 들어가는 한에서만, 그리고 들어가는 만큼만 그 자신의 노동능력의 재생산을 저렴하게 만들고, 따라서 그의 필요노동시간을 단축할 뿐이다. 이 비율만큼만. 그러나 이는 특정한 생산영역에 대해서, 요컨대 고유의 산업적 활동영역에서 대자적으로 본다면 모든 개별 자본에 대해서 말할 수 있는 것이다. 사회의 총자

본을, 요컨대 노동자계급에 맞서는 총자본가계급을 놓고 본다면 자본가계급이 총노동일의 연장과 정상적인 임금의 감축 없이 잉여가치를 증대할 수 있는 것은 단지 노동생산성의 증대,[37] 노동생산력이 더 높이 발전한 결과 더 적은 노동으로 총노동자계급을 유지하는 것, 즉 이들의 생활수단의 합계[38]를 더 저렴하게 생산하고 따라서 노동자계급이 그들의 임금을 재생산하는 데 필요한 총노동시간의 합계[39]를 단축하는 한에서만 가능하다는 것은 분명하다. 그러나 이 합계는 개별적 생활수단의 합계와 특정한 노동영역들의 합계,[40] 요컨대 이들 생활수단을 생산하는 개별적 노동영역의 합계, 요컨대 이들 개별적 노동영역 각각에서 이루어진 노동생산력의 향상에 힘입은 노동시간 단축의 합계[41]로만 구성된다. 그러나 우리는—그리고 우리는 언제나 특정 영역에서 특정한 노동자들을 갖는 특정한 개별[42] 자본을 상정함으로써만 과정을 고찰할 수 있다—서술의 일반화를 위해서 노동자가[43] 스스로 생산한 사용가치로 생활하는 것처럼 과정을 고찰해도 좋다. (이때 노동자가 동일한 시간에 제공하는 생산물의 증가와 같은 비율로 그가 필요로 하는 필요[44]노동시간이 감소한다고 가정할 수는 없다.[45] 그러나 그의 필요노동시간이 감소하는 데 비례해서 그의 소비에 들어가는 그 자신의 생산물이 저렴해진다고 가정할 수는 있다. 상대적 잉여노동의 사회적 합계는 개별 노동영역의 개별[46] 노동자의 잉여노동의 합계에 지나지 않으므로 이는 사회 전체, 요컨대 개별자의 합계에도 적용된다. 다만 여기에서는 조정과 매개가 이루어지지만 이에 대한 고찰은 여기에 속하지 않으며, 본질적인 관계를 은폐한다.[47]

요컨대 **필요노동시간의 감소**는 **잉여노동시간의 증가**이다. 전자가 감소하는 만큼 후자는 증가하고, 그 반대의 경우에는 반대이다. 그러나 그 증가와 감소는 총노동일과 그 크기에는 영향을 미치지 않는다.)[48] 사실 노동자 자신[49]은 자신의 활동영역에서 잉여가치를 창출하는 한에서만, 즉 자신의 소비에 들어가는 생산물을 이전보다 적은 시간에 생산하는 한에서만 상대적 잉여가치를 창출할 수 있다. 바로 그렇기 때문에 경제학자들은 상대적 잉여가치의 본질에 들어가기라도 하면 언제나 이 전제로 도피한다. (밀을 보라.)[50]

실제로 통상적인 과정을 관찰해보자. 노동일＝12시간, 잉여노동시간＝2시간이었고 자본가는[51] 노동생산성이 증대된 결과 예를 들면 2배 생산한다고 하자. 그러면 잉여가치는—그의 이윤은—다음 두 가지 중 어느 하나에 의해서만 증가할 수 있다. 하나는 노동생산물이 일정한 비율로 노동능력의 재생산에 들어가고, 노동능력이 이 비율로 저렴해지고 그에 비례하여 임

금이 하락하는 것, 즉 노동능력의 가치가 감소하고 따라서 지금까지는 총노동일 중에 노동능력의 가치인 이 부분을 재생산하는 데 필요했던 부분이 감소하는 것에 의해서이다. 또 하나는 공장주가 상품을 그것의 가치 이상으로, 즉 노동생산성이 불변인 것처럼 판매하는 것에 의해서이다. 그가 자신의 상품을 그것의 가치 이상으로 판매하고, 요컨대 다른 모든 상품을 가치 이하로 구매하고 더 저렴하게 ─ 다른 모든 상품과 자신의 상품에 상대적으로 포함된 노동시간에 비례하는 것보다 저렴하게 ─ 구매하는 데 비례해서 그는 새로운 잉여가치를 정립한다. 그러나 노동자는 이전과 동일한 정상적인[52] 임금을 받는다.[53] 요컨대 노동생산성이 **향상되기 전보다** 그가 생산물의 총가치 중에서 받는 부분이 감소하거나, 생산물의 총가치 중에서 **노동능력의 구입에 지출되는** 부분이 감소한다. 요컨대 총노동일 중에서 임금의 재생산에 해당하는 부분이 감소하고, **자본가를 위해 쓰이는 부분은 증가한다.** 이것은 **노동자의 노동생산성이 향상된 결과 그의 생계비가 감소한 것, 또는** 노동자의 **노동생산성이 향상된** 결과 자본가가 새로운 가치를 받는 **데 비례해서 노동자는** 다른 모든 생활수단을 더 저렴하게 구매할 수 ||128| 있는 것과 사실상 마찬가지이다.[54] 덧붙여 말하자면, 가치 이상으로의 판매가 일반적으로 이루어진다는 전제는 스스로 지양되는 것으로, 경쟁이 실제로 가치 이상의 판매를 가치 이하의 판매로 상쇄한다는 사실을 우리가 여기에서[55] 반복할 필요는 없다. 여기에서 문제가 되는 것은 노동생산성의 향상이 동일한 사업영역에서 아직 일반화되지 않았기 때문에 자본가가 그의 생산물을 생산하는 데 실제로 필요한 것보다(적어도 일정한 비율로 ─ 그는 다른 자본가보다 언제든 저렴하게 판매할 것이기 때문에) 더 많은 노동시간을 필요로 하는 것처럼 판매하는 경우이다. 예를 들면 그는 $\frac{3}{4}$시간의 생산물을 그의 경쟁자들 대다수가 이 생산물을 생산하는 데 여전히 1시간이 필요하기 때문에 1시간의 생산물로 판매한다.[56] 지금까지 필요노동일이 10시간이고 잉여노동이 2시간이었다면 노동자는 $10 \times \frac{4}{4}$시간 대신 $10 \times \frac{3}{4}$시간(그들의 노동이 평균노동시간보다 $\frac{1}{4}$ 높기 때문에) 즉 10시간이 아니라 $7\frac{1}{2}$시간 노동하면 되었고, 만약에 잉여가치가 여전히[57] 필요노동시간의 $\frac{1}{5}$ ($\frac{10}{5}=2$)이라면 이제는 $7\frac{1}{2}$시간 또는 $\frac{15}{2}$시간의 $\frac{1}{5}$, $\frac{15}{2}$시간의 $\frac{1}{5} = \frac{15}{10} = 1\frac{5}{10} = 1\frac{1}{2}$ 또는 $\frac{3}{2}$ 또는 $\frac{6}{4}$시간이다. 실제로 이 노동의 $\frac{3}{4}$시간 = 평균노동의 1시간 또는 $\frac{4}{4}$시간이라면 이 노동의 $\frac{6}{4}$시간 = $\frac{8}{4}$ 또는 2노동시간이다. 이로써 노동일은 $7\frac{1}{2} + \frac{3}{2} = 9$시간으로 단축될 것이다. 자본가는 노동자를 여전히 12시간 노동시키고 필요노동시간을 $7\frac{1}{2}$시

간으로 지불하며, 따라서 $4\frac{1}{2}$시간을 거두어들인다. 그의 이윤은 필요노동시간이 10시간에서 $7\frac{1}{2}$시간으로 감소한 데서, 또는 노동자가 $7\frac{1}{2}$시간의 생산물로 자신의 필요생활수단을 모두 구매할 수 있는 데서 유래한다. 이는 마치 G217 그가 생활수단을 스스로 생산할 때 노동생산성 향상을 통해 지금까지는 1시간에 생산할 수 있었던 것을 이제는 $\frac{3}{4}$시간에 생산할 수 있게 된 것, 따라서 이전에는 10시간에 하던 것을 $7\frac{1}{2}$시간에 하는 것과 완전히 똑같다.[58] 만일 향상된[59] 노동생산성 아래서 비율이 동일하게 유지되었다면 총노동일은 감소했을[60] 것이다. 그 까닭은 필요노동이 감소하되 필요노동과 잉여노동의 비율은 불변일 것이기 때문이다. 노동자의 생산물이 일정한 비율로 그 자신의 소비에 들어가고, 따라서 이 비율로 필요노동시간이 감소하고 잉여노동시간 따라서 잉여가치가 증가하기 때문에 노동능력의 가치, 따라서 필요노동시간이 **감소**하든, 또는 노동생산성이 향상된 결과 이 특수한 노동영역이 동일한 영역의 사회적 평균노동자의 수준을 넘어 상승하고, 따라서 예를 들면 노동시간의 가치가 다른 모든 상품에 비해서 상승하고 자본가는 이 노동에 지불할 때는—과거의 척도에 따라서—수준 노동으로 지불하면서도 이 노동을 판매할 때는 수준 이상에 있는 노동으로 판매하든, 사실상 전적으로 동일한 결과에 이를 것이다. 두 경우 모두 임금을 지불하는 데는 지금까지보다 더 적은 시간 수로 충분하다. 즉 ||129| 필요노동시간은 감소했고 두 경우 모두 상대적 잉여가치는, 즉 노동일의 절대적 연장에 의하지 않고 획득된 잉여가치는 노동생산성이 증대된 결과 임금을 재생산하는 데 필요한 노동시간이 감소하는 데서 유래한다. 첫 번째 경우는 직접적인 것인데, 그 까닭은 생산물이 여전히 가치대로 판매되지만 노동자가 동일한 양의 사용가치를 더 적은[61] 노동시간에 생산하기 때문이다. 두 번째 경우는 생산성이 증대된 결과 더 적은 노동시간이 더 많은 양의 평균노동시간과 등치되고, 따라서 노동자가 더 적은—그러나 더 높게 판매된[62]—[63]노동시간으로 동일한 양의 사용가치를 받기 때문이다. 두 경우 모두 상대적 잉여가치는 **필요노동시간**이 단축된 결과이다.

덧붙여 말하자면, 즉자대자적으로 다음은 분명하다. 노동생산성이 증대될 때 비율은 동일하게 유지된다면[64] 노동자는 자신의 임금을 재생산하기 위해서 더 적은[65] 노동시간을, 요컨대 10시간 대신에 예를 들어 $7\frac{1}{2}$시간 노동하면 될 것이다. 그럼으로써 총노동일은 단축될 것이다. 아니면 그는 더 많은 생활수단을 받고 그의 임금은 수준을 초과할 것이다. 전자도 후자도 일어나지 않는다면 노동생산성이 증대된 결과 그가 자본가를 위해서 노동하는 노동량만 연장되고 자신을 위해서 노동하는 노동량은 단축되었다는 것은 분명하다.

모든 어려움은 노동생산성이 향상될 때 개별 자본가가 필요노동시간의 단축을 생각하는 것이 아니라 노동시간을 가치 이상으로 판매하는 것 ─ 그것을 **평균노동시간 이상으로 증대하는** 것을 생각하는 데서 유래한다. 그러나 이 증대된 노동시간 중에서 임금을 대체하기 위해 필요한 부분은 감소한다. 즉 잉여노동시간은 증가한다. 비록 이 증가는 우회로를 통해서, 즉 가치 이상으로의 판매를 통해서 나타나지만.

상대적 잉여가치가, 요컨대 상대적 노동시간이 증가함에 따라 총노동일이 증가하는 것은 아니다. 그것은 노동자가 [66]자신의 노동일에 참여하는 **비율**이 감소하는 데서 유래할 뿐이다. 상대적으로 임금은 하락하거나 노동에 비해 자본 비중이 상대적으로 증가한다.

나아가 노동생산성이 상승한 결과 생산물의 양은 증가한다. (예를 들면 1노동일의) 생산물의 총량에는 (이전의 더 적은 총량에서와) 동일한 가치가 포함되어 있다. 따라서 개별 생산물 또는 개별 상품의 가치는 하락하지만 상품의 수를 나타내는 전보다 더 큰 인수와 곱해진다. 6×4는 12×2보다 크지 않다. 요컨대 여기에서는 사용가치라는 실제적 부가 그것의 교환가치 즉 그것에 포함된 노동시간의 증가 없이 증대하는 반면에, 첫 번째 경우 ─ 절대적 잉여가치 ─ 에는 생산물의 양도 증가하지만 그것의 교환가치와 동시에, 즉 그것에 포함된 노동시간에 비례해서 증가한다.[+]

요컨대 상대적 잉여가치는 절대적 잉여가치와 다음과 같은 점에서 구별된다. [70]어떠한 경우에도 잉여가치＝잉여노동, 즉 잉여가치의 비율은 필요

[+] [67]이는 다음과 같이 이해해야 한다. 면화 10[파운드]가 이전에 면화 1파운드가 면사로 전화한 것과 동일한 시간에 면사로 전화한다면, 이 10파운드는 이전의 1파운드가 흡수한 것보다 많은 양의 방적노동을 흡수한 것이 아니다. 10파운드에 추가된 가치는 1파운드에 추가된 가치보다 크지 않다. 각각의 면사 1파운드가 포함하는 방적노동은 첫 번째 경우는 두 번째 경우의 $\frac{1}{10}$이다. 그리고 양자는 동일한 양의 면화를 포함하므로, 다른 조건이 같다면, 방적노동의 가치가 $\frac{1}{10}$에 달할 때 1파운드 면사는 $\frac{1}{10}$만큼 저렴하다. /130/ 추가된 방적노동일[68]이 10이고 면화 1파운드의 가치가 20이라면 (두 경우 모두 단순화를 위해서 도구＝0) 면사 1파운드는 첫 번째 경우에는 10+20＝30, 두 번째 경우에 면사 10파운드＝100+10＝110, 요컨대 면사 1파운드는 11이고 10파운드는 110인 반면에 첫 번째 경우에는 300이다.[69]

노동시간에 대한 잉여노동시간의 비율과 같다. 첫 번째 경우에는 노동일이 그 한계를 넘어서 연장되고 노동일이 그 한계를 넘어서 **연장**되는 데 비례해서 잉여가치가 증가한다(또는 잉여노동시간이 증가한다). 두 번째 경우에는 노동일은 주어져 있다. 여기에서는 노동일 중에 임금을 재생산하는 데 필요했던 부분 즉 필요노동이었던 부분이 **단축**됨으로써 잉여가치 즉 잉여노동시간이 증대된다. 첫 번째 경우에는 노동생산성의 단계가 주어진 것으로 전제된다. 두 번째 경우에는 노동생산력이 향상된다. 첫 번째 경우에는 총생산물의 비례분할적 부분의 가치 또는 노동일의 부분생산물이 불변이다. 두 번째 경우에는 부분생산물의 가치는 변화하지만 그 양(수)[71]은 그것의 가치가 감소하는 것과 동일한 비율로 증가한다. 그러므로 생산물 또는 사용가치의 총액은 증가했지만 그 총액의 가치는 변하지 않는다. ||130| 이 사안은 다음 G219 과 같이 단순하게 표현할 수 있다.

노동생산성은 — 상품 분석[72]에서 본 바와 같이 — 노동이 나타나는 생산물이나 상품의 **가치**를 증대하지 않는다. 상품에 포함된 노동시간이 주어진 조건들 아래서 **필요한** 노동시간, 즉 사회적 필요노동시간이라고 전제되면 — 이것은 어떤 상품의 가치가 그것에 포함된 노동시간으로 환원되자마자 언제나 출발점이 되는 전제이다 — 오히려 다음과 같은 일이 발생한다. **노동생산물의 가치는 노동생산성에 반비례한다.** 이것은 사실 같은 명제이다. 이것은 노동이 더 생산적이 되면 노동은 동일한 시간에 더 많은 양의 동일한 사용가치에서 나타날 수 있다는 것,[73]동일한 종류의 더 많은 양의 사용가치에 체화될 수 있다는 것을 의미할 뿐이다. 그에 따르면 이 사용가치의 비례분할적 부분, 예를 들면 아마포 1엘레는 이전보다 더 적은 가치를 포함하고,[74] 요컨대 **더 적은 교환가치**를 가지며, 더 정확히 말하면 아마포 1엘레의 교환가치는 방직노동의 생산성이 증가한 것과 동일한 비율로 하락했다. 반대로, 아마포 1엘레를 생산하기 위해서 지금까지보다 더 많은 노동시간이 소요된다면(예를 들어 아마를 1파운드 생산하기 위해서 더 많은 노동시간이 필요하기 때문에), 아마포 1엘레는 이제 더 많은 노동시간을, 즉 더 높은 교환가치를 포함한다. 그것의 교환가치는 그것을 생산하는 데 필요한 노동이 이전보다 비생산적이 된 것과 동일한 비율로 증가할 것이다. 요컨대 총노동일 — 평균적 표준노동일 — 을 보면, 그것의 생산물 총액의 가치는 노동이 이전보다 생산적이 되든지 비생산적이 되든지 상관없이 변하지 않는다. 그 까닭은 생산된 사용가치의 총액은 여전히 하루 노동일을 포함할 것이고,[75] 여전히 동일한 양의 필요한 사회적 노동시간을 나타낼 것이기 때문이다. 반면에 일일 총생산물의 비례분할적 부분 또는 [76]부분생산물을 보면 그것의 가치는 그것에 포함된 노동의 생산성에 **반**비례해서 상승하고 하락한다. 예를 들면 1개월 노동[77]의 생산물이 1쿼터 또는 8부셸이었다면 농업이 이 노동의 생산성을 전자의 경우에 배증하고 후자의 경우에는 반감했다고 하자. 요컨대 우리는 세 가지 경우를 보게 된다. 1개월 노동의 생산물 8부셸, 동일한 노동시간의 생산물 16부셸, 동일한 노동시간의 생산물 4부셸. 1개월 생산물의 총액 8부셸, 16부셸, 4부셸의 가치는 여전히 각각 동일한 양의 필요노동시간을 포함한다. 요컨대 노동생산성이 첫 번째 경우에는 배증했고, 두 번째 경우에는 반감했지만 이 총액의 가치는 불변이다. 그러나 첫 번째 경우에 1부셸은 $\frac{1}{8}$개월 $= \frac{2}{16}$[78]를 포함하고, 두 번째 경우에는 $\frac{1}{4}$ 또는 $\frac{2}{8} = \frac{4}{16}$[79]이며 세 번째 경우에는 불과 $\frac{1}{16}$일 뿐[80]이다. 농업의 생산성이 배증함에 따라 1부셸의 가치는 반감했고 생산성이 반으로 감소함에 따라 배증했다. 요컨대 상품의 **가치**는 노동생산성(상승—옮긴이)에 의해서는 결코 증가할 수 없다. 이는 모순을 내포한다. 노동생산성이 상승한다는 것은 [81]노동이 더 적은 시간에 동일한 생산물(사용가치)을 나타낸다는 의미이다. 생산물의 교환가치의 증가는 생산물이 이전보다 더 많은 노동시간을 포함한다는 의미이다.

G220 요컨대 개별[82] 상품의 **가치**는 노동생산성에 **반**비례하는데도 **주어진** 노동시간이 체화된 생산물 총액의 가치는 노동생산성이 어떻게 변동하든 영향을 받지 않고 불변이지만 — 반면에 **잉여가치**는 노동생산성에 좌우된다 — 한편으로는 상품이 그 가치대로 판매되고 다른 한편으로는 표준노동일의 길이가 주어져 있다면 **잉여가치**는 노동생산성이 향상된 결과로만 증가할 수 있다. [83]잉여가치는 상품에 관련되는 것이 아니다. 그것은 총노동일의 두 부분 사이의 관계, 즉 노동자가 임금(노동능력의 가치)을 대체하기 위해서 노동하는 부분과 그가 이 대체를 넘어서 자본가를 위해서 노동하는 부분 사이의 관계를 표현한다. 이 두 부분이 합쳐져 총노동일을 구성하므로, 또 그것들은 동일한 전체의 부분들이므로 그 크기가 서로 **반비례**하는 것은 명백하며, 잉여가치 즉 잉여노동시간은 필요노동시간이 감소하느냐 증가하느냐에 따라서 증가하거나 감소한다. 그러나 필요노동시간의 증가와 감소는 노동생산성과 **반비례 관계**에 있다.│

│131│ 그러나 노동생산성이 일반적으로 배가된다면, 즉[84] 노동능력을 재생산하는 데 필요한 상품(사용가치)을 직간접적으로 공급하는, 노동자의 소

비에 들어가는 생산물을 공급하는 모든 산업영역에서 배가되면, 이 일반적 노동생산성이 균등하게 증가하는 데 비례해서 노동능력의 가치는 감소하고, 따라서 이 가치를 대체하기 위해서 필요한 노동시간은 감소한다. 그리고 그것이 감소하는 데 비례해서 잉여노동을 구성하고 자본가를 위해서 노동하는 노동일 부분은 증가한다. 그렇지만 이들 다양한 노동영역에서 생산력의 발전은 균등하지도 동시적이지도 않고 불균등하고 상이하며 종종 상반되는 운동에 노출되어 있다. 직간접적으로 노동자의 소비에 들어가는 어떤 산업영역에서, 예를 들면 옷감을 공급하는 산업에서 노동생산성이 상승하면 우리는 이 특정 산업에서 생산성이 상승하는 것과 같은 비율로 노동능력의 가치가 감소한다고 말할 수 없다. 더 저렴하게 생산되는 것은 그 생활수단뿐이다. 이 저렴화는 노동자[85]의 생활욕구에 비례분할적 부분만큼만 영향을 미친다. 이 영역에서 노동생산성의 향상은 노동생산성이 향상되는 데 비례해서가 아니라 이 노동생산물이 평균적으로 노동자의 소비에 들어가는 데 비례해서만 필요노동시간(즉 노동자에게 필요한 생활수단을 생산하는 데 필요한 노동시간)을 감소시킨다. 요컨대 어느 개별 산업영역에서든 (아마도 농업생산물은 예외로 하고) 이 영향은 명확히 계산할 수 없다. 이것은 일반 법칙을 아무것도 변화시키지 않는다. 상대적 잉여가치는 [86]노동자의 소비에 직간접적으로 들어가는 사용가치(생활수단)가 저렴해지는 데 비례해서만 발생하고 증가할 수 있다는 것, 즉 어느 [87]특수한 산업영역의 생산성이 증가하는 데 비례해서가 아니라 그 영역의 생산성의 이러한 증가가 필요노동시간을 감소시키는 데 비례해서, 즉 노동자의 소비에 들어가는 생산물을 더 저렴하게 하는 데 비례해서 발생하고 증가할 수 있다는 것은 여전히 옳다. 따라서 상대적 잉여가치를 고찰할 때는 언제나, 자본투자가 이루어지는 어느[88] 특수한 부문에서든 생산력의 발전 또는 노동생산성의 발전이 **직접** 필요노동시간을 일정한 비율로 감소시킨다는 전제, 즉 노동자가 생산한 생산물이 그의 생활수단의 일부를 구성하고 따라서 이 일부의 저렴화가 그의 생활을 재생산하는 데 필요한 노동시간을 일정한 비율로 감소시킨다는 전제에서 출발할 수 있을 뿐 아니라 출발해야 한다. 이 전제하에서만 상대적 잉여가치가 생겨나므로 상대적 잉여가치를 고찰할 때는 언제나 [89]이 전제가 현존하는 것을 가정할 수 있고 또 가정해야 한다.

나아가 다음 사실도 분명하다. [90]상대적 잉여가치의 현존과 증가가 노동자의 **생활 상태**가 **불변**인 것, 즉 그의 평균임금이 그에게 언제나 양적·질적으로 규정된 동일한 양의 생활수단만을 제공하는 것을 조건으로 하는 것은 결코 아니다. **노동능력의 가치**나 **임금의 가치**(평균임금)의 **감소**가 상응하지 않으면 상대적 **잉여가치**는 발생할 수도 없고 증가할 수도 없지만 이것은 이루어지지 않는다. 상대적 잉여가치가 지속적으로 증가하고, 따라서 **노동능력의 가치**는 지속적으로 하락하고 따라서 평균임금의 가치도 지속적으로 하락하면서 그럼에도 노동자의 생활수단의 범위, 노동자의 생활 혜택은 지속적으로 확대되는 것조차도 가능하다. 이 범위는 노동자가 전유하는 **사용가치**(상품)^{91}의 질과 양에 의해 제약되지 그것들의 **교환가치**에 의해 제약되지는 않기 때문이다. ^{92} ^{93}생산성이 일반적으로, 요컨대 모든 생산영역에서 2배가 된다고 가정하자. 이렇게 2배가 되기 전에는 표준일이 12시간, 그중 10시간이 필요노동시간, 2시간이 잉여노동시간이었다고 하자. 지금까지는 [10]^{94}시간 노동이 필요하던 노동자의 하루 생활수단의 총액이 이제는 5시간에 생산될 수 있다. 그의 노동능력의 가치(가격)를 매일 대체하기 위해서, 즉 그의 하루 임금에 대한 등가물을 제공하기 위해서 10시간 노동이 필요한 것이 아니라 [5]^{95}시간이 필요할 뿐이다. 그의 노동능력의 **가치**는 반감될 것이다. 그 까닭은 그것을 재생산하는 데 필요한 생활수단이 이전의 10시간이 아니라 이제는 5시간의 생산물일 것이기 때문이다. 노동자가 — 노동생산성의 이러한 혁신 이후에 — 이제 일일 임금=6시간을 받는다면, 즉 그가 이제부터 ‖IV-138│^{96} 매일 6시간을 노동해야 한다면, 그가 이전의 생산조건 하에서 노동일 12시간 내내 자신을 위해서 (즉 자기 임금을 재생산하기 위해서) 노동하고 자본가를 위해서는 0시간 노동했을 때, 즉 노동일 전체가 필요노동시간이고 잉여노동시간은 없을 때와 완전히 동일한 비율로 그의 물적 생활 상태가 개선될 것이다. 그 까닭은 5 : 6 = 10 : 12(5×12=6×10)이기 때문이다. 그럼에도 불구하고 이 경우에 잉여노동시간이 2시간에서 6시간으로 증가하고 2시간의 절대적 잉여가치에 4시간의 상대적 잉여가치가 추가될 것이다. 노동자는 이전처럼 자신을 위해서 10시간, 자본가를 위해서 2시간 노동하는 대신에, 요컨대 하루의 $\frac{10}{12}(=\frac{5}{6})$ 즉 $\frac{5}{6}$는 자신을 위해서, $\frac{2}{12}$^{97}=$\frac{1}{6}$은 자본가를 위해서 노동하는 대신에 이제는 하루의 $\frac{6}{12}$ 또는 $\frac{3}{6}$만 자신을 위해서 노동하고 $\frac{1}{6}$ 대신 $\frac{3}{6}$, 반 노동일은 자본가를 위해서 노동한다. 필요노동시간은 10에서 6으로 감소했을 것이고, 요컨대 ^{98}일일 노동능력의 가치도 10시간이 아니라 4시간 적은^{99} 6시간밖에 없을 것이다. 즉 40퍼센트(10 : 4 = 100 : 40)^{100} 감소했을 것이다. 잉여가치는 2에서 6으로 300퍼센트

까지[101] 증가했을 것이다. 〔[102]하루의 $\frac{1}{6}$ 대신 $\frac{3}{6}$. $\frac{1}{6}$에 $\frac{2}{6}$가 추가되면 $\frac{3}{6}$ 즉 200[103]퍼센트 **증가**. 이는 **잉여가치**에 해당한다. 다른 한편 $\frac{5}{6}$에서 $\frac{3}{6}$으로 하락하면 $\frac{2}{6}$ 감소이다. 즉 절대적으로 보면 잉여노동[시간]의 또는 자본가 측의 증가는 필요노동시간이나 노동능력의 가치 측의 감소와 같은 $\frac{2}{6}$일 또는 4노동시간($\frac{2}{6} = \frac{4}{12}$)이다. 그러나 초기 잉여노동시간에 대한 전자의 증가, 그리고 초기 필요노동시간(또는 노동능력의 가치)에 대한 후자의 감소를 고찰하면, 전자의 증가와 후자의 감소는 **절대적 크기**, 즉 전자에서 차감된(문맥에서 볼 때 잉여노동시간은 증가하므로 "추가된"이어야 할 것임 — 옮긴이) 시간과 후자에서 추가된(문맥에서 볼 때 필요노동시간은 감소하므로 "차감된"이어야 할 것임 — 옮긴이) 시간이 **동일한 크기**이지만 **상이한 비율**로 표현된다. 그리하 G223

여 위의 사례에서, $\frac{10}{12}$ 또는 $\frac{5}{6}$의, $\frac{6}{12}$ 또는 $\frac{3}{6}$ [104]또는 $\frac{5-2}{6}$에 대한 비율은 5 : 3, 즉 60퍼센트와 같다(40퍼센트여야 한다. **다음 쪽을 보라**).[105] 그 까닭은 5 : 3 = 100 : 60(5×60 = 300, 3×100도 마찬가지로 = 300)인 반면에 $\frac{2}{12}$ 또는 $\frac{1}{6}$의 $\frac{6}{12}$ 또는 $\frac{1+2}{6}$ ($\frac{3}{6}$)에 대한 비율은 1 : 3, 100 : 300 요컨대 300퍼센트와 같기 때문이다. 따라서 잉여노동[시간]의 [106]절대적 증가는 노동생산성이 상승한 결과로 나타난 필요노동시간의 절대적 감소이지만 노동능력의 가치가[107] 감소하는 비율 즉 필요노동시간이 감소하는 비율[108]과 잉여노동시간이나 잉여가치가 증가하는 비율은 같지 않고 잉여노동시간과 필요노동시간이 정상적 총노동일을 **분할**하고 이에 참여하는 **처음의 비율**에 좌우된다.〕〔여기에서 도출되는 결론은 [109]총잉여노동시간이 (노동생산성(상승 — 옮긴이)의 결과로 필요노동시간을 단축함으로써 생겨난 부분뿐 아니라 노동일을 정상적인 한계까지 연장함으로써 생겨난 부분도) 이미 총노동일의 더 큰 부분(더 주요한 몫)을 차지하면 할수록 노동생산력의 모든 증대와 그에 따른 필요노동시간의 모든 단축([110]또는 상대적 잉여가치의 증대)이 **비례적 잉여가치**를 증대할 수 있는 비율이 그만큼 작아진다는 것이다. 다시 말해 필요노동시간의 단축이 잉여노동시간을 증가시키는 비율은 잉여노동시간의 전체 크기가 이미 클수록 더 작다는 것, 그리고 잉여노동시간의 전체 크기가 이미 작을수록 더 크다는 것이다. 따라서 (이는 **이윤**을 고찰할 때[111] 상술할 것) 생산력이 **동일한 정도로** [112]계속 증대된다면 산업이 발전할수록 잉여가치의 증가 비율은 그만큼 작다. 노동능력의 재생산에 영향을 미치는 한에서 일반적 생산력 또는 생산력 일체. 또는 노동 ‖139| 생산력의 증대가 필요노동시간(따라서 노동능력의 **가치**)을 감소시키고 잉여노동시간을, 따라서 잉여가치를 증가시키는 **비율**은

처음의, 즉 생산력의 새로운[113] 증대가 발생하기 이전에 매번 필요노동시간과 잉여노동시간이 총노동일을 분할하거나 총노동일에 참여하는 **비율**에 **반비례**한다.[114] 노동일이 12시간, 필요노동시간이 10시간, 잉여노동시간이 2시간이라 가정하자. 생산력이 일반적으로 2배가 되었다고 하자. 그러면 이제

G224 는 필요노동시간이 5시간이면 충분하고 잉여노동시간이 5시간, 즉 필요노동시간(따라서 노동능력의 **가치**)이 감소한 것과 동일한 크기만큼 — 즉 5시간 — 증가할 것이다. 필요노동시간은 10시간에서 5시간으로, 즉 절반 = 50퍼센트 감소할 것이다. 〔(필요노동시간이 10에서 6으로 감소하면 4시간 줄어든 것이 된다. 10 : 4 = 100 : 40, 요컨대 40퍼센트. 방금 나는 60퍼센트라고 말했다. 이것은 틀렸다. 그 까닭은 내가 10 : 6 = 100 : 60으로 계산했기 때문이다. 그러나 문제가 되는 것은 10과 [115]10에서 6을 제하고 난 나머지의 비율이다. 요컨대 10과 4의 비율. 노동시간이 6시간, 즉 60퍼센트 감소한 것이 아니다.〕 다른 한편으로 잉여노동시간은 2시간에서 7시간으로 (5시간이 잉여노동시간에 추가됨으로써) 증가했다. 요컨대 2 : 7 = 100 : 350(2 × 350 = 700이고 7 × 100도 마찬가지로 = 700). 요컨대 350퍼센트까지,[116] 즉 처음 크기의 3.5배까지[117] 증가했다. 이제 총노동일에서 필요노동시간이 5시간, 잉여노동시간이 7시간이 된 이 비율이 산출된 다음, 일반적 노동생산력이 다시 2배가 된다고, 즉 필요노동시간이 $2\frac{1}{2}$시간 감소하고 잉여노동시간은 똑같이 $2\frac{1}{2}$시간, 요컨대 7시간에서 $9\frac{1}{2}$시간으로 증가한다고 가정하자. 여기에서 필요노동시간은 다시[118] 50퍼센트 감소했고 잉여노동시간은 $\frac{14}{2}$ (7)에서 $\frac{19}{2}$ ($9\frac{1}{2}$), 요컨대 14 : 19의 비율로 증가했다. 14 : 19 = 100 : x. x = $\frac{1900}{14}$ = $135\frac{5}{7}$퍼센트(19 × 100 = 1900, 14 × $135\frac{5}{7}$ (또는 $135\frac{10}{14}$[119])도 마찬가지로 = 1900). 따라서 두 경우 모두 노동생산력은 2배가 되고, 따라서 필요노동시간은 절반, 50퍼센트 감소했지만 잉여노동시간 또는 잉여가치는 첫 번째 경우에는 350퍼센트까지[120] 증가하고 두 번째 경우에는 $135\frac{5}{7}$퍼센트까지[121] 증가했을 뿐이다. ([122]생산력이 **일반적으로 증대된** 경우에는 이 증대된 비율과, **필요노동시간의 감소를 그 자신과 비교한**, 즉 이 **생산력 증대 이전의 크기와 비교한 비율은 언제나 같다.**) 그러나 잉여노동시간은 첫 번째 경우 생산력이 2배가 되기 이전에 1노동일의 $\frac{1}{6}$, 즉 2시간 = $\frac{2}{12}$일 뿐이었고, 두 번째 경우에는 7시간 또는 $\frac{7}{12}$[123]이었다. 예를 들면 제이컵의 동일한 재치가 화폐 증가에 적용된다.[124] 화폐는 17세기보다 18세기에 더 많이 증가했다. 그러나 증가율은 더 작았다.|[125] /140/ 이제 생산력이 한 영역에서는 예컨대 2배가 된 반면에 다른 영역에서는 동시에 2배가 되지 않는

266

실제의 경우, 이 영역에 불변자본을 공급하는 생산영역들에서는 생산력이 불변이고 따라서 원료비 지출은 불변인, 즉 생산력과 더불어 증가하고 기계류에 대한 지출은 같은 비율로는 아닐지라도 증가할지 모르는 경우를 가정할 때, 분명한 사실은 **이윤**, 즉 지출된 자본의 총가치에 대한 잉여가치의 비율은 다음 두 가지 이유로, 생산력 증대에 의해 필요노동이 감소하는 것과 동일한 비율로 증가하지 않는다는 것이다. 첫째, 노동생산력이 발전할수록 잉여가치는 필요노동이 감소하는 것과 동일한 비율로 증가하지 않기 때문이다. 둘째, 증가하는 비율이 이렇듯 작아져가는 잉여가치가 대체로 생산력 증대에 비례해서 가치가 증가하는 자본에 대해 계산되기 때문이다.〕

〔필요노동시간의 감소는 두 가지 방법으로 계산될 수 있다. 1) 노동생산력이 증대되기 이전의 필요노동시간의 크기와 비교함으로써. 2) 총노동일과 비교함으로써. 첫 번째 계산에서는 — 생산력의 일반적인 증대를 전제한다면 — [126]필요노동시간(따라서 노동능력의 가치)은 생산력이 증대되는 것과 동일한 정도로 감소하는 것이 분명하다. 그러나 잉여노동시간이나 잉여가치가 증가하는 비율은 총노동일이 애초에 필요노동시간과 잉여노동시간으로 분할되었던 비율에 좌우된다. 요컨대 처음에 12시간, 필요노동시간이 10, 잉여노동시간이 2, 그리고[127] 노동생산력이 2배가 되었다면 생산력이 2배가 되는 동안 필요노동시간은 10에서 5로, 즉 50퍼센트 감소한다. (이 비율은 생산력에서는 100퍼센트 증가로, 필요노동시간에서는 50퍼센트 감소로 표현된다. 필요노동시간이 10에서 5로, 즉 50퍼센트 감소한다는 것은 1시간에 이전의 2시간만큼, 즉 2배를 생산할 수 있다는 것, 즉 노동생산력이 100퍼센트 증대했다는 의미이다.) 반면에 잉여노동은 2에서 7로, 즉 350퍼센트까지[128] 증가했다. (3배 증가하면 2×3 또는 [6]시간이고 절반이 상승했으면 $\frac{2}{2}$ = 1, 요컨대 전체는 2에서 7로.) 그 까닭은 잉여가치가 처음에는 12시간 중 2시간뿐이었기 때문이다. 그것이 처음에 이미 3시간이었고 필요노동시간이 9시간이었다면 그것은 $4\frac{1}{2}$시간, 즉 여기에서도 50퍼센트 감소했을 것이고 잉여노동은 3 : $7\frac{1}{2}$ 즉 250퍼센트까지[129] 상승했을 것이다(그 까닭은 3 : $7\frac{1}{2}$ 또는 $\frac{6}{2}$: $\frac{15}{2}$ 또는 6 : 15 = 100 : 250이기 때문이다. 15×100 = 1,500이고 6×250 = 1,500). 반면에 전체 노동일을 관찰해도 비율은 변하지 **않는다**.[130] 애초에 [필요]노동시간은 10시간 또는 노동일의 $\frac{10}{12}$에 달했다. 이제 첫 번째 경우에는 $\frac{5}{12}$에 불과하다. (두 번째 경우에 그것은 노동일의 $\frac{9}{12}$, 나중에는 단지 $\frac{4\frac{1}{2}}{12}$일 뿐이다.) 필요노동시간을 그 자체와 비교하든 총노동일과 비교하든 똑같다. 분모 12가 추가될 뿐

이다. 요컨대 이 고정값(fix)이 제거된다.〕

이제 138쪽, 〔 〕[131] 앞으로 돌아가자. 노동자의 생활 상태는 그의 노동능력의 **가치**가 하락했음에도, 즉 그의 필요노동시간이 4시간 감소하고 자본가를 위한 잉여노동시간이 4시간 증가했음에도 불구하고 개선되었을 것인데, 그 까닭은 자유롭게 된 시간에서 1시간의 몫을 유지했기 때문, 즉 그가 자신을 위해서 즉 임금을 재생산하기 위해서 노동한 노동시간이, 노동생산물이 이 필요노동시간을 단축한 **정도만큼 온전하게** 단축되지 **않았을** 것이기 때문이다. 그는[132] 전보다 더 적은 가치를 갖는 — 전보다 더 적은 노동시간이 들어 있는, 전보다 더 많은 사용가치를 받았다. 그러나 새로운 잉여노동 일체가 형성되고 상대적 잉여가치가 등장한 분량은 그의 필요노동시간의 일부[133]가 자본가를 위한 잉여노동시간으로 전환되거나 그의 **노동능력의 가치**가 하락한 분량에[134] 온전히 상응할 것이다. 여기에서는 이것으로 충분하다. 나중에 이 문제에 관한 비율적인 내용(앞의 내용도 보라)을 종합해야 할 것이다.[135] 요컨대 이는 **상대적 잉여가치의 본질과 법칙** — 생산성이 향상된 결과 노동일 중에 더 큰 부분이 자본에 의해 전유된다는 것 — 을 조금도 변화시키지 않는다. 따라서 노동생산력이 발전한 ‖141│ 결과로서 노동자의 물질적 상태가 여기저기에서, 이런저런 비율로 개선되었다는 통계적 증거를 통해 이 법칙을 반박하려는 것은 어리석은 짓이다.

〔1861년 10월 26일 자 《스탠더드》에는 존 브라이트 회사가 **융단직공 노동조합**의 대표자들을 공갈 혐의로 로치데일 치안판사에게 고소한, 이 회사와 그 노동자들 간의 소송 사건에 관한 기사가 있다. 브라이트의 동업자들은 이전에는 융단 160야드를 생산하는 데 필요했던 시간과 노동으로 240야드를 생산하는 새로운 기계를 도입했다. 노동자들에게는 그들의 고용주가 기계 개량에 자본을 투자함으로써 얻는 이윤을 공유할 권리는 전혀 없었다. 따라서 브라이트사는 지급률을 1야드당 1½펜스에서 1페니로 인하할 것을 제안했는데, 이것은 동일한 노동에 대해서 이전과 정확히 똑같은 소득을 유지하려는 것이었다. 그러나 명목상의 임금 삭감이 있었는데, 노동자들의 주장에 따르면 그들은 이에 대해서 사전에 제대로 통보받지 못했다는 것이다.〕[136]

노동생산성의 일정한 발전[137] 일체는 절대적 잉여가치, 즉 잉여노동의 현존을 위해서도, 따라서 사회의 일부가 자신을 위해서만이 아니라 사회의 다른 부분을 위해서도 노동하는 이전의 모든 생산양식의 존재에 전제된 것과 마찬가지로 자본주의적 생산의 존재를 위해서도 전제된다. "별개의 계급으로서 전자(고용주 자본가)의 존재 자체가 산업의 생산성에 좌우된다."(램지, 『부의 분배에 관한 고찰』, 에든버러, 1836년, 206쪽)[138]

"각자의 노동이 단지 자신의 식량을 생산하는 데 그친다면 재산(여기에서는 자본의 의미로 쓰였다)은 있을 수 없다"(피어시 레이븐스턴, 『국채제도와 그 영향에 관한 고찰』, 런던, 1824년, 14[139]쪽)[140] 덧붙여 말하자면 자본관계는 이미 긴 일련의 과거 발전의 결과인 경제적 사회구성체의 역사적 발전 단계 위에서 발전한다. 경제적 사회구성체가 출발하는 노동생산성의 단계는 자연발생적인 것이 아니며,[141] 노동이 최초의 조야한 시작에서 이미 벗어난 곳에서 역사적으로 창출된 것이다. 어떤 나라가 비옥한 토지, 풍부한 어자원, 풍부한 탄광(연료 일체), 금속 광산 등을 자연적으로 갖고 있다면, 노동생산성의 자연조건들이 열악한 다른 나라들과 비교할 때 이 나라에서는 필요생활수단을 생산하는 시간이 더 적고, 따라서 처음부터 자신을 위한 노동을 넘어서 타인을 위한 잉여노동이 더 크며, 따라서 절대적[142] 잉여노동시간, 요컨대 절대적 잉여가치가 이 나라에서는 처음부터 더 크고, 자본(또는 **잉여노동**을 강제하는 다른 모든 생산관계[143])은 덜 유리한 자연조건하에서보다 더 생산적일 것이라는 점은 분명하다. 고대인들은 노동능력의 자연적 저렴함, 즉 그것의 생산비 또는 재생산비의 자연적 저렴함이 산업생산의 중요한 요인이라는 점을 알고 있었다. 그래서 예를 들면 **디오도로스**의 『역사 문고』 제1권, 제80장에는 이집트인[144]들과 관련하여 이렇게 쓰여 있다. "그들이 자녀 양육에 들이는 노고와 비용이 얼마나 적은지는 믿기지 않을 정도이다. 그들은 자녀들에게 매우 간단한 음식을 만들어 준다. 불에 구울 수 있다면 파피루스 풀의 아랫부분을 먹이기도 하고 습지식물의 뿌리와 줄기는 날것으로, 또는 찌거나 구워서 준다. 기후가 온화하기 때문에 아이들은 대부분 신발도 신지 않고 벌거벗은 채 돌아다닌다. 따라서 아이가 성인이 될 때까지 부모가 부담하는 비용은 모두 합해 20드라크마를 넘지 않는다. **이집트[145]에 인구가 그토록 많고 또 그래서 그렇게 많은 대공사를 할 수 있었던 것은 주로 이것으로 설명될 수 있다.**"[146]

〔잉여가치의 양은 그 비율이 주어지면 인구수에 좌우된다. 특정한 인구가 주어지면 필요노동에 대한 잉여노동의 비율[147]에.〕

여기에서 도출되는 결론은 자본관계(또는 절대적[148] 잉여노동을 **강제하는** ── 이러한 자연적 비옥함은 잉여노동시간의 연장과 그것의 현존을 용이하게 할 뿐 우리가 말하는 의미의 상대적 잉여가치를 창출하지는 않기 때문이다 ── 유사한

생산관계)가 지배하는 곳에서는 노동의 자연조건, ||142| 요컨대 특히 토지가 가장 비옥한 곳에서 자본의 생산성이 가장 크다는 것, 즉 잉여노동은 최대이고 따라서 잉여가치도 최대라는 것이다. 또는, 같은 말이지만 노동능력의 가치는 당연히 가장 낮다는 것이다. 그러나 그렇다고 해서 가장 비옥한 토지가 자본관계 자체의 발전에, 따라서 자본관계의 풍부한 결실에 가장 적합한 토지가 되는 것은 결코 아니다. 리카도가 노동생산성의 주요 조건의 하나로 토지의 비옥도를 말할 때 그는 자본주의적 생산을 전제하며 이 전제하에서 자신의 명제를 세우고 있다. 그는 물론 **부르주아적 생산관계**를 어디서든 주어져 있는 것으로 전제하는 경향이 있다. 그는 생산을 이 특정한 형태로만 논하기 때문에 이것은 그의 설명에 해가 되지는 않는다. 다음 인용문은 잉여노동 개념 일체를 위해서뿐 아니라 위에서 언급한 사항에 대한 오해를 위해서도 중요하다.

G228

"사회의 발전 단계가 상이하면 **자본의 축적 또는 노동을 사용하는 수단**[1]의 축적 속도도 다르지만, **어떤 경우든** 이 축적은 **노동생산력에 좌우될 수밖에 없다.** 일반적으로 노동생산력은 **비옥한 토지가 풍부한** 곳에서 가장 크다."(리카도) "만약 이 문장에서 **노동생산력이 생산물 중에서 자신의 손노동으로 그것을 생산한 사람에게 돌아오는 비례분할적 부분이 작음**을 의미한다면 이 문장은 거의 동어반복이다. 왜냐하면 그 **나머지 비례분할적 부분**은 그 소유주가 원한다면 **자본으로 축적될 수 있는 기금**이기 때문이다. 그러나 가장 비옥한 토지가 있는 곳에서는 일반적으로 이러한 축적이 이루어지지 않는다. 그것은 북아메리카에서는 이루어지기는 하지만 인위적인 상태이다. 멕시코에서는 이루어지지 않는다. 뉴홀랜드(오스트레일리아 ― 옮긴이)에서는 이루어지지 않는다. 노동생산력은 사실상 **다른** 의미에서, 즉 그가 선택한다면, **그가 수행하는 총노동에 비례해서 원료 생산물을 많이 수확할 수 있는 인간의 능력**이라는 의미에서는 비옥한 토지가 많은 곳에서 가장 크다. 사람들이 **기존의 인구를 유지하고 부양할 수 있는 최저량보다 많은** 식량을 생산할 수 있는 것은 사실상 **자연의 선물**이다. 그러나 '**잉여생산물**'(리카도가 93쪽

---

1) 리카도가 자본의 본질을 꿰뚫는 것은 이 문장과 같은 곳에서이다. 요컨대 자본은 어떤 결과를 생산하기 위한 노동의 수단이 아니라 "노동을 사용하기 위한 수단"이다. 그리고 이는 이 수단의 보유자 또는 이 수단 자체가 노동을 **사용하며** 이 수단은 노동을 지배하는 권력이라는 것을 필연적으로 포함하는 것이다.

에서 사용한 용어)이란 일반적으로 **사물의 가격 전체 중에서 그것을 만든 노동자에게 돌아가는 부분을 넘어서는 초과분**을 의미하는 것으로, 이 부분은 고정된 것이 아니라 인간의 배치(arrangement)에 의해 결정되는 것이다."(『**경제학에서 몇몇 용어상의 논쟁에 대한 고찰**』, 런던, 1821년, 74, 75쪽)[149]

이 사람은 노동자에게 "돌아오는 비례분할적 부분"의 크고 "작음"이 실제로 한 사람의 "**총노동**"이 하루에 제공할 수 있는 원료 생산물의 비례적 양에 좌우된다는 것을 알지 못한다. 리카도에 반대하는 그가 옳은 것은 다음과 같이 말할 때이다. 자연적 비옥도는, 내가 선택한다면,[150] 하루 노동으로 생존하기 위해 절대로 필요한 양(기존 인구를 유지할 수 있는 최저량)을 넘어서 생산할 수 있게 해준다. 그것은 내가 노동을 많이 하게 하지도, 요컨대 많이 생산하도록 하지도 않을 뿐 아니라 필요 이상으로 만들어낸 것이 자본의 기금을 형성하게 하지도 않는다. 그것은 "인간의 배치에 의해 결정"된다. 리카도에게는 자본관계 자체가 자연관계이고, 따라서 어디에서든 전제되어 있는 것이다.

자본주의적 생산을 전제한다면,[151]필요노동시간, 즉 노동자를 재생산하 G229 는 데 필요한 노동시간은 나라가 다르면 노동의 자연조건이 유리한가에 따라, 따라서 자연적 생산성의 정도[152]에 따라 서로 다르고 노동생산성에 반비례하며, 따라서 노동생산성에 비례해서 잉여노동시간 또는 잉여가치는 두 나라의 노동시간 수가 같다고 할지라도 한 나라에서 다른 나라보다 더 클 수 있다.

이 모든 것이 바로 절대적[153] 잉여노동의 존재에 관한 것이고, 상이한 나라들에서 그들 각각의 자연적 생산 용량에 따른 잉여노동의 상대적 양에 관한 것이다. 여기에서는 이것에 상관하지 않기로 한다.|

|143| 이미 표준노동일[154]이 필요노동과 절대적 잉여노동으로 분할된다고 가정함으로써 절대적 잉여노동의 존재가, 그것도 일정한 정도로, 요컨대 그것의 특정한[155] 자연적 기초가 전제된다. 여기에서 문제가 되는 것은 오히려 그 자체가 자본주의적 (일체 사회적) 생산의 산물인 한에서의 **노동생산력** ─ 따라서 필요노동시간의 단축과 잉여노동시간[156]의 연장 ─ 이다.

주요 형태는 **협업**, **분업**, **기계류** 또는 과학적 힘 등의 활용이다.

a) 협업

[1]이것은 **기본 형태**이고, 분업은 협업을 전제로 하거나 또는 협업의 특유한 방식일 뿐이다. 기계류에 기초하는 작업장(Atelier) 등도 마찬가지이다. 협업은 사회적 노동의 생산성을 증대하기 위한 모든 사회적 배치에 기본이 되고 각각의 사회적 노동에서는 단지 추가적인 세부화가 부여되는 **일반적 형태**이다. 그러나 동시에 협업은 그 자체 하나의 **특수한** 형태이고, 이 형태는 그것의 발전된 또 고도로 세부화된 형태들과 더불어 존재한다. (그것이 지금까지의 발전을 총괄하는übergreifen 형태인 것과 마찬가지로.)

그 자신의[2] 추가적인 발전 또는 세부화와는 구별되고, 차이가 있으며 이것들과는 분리되어 **존재하는** 형태로서 **협업**은 자신의 여러 종류 중에서 가장 자연발생적이고, 가장 조야하며 가장 추상적이다. 덧붙여 말하자면 협업은 여전히 그 단순성, [3]단순한 형태에서 고도로 발전된 모든 형태의 토대이자 전제로 남아 있다.

G230 요컨대 협업은 먼저 동일한 결과를, 동일한 생산물을, 동일한 사용가치(또는 유용성)를 생산하기 위한 노동자 다수의 직접적인 ─교환에 의해 매개되지 않는─ **공동 행위**(*Zusammenwirken*)이다. 노예제 생산의 경우. (케언스[4] 참조.)[5]

그것은 우선 첫째로 **다수 노동자들의 공동 행위**이다. 요컨대 **동일한 공간**(한 자리)**에서 동시에 노동하는**[6] **다수 노동자들의 집적, 집합의 현존**[7,8] 이것이 협업의 첫 번째 전제이다 ─ 또는 그 자체가 이미 협업의 물적 현존이다. 이 전제는 고도로 발전된 모든 (협업 ─옮긴이) 형태의 기초가 된다.

아직 세부화되지 않은 **가장 단순한** 협업의 방식은 한 공간에서 결합되어 동시에 노동하는 사람들이 상이하지 않고 **동일한 일**을 하는 것이지만, 어떤 특정한 결과 일체를, 또는 어떤 특정한 시간에[9] 산출하기 위해서 그들 행위의 동시성이 요구된다는 것은 명백하다. 협업의 이 측면은 고도로 발전된 협업 형태에도 여전히 남아 있다. 분업에서도 많은 사람들이 동시에 같은 일을 한다. 자동식 작업장에서는 더욱 그러하다.

이 협업의 가장 오래된 형태의 하나가 예를 들면 사냥에서 발견된다. 단지 인간 사냥, 즉 발전된 사냥일 뿐인 전쟁에서도 마찬가지.[10] 예를 들면 기병 연대의 돌격이 발휘하는 효과는 한 사람씩 개별로 나오는 연대의 개별 대원으로는 발휘될 수 없으며 이것은 돌격할 때 개별자가 ─ 일단 그가 행동한다고 하면 — 행동하는 것은 단지 개별자로서 할 뿐인데도 그렇게 된다. 아시아의 대형 건축물들은 이러한 종류의 협업의 다른 사례인데, 건축 일체에서 이러한 단순한 형태의 협업의 중요성이 매우 극명하게 드러난다. 오두막은 한 개별자가 지을 수 있겠지만 주택을 짓는다면 동시에 같은 일을 하는 다수가 필요하다. 작은 거룻배는 한 개별자가 저을 수 있겠지만 더 큰 배라면 일정한 수의 노 젓는 사람이 필요하다. 분업에서는 협업의 이 측면이 각각의 특수한 분야에서 적용되는 **배수** 비례의 원칙으로 등장한다. 자동식 작업장에서는 주요 효과가 [11]분업에 기초하는 것이 아니라 다수에 의해 동시에 수행되는 노동의 **동일성**에 기초한다. 예를 들면 동일한 전동기로 동시에 움직이는 뮬 방적기를 이러저러한 수의 방적공들이 동시에[12] 감독한다.

웨이크필드의 새로운 식민제도의 공적은 — 그가 식민화의 기술을 발견했다거나 ||144| 촉진했다는 것도, 그가 경제학 영역에서 어떤 새로운 발견을 했다는 것도 아니고 — 아마도 경제학의 편협함을 순진하게 발견했다는 데 있을 것이다. 자신은 그 발견의 중요성을 깨닫지 못했거나 스스로 경제적 편협함에서 전혀 벗어나지 못했지만 말이다.

즉 식민지에서 특히 초기 발전 단계에서는 부르주아적 관계가 아직 완성 되지 않았고, 오래전에 정착된 나라들과 달리 아직 전제되지 않았다. 그것은 비로소 형성되고 있다. 따라서 그 형성 조건들은 더욱 명확하게 드러나고 있다. 이 **경제적 관계들**은 원래부터 존재하는 것도 아니고, 경제학자들이 쉽게 자본 등을 파악하는 경향이 있는 것과 달리 **사물**도 아니라는 것이 밝혀질 것이다. 나중에 우리는 웨이크필드 씨가 어떻게 스스로도 경탄할 정도로 식민지에서 이 비밀을 밝혀내는지 보게 될 것이다. 여기에서는 먼저 이 협업의 단순한 형태에 관한 부분을 인용하고자 한다.

"**여러 부분으로 분할될**[13] **수 없는** 단순한 종류의 작업인데도 **많은 일손들의 협업이 없이는** 수행될 수 없는 것이 많다. 예를 들어 커다란 목재를 짐수레에[14] 올려 싣기, 곡물이 자라는 넓은 평야에서 김매기, 많은 양(羊)의 털을 동시에[15] 깎기, 충분히 여물었으되 너무 여물지 않을 시점에 곡식을 수확하기, 매우 무거운 것을 옮기기, 요컨대 **분할되지 않은 동일한 작업**에서 매우 많은 일손이 동시에 서로 돕지 않으면 수행할 수 없는 모든 일."(E. G. **웨이크필드**,『**식민의 방법에 관한 견해**』, 런던, 1849년, 168쪽)[16]

예를 들면 고기잡이가 그러하다. 많은 사람이 한꺼번에 —사냥에서처럼. 철도 건설. 운하 파기 등등. 이집트인이나 아시아인의 공공사업에서 이

러한 종류의 협업. 로마인은 공공사업에 군대를 활용했다. (존스의 서술[17]을 보라.)[18]

절대적 잉여가치를 고찰하면서 보았듯이 잉여가치율이 주어지면 그 양은 동시에 고용된 노동자의 수, 요컨대 협업에 좌우된다. 그렇지만 바로 여기에서 상대적 잉여가치 ─ 그것이 향상된 노동생산력을, 따라서 노동생산력의 발전을 전제로 하는 한에서 ─ 와의 차이가 극명하게 드러난다. 각자 2시간의 잉여노동을 수행하는 노동자 10명 대신 20명을 투입하면 그 결과는 첫 번째 경우의 20잉여시간이 아니라 40잉여시간이다. 1 : 2 = 20 : 40. 비율은 20명에 대해서도 1명에 대해서도 동일하다. 여기에서는 단지 개별자의 노동시간을 더하거나 곱하는 것일 뿐이다. **협업 자체**는 여기에서 이 비율을 전혀 변화시키지 않는다. 반면에 우리는 여기에서 협업을 매개로 해서 개별자의 노동이 고립된 개별자의 노동으로는 얻을 수 없는 생산성을 획득하는 한에서 협업을 사회적 노동의 자연력으로 간주한다. 예를 들면 100명이 동시에 수확한다면 각자는 개별자로서 동일하게 노동할 뿐이다. 그러나 어떤 시기 내에 즉 이삭이 부패하기 전에 수확한다 ─ 이 사용가치가 생산된다 ─ 는 결과는 100명이 **동시에** 이 동일한 노동에 착수한다는 사실의 결과일 뿐이다. 이와는 달리 힘의 실제적인 증대가 이루어지는 경우가 있다. 예를 들면 들어 올리기, 짐 싣기 등등. 여기에서는 개별자가 고립되어서는[19] 가질 수 없는, 다른 사람들과 **동시에** 협력할 때에만 얻을 수 있는 힘이 발생한다. 첫 번째 경우에 그는 결과를 달성하는 데 필요한 만큼 자신의 행위 영역을 공간적으로 확장할 수 없을 것이다. 두 번째 경우에 그는[20] 필요한 잠재력(Kraftpotenz)을 전혀 개발하지 못하거나, 개발하더라도 무한한 시간 손실을 거쳐야 할 것이다.[21] 후자의 경우에[22] 10명이 나무 한 그루를 수레에 싣는 시간은 1명이 10배 많은 시간을 들여 동일한 결과를 달성하는(그것이 가능하다고 가정한다면) 시간보다 짧을 것이다. 여기에서의 결과는 동일한 개별자들이 분산되어 노동할 때 같은 시간에 생산할 수 있는 것이 협업을 통해서라면 더 적은 시간에 생산된다는 것, 또는 협업이 아니라면 전혀 생산될 수 없는 사용가치가 협업으로 생산된다는 것이다. 개별자는 100일이 걸려도 할 수 없는 것, 때로는 100명이 따로따로 하면 100일이 걸려도 할 수 없는 것을 100명이 협업을 통해 하루에 해낼 수도 있다. 요컨대 여기에서는 개별자의 생산력이 노동의 사회적 ||145| 형태에 의해 증가한다. 더 적은 시간에 많이 생산하는 것이 가능해짐으로써 필요한 생활수단 또는 그것을 생산하는 데

필요한 조건들[23]이 더 적은 시간에 생산될 수 있다. 필요노동시간이 감소한다. 그럼으로써 상대적 잉여시간이 가능해진다. 한쪽은 연장될 수 있고, 다른 쪽은 단축될 수 있다.

"개별 인간들의 힘은 아주 미미하지만 아주 미미한 힘들도 결합되면 모든 부분 **힘들의 합계보다**[24] 더 큰 전체의 힘을 만들어낸다. 그리하여 힘들의 결합만으로도 시간을 줄일 수 있고 힘들의 작용 범위를 확대할 수 있다."(피에트로 베리, 『경제학 고찰』, 쿠스토디 엮음, 근세 편, 제15권, 196[25]쪽, G. R. 칼리의 각주 1)

〔여기에서 아마도 협업의 이 단순한 형태가 많은 산업영역에서 노동조건, 예를 들면 연료, 건물 등의 공동 이용을 허용한다는 것을 생각할 수도 있다. 그러나 여기에서는 아직 우리와 상관없다. 그것은 이윤에서 고찰될 것이다. 우리는[26]여기에서 필요노동과 잉여노동의 비율이 얼마나 직접 영향을 받는가[27] 하는 것만 살펴보면 되고 지출된 자본의 총액에 대한 잉여노동[28]의 비율이 받는 영향은 볼 필요가 없다. 이는[29]다음 절들에서도 유지된다.〕

〔결합이 반드시 동일한 공간에서 이루어질 필요는 없다. 천문학자 10명이 상이한 나라의 천문대에서 동일한 관측을 한다면 그것은 **분업**이 아니라 상이한 장소에서 동일한 노동을 수행하는 것으로, 협업의 한 형태이다.〕 그러나 동시에 **노동수단의 집중**도[30](반드시 필요한 것은 아니다 ― 옮긴이).

활동 범위의 확대, 특정한 결과가 달성되는 시간의 단축, 끝으로 개별화된 노동자는 발전시킬 수 없는[31] 생산력의 창출은 단순협업에서도, 더욱 세부화된 형태의 협업에서도 특징적인 것이다. G233

단순협업에서 작용하는 것은 오로지 인력(人力)의 양이다. 수많은 눈과 팔 등을 가진 괴물이 두 눈을 가진 한 사람을 대신한다. 거기에서 로마 군대의 큰 공적과 아시아와 이집트의 거대한 공공 건축물이 만들어진다. 이들 나라에서는 국가가 나라 전체 소득의 지출자이고 다수 대중을 동원하는 권력을 보유한다. "과거에 이들 동양 국가는 행정 비용과 군사 비용을 지출하고도 잉여분을 갖고 있어서 장대한 건축물이나 유용한 공사에 지출할 수 있었고, 이러한 건설에는 **거의 모든 비농업 인구의 손과 팔에 대한 이들 국가의 명령권**[32]과 … 왕과 성직자에게 속하는 이 식량은 나라를 가득 채운 거대한 기념물들을 세우기 위한 수단을 그들에게 부여했다. … 거대한 조각상과 대량의 물건이 운반된 것은 놀라움을 불러일으키는데 그것들을 움직이는 데는 거의 유일하게 인간의 노동만이 물 쓰듯 사용되었다. … 실론의 불탑과 지수지, 중국의 만리장성, 시리아와 메소포타미아의 평원을 폐허로 뒤덮은 수많은 건축물."(리처드 존스,『경제학 교본』, 허트퍼드, 1852년, 77쪽) "**노동자의 수와 그들의 노고를 집중하는 것으로 충분했다.** 〔노동자의 수와 그들의 집중이 단순협업의 기초〕우리는 퇴적물 하나하나로는 보잘것없고 빈약하지만 그것들로 형성된 거대한 산호초가 대양 깊은 곳에서 올라와 섬이 되고 육지를 이루는 것을 본다. 아시아 왕국의 비농업 노동자들은 개인의 육체적인 노력 외에는 ‖146‖ 공사에 기여할 만한 것을 거의 아무것도 갖고 있지 않았지만, **그들의 수가 그들의 힘이었고 그 무리를 지휘하는 권력이 궁전과 사원 등을 탄생시켰다. 그러한 사업이 가능했던 것은 그들을 먹여 살리는 소득이 한 사람 또는 소수에게 한정되어 있었기 때문이다.**"(같은 책, 78쪽)[33]

〔노동의 **연속성** 일체가 자본주의적 생산에 고유함. 그러나 고정자본의 발전과 더불어 비로소 완전하게 발전한다. 이에 대해서는 나중에.〕

고대 세계에서 아시아와 이집트의[34] 왕과 신관, 또는 에트루리아 신권정치가들의 이러한 권력은 부르주아 사회에서는 자본, 그럼으로써 자본가의 손에 넘어갔다.

단순협업은 그것의 더 발전된 형태와 마찬가지로 — 노동생산력을 증대하는 모든 수단과 마찬가지로 — **가치증식**과정이 아니라 노동과정에 속한다. 그것은 노동의 효율성을 높인다. 반면에 노동생산물의 **가치**는 그것을 생산하는 데 필요한 필요노동시간에 좌우된다. 따라서 노동의 효율성은 일정한 생산물의 가치를 감소시킬 뿐 결코 그것을 증가시키지는 못한다. 그러나 비록 총생산물의 가치는 여전히 투입된 노동시간의 총량에 의해 규정되지만 노동과정의 효율성을 높이기 위해 투입되는 이 모든 수단은 필요노동시간을 (어느 정도까지) 감소시키며, 그리하여 잉여가치, 자본가에게 귀속되는 가치 부분을 증대한다.

"전체는 그 부분들의 합계와 같다는 수학 법칙도 우리의 대상에 적용하면 틀린다.[35] 노동이라는 인간 생존의 커다란 기둥에 관한 한, 결합된 노력의 생산물 전체는 개인의 분산된 노력이 아마도 달성할 수 있을지 모르는 모든 것을 무한히 능가한다고 말할 수 있다."(마이클 토머스 새들러,『인구 법칙』,[36] 제1권, 84쪽)

협업 — 즉 자본가, 즉 화폐보유자 또는 상품보유자에 의한 그것의 활용 — 은 당연히 노동수단, 마찬가지로 생활수단(노동과 교환되는 자본 부분)이 그의 수중에 집중되는 것을 필요로 한다. 노동자 한 사람을 1년에 360일

고용하는 데 필요한 자본은 360명을 같은 날만큼 고용하는 데 필요한 자본보다 360배 작다.

협업에서 발생하는 사회적 생산력은 **무상**이다. 개별 노동자들 또는 차라리 개별 노동능력은 지불받지만 개별화된 것들로서 지불받는다. 그들의 협업과 거기에서 발생하는 생산력은 지불되지 않는다. 자본가는 노동자 360명에게 지불하지만, 노동자 360명의 협업에는 지불하지 않는다. 그 까닭은 자본과 노동능력 사이의 교환은 자본과 개별 노동능력 사이에 이루어지기 때문이다. 이 교환은 개별 노동능력의 교환가치에 의해서 규정되는데, 이 교환가치는 이 노동능력이 일정한 사회적 결합 아래서 얻는 생산력과 무관할 뿐 아니라 노동자의 노동시간과 노동 가능한 시간이 노동능력의 재생산에 필요한 노동시간보다 크다는 사실과도 무관하다.

협업, 이 [37]사회적 노동의 생산력은 노동의 생산력이 아니라 자본의 생산력으로 나타난다. 그리고 이러한 전위(Transposition)는 자본주의적 생산 내에서 사회적 노동의 모든 생산력과 관련하여 이루어진다. [38]이는 실제 노동과 관련된다. ||147| 노동의 일반적이고 추상적인 사회적 성격 — 즉 상품의 교환가치 — 이 **화폐**로 나타나고 또한 이 일반적 노동의 표현으로서 [39]생산물이 갖는 모든 속성이 화폐의 속성으로 나타나는 것과 똑같이 노동의 구체적인 사회적 성격이 자본의 성격이자 속성으로 나타난다.

사실상 노동자는 실제 노동과정에 들어가면 노동능력으로서 이미 자본에 병합되고 더는 자신이 아니라 자본에 속하며, 따라서 그가 노동하는 조건들도 오히려 자본이 노동하는 조건들이다. 그러나 노동과정에 들어가기 전까지 그는 개별 상품보유자 또는 판매자로서 자본가와 접촉하고, 이 상품은 그 자신의 노동능력이다. 개별자로서 그는 그것을 판매한다. 그것은 이미 노동과정에 들어가자마자 사회적인 것이 된다. 그것에서 일어나는 이 형태변화(Metamorphose)는 그것 자신에게는 외적인 것으로서, 그것은 아무런 지분을 갖지 않으며 오히려 그것에게 가해진다. 자본가는 하나의 개별 노동능력이 아니라 수많은 개별 노동능력을 동시에 구매하기는 하지만 그것들을 모두 개별화되고 서로 독립적인, 개별 상품보유자에게 속하는 개별 상품으로서 구매한다. 노동자들은 노동과정에 들어서자마자 이미 자본에 병합되었고, 따라서 그들 자신의 협업은 그들이 정립되는 관계가 아니라 자본가[40]에 의해 옮겨진 관계, 그들에게 속하는 것이 아니라 이제는 그들이 속하고 스스로 그들에 대한 자본의 관계로서 현상하는 관계이다. 그것은 그들의 상호 결합이 아니라[41] 그들을 지배하는 통일로서 이것의 담지자이자 지휘자[42]는 바로 자본 자신이다. 노동에서의 그들 자신의 결합—협업—은 실제로 그들에게는 낯선 권력이며, 그것도 개별화된 노동자들에 대한 자본의 권력이다. 그들이 독립적인 인격으로서, 판매자들로서 자본가와 관계를 맺는 한에서 그것은 서로 독립적인 개별화된 노동자들의 관계이고 그들은 각자 자본가와 관계를 맺지만 그들 간에 서로 관계를 맺지는 않는다. 그들이 활동하는 노동능력으로서 서로 관계를 맺는 한에서 그들은 자본에 병합되어 있고, 따라서 이 관계는 그들 자신의 관계로서가 아니라 자본의 관계로서 그들에게 마주 서 있다.[43] 그들은 결집된 것으로서 존재한다. 그들의 결집에서 발생하는 협업은 이 결집 자체가 그런 것과 마찬가지로 그들에 대한 자본의 작용이다. 그들의 **연관과 그들의 통일**은 그들 안에 있는 것이 아니라 자본 안에 있고, 그것에서 유래하는 그들 노동의 사회적 생산력은 자본의 생산력이다. 대체할 뿐 아니라 증대하는 개별[44] 노동능력의 힘(Kraft)이 자본의 능력으로 현상—잉여노동—하듯이 노동의 사회적 성격과 이 성격에서 유래하는 생산력도 그러하다.

이는 자본으로의 노동의 포섭이 이제 단지 형식적인 포섭으로 현상하지 않고 생산양식 자체를 변화시킴으로써 **자본주의** 생산양식이 특유한 생산양식이 되는 첫 번째 단계이다. 개별 노동자가 독립적인 상품보유자로서 노동하는 대신 이제는 자본에 속하는 ‖148‖ 노동능력으로서, 따라서 자본가들의 지휘와 감독 아래서, 이미 자신을 위해서가 아니라 자본가를 위해서 노동한다면, 또한 노동수단도 이미 노동자의 노동을 실현하기 위한 수단으로서가 아니라 오히려 그의 노동이 노동수단의 증식—즉 노동의 흡수—수단으로서 나타난다면 포섭은 형식적이다. 생산양식[45]과 생산이 이루어지는 사회적 관계가 전혀 어떤 변화도 없으면서 존재할 수 있는 한 이 차이는 형식적이다. 협업과 더불어 이미 특유한 차이가 나타난다.[46] 노동은 개별자의 독립적인 노동이 수행될 수 없는 조건들 아래서 수행된다—게다가 이 조건은 개별자를 지배하는 관계로서, 자본이 개별 노동자들을 휘감고 있는 속박으로서 현상한다.

그들의 연관 자체가 그들에게 낯선 관계이고 그들의 통일은 그들 외부에 있는[47] 많은 이들이 협업하는 것과 더불어 지휘·감독의 필요성 자체가 하나의 생산조건으로서, 즉 노동자들의 협업에 의해서 필요해지고 협업에 의해 야기되는 새로운 종류의 노동 즉 **감독노동**(labour of superintendence)으로서 등

G236

장한다. 이는 군대에서 그것이 동일한 병과로 구성되어 있을지라도 하나의 부대로서 행동하려면 지휘관의 필요성, 지휘의 필요성이 대두되는 것과 마찬가지이다. 다만 개별 자본가는 이 지휘권을 다시 [48]특유한 노동자로 하여금 행사하게 할 수 있지만 이 지휘권은 자본에 속하는 것이다. 이 노동자들은 노동자군(軍)에 대하여 자본과 자본가를 대변한다. [49](노예제)(케언스)[50]

이러한 종류의 특수한 노동들이 자본주의적 생산 자체가 만들어내는 기능들에서 유래하는 한, 자본이 이들 기능을 수행한다고 해서 자본을 필요한 것으로 입증하려는 것은 당연히 어리석은 짓이다. 이는 동어반복이다. 그것은 마치 노예로서 흑인에게는 채찍을 가진 노예감독이 필요하고 흑인의 생산에는 흑인 자신과 마찬가지로 노예감독도 필요하다는 이유로 흑인에게 노예제를 정당화하려는 것과 같다. 그러나 노예감독이 필요한 것은 그들이 노예이기 때문이고 노예인 한에서만 ― 노예제에 기초하여 ― 그러하다. 반면에 협업이 예를 들면 오케스트라에서처럼 지휘자(Direktor)를 필요로 하는 경우에 그것이 자본의 조건들 아래서 취하는 형태와 그렇게 하지 않는, 예를 들면 협동조합(Association)에서 취하는 형태와는 전혀 다른 것이다. 후자에서는 노동자 자신의 통일을 그들에게 낯선 통일로서 실현하고 그들 노동의 착취를 타인의 권력에 의해 그들에게 행해지는 착취로서 실현하는 권력으로서 취하는 것이 아니라, 다른 노동기능들과 함께 특수한 하나의 기능으로서 취하는 것이다.

협업은 지속적일 수 있다. 그것은 농업에서의 수확처럼 일시적일 수도 있다.

단순협업[51]에서의 요점은 여전히 활동의 **동시성**인데, 이 동시성의 결과는 개별화된 노동자들이 시간적 순차(Nacheinander)로 활동하는 것에 의해서는 결코 달성할 수 없는 것이다.   G237

가장 중요한 것은 여전히 다음과 같다. 노동의 사회적 성격의 자본의 사회적 성격으로의 첫 번째 전위(轉位), 사회적 노동의 생산력의 자본의 생산력으로의 전위. 끝으로 자본으로의 형식적 포섭에서 생산양식 자체의 실질적 변화로 첫 번째 전화.|[52]

|138a| [53]노동생산성을 증대하기 위한 수단으로서 **D. 드 트라시**는 다음과 같이 구분하고 있다.

1) **힘들의 협력**(단순협업). "방어하는 것이 중요한가? 한 사람씩 차례로 공격당하면 전멸당할 수도 있지만 10명이 함께라면 대적할 수 있다. 무거운

짐을 옮겨야 하는가? 한 사람의 노력으로는 극복할 수 없게끔 저항하던 짐도 함께 행동하는 다수의 노력에는 바로 굴복할 것이다. **복잡노동이 문제가 되는가?**[54] 그렇다면 여러 가지 일이 동시에 행해져야 한다. 한 사람이 하나의 일을 하는 동안 다른 사람은 다른 일을 하고, 그리하여 개별적 인간이 만들어낼 수 없는 결과를 만들어내는 데 모두가 기여한다. 한 사람은 노를 젓고 다른 사람은 키를 잡으며 또 다른 사람은 그물을 던지거나 작살로 고기를 잡는다. 그리하여 어업은 이런 협업이 없이는 얻을 수 없는 성과를 거둔다."(같은 책, 78쪽) 여기에서 후자의 협업에서는 이미 분업이 이루어지고 있다. 여러 가지 일이 **동시에** 수행되어야 하기 때문이다. 그러나 이것은 본래적 의미의 분업이 아니다. 이 3명은 공동 작업하면서 각자 한 가지 일만을 할 수도 있지만 번갈아 가면서 노를 젓고 키를 잡고 고기를 잡을 수 있다. 반면에 본래적 분업의 요점은 다음과 같다. "다수의 인간이 서로 협력하면서 일할 때 각자는 자신이 가장 큰 장점을 갖는 일에만 **오로지**[55] 전념할 수 있다."(같은 책, 79쪽)

분업은 협업의 특수한, 세부화되고 더욱 발전된 형태이며, 노동생산력을 증대하고 동일한 작업을 더 짧은 노동시간에 수행하기 위한, 요컨대 노동능력의 재생산에 필요한 노동시간을 단축하고 잉여노동시간을 연장하기 위한 강력한 수단이다.

단순협업에는 **동일한** 노동을 수행하는 다수의 공동 행위가 있다. 분업에는 자본의 지휘 아래 다수 노동자의 협업이 있다. 이들은 **동일한 상품의 상이한** 부분을 생산하며 그 상품의 각각의 특수한 부분은 각각 특수한 노동, 특수한 작업을 요구하며 각 노동자 또는 특정한[2] 배수의 노동자는 하나의 특수한 작업만을 수행하고 다른 노동자는 다른 작업을 수행한다. 그러나 이들 작업의 총체가 **하나의 상품**을, 한 가지 특정한, 특수한 상품을 생산한다. 요컨대 상품에서 이들 특수한 노동의 총체가 나타나는 것이다.

G238

우리는 이중적인 관점에서 **상품**을 말한다. 첫째로 분업에 의해 생산된 상품은 스스로 다시 다른 생산영역을 위한 반제품, 원료, 노동재료가 될 수 있다. 요컨대 그러한 생산물은 마침내 소비에 들어갈 최종 형태를 얻은 사용가치일 필요가 전혀 없다.

하나의 사용가치, 예를 들면 캘리코를 생산하기 위해서 상이한 생산과정 — 방적, 방직, 날염 — 이 필요하다면 이 캘리코는 이 상이한 생산과정의 결과이며, 방적, 방직, 날염이라는 특수한 노동방식들의 총체의 결과이다. 그렇기 때문에 지금 고찰되는 의미에서의 분업은 아직 이루어지지 않는다. **실**이 **상품**이고, **직물**도 **상품**이며 캘리코도 이들 상품 — 직물의 날염에 선행해야 하는 과정들의 생산물인 이들 사용가치 — 과 함께 특수한 상품이라면, 실은 방적공의 생산물이고 직물은 방직공의 생산물이며 캘리코는 날염공의 생산물이므로 사회적 분업이 이루어진 것이지만 우리가 지금 고찰하는 의미에서의 분업은 아니다. 캘리코의 제조에 필요한 노동은 방적, 방직, 날염으로 분할되고 이들 분야 각각은 노동자들의 한 가지 특수한 부류의 고용을 구성하고,[3] 각자 방적 또는 방직 또는 날염이라는 이 특수한 작업을 수행한다. 요컨대 여기에서는 캘리코를 생산하기 위해서 첫째로 특수한 노동들의 총체가 필요하고, 둘째로 상이한 노동자들이 이 특수한 노동작업 각각에 포섭되어 있다. 그러나 그들이 **동일한 상품**을 생산하기 위해 경쟁한다고 말할 수는 없다. 그들은 오히려 서로 독립된 상품들을 생산하고 있다. 전제

제4노트 138a쪽

에 따라서 실은 캘리코와 마찬가지로 상품이다. 한 사용가치의 상품으로서의 현존은 이 사용가치의 본질과는 상관없으며 또한 이 사용가치가 노동수단으로서든 생활수단으로서든 최종적으로 소비에 들어가는 형체와 얼마나 가까운지 먼지도 상관없다. 그것은 다만 이 생산물에서 특정한 양의 노동시간이 나타나는지, 그리고 그것이 일정한 욕구들[4] — 그것이 또 다른 생산과정의 욕구들이든 또는 소비과정의 욕구들이든 — 을 충족하기 위한 재료인지에 좌우된다. 반면에 캘리코가 방적, 방직, 날염 과정들을 거치고 비로소 **상품**으로서 시장에 등장한다면 그것은 **분업**에 의해 생산된 것이다.

이미 살펴본 것처럼[5] 생산물 일체가 상품이 되고 생산 일체의 조건으로서 G241 상품교환이 이루어지는 것[6]은 단지 노동의 사회적 분할 ||150| 또는 사회적 노동의 분할이 이루어지는 경우뿐이다. 특수한 상품에는 특수한 노동방식이 들어 있고 개별 상품의 생산자 또는 보유자는 교환, 즉 자기 생산물의 판매를 통해서만, 말하자면 자기 상품을 화폐로 전환함으로써만 사회적 생산에서 즉 다른 모든 노동영역의 생산물 중에서 자신의 비례분할적 부분을 차지한다. 그가 상품을 생산한다는 것은 그의 노동이 일면적이고 [7]자신의 생존수단을 **직접** 생산하지 않으며, 이를 오히려 다른 노동영역의 생산물과 자기 노동을 교환함으로써만 생산한다는 것을 포함한다. 상품으로서 생산물의 현존과 상품교환의 현존에서 전제되는 사회적 분업은 우리가 여기에서 고찰하고 있는 분업과 본질적으로 상이하다. 후자는 전자를 자신의 출발점이자 토대로서 전제한다. 전자에서 분업이 이루어지는 것은 각 상품이 다른 상품을 나타내고, 즉 각 상품보유자 또는 생산자가 다른 상품보유자 또는 생산자에 대하여 하나의 특수한 노동영역을 나타내는 한에서이고, 이들 특수한 노동영역의 총체는, 즉 사회적 노동 전체로서 그것의 현존은 **상품교환**에 의해서 또는 더 규정적으로 말하면 우리가 본 바와 같이[8] 화폐유통을 포함하는 **상품유통**에 의해 매개되는 것이다. 이러한 의미에서의 분업은 후자의 의미에서의 분업이 존재하지 않아도 상당히 이루어질 수 있다. 반면에 후자의 분업은 상품생산의 토대 위에서 전자의 분업 — 생산물 일체가 상품으로서 생산되지 않아도, 즉 생산 일체가 상품교환에 기초하여 이루어지지 않으면서도 이 분업은 이루어질 수 있지만 — 이 없으면 이루어질 수 없다. 첫 번째 분업은 어떤 특수한 노동영역의 생산물이 특수한 상품으로서, 그것과는 상이한 자립적인 상품들인 다른 모든 노동영역의 생산물에 대하여 마주 서는 것에서 드러난다. 반면에 두 번째 분업은 어떤 특수한 사용가치가 특수하

고 자립적인 상품으로서 시장에, 즉 유통에 나오기 전에 이 사용가치의 생산[9]에서 이루어진다. 첫 번째 경우에는 상이한 노동들의 보완이 상품교환에 의해 이루어진다. 두 번째 경우에는 동일한 사용가치를 생산하기 위해 자본의 지휘 아래 수행되는 특수한 노동들의 공동 행위가 상품교환[10]에 의해 매개되지 않고 직접 이루어진다. 첫 번째 분업에 의해서는 생산자들이 자립적인 상품보유자로서, 특수한 노동영역들의 대표자로서 마주 선다. 두 번째 분업에 의해서는 생산자들이 반대로 비자립적으로 현상하는데, 왜냐하면 협업을 통해서만 하나의 상품 전체를, 상품 일체를 생산하기 때문이고, 또한 그들은 하나의 특수한 노동이 아니라 오히려 각자가 하나의 특수한 노동으로 결합되고 융합되는 개별 작업들을 나타내며 상품보유자, 상품 전체의 생산자는 그들 비자립적 노동자들에게 자본가로서 마주 서기 때문이다.

G242

A. 스미스는 보완되기는 하지만 어떤 점에서는 마주 서기도 하는 이들 매우 상이한[11] 의미를 갖는 분업을 끊임없이 혼동한다. 최근 영국인들은 혼동을 피하기 위해서 첫 번째 종류를 분업(Division of Labour), 두 번째 종류를 하위분업(Subdivision of Labour)이라 부르기는 하지만 이는 개념적 차이를 나타내는 것은 아니다.[12]

바늘과 연사(撚絲)가 두 가지 특수한 상품이듯이 각각은 특수한 노동영역을 나타내고 그 생산자들은 상품보유자들로서 마주 선다. 그들은 사회적 노동의 분할을 대표하고 사회적 노동의 각 부분은 다른 부분에 대하여 특수한 생산영역으로서 마주 선다. 반면에 바늘 생산에 필요한 상이한 작업들이 — 말하자면 이들 작업의 특수한 부분들이 특수한 상품들로서 나타나지 않는다고 가정하면 —[13]특수한 노동자들이 포섭되어 있는 그만큼 많은 특수한 노동영역을 나타낸다면 두 번째 의미의 분업이다. 이는 하나의 특수한[14] **상품**에 필요한 생산영역 내에서 작업들을 [15]특수화하는 것이고 이들 작업 각각을 특수한 노동자들에게 배분하는 것이다. 이들의 협업이 전체 생산물을, **상품**을 창출하지만 그 대표는 노동자가 아니라 자본가이다. ||151| 우리가 여기에서 고찰하는 이 분업의 형태도 결코 분업의 전부가 아니다. 분업은 어떤 의미에서 경제학의 모든 범주 중의 범주(die Categorie)이다. 그러나 여기에서 우리는 그것을 자본의 하나의 특수한 생산력으로서 고찰해야만 한다.

분명한 것은 1) 이 분업이 사회적 분업을 전제로 한다는 것이다. 상품교환에서 발전된 사회적 노동의 특화로부터 비로소 노동영역들이 분화되어 각각의 특수한 노동영역이 특수노동으로 전환되므로 이제는 여기에서 이 특수노동 내부에서의 분할, 그것의 분해가 이루어질 수 있다. 2) 마찬가지로 두 번째 분업은 반대로 첫 번째 분업을 — 반작용하면서 — 확장해야 한다는 것도 분명하다. **첫째로** 그것은 다른 모든 생산력과 공통으로 특정한 사용가치에 필요한 노동을 단축하고, 사회적 노동의 새로운 분야를 위해서 노동을 방출한다는 점에서 그러하다. 둘째로, 이것은 이 분업에 특유한 것인데, [16]**동일한 사용가치의 상이한 구성요소들**이 이제는 서로 독립적인 상이한 상품들로 생산되거나 또는 이전에는 모두 동일한 생산영역에 속했던 **동일한 사용가치의 상이한 종류들**이 이제는 동일한 개별 생산영역의 분해에 의해서 상이한 생산영역들에 속할 만큼 노동이 그 분해에서 특수성(Spezialität)을 분해한다는 것이다.

G243

전자는 상이한 노동영역들로의 사회적 노동[17]의 분할이고 후자는 한 상품의[18] 매뉴팩처에서의 노동의 분할로, 요컨대 사회에서의 분업이 아니라 동일한 작업장 내에서의 사회적 분업이다. 특수한 **생산양식**으로서 **매뉴팩처**가 후자의 의미에서의 분업에 조응한다.

A. 스미스는 두 가지 의미의 분업을 구별하지 않는다. 따라서 그에게서 후자의 분업도 자본주의적 생산에 특유한 것으로 나타나지 않는다.

그가 자신의 저서 첫머리에 쓴 분업에 관한 장(제1권 제1장)(분업에 대하여)은 다음과 같이 시작된다.

"분업이 몇몇 특정 매뉴팩처에서 어떻게 나타나는가를 연구하면 **분업**이 사회의 산업 전반에 미치는 영향을 훨씬 쉽게 이해할 수 있다."[11쪽][19]

그에게는 **작업장**(Atelier)(여기에서는 원래 작업소Werkstatt, 공장, 광산, 경지[20]를 의미한다. 다만 특정 **상품**의 생산에 고용된 개인들은 자본의 지휘하에 **협업한다**고 전제한다) 내 분업,[21] **자본주의적 분업**만이 문제가 되며, 사회 일체 내에서 또한 "사회의 산업 전반"에 미치는 분업의 효과를 나타내는, 더 쉽게 이해할 수 있고 구체적으로 명료한 사례로서 논의된다. 이는 다음에서 그러하다.[22]

"대체로 사람들은 가치가 적은 물건들이 생산되는 몇몇 매뉴팩처에서 **분업**이 가장 많이 앞서 있다고 생각한다. 그것은 아마도 실제로 분업이 다른 더 중요한 매뉴팩처의 경우보다 거기에서 더 앞서 있기 때문이 아니라, 소수만이 요구하는 소량의 물건을 생산하는 전자의 매뉴팩처에는 고용된 노동자의 전체 숫자도 어쩔 수 없이 적고, [23]**또한 각각의 상이한 공정에 종사하는 사람들은 보통 동일한 작업장에 모여서 감독관이 한눈에 볼 수 있기 때문**이다. 이에 반해 다수 대중의 소비재를 공급하는 대형 매뉴팩처는 **어떤 공정**

이든 모두를 ||152| **동일한 작업장에 수용할 수 없을 정도로 많은 수의 노동자를 고용하고 있다**. 단 한 가지 공정에만 종사하는 사람 이외의 사람들을 한눈에 살피는 것은 좀처럼 드물다. 따라서 이들 매뉴팩처에서는 전술한 종류의 매뉴팩처에서보다 실제로 훨씬 더 많은 공정으로 분할되어 있지만 여기에서의 분할은 덜 감지되고, 따라서 연구가 덜 되었다."[11/12쪽]

G244　이 인용문은 첫째로 A. 스미스 시대에 공업기업이 아직 얼마나 소규모로 이루어졌는지를 증명해준다.

둘째로, 한 작업장에서의 노동의 분할과 사회 내에서 [24] 한 노동영역의 서로 독립적인 상이한 분야로의 분할은 그에게는 **객관적**으로가 아니라 **주관적**으로만 상이하다. 전자에서는 분할을 한눈에 볼 수 있지만 후자에서는 그렇지 않다. 그렇다고 본질에 변화가 있는 것은 아니며 관찰자가 그것을 보는 방식에서 변화가 있을 뿐이다. 예를 들어 철제 상품의 산업 전체를 관찰한다면, 즉 선철 생산에서부터 그 상이한 종류 —— 이 산업 전체가 분할되어 각각 독립적인 생산영역을 구성하여 **자립적** 상품을 만들고 그것이 전 단계 또는 후속 단계와 갖는 연관은 상품교환에 의해 매개되는 —— 의 전부를 빠짐없이 관찰한다면, [25] 이 산업부문의 이러한 사회적 분할은 아마도 바늘공장 내부에서 보이는 부분들[26]보다 더 많을 것이다.

요컨대 A. 스미스는 분업을 특수하고 특유하게 상이한, **자본주의** 생산양식에 특징적인 형태로 파악하지 않는다.

우리가 여기에서 고찰하는 분업은 첫째로 사회적 분업이 이미 상당한 발전 수준에 도달해 있고, 상이한 생산영역들이 서로 분리되어 그들 자체 내에서 다시 자립적인 하위 종류로 분할되어 있다고 가정한다. 이것은 자본 일체가 이미 비교적 발달한 상품유통 —— 이것은 사회 전체 내 사업영역들의 분할(자립화)[27]이 비교적 성숙하게 발전하는 것과 같다 —— 의 토대 위에서만 발전할[28] 수 있는 것과 마찬가지이다. 이것이 전제되면, 요컨대 예를 들어 면사 생산이 독립적이고 자립적인 사업영역으로 (그러므로 이제는 농촌의 부업으로서가 아니라) 존재하는 것이 전제되면, 분업에 선행하고 분업에 앞서 존재하는 분업의 두 번째 전제는 이 영역에서[29] 많은 노동자가 자본의 지휘하에 하나의 작업장에 통합되어 있다는 것이다. **자본주의적** 협업의 조건으로서 자본의 지휘 아래 노동자의 이러한 통합, 집적은 두 가지 이유 때문에 생겨난다. 첫째로 잉여가치는 그 비율에 좌우될 뿐 아니라 그 절대량, 그 크기는 같은 자본가에 의해서 동시에 착취당하는 노동자 수에도 좌우된다. 자

본은 동시에 사용하는 노동자 수에 비례해서 자본으로서 작용한다. 자본의 등장과 함께 생산에서 노동자들의 독립성은 끝났다. 그들은 자본의 감독과 지휘하에 노동한다. 그들이 공동 행위를 하고 연관되어 있는 한 그들의 연관은 자본에 있고 이 연관 자체가 그들에게 대립하는 외적인 것이고 자본의 현존방식일 뿐이다. 노동과정에 들어서자마자 그들의 노동은 그들의 것이 아니라 이미 자본에 속하고 자본에 이미 병합되었기 때문에 **강제노동**이 된 다. 노동자는 자본의 **규율**에 복속되고 완전히 변한 생활관계에 놓인다. 네덜 란드에서, 그리고 매뉴팩처가 완성되어 외부에서 수입된[30] 것이 아니라 자 립적으로 발전한 모든 나라에서 최초의 매뉴팩처는 동일한 상품을 생산하 는 노동자들의 결집(Conglomeration)이자 동일한 자본의 지휘 아래 동일한 작업장에서의 노동수단의 집중과 별로 다르지 않았다.[31] 발전된 분업은 거 기에서 이루어지는 것이 아니라, 오히려 그 자연적 토대로서의 이들 매뉴팩 처에서 비로소 발전한다. 중세 동직조합에서는 장인이 동시에 고용할 수 있 는 노동자의 수를 동직조합법이 매우 적은 최대치로 제한함으로써 장인이 자본가가 되는 것을 ||153| 방지했다.

둘째로, 건물, 화로 등의 공동 사용에서 유래한 경제적 이익은, 분업은 일 절 도외시하더라도, 곧바로 이들 매뉴팩처에 가부장제적 기업이나 동직조 합 기업을 능가하는 생산상의 우위를 제공했지만 그것은 여기에서는 다루 지 않는다. 여기에서 우리가 고찰해야 하는 것은 **노동조건들**의 **절약**이 아니 라 가변자본의 생산적 이용, 즉 이들[32] 수단이 어떤 특정한 생산영역에 투입 된 노동을 **직접** 얼마나 더 생산적으로 만드는가 하는 것이기 때문이다.

특정한 사업영역이 ─ 예를 들면 **블랑키**를 보라[33] ─ 매우 분할되었지만 가부장제적이어서 각 부분이 특수한 상품으로서 다른 영역들에 대해 독립 적으로 또는 상품교환을 통해서만 매개되어 영위되는 곳에서조차 한 작업 장으로의 통합은 결코 형식적이지만은 않다. 이러한 상황에서는 노동이 거 의 언제나 농촌 가내 부업으로서 이루어진다. 요컨대 노동자가 전적으로 일 면적이고 단순한 작업으로 절대적으로 포섭되는 것은 존재하지 않는다. 노 동은 그의 배타적 노동이 아니다. 게다가 이 경우에는 핵심이 빠져 있다. 이 노동자들은 자신의 노동수단으로 노동한다. 생산양식 자체[34]는 사실상 자본 주의적이지 않으며 자본가는 단지 이들 자립적인 노동자들과[35] 그들의 상품 의 최종 구매자 사이에 **중개자**로서, **상인**으로서 들어설 뿐이다. 자본이 생산 자체를 아직 장악하지 않은 이 형태는 대륙의 대부분을 여전히 지배하는데,

이는 언제나 농촌 부업(Nebenindustrie)으로부터 자본주의 생산양식 자체로의 이행을 이룬다. 여기에서 자본가는 스스로 상품보유자, 생산자, 판매자로 현상하는 노동자에 대하여 **노동의 구매자**가 아니라 **상품의 구매자**로 마주선다. 요컨대 아직 자본주의적 생산의 토대가 결여되어 있다.

블랑키의 사례에서 보는 것처럼[36] 분업이 독립적인 [37]생산영역의 형태로 존재하는 곳에서는 상품의 상이한 단계들이 자립적인 상품으로서 존재하고 총생산에서 그것들의 연관이 상품교환 즉 구매와 판매에 의해 비로소 매개되므로, 그로 인해 시간이 걸리는 비생산적 중간과정들이 많이 이루어진다. 상이한 분야로 나뉘어 서로를 위해 노동하는 것은 온갖 우연, 불규칙성 등에 노출되는데, 작업장에서의 강제가 비로소 이 상이한 작업들의 메커니즘에 동시성, 균등성, 비례성을 가져오고 이들 작업 일체를 비로소 균질하게 작용하는 하나의 메커니즘으로 결합한다.

분업이 먼저 기존 작업장의 토대 위에서 작업들을 추가로 분해하고 이들 작업으로 일정한 수의 노동자를 포섭해나가는 방향으로 발전하는 한 그것은 **분할을 계속 추진하는** 것인 반면에, 분업은 또한 "시인의 흩어진 사지"(disjecta membra poetae)[38]가 이전에는 그만큼의 독립된 상품으로서, 따라서 그만큼의 독립된 상품보유자의 생산물로서 나란히 자립적으로 존재하는 한에서, 그것들이 하나의 메커니즘에 **결합**[39](Combination)되는 것이기도 한데, 이것은 애덤이 전적으로 간과한 측면이다.

우리는 사회 내 분업, 즉 상품교환으로 상호 보완되는 생산 전체를 형성하고 개별 대표자에게는 경쟁, 수요와 공급의 법칙을 통해서만 작용하는 분할과, 작업장 내 분업, 즉 노동자들의 독립성이 완전히 파괴되고 이들이 [40]자본의 지휘하에 놓인 하나의 사회적 메커니즘의 부분이 되는, 자본주의적 생산을 특징짓는 분업이 왜 함께 나란히 균등하게 더욱[41] 발전하는지, 나중에 더 상술할 것이다.|

|154| A. 스미스가 **분업**을 자본주의 생산양식에 고유한 것으로, 즉 기계류 및 단순협업과 더불어 노동을 형식적으로뿐 아니라 실질적으로도 자본에 포섭됨으로써 변화되는 것으로 파악하지 않았다는 것은 분명하다. 그는 페티나 페티 이후 그의 선배들과 동일한 방식으로 분업을 이해한다.[42] (**동인도 저작**[43]을 보라.)[44]

스미스는 그의 선배들이 분업을 사회 내에서의 분업과 혼동하는 한에서 이들처럼 사실상 분업을 아직 **고대의** 관점에서 이해한다. [45]그들은 분업의

결과와 목적에 대한 고찰에서만 고대의 견해와 다를 뿐이다. 그들이 분업에 의해 **상품이 저렴해지고** 특정한 상품을 생산하는 데 필요한 필요노동시간이 감소하거나 또는 동일한 필요노동시간에 더 많이 상품이 생산될 수 있으며, 요컨대 개별 상품의 **교환가치**가 감소할 수 있다는 사실만을 강조하고 거의 [46] 오로지 그것들을 고찰하는 한에서는 분업을 처음부터 자본의 생산력으로 파악한다. 그들은 이 **교환가치** 측면에 ─ 그리고 여기에 그들의 **근대적인** 관점이 있다 ─ 모든 비중을 둔다. 분업을 자본의 생산력으로 이해할 때는 이것이 당연히 결정적인 것이다. 그 까닭은 분업은 그것이 노동능력의 재생산에 필요한 생활수단을 저렴하게 하는, 즉 이 생활수단의 재생산에 필요한 노동시간을 감소시키는 한에서만 자본의 생산력이기 때문이다. 반면에 고대인들은 분업을 이해와 숙고의 대상으로 삼는다면 오로지 **사용가치**에만 주목한다. 개별 생산영역의 생산물은 분업의 결과 **더 나은 품질**을 획득하지만 근대인들의 경우에는 **양적** 관점이 지배한다. 요컨대 고대인들은 분업을 **상품**과 관련해서가 아니라 **생산물** 자체와 관련해서 고찰한다. 분업이 **상품**에 미치는 영향은 자본가가 된 상품보유자가 관심을 갖는 것이다. 분업이 **생산물** 자체에 미치는 영향은 [47]인간 욕구 일체의 충족이, 사용가치 자체가 문제가 되는 한에서만 상품과 관계된다. 그리스인들의 관점은 **이집트[48]인**을 언제나 역사적 배경으로 삼는데, 그들은 이집트를 산업적 모범국으로 생각했으며 그것은 근대인들이 초기에는 네덜란드를, 나중에는 영국을 그렇게 보았던 것과 마찬가지이다. 나중에 자세히 보게 되겠지만, 요컨대 그리스인들에게서 분업은 이집트[49]에서 존재했던 바와 같이 세습적 분업과 이로부터 생겨나는 신분제와 관련하여 이루어진다.

A. 스미스는 아울러 분업의 두 가지 형태도 혼동한다. 같은 제1권 제1장에는 이렇게 쓰여 있다. "어떤 기술에서든 분업은 그것이 도입될 수 있는 한 노동생산력의 비례적 증가를 가져온다. **이러한 장점이 다양한 고용과 직업의 분화를 야기한 것으로 보인다.**[50] 그 밖에 이러한 분화는 일반적으로 최고도의 진보와 산업을 누리는 나라들에서 더욱 발전하고, 아직 미개 상태에 있는 사회에서는 개별 인간의 업무인 것도 더 발전된 사회에서는 다수의 업무가 된다."[15쪽] A. 스미스는 그가 분업의 장점을 열거하는[51] 다음 부분에서 **양적** 관점을, 즉 상품을 생산하는 데 필요한 노동시간의 단축을 유일한 관점으로 강조한다. "분업의 결과 **같은 수의 사람들[52]이 수행할 수 있는 노동량이 이렇게 크게 증가하는 것은**[53] 세 가지 상이한 정황에서 유래한

다."(제1권, 제1장, [18쪽]) 그에 따르면 이 장점은 1) 노동자가 자신의 일면적인 분야에서 ||155| 습득하는 **숙련**(*Virtuosität*)이다. [54]"첫째로 노동자의 숙련(dextérité) 향상은 그가 할 수 있는 **일의 양**을 필연적으로 증가시키고 분업은 **각자의 업무를 어떤 매우 단순한 작업에 국한하고 이것이 그의 인생의 유일한 일**[55]이 되도록 함으로써 필연적으로 그가 고도의 숙련을 습득하도록 한다."[56][19쪽] (요컨대 작업의 민첩성.)

둘째로, 한 가지 노동에서 다른 노동으로 넘어가면서 상실되는 **시간의 절약**. [57]이때에는 "장소의 변화"와 [58]상이한 도구들"이 요구된다.[59] "두 가지 **일이 동일한 작업장에서**[60] 이루어진다면 시간 손실이 훨씬 적을 것임은 분명하다. 그럼에도 불구하고 이 경우에조차 시간 손실은 심각하다. 일반적으로 인간은 한 가지 작업을 마치고 다른 일에 착수하면서 약간 게으름을 피우게 마련이다."[20/21쪽]

마지막으로 A. 스미스는 "원래 노동을 단축하고 경감하기 위한 기계의 발명은 분업에서 유래한 것이다"[21/22쪽](즉 모든 주의를 오로지 하나의 단순한 대상에 기울이고 있는 노동자 자신[61]에 의해서)라고 언급하고 있다. 그리고 과학자 또는 이론가가 기계류 발명에 미치는 영향은 그 자체가 사회적 분업 덕분이며, 이 분업에 의해 "철학적, 이론적 인식이 다른 모든 일과 마찬가지로 특정 시민계급의 주요한 또는 유일한 직업이 된다."[24쪽]

A. 스미스는 분업이 한편으로는 인간 소질의 자연적 상이성의 산물, 결과라면 다른 한편으로 후자의 차이는 훨씬 더 높은 정도로 분업 발전의 결과라고 지적한다. 여기에서 그는 스승인 퍼거슨을 따른다.

"개인들이 타고난 재능의 차이는 우리가 생각하는 것보다 실제로 훨씬 작다. 그리고 다양한 직업에 종사하는 인간들이 성년이 되면 소질이 매우 큰 차이로 구별된다고 생각되지만 그것은 분업의 **원인이라기보다 오히려 그 결과**[62]이다. … (그가 분업의 **원인**이라고 하는[63] 교환과 분업이 없다면) 틀림없이 누구나 같은 임무를 수행하고 같은 업무를 했을 것이고, 재능에 큰 차이를 초래할 수 있는 유일한 것으로서 이러한 업무상의 큰 차이는 존재하지 않았을 것이다."[33/34쪽] "태생으로 말하면 재능과 지능 면에서 철학자와 짐꾼의 차이는 셰퍼드와 그레이하운드 차이의 절반도 되지 않는다."[35쪽]

스미스는 분업 일체를 "**상업을 영위하고 교환하는 인간의 성향**"[64]으로 설명하는데, 이것이 없다면 "인간은 욕구와 안락함을 충족하기 위해서 필요한 모든 것을 스스로 조달해야 했을 것이다." (제1권, 제2장[65] [34쪽]) 요컨대 그는 분업을 설명하기 위해서 교환을 전제하고, 교환할 것이 있도록 하기 위해서 분업을 전제한다.

자연발생적 분업은 교환에 선행한다. 그리고 상품으로서 생산물의 이 교환은 **동일한 공동체 내에서가 아니라 상이한 공동체들 사이에서** 먼저 발전한다. (이것은 부분적으로는 인간 자신의[66] 자연발생적 차이에 기인할 뿐 아니라 자연적 차이, 즉 이 상이한 공동체들이 주어진 것으로 발견하는 자연적 생산요소에도 기인한다.)[67] 물론 생산물의 상품으로의 발전과 상품교환은 분업에 반작용함으로써 교환과 분업은 상호작용의 관계를 맺는다.|

|156| 분업의 고찰에서 스미스의 핵심 업적은 그가 분업을 전면에 내세우고 게다가 노동의(즉 자본의) 생산력으로서 직접 강조한다는 데 있다. 분업을 파악할 때 그는 근대적 공장과는 아직 크게 상이한 당시 **매뉴팩처**의 발전단계에 좌우된다. 따라서 아직 분업의 부속물로서만 나타나는 기계류에 대해서보다 분업에 대해서 상대적으로 비중을 크게 두고 있다.

분업에 관한 절 전체에서 A. 스미스는 대부분 그의 스승인 **애덤 퍼거슨**(『시민사회의 역사』, 베르지에 옮김, 파리, 1783년)을 따르고 간혹 베껴 쓰기도 한다. 미개 상태에서 인간은 나태함을 좋아한다. "욕구가 다양해짐으로써 그의 근면함이 억제되거나 주의력이 너무 분산되므로 어떤 종류의 노동에서도 숙련을 달성할 수 없을 것이다."(제2권, 128쪽) 퍼거슨은 또한 "자신들이 하는 역할을 사전에 계획하지 않고 그들의 직업을 세분하도록" 인간을 점차 이끌어가는 다양한 정황 중에서 [68]**"어떤 사물을 다른 사물과 교환하려는 희망"**을 들지만 스미스와는 달리 유일한 이유로서 일면적으로 그렇게 하지는 않는다. 나아가 "기술자는 주의를 집중하고 그것을 작업의 일부로 국한할수록 그만큼 그의 작업은 완벽해지고 **생산량이 증가하는 것**을 경험한다. 어느 매뉴팩처 기업가든 노동자의 작업을 세분하고 **개별 작업의 세부에 사용되는 인력이 많아질수록** 그만큼 비용을 절감하고 이윤을 증가시킬 수 있음을 깨닫는다.[69] … 상업에서의 진보는 기계적 기술의 끊임없는 세분화에 지나지 않는다."(129쪽) A. 스미스는 원래 기계는 노동자들에 의해 발명된 것으로 여기며, 분업의 결과로서 그들이 단 하나의 대상에 전념하는 것으로 "인간의 주의가 전부 하나의 대상을 향할 때"[70] 그들은 "노동을 단축하거나 경감하는 데 적합한 모든 기계"를 발견해내게 된다는 것이다(제1권, 제1장) [22쪽]. A. 퍼거슨은 "주의 깊은 수공업자[71]가 자신의 작업을 단축하거나 쉽게 만들기 위해 발명한 다양한 방법, 수단, 기술 …"(133쪽)이라고 말한다. A.

G250

스미스는 "사회가 발전함에 따라 철학적, 이론적 인식이 다른 모든 일과 마찬가지로 특정 시민계급의 주요한 또는 유일한 직업이 된다"(제1권, 제1장 [23/24쪽])고 말한다. A. 퍼거슨은 말한다. "산업을 위해서 이토록 커다란 이익을 가져다주는 이 방법은 훨씬 더 중요한 대상에, 치안이나 전쟁 같은 다양한 분야에 그만큼 성공적으로 적용될 수 있다. … **모든 것이 분리된 시대에는** (생각한다는 것―옮긴이) 그 자체가 특수한 직업이 될 수 있다."(131, 136쪽) 그리고 그는 A. 스미스와 마찬가지로 과학이 산업적 실천에 종사하는 것을 특히 강조한다(136쪽).

그가 A. 스미스보다 탁월한 점은 분업의 부정적 측면을 [72]더 날카롭고 강력하게 개진한다는 점이다(그에게서도 아직 상품의 **질**이 역할을 하지만,[73] A. 스미스는 그것을 자본주의적 관점에서 단순한 우연으로 올바르게 무시한다). "한 국민의 전반적 역량이 기술 진보에 비례해서 증가하는지에 대해서조차 의심스러울 수 있을 것이다. 몇몇 기계적 기술은 어떤 능력도 요구하지 않고, 이성과 감정의 도움이 완전히 배제되는 경우에도 목적이 완벽하게 달성되고 있다. 무지는 미신의 어머니인 것과 마찬가지로 근면의 어머니이기도 하다. 반성과 상상은 사람을 혼동에 빠지게 하기 쉽지만 손발을 움직이는 습관은 그중 어디에도 좌우되지 않는다. 그러므로 매뉴팩처에서 그 완벽성은 정신이 없어도 가능하고 (그리고 특히 다음 사실은 작업장과 관련해서 중요한데) **그렇기 때문에 두뇌를 쓰는 노력이 없이도 작업장은 인간을 부품으로 하는 하나의 기계로** ||157| **간주될 수 있다**[74]고 할 수 있다."[75](134, 135쪽) 후자(인용문에서 강조한 부분―옮긴이)에서는 **매뉴팩처 개념**이 A. 스미스에서보다 훨씬 더 많다.[76] 나아가 그는 이 분업의 결과로서 제조업자와 노동자 사이에서 나타나는 관계 변화를 강조한다. "산업 자체에 관한 한 제조업자는 교육을 받은 사람일 가능성이 매우 큰 반면 종속된 노동자의 정신은 미개발 상태로 머물러 있다. … 장군은 전쟁 기술이 매우 노련한 반면에 사병의 기능은 몇 가지 동작을 수행하는 것에 국한되어 있다. **후자가 상실한 것을 전자가 획득했을 수 있다!**[77](135, 136쪽) 그가 일반 사병과 관련하여 장군에 대해 언급한 것은 노동자군과 관련하여 자본가 또는 그 관리인에게 적용된다. 독립적 노동에서는 소규모로 이용되었던 지능과 자립적 계발이 이제는 작업장 전체를 위해 대규모로 이용되고, 노동자들로부터 그것을 빼앗은 지휘자에 의해 독점된다. "그는 야만인이 작은 무리를 지휘하거나 단순히 자기를 지키기 위해 이용하는 책략이나 공격과 방어의 모든 수단을 대규모로 이용한다."

(136쪽) 따라서 퍼거슨은 "**종속**"(subordination)을 명백하게 "기예(arts)와 직업의 분리"의 결과로서 논한다(같은 책, 138쪽). 여기에서는 **자본의 대립** 등.[78]

민족들 전체와 관련해서 그는 이렇게 말한다. "산업에 몰두한 민족들은 자신의 직업 이외에는 인간생활의 모든[79] 문제에 완전히 무지한 구성원들로 구성되기에 이른다."(130쪽) "우리는 노예들(Heloten)로만 구성된 민족들이고 우리 중에 자유 시민은 없다."(같은 책,[80] 144쪽) 그는 이 국가를 고전적 고대와 대비하지만 여기에서 동시에 그는 노예제가 자유인들이 완전히 총체적인[81] 발전을 이루기 위한 토대였음을 강조한다. (이렇게 퍼거슨이 하고 싶었던 말을 더욱 수사학적으로 표현하기는 했지만 재치 있는 **프랑스인을 보라**.)[82]

요컨대 스미스의 직계[83] 스승인 퍼거슨과 페티 — 그의 시계 사례를 스미스는 바늘공장 사례로 바꾸었다 — 를 예로 들면 스미스의 독창성은 단지 **분업**을 선두에 놓고 그것을 **노동생산력**을 증대하는 수단으로서 일면적으로 (따라서 경제학적으로는 올바르게) 고찰한 것뿐이다.

A. 포터,『경제학』, 뉴욕, 1841년(제2부는 거의 스크로프의『경제학 원리』, 런던, 1833년의 복사에 불과하다)에는 이렇게 쓰여 있다.

[84]"생산에 필수적인 제1요소는 노동이다. 이 대형 사업에서 그 역할을 효율적으로 수행하려면 개인의 노동은 **결합되어야** 한다. 다시 말해 일정한 성과를 생산하기 위해서 필요한 노동이 여러 개인에게 **배분되어야**[85] 하고, 그리하여 이 개인들이 협력할 수 있도록 해야 한다."(스크로프, 76쪽) 이에 대해 포터는 같은 곳의 주에서 이렇게 언급하고 있다. "여기에서 말하는 원리는 통상 **분업**이라 불린다. 그 근본적인 발상은 **조화**(concert)와 **협력**(cooperation)의 발상이지 **분할**(division)의 발상은 아니므로 이 구절은 부적절할 수 있다. 분할이라는 용어는 **여러 작업들로 세분되고 그 작업들이 다수의 직공들에게 분배되는 또는 나뉘는** 그 **과정**에만 적용된다.[86] 이러한 분업은 **과정**의 세분화(subdivision)를 통해 이루어진 **노동자들의 결합**이다." 그것은 **노동**[87]의 **결합**이다.[88]

퍼거슨의 책 제목은『**시민사회의 역사**』이다.|[89]

|158|『**두걸드 스튜어트 전집**』, W. 해밀턴 경 엮음, 에든버러. 나는『**전집**』의 제8권을 인용하는데 이것은『**경제학 강의**』제1권(1855년)이다.

그는 분업[90]이 노동생산성을 증대하는 방식에 대해 이렇게 말한다.

"분업의 효과와 기계 사용의 효과는 … 둘 다 동일한 상황에서, **한 사람으로 하여금 많은 사람의 노동을 수행할 수 있게 하는** 경향에서 자신들의 가치

를 얻는다.”(317쪽) “그것은 또한 모두 **동시에 수행되는** 다양한 분야들로 작

업을 세분함으로써 **시간의 절약**(economy of time)을 만들어낸다. … 개인이 한

다면 각각 실행해야 했을 **다양한 과정을 모두 동시에 수행함**으로써 예를 들

면 바늘 하나를 절단하거나 뾰족하게 만들 수 있을 시간에 다량의 바늘을 **완

전히** 생산하는 것이 가능해진다.”(319쪽)[91]

여기에서 말하는 것은 상이한 작업들을 거치는 동일한 노동자가 한 작업

에서 다른 작업으로 이행하면서 시간을 잃어버린다는 A. 스미스의 언급 2)

(G248쪽 8행의 “**둘째로**”—옮긴이)만은 아니다.

가부장적이거나 수공업적인 기업에서는 노동자가 자신의 제품을 생산하

기 위해서 차례로 수행하고, 그의 활동의 상이한 방식들로서 서로 연결되

어 있으면서 시차를 두고 교대되는 상이한 작업들이, 즉 그의 노동이 차례로

거치면서 그때마다 변화하는 상이한 국면들이 자립적 작업 또는 과정으로

서 서로 분리되고 고립된다. 그처럼 단순하고 단편적인 각각의 과정이 특정

한 노동자나 특정 수의 노동자들의 배타적 기능이 됨으로써 이 자립성은 고

착되고 개인화된다. 그들은 이 고립된 기능들에 포섭된다. 노동이 그들 사이

에 분배되는 것이 아니다. 그들이 상이한 과정들에 분배되며 각 과정은—

그들이 생산적 노동능력으로 작용하는 한—그들의 배타적 생활과정이 된

다.[92] 요컨대 전체 생산과정의 생산성 향상과 [93]복잡화, 풍부화는 노동능력

이 각각의 특수한 기능에서 벌거벗고(bloss) 메마른(dürr) 추상으로 환원되

는—동일한 작용의 영원한 단일성(Einerlei)으로 현상하면서 노동자의 전

체 생산능력이, 그의 소질의 다양성이 몰수되는 단순한 속성으로 환원되는

대가를 치르고 얻어지는 것이다. 이 살아 있는 자동장치의 기능으로서 수행

되는 이렇게 분리된 과정들이 바로 이 분리, 자립성으로 인해 결합을 허용하

고 이 상이한 과정들이 동일한 작업장에서 **동시에** 수행될 수 있게 한다. 분

할과 결합이 여기에서는 상호 조건이 된다. 한 가지 상품의 전체 생산과정

이 이제는 하나의 합성된 작업으로서, 많은 작업들의 복잡화(Complication)

로 현상하여 각자 서로 독립적으로 보완하고 병행하면서 **동시에** 수행될 수

있다. 여기에서는 상이한 과정들의 보완이 미래에서 현재로 옮겨졌고, 그럼

으로써 상품이 한쪽에서 시작될 때 다른 쪽에서는 완성된다. 그와 동시에

이 상이한 작업들이 단순한 기능으로 환원되었기 때문에 숙련된 솜씨로 수

행됨으로써 협업 일체에 고유한 이 **동시성**에는 **노동시간의 단축**이 추가되

는데, 이 단축은 동시에 서로 보완하며 전체로 결합되는 기능들[94]에서는 어

디에서든 달성된다. 그리하여 주어진 시간에 더 많은 **온전한 상품**, 더 많은 상품이 **완성**될 뿐 아니라 **더 많은** 완성된 상품 일체가 공급된다. 이 결합에 의해서 작업장은 개별 노동자들이 상이한 수족이 되는 하나의 메커니즘이 된다.

그러나 결합 ─ 분업에서의 협업은 동일한 기능들의 병존(Nebeneinander) 또는 일시적 분배[95]로 나타나는 것이 아니라 기능들의 총체를 그 구성요소로 특화하고 이 상이한 구성요소들을 하나로 통합한 것으로서 나타난다 ─ 은 이제 이중적으로 존재한다. 생산과정 자체를 고찰하는 한에서는 작업장 전체 안에 존재한다. 그러한 전체 메커니즘[96]으로서 작업장은 (실제로는 노동자들의 협업의 현존, 생산과정에서의 그들의 사회적 행태에 지나지 않지만) 노동자들에게는 그들을 지배하고 포괄하는 ‖159‖ 외적 권력으로서 마주 서며, 실제로 자본 자체 ─ 노동자들이 개별적으로 포섭되어 있고 그들의 사회적 생산관계가 그것에 속하는 ─ 의 권력이자 하나의 존재형태[97]로서 마주 선다. 다른 한편으로 (결합은 ─ 옮긴이) 완성된 생산물 속에 존재하고 이 생산물은 다시 자본가에게 속하는 상품이다.

노동자 자신을 위해서는 활동들의 결합이 이루어지지 않는다. 이 결합은 오히려 각각의 노동자나 일정 수의 노동자가 집단적으로 포섭되어 있는 일면적인 기능들의 결합이다. 노동자의 기능은 일면적이고 추상적이며 부분이다. 그렇게 형성되는 전체는 바로 개별 기능에서의 노동사의 이러한 **단순한 부분현존**과 고립에 기초한다. 요컨대 그것은 노동자가 한 부분을 구성하며 [98] 그의 노동이 결합되지 않았다는 사실에 기초하는 결합이다. **노동자들은 이 결합의 구성요소를 이룬다.** 그러나 이 결합은 그들 자신에게 속하고 결합된 노동자로서 그들에게 포섭되어 있는 관계가 아니다. 이상은 동시에 분할과 대립하는 결합과 조화라는 포터 씨의 미사여구에 대한 것이기도 하다.

여기에서 자본주의 생산양식은 이미 노동의 실체를 장악하고 변화시켰다. 그것은 이제 단순히 노동자[99]의 [100]자본으로의 **형식적** 포섭, 즉 그가 타인의 지휘와 타인의 감독하에 타인을 위해 노동하는 것이 아니다. 그것은 또한 단순협업에서처럼 그가 동시에 **동일한** 노동을 더불어 수행하는 많은 노동자와의 동시적인 공동 작업도 더는 아니다. 이 작업은 그의 노동 자체를 변화시키지 않고 단지 일시적인 연관, 병존을 창출하며, 사태의 본질상 쉽게 해체될 수 있고 대부분의 단순협업 사례에서는 수확, 도로 건설 등에서처럼 예외적으로 욕구가 발생하거나 가장 단순한 형태의 매뉴팩처에서처럼

(여기에서는 다수 노동자의 동시적 착취와 고정자본의 절약 등이 핵심이다) 노동자로 하여금 자본가가 주인인 전체의 부분을 형식적으로만 구성하도록 한다. 그러나 이 전체에서 그는 그의 곁에서 그처럼 많은 다른 노동자들이 동일한 것을 한다는, 신발 등을 만든다는 사실에 더는 영향을 받지 않는다. 그 전체[101]가 작업장을 구성하는 전체 메커니즘의 일부의 단순한 기능으로 [102]그의 노동능력이 전환됨으로써 그는 어떤 상품의 생산자이기를 일체 중단했다. 그는 작업장을 구성하는 메커니즘 전체와의 연관 속에서만 무언가를 생산하는 어떤 일면적인 작업의 생산자일 뿐이다. 요컨대 그의 능력은 작업장에서만, 그에 대립하여 자본의 현존이 된 메커니즘의 고리로서만 발휘될 수 있으므로, 그는 작업장의 살아 있는 구성요소이고 그의 노동방식 자체에 의해 자본의 부속물이 되었다. 애초에 그가 상품이 아니라 상품을 생산하는 노동을 자본가에게 판매해야 했던 것은 그에게는 자신의 노동능력을 실현하기 위한 객관적 조건이 결여되어 있기 때문이다. 그의 노동능력[103]은 자본에 판매되는 한에서만 노동능력이므로 그는 이제 노동(원문에는 sie로 되어 있어 문맥상 노동die Arbeit을 받는 대명사이다. 그러나 마르크스의 완성된 노동가치론에 따르면 여기는 sie가 아니라 es가 되어 노동능력das Arbeitsvermögen을 받아야 할 것이다. 주지하는 바와 같이 마르크스는 자신의 완성된 이론에서는 노동능력(또는 노동력)과 노동을 엄격하게 구별하고 있으며 임노동자가 자본가에게 판매하는 것은 노동(능)력이라고 강조한다. — 옮긴이)을 판매해야 한다. 요컨대 그는 이제 노동수단의 결여만이 아니라 그의 노동능력 자체, 그의 노동방식에 의해서도 자본주의적 생산에 포섭되어 자본에 붙들려 있고,[104] 자본은 단지 객관적[105] 조건만이 아니라 노동자의 노동 일체가 아직 노동일 수 있기 위한 주체적 노동의 사회적[106] 조건들도 수중에 넣고 있는 것이다.

요컨대 분업이라는 노동의 이러한 사회적 현존방식에서 유래하는[107] 생산력의 증대는 단순히 노동자의 생산력이 아니라 자본의 생산력이라는 것으로 끝나지 않는다. 이 결합노동의 **사회적 형태**는 노동자에 맞서는 자본의 현존이다. 이 결합[108]은 그를 압도하는 숙명으로 그에게 맞서고, 전체 메커니즘[109]에서 분리되면 아무것도 ||160| 아닌, 따라서 전체 메커니즘에 전적으로 의존하는 완전히 일면적인 기능으로 그의 노동능력이 위축됨으로써 그는 이 결합에 사로잡혀 있다. 그 자신이 단순한 말절(Detail)이 되어버린 것이다.

두걸드 스튜어트는 앞의 책에서 분업에 종속된 사람들을 "작업의 세부에 사용되는 … 살아 있는 자동장치"라 부르고 한편으로 "고용주는 시간과 노동을 절약하기 위해 언제나 전력을 다할 것"(318쪽)이라고 한다.

　D. 스튜어트는 사회 내에서의 분업과 관련된 고대인의 격언들을 인용한다. "우리는 모두이지만 아무것도 아니다"(Cuncta nihilque sumus). "모두 안에서는 어떤 것이지만, 전체에서는 아무것도 아니다"(In omnibus aliquid, in toto nihil). "많은 일을 알지만, 모든 것을 잘못 알고 있다"(πολλ' ἠπίστατο ἔργα, κακῶς δ' ἠπίστατο πάντα). (진위를 의심받는 플라톤의 대화편 중 하나인『알키비아데스 2』중 **마르기테스**로부터 인용되었다.[110])[111]

　마찬가지로『오디세이아』제14장 228절에는 "각자는 각자의 일로 기뻐한다"(ἄλλος γάρ τ' ἄλλοισιν ἀνὴρ ἐπιτέρπεται ἔργοις)[112]라고 하고, 또한 섹스투스 엠피리쿠스는 아르킬로코스로부터 "각자는 각자의 일로 힘을 얻는다네"(ἄλλος ἄλλῳ ἐπ' ἔργῳ καρδίην ἰαίνεται).[113](앞의 두 문단에서 인용문은 그리스어로 쓰여 있고, MEGA 편집자는 그것을 독일어로 옮겨 부속자료의 해설로 실었다. ― 옮긴이)

G255

　[114]투키디데스는 페리클레스로 하여금 농업을 영위하는 스파르타인 ― 이들에게서는 상품교환에 의한 소비의 매개, 요컨대 분업은 이루어지지 않았다 ― 을 "자영농"(αὐτουργοί)[115](영업을 위해서가 아니라 생존을 위해서 노동하는 사람)으로서 아테네인들과 대비한다. 같은 연설(투키디데스, 제1권, 제142장)에서 페리클레스는 항해(Seewesen)에 대해 이렇게 말한다.

　"항해술도 다른 것들과 마찬가지로 기술입니다(τὸ δὲ ναυτικὸν τέχνης ἐστίν, ὥσπερ καὶ ἄλλο τι). 설령 그것을 얻었다 할지라도, 그것은 부업으로 배울 수 있는 것이 아닙니다(καὶ οὐκ ἐνδέχεται, ὅταν τύχῃ, ἐκ παρέργου μελετᾶσθαι). 그것은 오히려 다른 부업을 행하는 것을 허용하지 않습니다(ἀλλὰ μᾶλλον μηδὲν ἐκείνῳ πάρεργον ἄλλο γίγνεσθαι)."(원문은 그리스어를 쓰고 독일어를 괄호 안에 병기했다. ― 옮긴이)

　플라톤은 **크세노폰**보다 앞에 두어야 할 인물이지만 그에 대해서는 곧 서술할 것이다. 부르주아적 직감이 뛰어났고, 따라서 때로는 부르주아적 도덕뿐 아니라 부르주아적 경제학도 상기시키는 크세노폰은 분업이 사회 전체에서만이 아니라 개별 작업장에서 수행되는 한에서도 플라톤보다 자세히 분업을 논하고 있다. 다음에 살펴볼 그의 논쟁은 두 가지 이유에서 흥미로운데, 1) 그는 분업이 **시장 규모**에 좌우된다고 가르친다. 2) 그는 플라톤의 경우와는 달리 업무의 분할만을 논하는 것은 아니다. 분업에 의해 야기되는 노동의 단순노동으로의 환원(Reduktion)과 단순노동에서 더 쉽게 유지되는 숙련도 강조한다. 그만큼 그는 근대적 견해에 접근하지만 역시 그에게도 고대인에게 특징적인 것이 보인다. **사용가치, 품질** 개선만이 중요한 것이다. 그는 노동시간 단축에는 관심이 없다. 그것은 플라톤도 마찬가지인데 예외적으로 그가 **더 많은** 사용가치가 공급된다는 것을 잠정적으로[116] 강조하는 단 한 곳에서도 그렇다. 여기에서조차 중요한 것은 분업이 **상품**으로서의 생산물에 미치는 영향이 아니라 더 많은 **사용가치**이다.

[117]크세노폰은 페르시아 왕의 식탁[118]에서 하사하는 음식이 즐거운 것은 단지 명예 때문만은 아니라는 것을(이 음식이 더 맛있기 때문임을) 설명하고 있다.[119]

"왕의 식탁에서 보내진 것들은 진실로 맛에 있어서 훨씬 탁월했다. 이것이 진실로 크게 놀랄 만한 것은 아니다. 물론 큰 나라들의 다른 기술들이 탁월하듯이(in den grossen Städten auf einen ausgezeichneten Grad vervollkommnet sind),[120] 왕이 제공한 음식도 마찬가지로 매우 탁월하게 만들어진 것이지만, 작은 나라들에서도 같은 장인들이 의자, 문, 쟁기, 식탁을 만들고, (자주 같은 장인은 집도 짓는다. 만약 그가 자신에게 일거리를 제공할 사람들이 많이 있다면, 그는 그것으로 ‖161‖ 만족한다. **많은 기술을 가진 사람이 모든 것을 탁월하게 수행하는 것은 불가능하다.**) 큰 나라들에서는 **각자는 여럿이 필요하므로, 하나의 기술로 각자가 먹고사는 것이 충분하다. 자주 하나가 전체인 것은 아니다.** 어떤 사람은 남성 구두를 만들고, 어떤 사람은 여성 구두를 만든다. 이곳에서는 어떤 이는 구두를 꿰매는 일만으로, 어떤 이는 자르는 일만으로, 어떤 이는 신발의 안창을 재봉하는 것만으로 먹고산다. 이들 가운데에서 어떤 이는 이런 일들은 하지 않고 전체를 합치는 일만 한다. **따라서 가장 작은 부분에 집중하는 사람이 그 일을 가장 잘 수행할 수밖에 없는 것은 필연적이다.**[121] 이는 주방의 일과 관련해서도 똑같다. 같은 한 사람이 침대 의자를 배치하고, 식탁을 정렬하며, 빵을 굽고, 음식 접시를 이쪽저쪽에 놓는데, 내 생각에, 각자의 것에 알맞게 이 사람이 잘하는 것은 필연적이다. 이곳에서는 어떤 이는 고기를 삶고, 어떤 이는 고기를 구우며, 어떤 이는 생선을 끓이고, 어떤 이는 생선을 구우며, 어떤 이는 빵을 만드는데, 이들은 모든 것을 행하지 않으므로, 한 종류의 일에서 좋은 평판을 얻기에 충분하다. 내 생각에, 각자 이와 같은 방식으로 이 일들을 하는 사람들이 아주 탁월하게 일을 잘하는 것은 필연적이다. 이와 같은 방식으로 음식을 준비해서 이런 식탁을 차린 키루스 왕

G256

298

은 다른 모든 사람을 크게 능가했다."(크세노폰, 『키로파에디아』, E. 포포 엮음, 라이프치히, 1821년, 제8부, 제2장)(원문에서 이 문단의 인용문은 모두 그리스어로 쓰여 있고 곳곳에 독일어를 괄호 안에 병기했다. 마지막 문장 "이와 같은 방식으로 음식을 … 크게 능가했다"는 인용부호 다음에 독일어로 쓰여 있다. MEGA 편집자는 이 문단 전체를 독일어로 옮겨 부속자료의 해설로 실었다. ― 옮긴이)

『국가』에서 플라톤의 논의는 페티 이후 A. 스미스 이전에 분업에 대해 기술한 일부 영국 저술가들의 직접적인 토대이자 출발점을 이룬다. 예를 들면 [122]제임스 해리스(훗날 맘스버리 백작), 『세 개의 논문』, 제3판, 런던, 1772년의 세 번째 논문을 보라. 그 논문에서 고용의 분할이 사회의 자연적 토대로 서술되는데(148~55쪽), 이에 대해 그는 플라톤에서 모든 논의를 가져왔다고 주석에서 말하고 있다.[123]

플라톤은 『국가』(바이터, 오렐리 외, 취리히, 1839년판에서 인용) 제2부를 폴리스[124](여기에서는 도시와 국가가 일치한다)의 발생으로부터 시작한다.

"[소크라테스:] 그런데 국가가 생겨나는 것은 … 우리 각자가 **자급하지 못** G257 **하고 많은 것이** ||162| **부족하기** 때문이다."(Γίγνεται τοίνυν ... πόλις ... ἐπειδὴ τυγχάνει ἡμῶν ἕκαστος οὐκ αὐτάρκης, ἀλλὰ πολλῶν ἐνδεής.)[125]

도시는 개별자가 더는 자립적이지 않고 많은 사람을 필요로 하게 될 때 태동한다. "우리의 필요가 그것을(즉 국가를)[126] 만들 것이다."(ποιήσει δὲ αὐτὴν(sc.πόλιν) ... ἡ ἡμετέρα χρεία)[127] 욕구가 국가를 설립한다. 그러고 나서 먼저 가장 직접적인[128] 욕구들로서 식량, 주택, 의복이 열거된다. "필요들 가운데 첫째이고 가장 큰 것은 생존하고 생활하기 위한 식량을 마련하는 것이다. … 둘째는 집이고, 셋째는 의복과 이와 같은 것이다."(Ἀλλὰ μὴν πρώτη γε καὶ μεγίστη τῶν χρειῶν ἡ τῆς τροφῆς παρασκευὴ τοῦ εἶναί τε καὶ ζῆν ἕνεκα ... Δευτέρα δὴ οἰκήσεως, τρίτη δ' ἐσθῆτος καὶ τῶν τοιούτων.)[129] [130] 그러면 폴리스는 어떻게 이들 상이한 욕구를 충족할 것인가? 어떤 이는 농부가 되고 어떤 이는 건축공이 되며 또 다른 이는 방직공, 제화공 등이 된다. 각자는 자신의 상이한 욕구를 스스로 충족하기 위해서[131] [132]각자 자신의 노동시간을 나누어 일부 시간에는 땅을 갈고 또 다른 시간에는 집을 짓고 또 다른 시간에는 옷감을 짜는 일 등을 해야 하는가, 아니면 각자 자신의 노동시간을 전부 하나의 일에만 투입해서 그 결과 예컨대 곡물을 생산하고 옷감을 짜는 일 등을 자신을 위해서만이 아니라 타인을 위해서도 해야 하는가? 후자가 더 낫다. 그 까닭은 첫째, 인간은 타고난 소질에 따라 상이하고[133] [134]그로 인해 상이한 작업들을 수행하기 위한 능력이 상이하다.[135] 〔욕구의 상이성에는 이들 욕구를 충족하기 위해 필요한 여러 가지 노동을 수행하는 개별자의 소질의 상이성이 대응한다.〕 단 하나의 숙련(Kunstfertigkeit)[136]만을 수행하는 자는 많은 기예(Künste)를 수행할 때보다 더 잘할 것이다. 어떤 일을 부업으로서만 영위한다면 생산하는 데 적절한[137] 시기를 종종 놓칠 것이다. 작업은 그것을 수행해야 하는 사람의 태만을 기다려주지 않는다. 오히려 작업을 수행하는 자가 생산조건 등에 적응해야 하고, 따라서 부업으로 영위해서는 안 된다. 따라서 어떤 이가 오로지 한 가지의 노동만을 (사태의 본질에 따라서, 그리고 적시에) 수행하면서 대신에 다른 노동에는 종사하지 않는다면 모든 것이 더 많이, 더 좋게, 그리고 더 쉽게 생산될 수 있을 것이다.[138]

핵심 관점은 **더 좋게**, 즉 품질이다. 바로 다음에 인용하는 구절에서만 더 많이(πλείω)가 등장하고 그 밖에는 언제나 더 좋게(κάλλιον)이다.

"[소크라테스:] 국가는 어떻게 이와 같은 것들을 마련할 것인가? 어떤 농부 한 명, 어떤 집짓는 목수, 어떤 직조공이 있어야 하지 않을까? … 이들 각각은 **모두를 위해서** 자신의 노동을 제공해야 하는가? 예컨대 농부는 혼자서 4명을 위해서 식량을 제공해야 하는가? 4배의 시간과 노력을 기울여 식량을 생산해서 그것을 다른 사람들과 공유해야 하는가? 아니면 다른 사람들을 무시하고 오로지 $\frac{1}{4}$만의 시간을 들여서 $\frac{1}{4}$만의 식량을 생산하고, 나머지 $\frac{3}{4}$의 시간은, 그중의 일부는 집을 짓는 데 쓰고, 일부는 옷을 만드는 데 사용하고, 일부는 구두를 만들면서, 다른 사람들과 공유하지는 않고, 자신의 것들을 자기 스스로 만들어야 하는가? [아데이만토스:] … 후자보다는 전자가 쉬울 것입니다. [소크라테스:] 먼저 우리 각각은 본성적으로 거의 같지 않고 다른 본성을 가지고 태어났고, 어떤 사람은 어떤 일에 적합하다네. … 한 사람이 많은 일들을 하는 것이 더 좋은가? 아니면 한 사람이 하나의 일을 하는 것이 더 좋은가? … [아데이만토스:] 하나가 하나를 할 때입니다. [소크라테스:] … 만약 어떤 사람이 적기를 놓친다면 일을 망친다네. … 왜냐하면 하고 있는 일이 일하는 사람에게 여가가 생겨나기를 기다리지 않기 때문이네. 오히려 일하는 사람은 일을 쫓아다녀야만 한다네. 그 일을 부업으로 여기지 않아야 하네. [아데이만토스:] 당연합니다. [소크라테스:] 이로부터 **더 많은 것들이 만들어지고, 한 사람이 하나의 본성에 따라 적기에 다른 일들에서 벗어나 여가를 가지고 행할 때에, 그것들은 더 잘 만들어지고 더 쉽게 만들어진다네.**"[139] 계속해서 플라톤은 ||163| 분업과 상이한 사업영역의 창립

300

이 어떻게 필요해지는지를 개진하고 있다. 예를 들면 "농부는, 당연히 그렇듯이, 그 자신이 스스로 쟁기를 만들지 않을 것이다. 만약 그것이 좋은 것이려면, 괭이도 만들지 않을 것이다. 농사에 관련한 다른 것들도 마찬가지이다. 집을 짓는 목수도 마찬가지이다 등등."[140] (이어서 이 그리스어 인용문이 같은 내용의 독일어로 반복됨 — 옮긴이) 이제 그는 어떻게 타인들의 생산물 잉여에 참여하고 타인들은 어떻게 그의 생산물 잉여에 참여할 것인가? 교환을 통해서, 판매와 구매를 통해서. "파는 사람들과 사는 사람들."($\pi\omega\lambda o\tilde{v}\nu\tau\epsilon\varsigma$ $\varkappa\alpha\grave{\iota}$ $\dot{\omega}\nu o\acute{v}\mu\epsilon\nu o\iota$.)[141] 그러고 나서 그는 상업의 상이한 종류, 따라서 상인의 상이한 부류를 설명한다. 분업에 힘입어 생기는 특수한 인간 부류로서 임노동자도 거론된다. "더 나아가 어떤 다른 봉사자들이 있다. 이들은 정신의 일을 수행하는 데 적합하지 않고, 노동을 하는 데 충분한 신체의 강함을 가진 사람들이다. 이들은 그래서 그 힘의 사용을 팔고, 그 가치를 임금이라고 부르는 것에서 … 임금노동자라 불리게 되었다."[142] 플라톤은 추가적인 세련화 등을 필요로 하는 수많은 상이한 일을 열거한 다음 [143]다른 기예들로부터 전쟁 기예의 분리, 따라서 특수한 군인 신분의 형성에 이른다. "우리는 어딘가에서 … 한 사람이 많은 일들을 잘하는 것은 불가능하다고 동의했네. … 자 어떠한가? … 전쟁을 위한 훈련도 기술이라고 생각하지 않는가? … 그러나 우리는 따라서 제화공이 농부가 되기를 시도하지 못하게 하였고 직조공도 집 짓는 목수도 되지 못하게 하였네. 제화공이 우리를 위해 구두를 잘 만들게 하기 위해서였네. 마찬가지로 각자에게 각자의 일을 주었다네. **각자 자신의 본성에 따라서** 그리고 이 일을 위해서 다른 것들에서 벗어나 여가를 가지면서 **일생 동안 이 일을 하면서** 적기를 놓치지 않고 이 일을 잘 수행할 수 있도록 말일세. … 자 그러면 이제는, … 국가의 수호에 어떤 사람들이 그리고 어떤 본성들이 본성적으로 적합한지를 선택하는 것이 우리가 해야 할 일일 것이네."[144](같은 책, 439~441쪽 여기저기에서)(원문에서 이 문단의 인용문은 모두 그리스어로 쓰여 있다. MEGA 편집자는 그리스어를 독일어로 옮겨 부속자료의 해설로 실었다. "[소크라테스:]"와 "[아데이만토스:]"는 원문에는 없고 MEGA 편집자가 해설에서 덧붙인 것인데, 독자의 이해를 돕기 위해 본문에 썼다. — 옮긴이)

한 공동체의 상이한 욕구들을 충족하려면 상이한 활동이 필요하다. 상이한 본성의 인간이 그중 어느 활동에 더 적합한지는 상이한 소질이 결정한다. 따라서 분업과 그에 조응하는 상이한 신분들. 이렇게 해서 어떤 일이든 **더 잘** 이루어질 수 있다고 플라톤이 곳곳에서 주요 문제로 강조하는 것. 다

G259

른 모든 고대인들과 마찬가지로 그에게는 품질, 사용가치가 결정적인 것이고 배타적인 관점이다. 덧붙여 말하자면 그의 견해 전체는 아테네식으로 이상화된 이집트의[145] 신분제도를 기초로 하고 있다.

고대인들은 이집트인들[146]이 이룬 산업 발전의 특수한 단계를 세습적 분업과 그에 기초하는 신분제도에서 비롯된 것으로 설명했다.

"기예 역시 … 이집트[147]에서는 상당한 정도로 발달해 있었다. 그 까닭은 이 나라에서만은 수공업자들이 다른 시민계급의 사업에 전혀 진입할 수 없고 법에 따라 자기 부족에게 세습되는 직업에만 종사해야 했기 때문이다. … 다른 민족들에서는 장인들이 수많은 분야에 관심을 분산하는 것을 볼 수 있다. … 그들은 경작을 하다가 상업에 뛰어들기도 하고 두세 가지 기예에 동시에 종사하기도 한다. 자유 국가에서 그들은 대부분[148] 대중 집회에 나간다. … 반면에 이집트[149]에서는 어떤 수공업자든 나랏일에 개입하거나 몇 가지 기예를 동시에 영위하면 중형을 받는다."[150] 그렇기 때문에 디오도로스는 "무엇도 그들의 직업상의 근면을 방해할 수 없다"[151]고 말한다. "게다가 그들은 선조에게서 … 많은 규칙[152]을 물려받았고 새로운 장점을 더 찾아내기 위해서 ||164| 열심히 궁리한다.[153]"[154] (**디오도로스**, **『역사 문고』**, 제1권, 제74장)[155]

플라톤에게서 분업은 누구든 타인과의 연관이 없이 자신의 욕구 전체를 스스로 자립적으로 충족할 수 없고 다른 사람에게 의존하는 공동체의 경제적 토대로서 설명된다. 공동체 내에서의 분업은 소질의 일면성과 욕구의 다양성으로부터 발전하는데 이러한 소질의 일면성은 사람이 다르면 소질도 다르고 따라서 저 일보다는 이 일에서 더 나은 성과를 입증하는 것이다. 그의 주요 관점은 어떤 사람이 한 가지 기예를 자신의 유일한 평생 직업으로 삼는다면 그는 그 기예를 더 잘 수행하고 그의 활동은 그가 수행하는 작업의 요구나 조건에 완전히 적응하는 반면에, 그가 그것을 부차적인 것으로 영위한다면 그 작업은 그가 하는 다른 일들이 허용하는 기회에 좌우된다는 것이다. 테크네(τέχνη)[156]가 파레르곤(πάρεργον),[157] 부수적인 일(Nebenwerk)로 영위될 수 없다는 이 관점은 앞에서 인용한 투키디데스의 구절에서도.

크세노폰은 더 나아간다. 그는 첫째로 노동을 되도록 단순한 활동으로 환원하는 것을 강조하고, 둘째로[158] 분업이 수행될 수 있는 규모는 시장의 크기에 의존한다고 생각했다.

G260   **참조.**[159]

302

¹⁶⁰블랑키는 앞에서 인용한 구절에서¹⁶¹ "대규모 공장 체제에 종속된 노동자들의 **규제된**, 어떤 의미에서는 **강요된 노동**"[43쪽]을 농촌 주민의 수공업적인, 또는 ¹⁶²가내부업으로 영위되는 공업과 구별한다. "공장의 부당함은 … 노동자를 종속시키고, 노동자를 … 그와 그의 가족을 노동의 **뜻대로** 하게 하는 데 있다.[118쪽] … 예를 들면 루앙이나 뮐루즈의 공업을 리옹이나 님(Nimes)의 공업과 비교해보자. 모두 섬유의, 즉 한쪽은 면, 또 한쪽은 비단의 방적과 방직을 목표로 한다. 그러나 이들은 결코 유사하지 않다. 전자(루앙과 뮐루즈의 공업 — 옮긴이)는 거대한 설비를 갖추고 자본의 힘을 빌려 … 참으로 군대라 할 만한 노동자를 투입하여 운영하고 있고, 병영과 비슷하고 탑처럼 높으며 총안 같은 창으로 구멍투성이인 거대한 공장에 수백 수천의 노동자가 수용되어 있다. 그와 대조적으로 후자(리옹과 님의 공업 — 옮긴이)는 완전히 가부장적이다. 여성과 아동을 많이 고용하고 있지만 그들이 과로하거나 몸을 망치게 하지는 않는다. 노동자들은 드롬, 바르, 이제르, 보클뤼즈의 아름다운 계곡에서 누에를 치고 실을 잣는다. 그러나 그것은 결코 본격적인 공장 경영은 아니다. 이 공업에서도 전자에서와 마찬가지로 **분업 원칙**이 지켜지고 있지만 한 가지 특수한 성격을 띤다. 실을 감는 직공, 실을 꼬는 직공, 날염공, 풀 먹이는 직공, 나아가 방직공도 있지만 **이들은 같은 작업장에 모여 있지 않고 같은 고용주에게 종속되어 있지도 않다. 그들은 모두 독립적이다.** 그들의 공구, 그들의 식기, 그들의 보일러로 이루어진 그들의 자본은 보잘것없지만 그들을 위탁자와 동일한 위치에 놓기에 충분하다. 여기에는 공장 규칙¹⁶³도, 따라야 하는 조건도 없다. 각자는 완전히 자유롭게 자신을 위해 계약을 체결한다."

(**블랑키의 형**〔『산업경제학 강의』의 저자 제롬 아돌프 블랑키는 혁명가 오귀스트 블랑키의 형이다. — 옮긴이〕, 『산업경제학 강의』, 파리, 1838~39년, 44~80쪽 여기저기에서)

근대적 산업을 토대로 장점은 없이 단점은 모두 갖춘 공장제도(Fabrikwesen)가 옥외에서(out of doors) 다시 형성된다. 이는 여기서 논의할 대상이 아니다. 이에 대해서는 후술한다.|

|165| "손과 머리를 언제나 같은 종류의 노동과 생산물에 사용한다면 각자가 자신이 필요한 것을 스스로 생산할 때보다 더 쉽고 풍부하게 잘 만들수 있다는 것은 각자 경험을 통해 잘 알고 있다. … 이러한 방식으로 인간은 공공의 편익과 자신의 이익을 위해 다양한 계급과 신분으로 분화한다."(**체사**

레 베카리아,『사회경제 원리』, 쿠스토디 엮음, 근세 편, 제11권, 28쪽)

"(런던처럼) 큰 도시에서는 한 매뉴팩처가 다른 매뉴팩처를 불러일으키고, 각각의 매뉴팩처는 가능한 한 많은 부분으로 분할되어 노동자 하나하나의 작업이 단순하고 쉬워질 것이다. 예를 들면 시계공의 경우에 한 사람은 톱니바퀴를 만들고, 다른 사람은 태엽을 만들고, 셋째 사람은 숫자판을 새기며 넷째 사람은 딱지를 만든다면 한 사람이 전체 작업을 완성할[164] 때보다 시계는 **더 저렴하고 더 좋아질 것이다."**(W. 페티,『인류의 증가에 관한 고찰』, 제3판, 1682년, [35쪽])[165] 나아가 페티는 분업에 따라 특수한 매뉴팩처들이 특수한 도시 또는 대도시의 특수한 거리들에 집중되는 것을 설명한다. 거기에서는 "이들 장소의 특수한 상품들이 다른 곳에서보다 더 좋고 **더 저렴하게** 생산된다."[166](같은 책) 끝으로 그는 거래상의 이익이나 운송비 등의 불필요비용(Unkosten)의 절약에 대해서 상술한다. 동종의 매뉴팩처들이 한 장소에 배치된 결과 그러한 매뉴팩처의 가격이 하락하고 대외무역의 이윤이 증대된다.[167](같은 책, 36쪽)

분업에 관한 페티의 견해를 고대인의 그것과 구별하는 것은 처음부터 생산물의 교환가치에, 즉 상품으로서의 생산물에 미치는 영향 — 상품의 저렴화이다.

[168]상품의 생산에 필요한 노동시간의 단축이라는 동일한 관점이『**동인도무역이 영국에 가져다주는 이익**』(런던, 1720년)에서 더 명확하게 주장된다.

결정적인 것은 각 상품을 "가장 적고 가장 쉬운 노동"으로 만드는 것이다. 어떤 물건이 "더 적은 노동"으로 산출되면 "그 결과 더 낮은 가격의 노동으로". 상품이 그렇게 저렴해지고 그 상품을 생산하는 데 필요한 최저치[169]로 노동시간을 단축하는 것은 경쟁에 의해서 일반 법칙이 된다. "만약 내 이웃이 적은 노동으로 더 많이 만들어 싸게 팔 수 있다면 나도 그만큼 싸게 팔도록 노력해야 한다."[67쪽] 분업에 대해 그는 특별히 이렇게 강조한다. "어떤 매뉴팩처이든 직공의 종류가 다양할수록 개개인의 숙련에 맡겨진 것은 적다."[68쪽] "각각의 매뉴팩처에 고용된 사람의 수가 많을수록 개개인의 숙련에 맡겨진 것은 적다."(앞 문장은 영어, 뒷 문장은 독일어로 쓰였다. ─옮긴이)

해리스(상술한 곳[170]을 보라) 같은 훗날의 저술가들은 플라톤의 설명을 더 자세히 서술할 뿐이다. 그다음은 **퍼거슨**이다. A. 스미스가 탁월한 것은 ─ 많은 점에서는 그의 선배들에 뒤지지만 ─ 그가 "**노동생산력의 증대**"라는 용어를 사용한다는 점이다. A. 스미스가 속한 시대가 아직 얼마나 대공업의 유년기였는지는 기계류가 분업의 부산물(Collar)로 나타나고, 기계에 관한 발견을 하는 것은 아직 그의 경우에는 자신의 노동을 쉽게 하고 줄이려 하는 노동자라는 점에서 나타난다.

분업은 노동의 단순화에 의해 노동의 습득을 용이하게 하고, 따라서 노동 G262 능력의 일반적 생산비용을 절감한다.|

|166| [171]분업을 토대로 하는 작업장은 어떤 작업이 다른 작업보다 복잡하고, 더 많은 체력이 필요하고, 다른 작업은 손의 섬세함을,[172] 다시 말해 더 많은 숙련을 요구하므로 언제나 숙련의 일정한 위계를 포함한다. 유어가 말하듯이 각각의 작업에 한 노동자가 적응하고 그의 임금은 솜씨(habileté)에 상응한다. … **상이한 개인 능력의 노동에 대한 적응** … 수많은 단계들로의 분업 … 숙련도의 차이에 따른 분업.[173] 여전히 개별자의 숙련이 중요하다.

그것은 사실상 개별 노동자가 수행할 수 있는 작업들로의 분해[174]이다. 작업은 그것에 동반되는 작업과 분리되지만, 기본 원리는 여전히 작업을 노동자의 [175]기능으로 간주하고, 그것을 위해 작업을 분해하고 상이한 노동자들과 노동자 집단에 분배할 때는 숙련도, 신체 발달 등의 정도에 따라서 이루어지는 것이다. 공정은 아직 그 자체로서, 즉 그것을 수행하는 노동자와 무관하게 분해되지는 않는 반면에 자동식 작업장에서 그 체계는 "공정을 그 구성요소들로 분할함으로써 분해하고, 이 공정의 모든 부분을 자동기계의 작업에 맞추고, 그리고 나시 우리는 이들 기본적인 부분들을 짧은 수습 기간을 거친 다음 통상적인 능력을 가진 노동자에게 맡길 수 있다."[176]

[177]"상이한 단계의 숙련과 힘을 요구하는 상이한 작업들로 공정을 분할함으로써 공장주는 각 작업에 필요한 만큼의 숙련과 힘의 양을 정확하게 조달할 수 있다. 전체 작업이 한 노동자에 의해 수행되어야 한다면 이 노동자는 가장 섬세한 작업을 수행하기에 충분한 숙련과 동시에 매우 고된 작업에 필요한 힘도 갖춰야 할 것이다."(**Ch. 배비지, 『기계와 매뉴팩처 경제론』**, 런던, 1832년, 제19장)[178]

"각종 매뉴팩처 생산물의 특수한 본성에 따라 여러 부분작업으로 생산을 분할할 수 있는 가장 유리한 방식과 각 작업에 필요한 노동자 수를 알고 있다면 이 수의 정확한 배수를 노동자의 수로 투입하지 않는 공장은 모두 절약이 더 적어질 것이다."[179](배비지, 앞의 책, 제22[180]장) 예를 들면 상이한 작업에 노동자 10명이 필요하다면 노동자를 10의 배수로 투입해야 한다. "그러지 않으면 노동자들 하나하나를 언제나 같은 세부작업에 사용할 수는 없 G263

다.[181] … 이것이 산업시설이 거대한 규모를 갖는 한 가지 이유다.[182]"(같은 책) 단순협업에서와 마찬가지로 여기에서도 다시 배수의 원칙. 그러나 지금은 분업 그 자체에 의해 비례성이 결정된 비율로. 노동이 대규모로 이루어질수록 분할이 그만큼 더욱 진전될 수 있다는 것은 분명하다. 첫째로 올바른 배수를 적용할 수 있기 때문이다. 둘째로 얼마나 작업이 분할될 수 있고 개별 노동자의 전체 시간을 하나의 작업에 흡수할 수 있는지는 당연히 규모에 좌우된다.

요컨대 분업은 같은 시간에 더 많은 원료가 가공되기 때문에 더 큰 자본을 요구한다면 그 실행 일체는 노동이 이루어지는 규모, 즉 동시에 고용될 수 있는 노동자의 수에 좌우된다. 분업이 발전하기 위해서는 더 큰 자본——즉 한 사람의 수중으로 집중——이 필요하며, 다른 한편으로는 분업과 더불어 ‖167‖ 획득된 생산력으로 다시 더 많은 재료를 가공하고, 따라서 자본의 이 구성요소를 증대하는 것이다.

"매뉴팩처에서 매우 단순한 작업만을 하게 된 자는 그를 사용하고자 하는 자에게 종속된다. 그는 이제 더는 완성품을 생산하지 않고 그 일부만을 생산하며, 이를 위해서는 원료, 기계류 등의 협력이 필요한 것과 똑같이 타인 노동의 협력도 전적으로 필요하다. 그는 작업장 주인에게 종속되어 있고[183] … 그는 자신이 제공하는 노동이 계속되기 위해 필요한 필수품으로 자신의 요구를 제한한 반면에, 작업장 주인은 분업이 초래한 모든 생산력 향상에 따른 이익을 혼자 취했다."(시스몽디, 『신경제학 원리』, 제1권, 91, 92쪽)

"분업은 어떤 작업을 습득하는 데 필요한 기간을 단축한다."(F. 웨일랜드, 『경제학 요강』, 보스턴, 1843년, 76쪽) 매뉴팩처를 설립할 때는 어떤 과정의 상이한 작업들이 상이한 개인들에게 맡겨졌을 때 이 개인들이 **서로 작업을 충분하고 정확하게 할당할 수 있는** 비율을 유지하도록 노동자의 수와 종류를 조정하는 것이 중요하다. 이 조정이 완벽하게 이루어질수록 절약은 더욱 커질 것이며, 이것이 일단 달성되면 이 노동자 수의 배수를 고용하지 않으면 작업장이 성공적으로 확대될 수 없음은 분명하다.(같은 책, 83쪽)[184]

A. 스미스는 분업에 관한 절의 마지막에서 분업하의 상이한 노동자들이 상품보유자이자 생산자라는 전제로 다시 후퇴한다(우리는 그가 나중에는 이 환상을 단념하는 것을 보게 될 것이다.)

"모든 노동자는 자신의 욕구를 충족하는 데 필요한 부분을 제외하고 자신이 처분할 수 있는 많은 양의 노동을 보유하고 있고, 다른 노동자들도 이와

306

같은 상황에 놓여 있으므로 그는 자신이 생산한 다량의 상품을 다른 노동자들이 생산한 다량의 상품과, 같은 말이지만, 다른 노동자들의 상품의 가격과 교환할 수 있다."[24/25쪽]

세대에 걸친 숙련의 전수는 언제나 중요하다. 훗날의 동직조합 제도에서도 마찬가지로 신분제도에서도 결정적인 관점. "손쉬운 노동은 전수된 숙련일 뿐이다."(Th. 호지스킨, 『대중 경제학』, 런던, 1827년, 48[185]쪽)[186]

"노동을 분할하고 인간의 힘과 기계의 힘을 가장 유리하도록 분배하기 위해서는 많은 경우 대규모로 경영하는 것이 필요하다. 달리 말하자면 부를 대량으로 생산하는 것이 필요하다. 바로 그러한 이점이 대규모 공장의 출현을 가져온 것이다."(제임스 밀, 『경제학 요강』, J. T. 파리소 옮김, 파리, 1823년, [11쪽])[187]

분업 — 또는 오히려 분업에 기초한 작업장 — 이 자본가에게 귀속되는 잉여가치를 증대하는(적어도 **직접적**으로만, 그리고 이것이 여기에서 중요한 유일한 효과이다) 것은, 또는 노동생산력의 이러한 증대가 자본의 생산력으로 입증되는 것은, 그것이 노동자의 소비에 들어가는 사용가치에 투입되고 따라서 노동능력을 재생산하는 데 필요한 노동시간[188]을 단축하는 한에서만이다. 대부분의 분업이 주로 일용품에 적용된다는 바로 이러한 정황으로부터 웨일랜드 목사는 분업으로 이익을 얻는 쪽은 부자가 아니라 빈민이라는 반대의 결론을 내린다. 중간계급과 관련해서 본다면 그의 말도 일면적으로는 옳다. 그러나 여기에서 문제가 되는 것은 빈민과 ||168| 부자의 무개념적 관계가 아니라 임노동[189]과 자본의 관계이다. 이 목사가 쓴 해당 구절은 다음과 같다.

"생산물의 비용이 커질수록 그것을 구매할 수 있는 사람의 수는 적어진다. 따라서 그만큼 수요가 줄어들 것이고 또한 분업의 기회도 적을 것이다. 그리고 그 밖에 상품의 비용이 커질수록 그것을 분업으로 생산하는 데 필요한 자본의 규모도 그만큼 커진다. … 분업이 고가의 보석류 매뉴팩처나 사치품들에서는 거의 조금밖에 이용되지 않는 반면에 일용품의 생산에는 매우 일반적으로 이용되는 것은 이 때문이다. 따라서 우리는 자연력과 분업의 이용이 가져다주는 이익이 부자보다 중간계급과 하층계급에게 훨씬 더 크고 중요하다는 것을 알 수 있다. 생산을 증가시키는 이 방법은 필수품과 필수적인 생활 편의의 비용을 가장 낮은 수준으로 인하하고, 당연히 그것들이 가능한 한 모두에게 도달할 수 있게 한다."(F. 웨일랜드, 『경제학 요강』, 보스턴,

G265

1843년, 86, 87쪽)[190]

자본의 확장과 마찬가지로 분업의 활용도 일정한 인구밀도가 있는 곳에서만 이루어지는 협업, 즉 노동자의 집적을 기본 전제로서 요구한다. 〔동시에 인구가 농촌의 분산된 주거로부터 생산의 중심지로 모여든 곳에서도. 이에 대해서는 스튜어트.[191] 축적에 관한 절[192]에서 자세히 논할 것.〕

"사회적 교류를 위해서나 힘을 결합하여 노동생산물을 증가시키기 위해서도 알맞은 일정한 **인구밀도**가 있다."(제임스 밀, 『경제학 요강』, 런던, 1821년, 50쪽)[193]

분업이 발전함에 따라 ― 자본에 의한 노동의 단지 형식적인 포섭에서는 아직 많이 있을 수 있는 ― 개인적 노동생산물은 모두[194] 사라진다. 완성된 상품은 스스로 자본의 존재방식인 작업장의 생산물이다. 노동의 교환가치 자체가 ― 그리고 [195]노동생산물이 아니라 노동이 ― 단지 노동과 자본 사이의 계약에 의해서만이 아니라 생산방식 자체에 의해서 노동자가 판매할 수 있는 유일한 것이 된다. 노동은 사실상 그의 유일한 상품이며, 일반적으로 상품 일체는 생산이 포섭되는 범주가 된다. 우리는 부르주아적 생산의 가장 일반적인 범주로서의 상품에서 [출발]했다. 상품은 생산양식 자체가 자본으로 인해 겪게 되는 변화에 의해서 비로소 그러한 일반적 범주가 될 수 있다. "개인 노동의 자연적 보수라고 할 수 있는 것은 이미 아무것도 없다. 각 노동자는 전체의 일부만을 생산하고, 각 부분은 그것만으로는 가치도 효용도 없기 때문에, 노동자가 붙들고 이것은 내가 만든 것이다, 이것은 내가 가지겠다고 말할 수 있는 것은 아무것도 없다."(『**자본의 요구에 대한 노동의 방어**』, 런던, **1825년**, 25쪽)[196] "부의 발달은 조건들의 분화와 직업의 분화를 초래했다. 이제 각자의 **잉여**가 아니라 **생활수단 자체**가 교환 대상이 되었다. … 이 새로운 상황에서 노동하고 생산하는 모든 인간의 생활은 그의 노동의 완료도 결과도 아니고 그의 노동의 **판매**에 좌우된다."(시스몽디, 『**경제학 연구**』, 제1권, 82쪽)[197]

인간 산업의 생산성 향상과 생활필수품 가격 인하는 근대[198]의 생산적 자본이 증가하도록 공모한다.(S. P. 뉴먼, 『경제학 요강』, 앤도버/뉴욕, 1835년, [88,] 89쪽)

분업에서 노동자의 자연적 개별성의 일면이 자연적 토대로서 계속 발전하는 한에서는 이 일면이 그의 전체 생산능력[199]을 대체하며, 자신을 입증하기 위해서는 전체 작업장과의 연관 속에서 전체 작업장의 특수한 기능으로

G266

서[200] 활동하는 것이 필요한 하나의 특수성으로 완성된다.|

|169| 시토르흐는 A. 스미스와 마찬가지로 두 종류의 분업을 혼동한다. 다만 그에게서는 한쪽이 다른 쪽을 끝까지 밀고 나간 것으로서, 다른 쪽의 **출발점**으로서 나타나는데, 이는 (스미스보다 나아간—옮긴이) 하나의 진보이다.

"이 분할은 매우 다종다양한[201] 직업의 분할에서 시작해서 매뉴팩처에서처럼 동일한 생산물의 완성을 많은 노동자가 분담하는 분할에까지 이른다."[202](생산물이 아니라 상품이라고 해야 할 것이다. 또 하나의 분업에서도 상이한 사람들이 동일한 **생산물**을 가공한다.) (**H. 시토르흐**, 『**경제학 강의**』, J. -B. 세의 주석, 제1권, 파리, 1823년, 173쪽)

"작업을 세분하기 위해서 필요한 자본이 사회에서 주어진 것으로 발견되는 것으로는 충분치 않다. 거기에 다시[203] 대규모로 작업할[204] 수 있을 만큼 **충분한 자본이 기업가들의 수중에 축적되어 있을** 필요가 있다. … 분업이 진행될수록 같은 수의 노동자를 끊임없이 고용하기 위해서는 도구, 원료 등[205]의 형태로 갈수록 많은 자본이 필요해진다. 분업과 더불어 노동자 수의 증가. 건축물이나 생존수단의 형태로 점점 커지는 자본.[206]"(**시토르흐**, 앞의 책, 250, 251쪽)

"고용이 분할될 때는 언제나 … 노동은 **결합된다**. … 최대의 **분업**은 결코 서로 돕지 않고 서로 분리되어 작업하는 매우 야만적인 미개인 사이에서 발생한다. 그리고 고용 분할은 그 대단한 성과와 함께 모두 완전히 노동의 **결합**, 즉 **협업**에 좌우된다."[207] (**웨이크필드**, **A. 스미스의** 『**국부론**』, 웨이크필드 판, 제1권, 런던, 1835[208]년, 24쪽의 각주)[209]

A. 스미스는 교환을 분업의 토대로 삼는데, 반대로 교환은 분업의 결과이다(그러나 반드시 그래야 하는 것은 아니다). 호지스킨은 사업영역의, 요컨대 사회적 노동의 분할은 어떤 나라에서든 어떤 정치적 제도하에서든 자리를 잡는다고 올바르게 언급하고 있다. 그것은 원래 가족 안에 존재하는데, 여기에서는 생리적 차이, 즉 성과 연령 차이에서 자연발생적으로 생겨난다. 개인들의[210] 신체구조의 상이함, 신체적·정신적 소질의 상이함이 그것의 새로운 원천이 된다. 그러나 그다음에는 상이한 자연조건에 의해서, 즉 토양의 차이, 바다와 육지의 배분, 산과 평지의 배분, 기후, 입지, 토양의 광물 매장량, 자생적으로 독특한 창조물들의 특수성,[211] 이러한 차이에 의해 자연적으로 주어진 것으로 발견되는 노동도구의 상이함이 추가된다. 이 상이함이

상이한 종족들의 사업영역을 분할하고 이들 종족의 교환에서 우리는 생산물의 상품으로의 본원적 전화를 찾아야 한다. (Th. 호지스킨, 『대중 경제학』, 런던, 1827년, 제4, 5, 6장을 보라.) ||170| 아시아처럼 인구가 정체된 곳에서는 분업도 정체한다. "철도, 증기선, 운하와 같은 운송방법의 개선, 멀리 떨어진 나라들 사이의 교류를 촉진하는 모든 수단은 인구가 실제로 증가한 것과 같이 분업에 영향을 미친다. 그것들은 더 많은 노동자들이 교류하게 한다 등등."[119쪽] **인구** 그리고 인구의 증가는 분업의 주요 기반이다. "노동자 수가 증가함에 따라 사회의 생산력은 그 증가에 분업의 효과와 지식의 증가를 곱한 것에 비례해서 상승한다."(같은 책, 120[212]쪽)

"어떤 종류의 사업을 하는 기업가가 … 자기 노동자들 사이에 더 유리한 분업을 도입할 수 있는 것은[213] 다만 자본의 추가에 의해서이다. 완성되어야 할 작업이 여러 부분으로 되어 있다면 각각의 노동자를 언제나 같은 부분에 종사하게 하는 편이 각각의 노동자가 임시로 어떻게 하든 상관없이 이 작업의 모든 부분에 종사하게 할 때보다 훨씬 더 많은 자본이 필요하다."(A. 스미스, 앞의 책, 제2편, 제3장, [338/339쪽])

"**생산력에 대해서 말하자면 같은 수의 노동자 아래서 그것을 증가시킬 수** 있는 것은, 노동을 용이하게 하거나 단축하는 여러 가지 기계와 도구를 증가시키거나 개선하든가, 아니면 노동을 더 적절하게 배분하거나 그 분할을 더 진전시킬 때뿐이다."(같은 책, [338쪽])[214]

"많은 노동자를 부양하는 자본의 소유주는 자신의 이익을 위해서 가능한 한 많은 제품을 생산할 수 있도록 그들 사이에 노동의 분할과 분배를 잘 결합하고자 필연적으로 노력한다. 똑같은 이유로 그는 그 자신이나 노동자들이 상상할 수 있는 최고의 기계를 노동자들에게 제공하고자 애쓴다. **어느 특정 작업장의 노동자들에게 일어나는 것은 같은 이유로 커다란 사회의 노동자들에게도 일어난다.**[215] 그 수가 많아질수록 그들은 필연적으로 상이한 종류로 나뉘고 그들의 작업을 점점 세분하게 된다. 점점 더 많은 두뇌가 각자의 작업을 수행하는 데 가장 적합한 기계를 발명하는 데 종사하고, 그에 따라 그런 기계의 발명에 성공할 가능성도 커진다."(A. 스미스, 앞의 책, 제1편, 제8장, [177/178쪽])

르몽테(『전집』, 제1권, 파리, 1840년, 245쪽 이하)는 금세기 초에 퍼거슨의 논의를 재치 있게 가공했다(『분업의 도덕적 영향』)[216]

"사회 전체는 분업이 이루어진다는 점에서 작업장 내부와 공통적이다. 근

대적 작업장에서의 분업을 예를 들어 하나의 사회 전체에 적용한다면 부의 생산을 위해 가장 잘 조직된 사회는 의심할 나위 없이 단 한 명의 기업가만을 지휘자로 두고 사전에 정해진 규칙에 따라서 다양한 구성원들에게 작업을 분배하는 사회일 것이다. 그러나 결코 그렇지 않다. 근대적 작업장에서는 분업이 기업가의 권위에 의해서 세부적인 부분까지 규율되는 반면에 근대 사회에서는 노동의 분배에 대해서 자유 ||171| 경쟁 이외에 다른 어떤 규칙도 권위도 없다."(『**철학의 빈곤**』, 파리, 1847년, 130쪽) "가부장제 아래서도, 신분제의 지배하에서도, 봉건적 동직조합 제도하에서도, 확고한 규칙에 따라서 사회 전체에 분업이 이루어지고 있었다. … 작업장 내 분업에 대해서 말하자면 이 모든 사회형태에서 거의 조금밖에 발달하지 않았다. 그런 점에서 일반적으로 권위가 사회 내 분업을 적게 지배할수록 작업장 내 분업은 점점 더 발전하고 개별자의 권위에 종속되어간다고 규정할 수도 있다. 이처럼 작업장에서의 권위와 사회에서의 권위는 분업과 관련하여 서로 **반비례**한다."(같은 책, 130/131쪽) "도구와 노동자들의 축적과 집중은 작업장 내 분업의 발전에 선행한다. … 분업의 발전은 한 작업장으로의 노동자들의 결합을 전제로 한다. … 일단 인간과 도구가 결합하면 동직조합에서 존재했던 것과 같은 형태로 분업이 재생산되고 필연적으로 작업장 내부에 그 모습을 다시 나타낸다."(같은 책, 132, 133[217]쪽) "생산도구의 집중과 분업은 정치제도에서 공권력의 집중과 사적 이해의 분할이 그러한 것과 마찬가지로 서로 불가분이다."(같은 책, 134쪽)

요컨대 분업의 활용은 다음을 전제로 한다.

1) **노동자의 결집**(*conglomeration*), 이를 위해서는 일정한 인구밀도가 필요하다. 여기에서는 교통수단이 어느 정도 인구밀도를 대체할 수 있다. **농촌의 인구 감소**(18세기를 보라.)[218] 인구밀도가 낮은 나라에서는 이러한 결집이 몇몇 지점에서만 이루어질 것이다. 그러나 이 결집은 또한 농업에는 적은 인구만이 필요하고 따라서 대다수의 인구는 토지에서 분리되어 그때그때 존재하는 생산수단, 즉 자본의 본거지를 둘러싸고 결집할 수 있다는 데서도 생겨난다. 인구가 **일정한** 경우에도 — 그것은 처음에는 아직 비자본주의적 생산양식에 기초한다 — 한편에서의 인구의 상대적 응집은 다른 한편에서의 상대적 희소화에 의해 달성될 수 있다.

따라서 우선 필요한 것은 인구 증가가 아니라 순수한 산업인구의 증가, 또는 인구의 다른 분배이다. 이를 위한 첫째 조건은 농업에서 식량 생산에 직접 종사하는 인구를 줄이는 것, 즉 토지에서, 어머니 대지에서 인간을 분리하고 그럼으로써 그들을 해방(Freimachung)하는 것(스튜어트가 말한[219] 자유로운 인력free hands), 그들을 동원하는 것이다. 농업과 결부된 노동을 농업에서 분리하고 농업을 — 점진적으로 — 소수에게 한정하는 것이 분업과 매뉴팩처 일체를 위한 중심 조건, 즉 그것이 개별적으로 흩어진 지점에서가 아니라 지배적으로 등장하기 위한 중심 조건이다.[220] 〔이 모든 것은 **축적**에서 논할 것이다.〕^x 동일한 인구는 분배를 달리하더라도 생활수단의 재고가 더 많이 필요하지 않고 단지 배분이, 그 분배가 바뀔 뿐이다. 분업을 활용하고, 따라서 수공업 장인보다 더 많은 노동자를 더 많이 한 곳에 결집하여 고용하는 자본가는²²¹ 수공업 장인보다 많은 액수의 임금을 지불하고, 결국에는 생활수단으로 귀결되는 가변자본²²²을 더 많이 필요로 한다. 그러나 이를 위해서는 이전에는 수공업 장인 100명이 지급하던 동일한 액수의 임금을 ‖172‖ 이제는 1명이 지급할 필요가 있다. 요컨대 가변자본이 소수의 수중에 더 크게 집중되는 것만이 필요하다. 이 임금이 교환되는 대상인 생활수단에 대해서도 마찬가지이다. 여기에서 필요한 것은 이 자본 부분의 **증가**가 아니라 **집중**이다. 더 많은 인구가 아니라 동일한 자본의 지휘하에 더 많은 인구의 집결이 필요한 것도 전적으로 마찬가지이다.

2) 노동도구의 집중.

분업은 노동수단으로 쓰이는 도구들의 분화와 함께 단순화를 초래한다. 따라서 이들 도구도 완성된다. 그러나 분업하에서는 노동수단이 여전히 노동도구로, 다시 말해 개별 노동자의 개인적 숙련에 따라서 사용되는 도구, 노동자 자신의 기능(Geschicklichkeit)의 전도체, 사실상 그의 자연적 기관에 추가된 인공 기관(Kunstorgan)으로 남아 있다. 동일한 수의 노동자를 위해서 이제는 많은 도구가 아니라 상이한 도구가 필요하다. 작업장이 노동자들의 결집인 한에서 그것은 도구들의 집결(Agglomeration)을 전제로 한다. 어쨌든 불변자본 중에서 이 부분은 임금으로 지출되는 가변자본, 또는 같은 자본에 의해 동시에 고용된 노동자 수가 증가하는 데 비례해서 증가한다.

매뉴팩처 이전에는 아직 작업장이 개인 주택과 별개로 분리되지 않았으므로 다른 노동조건들, 특히 주택, 건물은 새로 추가되는 불변자본 부분으로 간주될 수 있다.

이것을 예외로 하면 노동수단으로 구성된 자본 부분은 더 큰 집중이 이루어진다. 이 자본의 증가가 필연적인 것은 아니며, 자본 중에서 임금으로 지

312

출되는 구성부분과 비교할 때 상대적으로 증가하는 것은 결코 아니다.

3) **원료 증가**. 동일한 양의 원료가 더 적은 양의 노동시간을 흡수하기 때문에, 또는 동일한 양의 노동시간이 더 많은 양의 원료에서 실현되기 때문에, 원료에 지출된 자본 부분은 임금으로 지출된 부분에 비해 **절대적으로** 증가한다. 그렇지만 이것도 **최초에는**(*ursprünglich*) 한 나라의[223] 원료가 절대적으로 증가하지 않아도 이루어질 수 있다. 한 나라에 존재하는 동일한 양의 원료가 전보다 더 적은 노동을 흡수할 수 있다,[224] 즉 그 나라 전체에서 원료의 가공에, 즉 그것의 새로운 생산물[225]로의 전화에[226] 종사하는 노동자 수가 전보다 감소할 수 있다. 비록 이 소수의 노동자가 이전처럼 널리 흩어져 있는 것이 아니라 비교적 큰 집단으로 개별 지점에, 개별 자본가의 지휘하에 집중되어 있기는 하지만.

요컨대 절대적으로 말하자면, **매뉴팩처**, 즉 분업에 기초한 작업장에서는 자본의 상이한 구성요소들의 분배의 변화, 분산 대신에 집중 이외에는 아무 것도 필요하지 않다. 이러한 노동조건들은 이 분산된 형태에서 자본의 물질적 구성요소로서 존재하기는 하지만 아직 자본으로서 존재하지는 않는데, 그것은 인구 가운데 노동하는 부분이 존재하기는 하지만 아직 임노동자 또는 프롤레타리아의 특질로서는 아닌 것과 같다.

(기계제 작업장 또는 공장factory, Fabrik과는 구별되는) **매뉴팩처**는 분업에 조응하는 특유한 생산방식 또는 산업형태이다. 그것이 자본주의 생산양식의 **가장 발전된** 형태로서 자립적으로 등장하는 것은 본래적인 기계류의 발명 이전이다[227](비록 이미 기계들, 특히 고정자본이 사용되고는 있었지만).|

|173| 페티와 앞서 인용한 동인도무역 옹호자들(요컨대 근대인들)이 분업과 관련하여[228] 처음부터 특징적인 것은 상품의 저렴화 — 특정한 상품을 생산하는 데 사회적으로 필요한 노동의 감소 — 가 중심 관점이라는 사실이다. 페티는[229] 분업을 대외무역과 관련하여 언급한다. 페티가 세계무역 자체를 더 적은 노동시간[230]에 동일한 결과를 달성하기 위한 수단으로서 설명하듯이, 동인도 무역 옹호자들은 직접 세계시장에서 경쟁자보다 낮은 가격으로 공급하는 수단으로서 서술하고 있다.

[231]A. 스미스는 전문가답게 분업에 대해 논하는 제1편, 제1장 마지막에서 "문명국"에서는 즉 생산물이 일반적으로 상품형태를 취하는 곳에서는 예를 들어 단순한 일용노동자의 재산, 의류,[232] 도구를 그에게 제공하는 데도 상이한 나라들의 극히 다종다양한, 다방면의 노동자가 협력한다는 것을 설

명한다. 이 마지막 결론은 이렇게 시작한다. "문명화되어 번영하는 나라에서 단순한 일용노동자의 또는 비숙련 노동자 중에서도 으뜸가는 이들의 재산을 관찰해본다면, 이들 재산을 그에게 제공하는 데 아무리 적은 일부일지라도 그 근로로써 협력하는 사람들이 셀 수 없을 만큼 많음을 알게 될 것이다. 예를 들어 일용노동자가 입은 모직 외투가 아무리 조잡할지라도 그것은 수많은 노동자의 결합노동(travail réuni)의 생산물이다." 등등.[25쪽] 그리고 A. 스미스는 이 고찰을 다음과 같은 말로 마무리한다. "어떤 유럽 군주의 재산과 근면하고 검소한 농민의 재산의 차이는 아마도 후자의 가재도구와 1만 명 이상의 야만인을 지배하면서 절대적 명령자로서 그들의 자유와 생명을 좌지우지하는 왕[233]의 가재도구의 차이보다 크지 않을 것이다."[28쪽]

이 문구 전체와 고찰방식은 **맨더빌**의『**꿀벌의 우화**』를 모방한 것이다.『꿀벌의 우화』는 먼저 1705[234]년에 시로 발표되었고 1729년에는 6개의 대화(산문)로 구성된 제2부가 발표되었다. 1714[235]년에 그는 산문 주석을 추가해서 제1권의 대부분을 지금 우리가 알고 있는 것과 같은 모습으로 만든다.[236] 거기에는 무엇보다도 이렇게 쓰여 있다.

"번영하는 나라들의 기원을 추적해보면 각 사회의 아득히 먼 초기에는 그들 중 가장 부유하고 가장 높은 위치에 있던 사람들이라 해도 지금은 가장 상스럽고 가장 초라한 사람들까지 누리는 매우 많은 생활의 편의가 오랫동안 결핍되어 있었음을 알게 될 것이다. 그래서 한때 사치품의 발명으로 여겨지던 많은 것이 지금은 공공의 자선 대상이 될 만큼 비참한 빈민들에게도 허용된다. … 얻어 입은 두꺼운 가운을 걸치고 그 안에 거친 셔츠를 입고 걸어가는 가난한 피조물의 검소한 복장에서 사치를 발견하는 자는 웃음거리가 될 것이다. 그렇지만 요크셔의 흔해빠진 원단을 만들기 위해서 얼마나 많은 사람이, 얼마나 상이한 직업이, 얼마나 다양한 숙련과 도구가 사용되어야 하는가?" 등등. (제1권의 **주해** P, 1724년판, 181~183[237]쪽) "좋은 다홍색이나 진홍색 직물이 생산되기까지 세계 각지에서 어떤 대소동이 벌어지는가, 얼마나 많은 직업과 장인이 고용되어야 하는가! 양털 빗는 기능공, 방적공, 방직공, 직물노동자, 정련공, 염색공, 재단사, 제도공, 포장공만 확실한 것이 아니다. 매우 많은 수작업에 더해서 —기계 설치 노동자, 납땜 세공사, 약제사처럼— 더 멀리 떨어져 있고 관계없는 것처럼 보이지만 앞에서 말한 많은 직업에서 쓰이는 ||174| 도구, 기구, 그 외의 수단을 얻기 위해 필요한 것들이 있다." 그러고 나서 그는 해운, 외국, 한마디로 세계시장이 이에 대해

서 어떻게 경쟁하는지로 넘어간다. (『사회의 성질 탐구』, 제2판에 추가, 411~ 13쪽)

이러한 열거가 의미하는 것은 사실상 다음과 같다. **상품**이 생산물의 일반적 형태가 되면, 다시 말해 생산이 교환가치의, 따라서 상품교환의 토대 위에서 이루어지게 되면 첫째로, 각 개인의 생산은 일면적이 되는 반면에 그의 욕구는 다면적이 된다. 따라서 개인의[238] 욕구를 충족하는 데는, 가장 단순한 욕구들조차, 무한히[239] 많은 자립적[240] 노동영역의 경연(concours)이 필요하다. 둘째로,[241] 단 하나의 상품을 생산하는 데 필요한 대상적 조건들의 전체 범위, 즉 원료, 도구, 보조재료 등이 이 상품의 생산에 **상품**으로서 들어가는 전체 범위는, 서로 독립적으로 생산된 상품의 이 기본적 구성요소들의 매매에 의해서 제약된다. 그것(구성요소들의 매매 — 옮긴이)은 어떤 상품을 생산하는 데 필요한 개별 요소들이 이 생산 바깥에서 상품들로서 존재하고, 따라서 처음에는 외부로부터, 유통에 의해 매개되어, 상품들로서 이들 개별적인 생산영역에 들어서고 — **상품**이 부의 일반적인 기본 형태가 될수록, 즉 생산이 개인에게 자신의 생존수단을 직접 생산하는 것이기를 중지하고 — 스튜어트의 [그가 말하는][242] 교역(trade)이 될수록,[243] 요컨대 **상품**이 개인의 생산 중에서 그의 욕구를 넘어서고 그에게는 여분이 되는, 따라서 판매 가능한 부분이 취하는 형태이기를 중단할수록[244] 그만큼 널리[245] 이루어진다. 여기에서는 아직 생산물 자체가 생존을 위한 토대이자 생산이다. 여기에서 상품생산은 아직 주요 생산물이 상품이 아닌 생산을 토대로 하고, 생존 자체는 아직 판매에 좌우되지 않는다. (반면에 앞서 말한 경우에는 — 옮긴이) **상품**을 생산하지 않는 생산자는 **아무것도** 생산하지 않는 것이다. 요컨대 **상품**이라는 것이 그의 [생산][246]물을 부르주아적 부의 요소로 만드는 데 일반적으로 기본적인, 필요한 그의 생산물의 형태. 이러한 차이는 근대의 대규모 농업을, 아직 자기 생존을 위한 생산이 토대를 이루고 그 생산조건의 대부분을 스스로 생산하기 때문에 이들 생산조건이 상품더미(Warenmasse)로서[247] 유통에 의해 매개되어 생산에 들어가지 않는 그러한 농업과 비교하면 극명하게 드러난다.

요컨대 사실상 맨더빌 등의 이러한 고찰방식은 부르주아적 부의 일반적인 기본 형태가 **상품**이라는 사실, 생산자에게 결정적인 것은 이제 생산물의 사용가치가 아니라 교환가치일 뿐이고 그에게 사용가치는 교환가치의 담지자일 뿐이라는 사실, 그는 사실상 특정한 생산물이 아니라 화폐를 생산해야

한다는 사실에 지나지 않는다. 생산물이 일반적으로 상품으로서 생산되고, 따라서 상품으로서 존재하는 그 자신의 생산조건들에 의해, 그것들이 들어 [가는]²⁴⁸ 유통으로 매개되어 생산된다는 이 전제는 사회적 노동의 전면적 분할을, 바꿔 말하면 서로 제약하면서 보완하는 노동들이 분리되어 상품유통에 의해서만, 구매와 판매에 의해서만 매개되는 독립된 노동영역이 되는 것을 전제한다. 또는 생산물이 일반적으로 상품으로서 대립한다는 것은 그것을 생산[하는]²⁴⁹ 활동이 […]²⁵⁰ 대립하는 것을 전제로 하기 때문에 전자는 후자와 일치한다. 요컨대 그러한 고찰은 역사적으로 중요하다. […]|²⁵¹

G273

/V-179/ 사회의 이러한 발전 단계에서는 오히려 개별 가족들이 그들의 욕구를 거의 전부 직접 스스로 충족하는 상황과 대비해서 고찰하는 것이 더 흥미로울 것이다. 예를 들면 ²⁵²**두걸드**²⁵³ **스튜어트**는 **앞의 책**, 327[328]쪽에서 이렇게 썼다. "**통계 자료**에 따르면 스코틀랜드 고지대 일부 지역에서는 얼마 전까지도 모든 농민이 스스로 무두질한 가죽으로 신발을 만들었다. 많은 양치기와 소작인도 처자식과 함께 다른 사람의 도움은 전혀 없이 자기 손으로 만든 옷을 입고 교회에 나왔는데 그것은 직접 자신의 양의 털을 깎고 밭에 씨를 뿌려 얻은 아마로 만든 것이었다. 게다가 이 옷들을 만드는 데도 송곳, 바늘, 골무와 옷감을 짜는 데 사용되는 철제품 극히 일부를 제외하고는 구매한 물건은 거의 없었다. 염료도 주로 여성들이 수목, 관목, 허브에서 추출한 것들이었다."(『**경제학 강의**』, 제1권)²⁵⁴

|V-175| 반면에 이미 A. 스미스가 직면한²⁵⁵ 것과 같이, 부르주아 사회의 진전된 발전 단계에서 맨더빌, 해리스 등의 이러한 고찰을 단순히 재생산하는 것은 현학적 유치함이 드러나는 것을 피할 수 없다. 특히 스미스에게서 보이는 그러한 상술(Ausmahlung)은 그가 분업을 특유한 자본주의적 생산양식으로 날카롭고 명확하게 파악하지 못하게 한다. 다른 한편으로는 그가 매뉴팩처에서의 분업을 특별히 중시하는 것은 그의 시대가 근대적 공장제도의 형성기였음을 보여준다. 이에 대한 **유어**의 다음 지적은 옳다.

"A. 스미스가 경제학의 원리들에 관한 불후의 저작을 집필했을 당시 산업의 자동체계는 거의 알려지지 않았다. 그에게는 당연히 분업이 매뉴팩처의 완성을 위한 주요 원리로 보였다. … 그러나 스미스 박사 시대에는 적절한 사례로 기여할 수 있었던 것도 오늘날에는²⁵⁶ 근대 산업의 실제 원리와²⁵⁷ 관련하여 세상을 혼란에 빠뜨릴 수 있을 뿐이다. … 숙련도의 차이에 따라 노동을 분할한다는 스콜라적 도그마는 우리의 깨우친 공장주들에 의해서

316

마침내 폐기되었다.[258]"(앤드루 유어, 『공장 철학』, 제1권, 제1장)(초판 간행은 1835년)[259]

이는 여기에서 문제가 되는─ 그리고 원래 A. 스미스에게서도 문제가 되는─ 분업이 상이한 사회 상태들 대부분에 공통적인[260] 일반적 범주가 아니라, 자본의 특정한 역사적 발전 단계에 조응하는,[261] 매우 특정한 역사적 생산양식이라는 것을 극명하게 보여준다. 그뿐 아니라 그것은 스미스가 유일 지배적이고(alleinherrschend) 압도적인 것으로 묘사한 형태에서 그 당시 자본주의적 생산의, 이미 극복된 과거의 발전 단계에 속하는 것이 되었다.

[262]유어는 전술한 문장에서 다음과 같이 말한다. 1) "이로부터 그(A. 스미스)는 숙련도에 따라서 임금을 받는 노동자에게 **이들 각각의 작업을** 시킬 수 있다고 결론지었다. 이러한 **적응시키기가** 분업[263]의 본질이다." 요컨대 첫째로 특정한 작업으로의 노동자의 **전유**, 이 작업으로 노동자의 포섭. 이제부터 그는 이 작업에 소속되고 이 작업은 추상으로 위축된 그의 노동능력의 배타적 기능이 된다.

요컨대 첫째로 노동능력이 이 특수한 작업에 **전유된다**. 그러나 둘째로 작업 자체의 토대는 여전히 인간의 신체이므로, 유어가 말하듯이, 이 전유는 동시에 "노동의 분배 또는 차라리 다양한 개인적 능력에 대한 **노동의 적응**"이 된다. 즉 여러 작업들 자체가 분리되면서 선천적 능력과 후천적 능력에 적응된다. 그것은 과정이 역학적 요소들로 분해되는 것이 아니라 ||176| 이 개별 과정들이 인간의 노동능력의 기능들로서 수행되어야 한다는 사실을 고려하면서 분해되는 것이다.

───

G. 가르니에는 A. 스미스 번역본에 추가한 주석에 관한 분책(Band)에서─스미스의 분업에 관한 장에 붙인 주석 1에서─국민교육(Volksunterricht)에 반대를 선언하고 있다. 국민교육은 분업에 반하는 것이고, 그럼으로써 "우리의 사회 체제 전체"(앞의 책, 제5권, 2쪽)에 위배된다는 것이다. 그의 언급 중 일부는 여기에 써두는 것이 좋겠다.

[264]"한 나라의 주민 전체를 먹여 살리고 입히며 잠자리를 제공하는 노동은 사회 전체에 지워진 부담이지만 사회는 이 부담을 필연적으로 구성원 일부에게만 **전가한다**."(같은 책, 2쪽) 그리고 사회의 산업적 진보가 클수록 그

만큼 사회의 물질적 요구도 증가하고 "따라서 이것들(생활수단 일체)을 생산하고 가공하여 소비자에게 가져다주기 위한 노동이 그만큼 더 많아질 것이다. 그렇지만 **동시에, 그와 같은 진보의 결과**로서 이러한 손노동에서 해방된 **계급**이 다른 계급보다 증가한다. 따라서 손노동을 하는 사람들은 더 많은 사람을 부양해야 할 뿐 아니라 이들 각자에게 더 풍부하고 품이 많이 드는 필수품을 제공해야 한다. 사회가 번영함에 따라, 즉 산업, 상업, 인구 등이 증대함에 따라 … 손을 쓰는 직업에 종사하는 사람에게는 **절약할 수 있는 시간이 점점 적어진다.** 사회의 부가 증가할수록 **노동자의 시간**은 그만큼 더 큰 가치를 가진다(기보다 오히려 가치이다). … 이렇게 사회가 번영과 권력의 상태로 향할수록 **노동자계급은 학습과 정신적, 이론적 작업을 하기 위한 시간이 점점 줄어든다.**"(2~4[265]쪽) 즉 사회의 자유시간은 [266]강제노동에 의해 노동자의 시간을 흡수하는 것에 기초하며, 그래서 노동자는 정신적 발달을 위한 여지를 상실한다. 그 까닭은 그 여지가 시간이기 때문이다.

G275

"다른 한편으로는, **노동자계급이 학문영역에 종사하는 시간이 적을수록 다른 계급에게는 더 많은 시간이 돌아간다.** 이 후자 계급의 사람들이 시종일관 부지런히 철학적 고찰이나 문학 창작에 전념할 수 있다면, 그것은 그들이 일상생활에 필요한 식량을 만들고 가공하고 운반하는 것에 관계된 모든 번거로움에서 해방되었기 때문이고 다른 계급이 그들을 위해 기계적 작업을 떠맡았기 때문이다. 다른 모든 분업과 마찬가지로 손노동과 정신노동의 분업도 사회가 부유해질수록 강해지고 뚜렷하게 드러난다. 다른 모든[267] 분업과 마찬가지로 이 분업도 과거 진보의 결과이자 미래 진보의 원인[268]이다. … 그런데 정부가 이 분업을 ||177| 저지하고 그것의 자연스러운 흐름을 방해해야 하는가? 저절로 분리되려고 하는 두 종류의 노동을 한데 뒤섞기 위해 정부가 국가 세입의 일부를 써야 한단 말인가?"(같은 책, 4, 5쪽)

노동자 수가 같으면 노동의 효율성이 증가함에 따라, 동시에 노동시간의 길이와 강도가 증대됨에 따라 생산량은 증가한다. 이것이 전제되면 생산량의 추가적 증가는 자본에 대립하는 임노동자의 성장 또는 증대를 요구한다. 예전에는 자립적이던 수공업자 등이 자본주의 생산양식에 지배되고, 그에 따라 임노동자로 전환됨으로써, 마찬가지로 기계류 도입 등이 여성과 아동을 임노동자로 전환함으로써 임노동자 일부는 자본에 의해서 직접 증대된다. 그리하여 전체 인구는 불변일지라도 노동자 수는 상대적으로 증가한다. 그러나 자본은 인구수를, 무엇보다도 노동자계급을 절대적으로 증가시킨

318

다. 방금 열거한 작용들은 제외하고, 인구가 절대적으로 증가하는 것은 어린이가 더 많이 태어날 뿐 아니라 그들이 더 성장하여 노동할 수 있는 나이까지 더 양육될[269] 수 있는 경우에만 가능하다. 자본 체제하에서 생산력 발전은 매년 생산되는 생활수단의 양을 증대하고 저렴하게 하므로, 평균임금의 가치가 하락한다고 해도, 즉 그것이 나타내는 물질화된 노동시간의 양이 감소한다고 해도, **평균임금**은 노동자의 재생산 규모가 확대되면서 산정될 수 있다. 단, 평균임금의 가치크기의 감소가, 또한 수준 저하가[270] 노동생산력 증대와 전적으로 같은 비율이 아닐 경우. 다른 한편으로 자본이 노동자계급에게 강제하는 생활 상태, 즉 밀집, 다른 모든 인생의 즐거움과의 단절, 더 높은 [271]사회적 위치에 도달할 수 있는 전망이나 일정한 예절을 유지할 수 있는 전망의 부재, 인생 전체의 무의미함, 작업장에서의 남녀 혼재, 노동자 자신의 고립, 이 모든 것이 조혼으로 몰아간다. 필요한 학습시간이 단축되거나 거의 폐지되고, 어린이들이 생산자로 등장하는 나이가 앞당겨지고, 따라서 그들이 양육되어야 하는 기간도 단축되면서 인간 생산을 가속화할 자극을 강화한다. 노동자 세대의 평균연령이 하락하면 시장에는 단명한 노동자 세대가 언제나 넘쳐나고 끊임없이 증가하는데, 이 모든 것이 자본주의적 생산이 필요로 하는 것이다.

요컨대 한편으로는 프롤레타리아가 많을수록 그 나라는 부유하다고, 또는 부의 증가는 빈곤의 증가에서 나타난다고 말할 수 있다(**콜랭**[272] 등을 보라).[273] 다른 한편으로는 손노동에서 독립한 사람들 수가 **상대적으로 증가**한다. 그리고 노동자 수는 증가하지만 그들이 자신들의 노동을 통해 물질적으로 부양해야 하는 여러 사회계층의 인구도 동일한 비율로 증가한다(**콜랭**,[274] **시스몽디**[275] 외). 자본 생산성의 상승은 자본에 의해 전유되는 잉여노동량의 증가로 또는 가치량인 이윤량의 증가로 직접 표현된다. 이 가치량은 증가할 뿐 아니라 동일한 가치크기가 비교할 수 없을 정도로 더 많은 양의 사용가치로 나타난다. 요컨대 사회의 소득(임금은 제외하고)이 증가하고, 소득 중에 ‖178‖ 자본으로 다시 전화하지 않고, 그럼으로써 물적 생산에 직접 참여하지 않는 사회계층이 먹고사는 소득 부분[276]이 증가한다. 그러면 그럼으로써 학문에 종사하는 부분도 증가한다. 마찬가지로 유통업(상업, 화폐업)에 종사하는 자 또는 소비만 하는 게으름뱅이가 증가한다. 인구 중에서 **하인 부분**(*der dienende Teil*)도 마찬가지이다. 예를 들면 영국에서는 100만에 달하는데 이는 방직공장과 방적공장에서 직접 노동하는 노동자를 전부 합친 것보다 많다. 부르주아 사회가 봉건사회에서 분리될 때 이 인구 부분은 매우 감소한다. 더욱 발전된 단계에서 이 자발적 농노제(voluntary servage)(하인에 관해서 **케네**를 보라)[277]는 사치와 부, 부의 과시와 더불어 다시 크게 증가한다. 노동자계급은 ― 노동자계급과 분리된 ― 이 무리를 부양해야 하고 이들을 위해서 노동해야 하는데[278] 왜냐하면 이들은 물적 생산에 직접 참여하지 않기 때문이다. (군대도 마찬가지이다.)[279]

G277

|179| [280]노동자의 수는 절대적으로는 증가하지만 상대적으로는 이들의 노동을 흡수하는 불변자본에 비해서뿐 아니라 물적 생산에 직접 종사하지 않거나 생산에 전혀 종사하지 않는 사회 부분에 비해서도 감소한다.

"사회의 모든 단계에서 수적 증가와 설비의 개량이 각자의 생산력을 증진함에 따라 노동하는 사람의 수는 점차 감소한다. … 생산수단의 개량에 의해 재산은 증가한다. 그것의 유일한 일거리는 게으름을 부추기는 것이다. 각자의 노동이 겨우 자신의 생계만을 충족할 때는 재산(자본)이 있을 수 없으므로 게으른 사람도 없을 것이다. 1명의 노동이 5명을 부양할 수 있다면 생산에 종사하는 1명당 4명의 게으른 사람이 있을 것이다. 다른 방식으로는 생산물이 소비될 수 없다. … 사회의 목표는 근면한 사람의 희생으로 게으른 사람을 확대하는 것, 풍요로부터 힘을 창출하는 것이다. … 생산을 행하는 근면은 재산의 부모이다. 소비[281]를 지원하는 것은 그 자식이다. … **재산의 증가, 게으른 사람을 부양하는 능력의 증가, 그리고 비생산적 산업**, 그것이 경제학에서 자본이라 불리는 것이다.[282]"(피어시 레이븐스턴, 『국채제도와 그 영향에 관한 고찰』, 런던, 1824년, 11~13[283]쪽)[284]

"착취하는 인구 수가 적을수록, 착취되는 자들에게 그들이 주는 부담도 적다."(콜랭, 『경제학. 혁명과 이른바 사회주의 유토피아의 원천』, 파리, 1856년, 제1권, 69쪽) "사회가 나쁜 방향으로 나아가는 것을, 착취계급의 수[285]가 증가하고 피착취계급의 수가 감소한 결과로 궁핍이 증대하는 것으로 이해한다면 15세기부터 19세기까지 사회는 나쁜 방향으로 나아간 것이다."(같은 책, 70, 71쪽)

/178/ 노동 자체에 관계되는 한 과학 ― 산업이나 농업에서 응용된 과학 ― 이 산업노동자, 농업노동자와 분리되는 것에 대해서는 기계류에 관한 절에서.

(아니면 이 고찰은 모두 자본과 노동에 관한 마지막 장[286]에서 논할 것이다.)

중세의 장인은 동시에 수공업자이고 스스로 노동한다. 그는 자신의 수공업에서 장인이다. 매뉴팩처 ─ 그것이 분업에 기초하는 바와 같이 ─ 와 함께 이것은 끝난다. 그가 상품 구매자이자 판매자로서 수행하는 상인으로서의 업무를 제외하면 자본가의 활동은 노동을 가능한 한 착취하기 위해, 즉 생산적으로 만들기 위해 모든 수단을 이용하는 것이다. "자본가계급은 처음에는 부분적으로, 다음에는[287] 결국 **완전히 손노동의 필요에서 해방된다.** 그들의 관심은 **그들이 고용하는 노동자들의 생산력**이 가능한 한 최대가 되게 하는 것이다. 그들은 **이 힘을 증진하는 것,** 거의 오로지 그것에만 주의를 기울이고 있다. 인간 산업의 모든 목적을 실현하기 위한 최상의 수단에 더 많은 생각이 집중된다. 지식이 확장되어 그 활동영역을 배가하고 산업을 지원한다."(**리처드 존스,『경제학 교본』, 허트퍼드, 1825년, 제3강**[39쪽])[288]

G278

"고용주는 시간과 노동을 절약하기 위해 언제나 전력을 다할 것이다."(**두걸드 스튜어트,** 앞의 책, 318쪽) "자기들이 지불해야 할 **노동자들의 노동을 이렇게까지 절약하는 이 투기꾼들.**"(J. N. **비도,**[289]『수공업부문과 상업부문에서 발생하는 독점에 관하여』, 파리, 1828년, 13쪽)[290]

"남성 노동을 여성 노동으로 대체하고, 그리고 무엇보다도 성인 노동을 아동 노동으로 대체함으로써 노동자 수는 크게 증가했다. 주당 6∼8실링의 임금을 받는 13세 소녀 3명이 주당 18∼45실링을 받는 성인 남성 1명을 대량으로 대체했다."(토머스 [드] **퀸시,『경제학의 논리』, 에든버러, 1844**[291]**년, 147쪽**의 주석)|[292]

/179/[293] "생산비용의 절약은 생산에 투입된 노동량의 절약일 수밖에 없다."(**시스몽디,『경제학 연구』,** 제1권, 22쪽)|[294]

|180| A. 스미스는 분업에 전제되는 자본의 증가에 대해 언급하면서, 분**업에 투입된 노동자 수를** 동시에 증가시킨다고 말한다.

"분업이 진전될수록 같은 인원수가 가공할 수 있는 재료의[295] 양은 그만큼 큰 비율로 증가하고 각 노동자의 업무가 점차 단순해질수록 이들 업무를 용이하게 하고 단축하기 위한 새로운 기계가 많이 발명되기에 이른다. (이 기묘한 논리 ─ 노동이 항상 더 고도의 단순성으로 위축되기 때문에 노동을 쉽게 하고 단축하기 위해 기계가 발명된다고 한다. 요컨대 분업에 의해 노동이 쉬워지고 단축되었기 때문이라는 것이다! 도구가 단순해지고 분해되어 그 후에 그 각각을 합성해서 기계가 만들어진다고 할 만도 하다.) (괄호 안은 마르크스가 덧붙인 것 ─ 옮긴이) 분업이 점차 확대됨에 따라 같은 수의 노동자가 계속 고용될 수 있으려면 전과 같은 양의 식량과 덜 발전된 상태[296]에서 필요했던 것보다

많은 재료와 도구가 미리 축적되어 있어야 한다. **이제 노동자 수는 일반적으로 모든 사업영역에서 분업이 증가하는 것과 동시에 증가한다. 아니 차라리 노동자 수의 증가야말로 그들이 자신들을 이런 식으로 분류하고 세분화할 수 있게 하는 것이다."**(A. 스미스, 제2권, 193~94쪽, 제2편, 서론)[297]

G279   A. 스미스는 같은 책에서 우리에게 자본가를 [298]언제나 노동생산력을 높이려고 기회를 노리는 것으로 내세운다.[299] 여기에서는 자본축적이 분업과 기계류를 위한 전제이고(이들이 자본주의 생산양식으로 현상하므로) 반대로 축적은 이 생산력 제고의 결과이다. 인용한 곳에는 이렇게 쓰여 있다.

"선행하는 자본축적이 없이는 노동이 생산력의 거대한 확장을 달성할 수 없는 것과 마찬가지로 자본축적은 자연히 이러한 확장을 가져오게 된다. 노동자를 고용하는 데 자기 자본을 투입하는 자가 가능한 한 많은 성과를 생산하는 방식으로 자본을 사용하고자 한다는 것은 의심할 여지가 없다. 따라서 그는 노동자들에게 노동이 가장 합목적적으로 배분되도록 노력하는 동시에 스스로 발명하거나 구매할 수 있는 가장 좋은 기계를 노동자들에게 제공하기 위해 노력한다. 이 두 가지의 목적을 성공시키기 위한 능력[300]은 일반적으로 그의 자본의 크기와 이 자본으로 고용할 수 있는 인원수에 비례한다. 따라서 한 나라에서 **노동의 양은 노동을 운동시키는 자본[301]**의 증가에 따라 증가할 뿐 아니라 이 증가의 결과로서 동일한 양의 노동이 훨씬 더 많은 양의 성과를 생산한다."(194/195쪽)|[302]

|181| 우리 나라 전체 인구의 $\frac{1}{4}$을 넘지 않는 부분이 모두에 의해 소비되는 모든 것을 공급한다.(**Th. 호지스킨,『대중 경제학』, 런던, 1827년**, 14쪽)[303]

불안한 눈으로 그(일용노동자)를 쫓는 추악한 경제학은 그가 조금 휴식을 취하는 기미만 보여도 비난을 퍼붓고, 그가 한순간이라도 휴식을 취하면 그가 자기 것을 훔친다고 주장한다.(S. N. **랭게,『민법[304] 이론』, 제2권, 1767년,** 466쪽)[305]

A. 스미스는 분업의 (나쁜) 영향에 대해, 그가 전문가답게 분업을 주제로 다루는 제1편 제1장에서는[306] 간략하게 다룬 반면에 국가의 소득을[307] 논하는 제5편에서는 퍼거슨을 따라서[308] 대담하게 말한다. 제5권(가르니에의 프랑스어 번역본 제5권 — 옮긴이)에는 이렇게 쓰여 있다(제1장 제2절).

"**분업**이 진전함에 따라 노동을 해서 먹고사는 압도적 다수, 즉 인민대중의 직업은 극소수의 단순한 작업에 국한되고 한두 가지 작업에 국한되는 경우도 자주 있다. 이제 인간 대부분의 지능은 그들의 익숙한 직업으로 인해 형성된다. 소수의 단순한 작업을 수행하는 데 전 생애를 보내고, 아마 그 작업의 결과도 늘 같거나 거의 같은 인간은 결코 겪지 않을 어려움들을 극복하기 위한 방편을 찾고자 자신의 지능을 발달시키거나 상상력을 발휘하지 못한다. 그리하여 그는 자연히 이러한 능력을 개발하거나 발휘하는 습관을 잃어버리고, 일반적으로 인간이 전락할 수 있는 만큼 우둔하고 무식해진다. 그의 정신적 능력의 마비 … 그의 정체된 생활의 단조로움은 당연히 그의 용 G280
기를 꺾어버린다. … 그것은 그의 신체 활동조차 망가뜨리고, 그가 지금까지 해온 일[309] 이외에는 어떤 일에도 활기차고 끈기 있게 그의 힘을 발휘하지 못하게 한다. 그리하여 특정 직업에서 그의 숙련은 그의 지적 능력, 사회적 덕목, 적극적 재능을 희생하여 획득한 것처럼 보인다. 그런데 문명화되고 산업적으로 발전한 사회에서 이것은 … 빈곤한 노동자, 즉 인민대중이 필연적으로 처하게 되는 상태이다. 흔히 **야만적**이라고 불리는 수렵민과 목축민의 사회, 그리고 제조업의 발달과 대외교역의 확대에 선행하는 농업의 미발전 상태에 있는 농민사회는 그렇지 않다. 이들 사회에서는 개개인의 다양한 직업이 개별 구성원들로 하여금 부단한 노력을 통해 자신의 능력을 발휘하게 한다 등등. … ||182| [310]미발전된 사회에서는 각 개인의 직업이 매우 다양하지만 사회 전체의 직업은 그다지 다양하지 않다. … 이와는 반대로 문명 상태에서는 개인 대부분의 직업은 별로 다양하지 않지만 사회 전체의 직업은 거의 무한할 만큼 다양하다."[181~184쪽]

제5노트 182쪽

〔여록: (생산적 노동에 대하여)〕

〔철학자는 사상을, 시인은 시를, 목사는 설교를,[1] 교수는 강의를 생산한다 등등. 범죄자는 범죄를 생산한다. 후자의 생산영역과 사회 전체의 연관을 자세히 관찰하면 많은 편견에서 벗어날 것이다. 범죄자는 범죄를 생산할 뿐 아니라 형법을 생산하고, 그럼으로써 형법에 대해 강의하는 교수를 생산하며, 게다가 이 교수가 자신의 강의를 일반 시장에 "상품"으로 내놓기[2] 위해 불가피한[3] 교재도 생산한다. 그럼으로써 자격 있는 증인[4] 로셔[5] 교수가 [말한] 바와 같이(을 보라)[6] 교재 원고가 저자 자신[7]에게 주는 사적인 기쁨은 완전히 차치하고라도 국부의 증대가 초래된다.[8] 나아가 범죄자는 경찰, 형사 재판부, 법원 관리, 판사, 사형집행인, 배심원 등의 전체를 생산한다. 이들 상이한 직업영역 ──[9]이것들은 모두 사회적 분업의 한 범주를 형성한다── 은 모두 인간 정신의 다양한 능력을 발전시키고 새로운 [10]욕구들과 이것들을 충족하는[11] 새로운 방식을 창출한다. 고문만 하더라도 교묘한 기계적[12] 발명의 계기가 되었으며 그 도구들을 생산하는 데 성실한 수공업자들이 많이 종사했다. 범죄자는 상황에 따라서 때로는 도덕적인 때로는 비극적인 인상(Eindruck)을[13] 생산하면서 공중의 도덕적이고 심미적인 감정의 움직임에 "서비스"를 제공한다. 그는 형법 교재를 생산할 뿐 아니라 형법전(刑法典)[14]과 형법 입법자[15]를 생산하고 예술,[16] 문학, 소설, 그리고 비극까지도 생산하는데, 이것은 뮐너의 『죄』나 실러의 『군도』[17]뿐 아니라 『오이디푸스』나 『리처드 3세』[18]마저 증명하는 바와 같다. 범죄자는 부르주아적 생활의 단조로움과 일상의 안전을 깨뜨린다. 그럼으로써 그는 이 생활을 정체로부터 지켜주고, 경쟁의 자극이 무뎌지지 않게 해주는 저 불안한 긴장과 유동성[19]을 야기한다. 그리하여 그는 [20]생산적 역량에 박차를 가한다. [21]범죄가 과잉 인구의 일부를 노동시장에서 빼 가고, 그럼으로써 노동자들 사이의 경쟁을 완화하고 임금이 최저치 이하로 하락하는 것을 어느 지점까지는 저지하는 한편 범죄와의 전쟁은 같은 인구의 다른 일부를 흡수한다. 그러므로 범죄자는 [22]올바른 수준을 회복하고 "유용한" 고용영역에 관한 전체적 전망을 열어주는 자연적 "조정"의 하나로 등장한다. 범죄자가 생산력 발전에 미치는 영향은 세세하게 입증될 수 있다. 도둑이 없었더라면 자물쇠가 지금까지 오늘날과 같은 완전한 형태가 될 수 있었겠는가? ||183| 위조 주화가 없었더라면 은행권이 현재와 같이 완성될 수 있었겠는가? 상업에서 사기가 없었더라면

G283

현미경이 보통의 상업영역으로 진출했겠는가?(배비지를 보라)[23] 실용 화학은 정직한 생산 열정의 덕분만큼이나 상품 위조와 그것을 찾아내려는 노력의 덕분이 아닌가? 재산에 대한 언제나 새로운 공격 수단에 의해 범죄는 언제나 새로운 방어 수단을 탄생시키며, 그럼으로써 기계 발명에 파업처럼 아주 생산적인 영향을 미친다. 그리고 개인 범죄의 영역은 별도로 하더라도 국가 범죄가 없었다면 지금까지 세계시장이 태어나기나 했겠는가? 그래, 국가들만 그러한가?[24] 그리고 아담의 시대 이래로 원죄의 나무는 동시에 지혜의나무가 아닌가? 맨더빌은 이미 『꿀벌의 우화』(1705[25]년)[26]에서 가능한 모든종류의 직업 등의 생산성을 입증하고, 그러한 논의 전체의 경향을 이렇게 말하고 있다. "우리가 이 세계[27]에서 악이라 부르는 것은 자연적인 것뿐 아니라 도덕적인 것도 우리를 사교적인 동물로 만든 대원칙이고, 예외 없이 **모든 교역과 고용**의 견고한 기반, **생명과 지원**이다. 거기에서 우리는 모든 예술과학문의 진정한 기원을 찾아야 한다. 그리고 악이 멈추는 순간 사회는 완전히파괴되지는[28] 않을지라도 망가질 수밖에 없다."[29] 당연히 맨더빌은 부르주아 사회의 속물적인 옹호자들보다 무한히 대담하고 정직했을[30] 뿐이다.)

모든 자본주의적 생산형태에서와 마찬가지로 분업에서 우리에게 인상적인 것은 적대의 성격이다.

[첫째로] 작업장 **내** 분업에서 노동자들은 생산[31] 전체가, 결합노동의 생산물이 요구하는 일정한 비율 수치에 따라서 양적으로 엄밀하게 법칙적으로 개별 작업에 배정되어 있다. 반면에 사회 전체 ─ 사회적 분업 ─ 를 고찰하면 때로는 한 영역에 생산자가 너무 많다가 때로는 다른 영역에 그러하다. 상품가격[32]을 때로는 가치 이상으로 상승하게도 하고 때로는 [가치] 이하로 하락하게도 하는 경쟁은 이 불균등과 불비례를 끊임없이 상쇄하지만 또한 끊임없이 재생산하기도 한다. 조정자로서 특정한 생산영역들로의 생산자 대중의 배정을 결정하고 특수한 생산영역들로의 끊임없는 유입과 유출을 야기하는 것은 경쟁에 의해 매개되는[33] 상품가격의 운동 ─ 한편으로는 가격을 결정하고, 다른 한편으로는 가격에 의해 결정되는 이른바 수요와 공급의 법칙 ─ 이다. 이 점을 여기에서 자세히 설명하지 않아도 사회 내에서의 이러한 무정부적 분배와 작업장 내에서의 조절되고 고정된 분배와의 차이는 분명하다.

둘째. 사회 내에서 상이한 사업영역 ─ 그 자체는 예를 들면 아마 재배, 아

마 방적, 아마포 짜기처럼 어떤 생산물이 그 최종 형태, 그 마지막 형태, 즉 그 사용가치의 생산이 완료되어 완성된 형태를 얻기까지 거쳐야 하는 상이한 생산단계의 표현에 지나지 않는 — 은 상품유통에 의해 서로 매개된다. 그 결과 마침내 그들은 한 생산물의 생산을 위해 협력하게 된다. 아마는 상품으로서 ||184| 방적공에게, 실은 상품으로서 방직공에게 마주 선다. 여기에서는 서로 독립적으로 영위되는 이들 생산영역 사이에 내적으로 — 내적 필요성으로서 — [34]존재하는 연관을 상품 구매와 상품 판매가 매개하는 것이다. 반면에 매뉴팩처 내에서의 분업은 **어느 특정한** 생산물을 공급하는 상이한 작업들의 **직접적** 결합을 전제로 한다. 이 생산물은 이 결합된 작업들의 결과 비로소 상품이 된다. 대신에 이들 부분작업 각각이 만들어내는 생산물 부분은 상품으로 전화하지 않는다. 여기에서 협업은 한 과정의 생산물이 원래부터 상품으로서 다른 과정에 들어가고, 그렇게 하여 분할된 노동들이 보완됨으로써[35] 매개되는 것이 아니다. 오히려 여기에서는 노동들의[36] 공동 생산물이 상품으로서 시장에 나오도록 그 노동들의 **직접적** 결합이 전제되어 있다.

G285

셋째.

〔상대적 잉여가치 다음에는 절대적 잉여가치와 상대적 잉여가치를 양자의 결합에서 고찰해야 한다. 다음에는 상승과 하락의 비율. 그다음 또는 차라리 그 이전에는[37] 생산양식이 자본주의적인 것이 되면서 스스로 겪는 변화. 단순히 노동과정의 자본으로의 형식적 포섭이 더는 아니다. 자본이 상대적[38] 잉여가치를 창출하고 생산력과 생산물의 양을 증대하는 상이한 수단들은 모두 노동의 사회적 형태들이지만 오히려 자본의 사회적 형태들로서 — 생산 내부에서 자본 자신의 현존방식으로서 현상한다. 그리하여 자본이 어떻게 생산하는가뿐 아니라 자본 자신이 어떻게 생산되는가 — 자본 자신의 기원도 설명된다. 그리고 나면 과거 노동이 자본이 되는 이 특정한 형태의 사회적 생산관계가 물적 생산과정의 특정한 발전 단계에, 그러나 스스로 역사적으로 비로소 창출된 특정한 물적 생산조건에 조응한다는 것도 분명해진다. 이들 생산조건의 출발점은 당연히 사회의 전자본주의적 생산단계에 속하며, 그 성립과 발전은 획득된[39] 자본주의적 토대 위에서 생산이 움직이기 전까지는 자본의 기원 자체와 일치하지만, 자본주의적 토대 위에서 생산이 움직이고 난 이후에는 이 생산조건들이 확대되고 재생산될 뿐이다. 나아가 자본의 이 기원은 동시에 노동의 외화과정, 소외, 노동 자신의 사회직 형

태들이 타인의 권력(Macht)으로 표현되는 것으로서 나타난다. 자본주의적 생산이 요구하는 규모에서 볼 때에도 자본은 독립된 개별적 노동의 형태가 아니라 사회적 형태로서 현상한다. 그다음에는 자본이 얼마나 생산적인지가 서술될 것이고, 그에 이어 생산적 노동과 비생산적 노동이라는 문제가 제기될 것이다. 그리고 나면 **소득**(Revenu)으로서 임금과 잉여가치, 자본축적으로 이행하기 위해서 필요한 **소득**형태 일체.)[40]

작업장 내에서는 상이한 작업들이 하나의 계획에 따라서 체계적으로 구분되고 [41]상이한 노동자들이 하나의 규칙에 따라서 이들 작업에 배정되는데, 이 규칙은 노동자들에게는 외부에서 부과된 강제적이고 낯선 법칙으로서 맞선다. 결합노동들의 연관, 그것들의 통일도 마찬가지로 개별 노동자에 대하여 자본가의 **의지**, 인격적 통일, 지휘와 감독으로서 맞선다. 이는 노동자들에게는 그들 자신의 협업이 그들의 행위, 그들 자신의 사회적 존재[42]로서 현상하는 게 아니라 그들을 결속하는 자본의 현존으로서, 직접적 생산과정, 노동과정에서 ||185| 자본의 한 가지 현존형태[43]로서 스스로 현상하는 것과 마찬가지이다. 반면에 사회 내부에서는 분업이 자유로운 것으로, 즉 여기에서는 **우연한 것**으로 나타나는데, 어떤 내적 연관에 의해 연결되어 있지만 이 연관은 서로 독립적인 상품생산자들의 자의와 같은 정황의 산물로 나타난다. 분업―특유하게[44] 자본주의적인 생산방식으로서―즉 작업장 내부에서의 분업과 사회 전체에서의 분업은 본질적으로 구별되는 것으로서 마주 선다고 해도 양자는 상호 제약한다. 이것은 사실상 대공업과 자유경쟁은 자본주의적 생산의 상호 제약하는 두 형태, 형체라는 것을 의미할 뿐이다. 그렇지만 여기에서 모든 것을 경쟁과 관련짓는 것은 피해야 할 것이다. 경쟁은 자본들의 상호 행위이며, 따라서 이미 자본 일체의 발전을 전제로 하기 때문이다.

부의 가장 기본적인 형태로서 상품이 우리의 출발점이었다. 화폐와 상품 양자는 자본의 기본적인 [45]현존방식, 존재방식이지만 특정한 조건들 아래서 비로소 자본으로 발전한다. 자본형성은 상품생산과 상품유통의 토대 위에서가 아니면, 요컨대 일정한 규모까지 성장한 단계의 상업이 이미 주어져 있지 않으면 이루어질 수 없는 반면에 상품생산과 상품유통(화폐유통을 포함해서)은 반대로 그 현존을 위해서 결코 자본주의적 생산을 전제로 하지 않으며 오히려 자본주의적 생산의 필연적으로 주어진 역사적 전제로서 나타난다. 그러나 다른 한편으로 자본주의적 생산의 토대 위에서만 상품은 비로소 생산물의 **일반적** 형태가 되고 모든 생산물은 상품이라는 형태를 취해야 하며, 구매와 판매가 생산의 잉여뿐 아니라 생존 자체를 장악하고 상이한 생산조건들 자체가 포괄적으로[46] 상품으로서 구매와 판매에 의해 매개되어 생산과정 자체에 들어간다. 따라서 한편으로 상품이 자본형성의 전제로서 나타난다면, 다른 한편 같은 정도로 생산물의 **일반적** 형태로서 **상품**은 본질적으로 자본의 산물이자 결과로서 나타난다. 다른 생산양식에서는 생산물이 부분적으로 상품형태를 취한다. 반면에 자본은 필수적으로 상품을 생산하고, 그 생산물을 상품으로서 생산하거나 아니면 아무것도 생산하지 않는다. 따라서[47] 자본주의적 생산이, 즉 자본의 발전과 더불어[48]비로소 상품에 관해 전개된 일반적 법칙들도, 예컨대 상품의 가치는 그것에 포함된 사회적 필요노동시간에 의해 결정된다는 법칙도 실현된다. 여기에서는 이전의 생산시기에도 속하던 범주들이 어떻게 상이한 생산양식의 토대 위에서는 특유하게 상이한 성격 — 역사적 성격 — 을 갖게 되는지가 드러난다.

G287

화폐 — 그 자체는 상품이 전화한 형태에 지나지 않는 — 의 자본으로의 전화는 (노동자가 아니라) 노동능력이 상품으로 전화해야만, 요컨대 상품이라는 범주가 이미 처음부터, 지금까지는 그것을 배제해오던 영역 전체를 장악해야만 이루어진다. 노동하는[49] 인구 대중이 상품생산자로서 시장에 들어서기를 중단하고, 노동생산물이 아니라 노동 자체, 더 정확히 말하면 노동능력을 판매해야만 생산은 그 전체 범위에서, 즉 그 전체 넓이와 깊이에서 볼 때 온전히 **상품생산**이 되고, 모든 생산물이 상품으로 전화하며 모든 개별 생산영역의 대상적 조건들 자체가 상품으로서 생산영역에 들어가게 된다. 자본의, 자본주의적 생산의 기초 위에서만 상품은 사실상 부의 일반적인 기본형태가 된다. 그러나 여기에는 이미 ||186| 분업이 우연적 형태로 나타나는 사회에서 분업의 발전과 작업장 내부에서의 자본주의적 분업이 상호 제약하면서 서로를 생산한다는 사실이 있다. 생산자는 상품만을 생산한다, 즉 생산물의 사용가치는 생산자에게 교환수단으로서만 존재한다 — 이러한 사실의 성립은 그의 생산이 전적으로 사회적 분업에 기초한다는 것, 요컨대 그는 자신의 생산을 통해 전적으로[50] 일면적인 욕구만을 충족한다는 것을 의미한다. 그러나 다른 한편으로 생산물이 일반적으로 상품으로서 생산되는 것은 자본주의적 생산의 토대 위에서만, 또 그것이 확대되는 데 따라서만 이루어진다. 예를 들어 자본이 농업을 아직 장악하지 않았다면 생산물 대부분이 상품으로서가 아니라 직접 생존수단으로서 생산될 것이고, 노동인구 대부분

이 아직 임노동자로, 노동조건 대부분이 아직 자본으로 전화하지 않았을 것이다.

자본주의적 생산은, 따라서 작업장 내에서의 규칙적인[51] 분업은 특정한 수의 노동자의 노동을 더 효과적으로 만듦으로써, 요컨대 새로운 고용방식을 위해 일부 노동력을 끊임없이 방출함으로써, 그리고 그렇게 해서 지금까지 잠재적이거나 존재하지 않았던 욕구와 이것을 충족하기 위한 노동방식을 발전시킴으로써, 직접적으로 (대량생산에 의해 야기된 교환권, 세계시장의 확대는 완전히 차치하고라도) 사회 내에서의 자유로운 분업을 증진한다. 또한 인구 증가를 통해서, 노동능력의 재생산과 배가에 필요한 생활수단의 저렴화를 통해서, 마찬가지로 소득의 일부가 되는 잉여가치가 매우 다양한 사용가치들에서 실현되고자 함으로써.

G288 **상품**이 생산물의 지배적인 형태로 나타나고 개인들은 무언가를 생산하려면 생산물, 사용가치, 생존수단만을 생산해서는 안 되고, 상품의 사용가치가 오히려 그들을 위해서 교환가치의 소재적 담지자, 교환수단, 잠재적 화폐에 지나지 않는 곳에서, 요컨대 그들이 **상품**을 생산해야 하는[52] 곳에서 그들의 상호 관계는 ― 그들 활동의 물질대사, 생산 내에서의 그들의 관계 일체가 고찰된다면 ― [53]**상품보유자**의 관계이다. 그러나 상품이 상품교환 ― 즉 상품유통 ― 에서 비로소 발전하는 것처럼 상품보유자는 판매자와 구매자의 역할에서. 판매와 구매,[54] 먼저 생산물의 상품으로서의 표현, 그러고 나서 상품의 화폐로서의 표현, 또 상품이 연속되는 단계들에서 상품, 화폐, 다시 상품으로 나타나는 상품의 형태변화(Metamorphose)는 서로 독립적인 개인들의 생산을 **사회적으로** 매개하는 운동이다. 그들의 생산물과 생산의 **사회적** 형태[55]는, 즉 상품생산자들이 상품생산자로서 맺는 사회적 관계는 바로 그들 생산물의 **상품** 및 **화폐**로서의 표현이며 생산물이 이 상이한 규정들을 번갈아 가며 취하는 행위, 운동, 즉 판매와 구매이다. 요컨대 그들 욕구의 본질과 그것들을 생산하는 활동들 자체의 종류[56]에서 유래하는 필연적인 내적 연관 ― 상이한 사용가치를 결합하여, 따라서 그것들을 생산하고 그것들에 숨어 있는 다양한 노동양식들을 결합하여, 활동들과 부의 하나의 전체, 총체, 체계로 만드는 연관 ― 이 무엇이든, 소비수단이나 생산수단으로서 한 상품의 사용가치가 어떤 비율로 다른 상품보유자를 위한 사용가치가 되든, 상품보유자들이 맺는 **사회적** [57]관계는 그들 생산물의 상품과 화폐로서의 표현이자 그들이 [58]상품들의 형태변화의 담지자로서 ||187| 서로 마주하는 운

330

동이다. 그러므로 생산물이 서로를 위한 상품으로서 현존하는 것, 따라서 개인들이 상품보유자로서, 더 발전하면 판매자와 구매자로서 현존하는 것은, 즉자대자적으로 사회적 분업을 전제로 한다 ― 그 까닭은 사회적 분업이 없으면 개인들은 상품이 아니라 직접 사용가치를, 자신을 위한 생존수단을 생산할 것이기 때문이다 ― 그것은 나아가 특정한 사회적 노동의 분할, 즉 **형식적으로는** 전적으로 우연적이고 상품생산자들의 자유로운 자의와 추동에 맡겨져 있는 분할을 전제로 한다. 이 자유가 제한되어 있다면 그것은 국가나 기타 외부의 영향에 의해서가 아니라 생존조건들에 의해서, 상품을 상품으로 만드는 특성들에 의해서이다. 상품은 사회를 위한, 즉 구매자를 위한 사용가치를 가져야, 요컨대 실제적이거나 상상의 특정한 욕구를 충족해야 한다.[59] 개별 상품생산자가 근거하는 토대가 여기에 있다. 그러나 그가 기존의 욕구를 충족하든, 그의 사용가치를 통해 새로운 욕구를 불러일으키든, 또는 그가 오산을 해서 쓸모없는 물건을 만들었든, 그것은 그의 문제이다. 그의 상품에서 사용가치를 발견하는 구매자를 찾아내는 것은 그의 일이다. 그가 충족해야 하는 두 번째 조건은 상품을 생산하는 데 사회적으로 필요한 노동시간보다 더 많은 노동을 그의 상품에 사용하지 않는 것이며, 이것은 그가 자신의 상품을 생산하면서 동일한 상품을 생산하는 생산자들의 평균보다 더 많은 노동시간을 필요로 하지 않는 것으로 나타난다. 요컨대 상품으로서 생산물을 생산하는 ―[60] 상품이 생산물의 필요 형태, 생산의 일반적 형태이고, 따라서 생활욕구[61]의 충족도 판매와 구매를 통해 매개되는 ― 조건이 되는 사회적 분업은, 내용으로 보면 여러 가지 욕구,[62] 여러 가지 활동의 연관 등에 기초하지만, 그 연관은 형태상으로는 단지 생산물의 상품으로서의 표현에 의해서, 생산자들이 상품보유자로서, 판매자와 구매자로서 대면하는 것에 의해서 **매개될** 뿐이고, 따라서 이 연관은 한편으로 개인들에게서는 필요, 욕구, 능력 등으로서만 나타나는 **숨겨진** 자연필연성의 산물로서 현상하고, 다른 한편으로는 생산물의 본질 ― 사용가치이자 교환가치이어야 한다는 ―[63]에 의해서만 제약되는 그들의 독립적인 자의(Belieben)의 결과로서 현상한다.

다른 한편으로, 노동능력 자체가 그 보유자에게 상품이 되고, 따라서 노동자는 임노동자가, 화폐는 자본이 되는 곳에서만 생산물은 일반적으로 상품 형태를 취한다. ― 생산자들의 판매자와 구매자로서의 상호 관계가 그들을 지배하는 사회적 연관이다. 화폐보유자와 노동사의 사회적 연관도[64] 상품보

유자들의 연관일 뿐이다. 구매자가 상품을 구매하는 특수한 목적은 물론이고 노동자가 판매해야 하는 상품의 특유한 본성과 구매자가 그것을 소비하는 독특한 방식에 의해서 이 관계는 수정되고 새로운 사회적 관계를 불러일으킨다. 자본주의적 생산은 무엇보다도 작업장 내부에서의 분업을 수반하며, 자본에 의해 투입되는 다른 생산수단과 마찬가지로 대량생산을, 따라서 생산물의 사용가치에 대한 생산자의 무관심을, 오직 판매만을 위한 생산을, 상품으로서만 생산물을 생산하는 것을 ||188| 더욱 발전시키는 것이다.

요컨대 자유롭고, 겉보기에 우연적이며 통제되지 않고[65] 상품생산자들의 추동에 맡겨진 **사회 내 분업**은 체계적이고 계획적이며[66] 규칙에 따르고, 자본의 지휘하에 이루어지는 작업장 내부에서의 분업에 조응하며 또한 양자는 서로 균등하게 발전하고 상호작용에 의해 생산되는 결과가 된다.

반면에 사회적 분할 자체가 고정된 법칙, 외적 규범으로서 현상하고 규칙이 지배하는 사회형태들에서는 매뉴팩처의 토대를 이루는 바와 같은 분업은 이루어지지 않거나 간헐적으로만, 그것도 초기에만 이루어질 뿐이다.

예를 들면 동직조합법은 장인 한 명이 거느릴 수 있는 직인의 최대치를 매우 낮게 규정하고 있다. 바로 그럼으로써 장인은 자본가로 발전하는 데 방해를 받는다. 그리하여 분업은 저절로 작업장 내부에서 배제된다. (이에 대해서는 좀 더 자세히 서술할 것.)

분업에 대한 플라톤의 핵심 주장은 한 사람이 상이한 노동을 수행하고 어떤 노동을 부업으로 수행하면 생산물이 노동자에게 맞춰서는 안 되고 반대로 노동이 생산물의 요구에 맞춰야 한다는 것이었는데,[67] 최근에 표백업자와 염색업자가 공장법〔**표백염색노동법**은 1861년 8월 1일 발효되었다〕에 포섭되는 것에 반대하며 그와 같은 주장을 했다. 즉 공장법의 조항들은 이 문제에 관해서 표백 등에 관한 규정을 그대로 쓰고 있는데 그에 따르면, "식사할 수 있도록 허용된 1시간 반의 어떤 부분일지라도 식사시간에 아동, 소년, 여성은 어떤 제조공정이 계속되는 장소에도 남아 있도록 고용되거나 허용되어서는 안 된다. 모든 소년과 여성은 **하루 중 같은 시간대에**[68] 식사시간을 가져야 한다."(『**공장감독관 보고서**. 1861년 10월 31일까지의 반기 보고서』) "표백업자들은 그들에게 요구되는 획일적인 식사시간에 대해 불평하며 이렇게 항변한다. 공장에 있는 기계들은 어느 순간에든 손상 없이 멈출 수 있고, 만약 기계를 멈춘다면 손실은 고작 생산을 멈추는 것뿐인 반면에 **보풀 태워 없애기**, 세탁, 표백, 광내기, 염색과 같은 다양한 작업들에서는 어느 것도 아무

G290

때나 멈춘다면 반드시 손상을 입을 위험이 있다. … 모든 노동자에게 동일한 식사시간을 강제하는 것은 때로 귀중한 물품을 불완전한 작업의 위험에 처하게 할 수 있다."(같은 책, 21, 22쪽)(**동일한 식사시간**을 정하는 것은 그러지 않으면 애초에 노동자들에게 식사시간이 주어지는지 어떤지 감독하는 것조차 불가능해지기 때문이다.)

———

분업의 상이한 종류

"문명이 일정한 수준에 도달한 민족들에게서는 세 종류의 분업을 보게 된다. 우리가 **일반적 분업**이라 부르는 **첫 번째 분업**은 생산자를 농민, 산업가, 상인으로 구분하는 것으로, 이는 한 나라 전체 노동의 3대 주요 부문에 해당한다. **특수적 분업**이라 할 수 있는 ‖189‖ **두 번째 분업**은 개별 산업부문 내에서의 세부이다. 예를 들면 **원시적** 산업에서 농민의 직업과 광부의 직업 등을 구분해야 한다 등등. 끝으로 **세 번째 분업,**[1] 즉 **작업의 분할** 또는 본래적 의미의 **노동**[2]의 **분할**이라고 할 만한 이것은 [3]**개별 수공업이나 직종에서 형성**되며, 동일한 유용품이나 상품을 만들기 위해 이루어져야 하는 업무들을 노동자 몇 사람이 서로 배분하는 것으로, 이때 각 노동자는 한 가지 노동만을 수행하는데 이 노동은 **제품**을 완전히 만들어내는 결과를 낳지 않으며, 이 결과는 그것을 생산하는 데 종사하는 **모든 노동자의 작업을 결합**함으로써만 달성될 수 있다. 적거나 많은 노동자들이 한 가지 종류의 **상품** 생산에 종사하면서 모두 **상이한 작업을 수행하는 대부분의 매뉴팩처나 작업장에서 이루어지는 작업의 분할이 여기에 속한다."(**F. 스카르벡**,『**사회적 부의 이론**』, 제2판, 제1권, 파리, 1839[4]년, 84~86쪽) "세 번째 종류의 분업은 **작업장 자체 내**에서 이루어지는데 … 그것은 매뉴팩처를 설립하도록 정해진 자본들이 존재하고, **노동자들을 노동시키는 데 필요한** 모든 **선대**를 실행하고 교환을 위한 생산물을 만드는 데 지출된 비용의 회수를 기다릴 수 있을 만큼 자금을 가진 **작업장주**가 존재하게 될 때부터 확립된다."(같은 책, [94,] 95쪽)

단순협업

"나아가 이 부분적 분업은 노동자들이 동일한 업무에 종사하는 경우에도 이루어질 수 있음을 확인해야 한다. 예를 들면 손에서 손으로 벽돌을 옮겨서 높은 비계까지 운반하는 미장이들은 모두 동일한 노동을 수행하지만 이들 사이에는 일종의 분업이 존재하며, 이 분업은 각자 벽돌을 일정 거리만큼 옮김으로써 벽돌을 따로따로 비계로 옮길 때보다 훨씬 빠르게 목적지까지 옮길 수 있다."(**스카르벡**, 앞의 책, 97, 98쪽)

|190|[1] Υ) 기계류. 자연력과 과학의 이용
(증기, 전기, 기계작용과 화학작용)

존 스튜어트 밀은 이렇게 말하고 있다. "지금까지 이루어진 모든 기계적 발명이 인간의(of any human being) 일상적 수고를 덜어주었는지 의문이다."[2] 그는 수고하는 인간의(of any toiling human being)라고 말했어야 한다. 그러나 자본주의적 생산의 토대 위에서 기계류는 결코 노동자의 일상적 수고를 덜어주거나 줄여주는 것을 목표로 하지 않는다. "물건들은 싸지만 그것들은 인간의 살로 만들어졌다."(**『자유무역의 궤변』**, 제7판, 런던, 1850년, 202쪽)[3] 아주 일반적으로 말하자면 기계류의 목적은 상품의 가치를, 그러므로 상품의 가격을 낮추는 것, 상품을 저렴하게 만드는 것, 즉 상품을 생산하는 데 필요한 노동시간을 단축하는 것이지 노동자가 이 저렴한[4] 상품을 생산하는 데 종사하는 노동시간을 단축하는 것이 결코 아니다. 실제로 중요한 것은 노동일을 단축하는 것이 아니라 자본주의적 기초 위에서 이루어지는 모든 생산력 발전과 마찬가지로 노동자가 자신의 노동능력을 재생산하는 데, 바꿔 말하면 자기 임금을 생산하는 데 필요한 노동시간, 즉 그가 자신을 위해 노동하는 노동일 부분, 그의 노동시간에서 **지불** 부분을 단축하고, 이를 단축함으로써 노동일 중에서 그가 자본을 위해서 무상으로 노동하는 또 하나의 부분, **비지불** 부분, 그의 **잉여노동시간**[5]을 연장하는 것이다. 기계류가 도입되면서 도처에서 왜 타인의 노동시간에 대한 탐욕이 증가하는지, 왜 노동일이[6] ─ 입법이 개입해야 할 때까지 ─ 단축되는 것이 아니라 오히려 자연적인 한계를 넘어서 연장되는지,[7] 요컨대 상대적 잉여노동시간뿐 아니라 총노동시간도 연장되는지, 이 **현상**은 제3장[8]에서 고찰할 것이다.

|196|[9]"그러나 (노동자의 ─ 옮긴이) 수가 증가함과 동시에 고역도 증가했다. 매뉴팩처 공정에 종사하는 사람들의 노동량은 이러한 작업 초기보다 **3배가 많다**. 의심할 나위 없이 기계류는 수백만 인간의 힘이 필요한 작업을 수행했다. 그러나 그것은 또한 그 엄청난 운동에 의해 지배되는 사람들의 노동을 **엄청나게 증대해왔다**."[10](**『10시간 공장법안. 애슐리 경의 연설』**, 런던, **1844년**, 6쪽)[11]

/190/ 자본가가 비록 숙련노동을 단순노동으로, 성인 남자의 노동을 아동과 여성의 노동으로 대체하면 언제나 가능하기는 하지만 기계류 도입을 통해 **임금의 직접적인 인하**를 목표로 하는 것은 개별적인 경우에만 있다. 상품

의 가치는 그것에 포함된 **사회적 필요**노동시간에 의해 결정된다. 새로운 기계류를 도입하면 생산의 대부분이 아직 낡은 생산수단에 기초해서 계속되는 동안에 자본가는 상품을 그것의 사회적 가치 **이하로** 판매할 수 있다. 그렇다 해도 그는 상품을 [12]그것의 개별적 가치 이상으로, 즉 새로운 생산과정하에 그 상품을 생산하는 데 필요한 **노동시간** 이상으로 판매한다. 요컨대 여기에서 자본가에게 잉여가치는 필요노동시간의 감소와 잉여노동시간의 연장에서가 아니라 판매 — 다른 상품보유자로부터의 사취, 가치를 초과하는 상품가격의 상승 — 에서 유래하는 것처럼 보인다. 그렇지만 이것도 외관에 지나지 않는다. 노동은 이때 동일한 사업영역의 평균노동과는 달리 예외적인 생산력을 얻은 결과 평균노동에 비해 더 높은 노동이 되고, 그 결과 예를 들면 그것의 1노동시간이 평균노동의 $\frac{5}{4}$노동시간과 같고 더 높은 증식력(Potenz)을 갖는 단순노동이다. 그러나 자본가는 이 노동에 대해 평균노동과 똑같이 지불한다. 그리하여 더 적은 수의 노동시간이 [13]평균노동의 더 많은 수의 노동시간과 같다. 그는 이 노동을 평균노동으로서 지불하고, 있는 그대로 더 높은 노동으로서 판매한다. 그것의 특정한 양＝더 많은 양의 평균노동. 요컨대 이 경우에 노동자는 전제에 따르면 동일한 ||191| 가치를 생산하는데도 평균노동자보다 더 적은 시간을 노동하면 된다. 따라서 그는 실제로 자신의 임금에 대한 등가물 또는 자신의 노동능력을 재생산하는 데 필요한 생활수단을 생산하기 위해서 — 평균노동자보다 — 더 적은 노동시간을 노동하는 것이다. 요컨대 그는 자본가에게 더 많은 수의 노동시간을 잉여노동으로 주는 것이고, 이 상대적 잉여노동이야말로 판매할 때 자본가에게 상품가격에서 그 가치를 넘는 초과분을 제공하는 것과 다름없다. 그러므로 자본가는 이 잉여노동시간, 또는 같은 말이지만 이 잉여가치를 판매에서만 실현하지만, 이 잉여가치는 판매에서가 아니라 필요노동시간의 단축과 잉여노동시간의 상대적 증가에서 유래하는 것이다. 새로운 기계를 도입하는 자본가가 평균임금보다 더 높은 임금을 지불했을지라도, 정상적인 잉여가치를 넘는 초과분, 동일한 사업영역의 다른 자본가들이 실현한 잉여가치를 넘는 초과분, 그가 실현한 이 초과분은 이 노동이 평균노동을 넘어서 증가하는 것과 **동일한** 비율로는 임금이 증가하지 않은 데서, 요컨대 언제나 잉여노동시간의 상대적 증가가 이루어지는 데서 유래한 것이다. 요컨대 이 경우도 잉여가치＝잉여노동이라는 일반 법칙에 포함된다.

기계류는 — 자본주의적으로 사용되어, 대부분 더 강력한 수공업 도구에 지나지 않았던 초창기에 이제 더는 있지 않게 되면서 ─ **단순협업**을 전제로 하며, 게다가 이 단순협업은, 우리가 나중에 보게 되는 바와 같이, 기계에서는 분업에 기초한 매뉴팩처에서보다 훨씬 중요한 계기로서 나타난다. 매뉴팩처에서는 단순협업이 단지 배수(multiples)의 원칙으로 관철되면서, 즉 상이한 작업들이 상이한 노동자들에게 분배될 뿐 아니라 이때 생겨나는 비율에 의해 일정수의 노동자들이 집단적으로 개별 작업마다 배치되어 거기에 포섭된다는 점에서 그 효과를 나타낼 뿐이다. 기계류의 자본주의적 사용이 가장 발전된 형태인 **기계제 작업장**에서는 많은 사람이 **동일한 일**을 하는 것이 중요하다. 그것은 기계제 작업장의 중심 원리이기도 하다. 나아가 기계류 사용은 **기계 제조** 자체 ─ 요컨대 기계의 존재 ─ 가 분업의 원칙이 완전히 실행되는 작업장에 기초하기 때문에 원래 분업에 기초하는[14] 매뉴팩처를 존재조건으로서 전제한다. 추후의 발전 단계에서 비로소 기계 제조 자체가 기계에 기초해서 ─ 기계제 작업장에 의해서 ─ 이루어진다. "기계제 작업장 초기에 작업장은 다양한 단계의 분업을 보여주었다. 줄, 송곳, 선반(旋盤)은 각각 숙련 수준에 따라서 담당 노동자가 있었다. 그러나 줄, 송곳을 다루던 숙련은 오늘날 대패질, 밀링, 천공기로 대체되고 철과 구리 선반공의 숙련은 자동선반으로 대체되었다."(유어, 앞의 책, 제1권, 제1장, 30, 31쪽) 매뉴팩처에서 발전된 분업은 한편으로는 매우 축소된 규모이기는 하지만 기계제 작업장 내부에서 반복된다. 다른 한편으로, 나중에 보게 되는 것처럼, 기계제 작업장은 분업에 기초하는 매뉴팩처의 가장 본질적인 원칙들을 내팽개친다. 끝으로 기계 사용은 사회 내 분업, 특수한 사업영역과 독립적인 생산분야의 다양화를 증대한다.

기계 사용의 기본 원칙은 숙련노동을 **단순**노동으로 대체하는 것이다. 따라서 임금 수준을 평균임금으로 축소하는 것, 다시 말해 노동자의 필요노동을 평균 최저치로 축소하는 것이고 노동능력의 생산비를 단순한 노동능력의 생산비로 축소하는 것이다.|

|192| 단순협업과 분업에 의한 생산력 증대는 자본가에게 아무런 비용도 들지 않는다. 그것은 자본의 지배하에 특정한 형태를 취하는 사회적 노동의 무상의 자연력이다. 기계류 사용은 개별화된 개인의 노동과는 다른 사회적 노동의 생산력을 발휘하는 것으로 그치지 않는다. 그것은 물, 바람, 증기, 전기 등 순수한 자연력을 사회적 노동의 증식력(Potenz)으로[15] 전환한다. 이는 기계류 본래의, 작업하는 부분(즉 원료를 역학적으로나 화학적으로 직접 전

환하는 부분)에서 작용하는 역학 법칙들의 활용은 차치하고. 그렇지만 생산력 증대, 따라서 필요노동시간의 이러한 형태는 다음에 의해,[16] 즉 이용되는 단순한 자연력의 일부는 이러한 이용 가능한 형태에서는 물이 증기로 전환되는 것처럼 노동생산물이라는 점에서 구별된다. 예를 들면 물이라는 동력이 폭포 등으로 자연에 의해 주어진 것으로 발견되는 곳에서는 [덧붙여 말하자면, 프랑스인들이 18세기에 걸쳐 물을 수평으로 작용하게 했고 독일인들은 언제나[17] 물을 인공적으로 막았다는 것은 매우 특징적이다)[18] 물의 운동을 원래의 기계에 전달하는 매체, 예를 들면 물레방아는 노동생산물이다. 그러나 이것은 직접 원료를 가공하는 기계류 자체에 전적으로 적용된다. 요컨대 기계류는 단순협업이나 매뉴팩처에서의 분업과는 달리 생산된 생산력이고, 그것에는 비용이 든다. 기계류는 그것이 기계류로서 작용하는 생산영역들에 상품으로서(직접적으로 기계류로서, 또 간접적으로는 필요한 형태를 동력에 부여하기 위해 소비되어야 하는 상품으로서), 불변자본의 일부로서 들어간다. 불변자본의 어떤 부분과도 마찬가지로 기계류는 그 자신에 포함된 가치를 생산물에 추가한다, 즉 자신을 생산하는 데 필요했던 노동시간만큼 생산물을 비싸게 만든다. 따라서 이 장에서 우리는 가변자본과 그것이 재생산되어 포함되는 가치크기의 비율만을 고찰하지만 — 바꿔 말하면, 어떤 생산영역에 투입된 필요노동의 잉여노동에 대한 비율을 고찰하고, 따라서 불변자본에 대한 잉여가치의 비율, 선대자본 총액에 대한 잉여가치의 비율에 대한 고찰은 의도적으로 배제하지만, 기계류 사용은 임금으로 지출된 자본 부분 외에 다른 자본 부분들도 고찰할 것을 요구한다.[19] 즉 생산력을 증대하는 수단의 사용이 상대적 잉여시간, 그리하여 상대적 잉여가치를 증대한다는 원칙은 상품의 저렴화에 기초하며, 따라서 생산력을 증대하는, 즉 동일한 노동자 수[20]로 동일한 시간에 전보다 많은 사용가치를 생산할 수 있게 하는 이들 장치의 결과로서 노동능력을 재생산하는 데 필요한 노동시간의 단축에 기초한다. 그렇지만 기계류를 사용하는 경우에 이러한 결과는 전보다 자본지출을 늘리고 기존 가치를 소비함으로써, 요컨대 자신의 가치액만큼 생산물의, 상품의 가치크기를 증대하는 어떤 요소를 끌어들임으로써만 달성될 수 있다.

먼저 원료에 관한 한, 그것의 가치는 당연히 그것이 어떤 방식으로 가공되든 동일하게 — 즉 그것이 생산과정에 들어갈 때의 가치 그대로 남아 있다. ||193| 나아가 기계류 사용은 특정한 양의 원료에 의해 흡수되는 노동의 양

을 감소시키거나 또는 특정한 노동시간에 생산물로 전화하는 원료의 양을 증대한다. 이 두 가지 요소를 고찰하면 기계류를 사용하여 생산된 상품은 기계류 없이 생산된 것보다 더 적은 노동시간을 포함하고, 더 적은 가치크기를 나타내며 더 저렴하다. 그러나 이 결과는 상품 ─ 기계류에 존재하는 상품 ─ 의 산업적 소비에 의해서만 달성되며, 그것의 가치는 생산물에 들어간다.

요컨대 원료의 가치는 기계류가 사용되든 안 되든 변하지 않으므로, 즉 특정한 양의 원료를 생산물로, 따라서 상품으로 전화시키는 노동시간의 양은 기계류 사용과 더불어 감소하므로, 기계류에 의해 생산된 상품의 저렴화는 한 가지 유일한 사정에 좌우된다. 즉 기계류 자체에 포함된 노동시간이 기계류에 의해 대체된[21] 노동능력에 포함된 노동시간보다 적다는 것, 상품에 들어가는 기계류의 가치는 기계류에 의해 대체된 노동의 가치보다 적다 ─ 즉＝마이너스 노동시간 ─ 는 것이다. 그리고 이 노동의 가치는 노동능력의 가치와 같고 사용된 노동능력의 수는 기계류로 인해 감소한다.

기계류가 유년 단계를 벗어나 처음에 대체하던 수공업 도구와는 규모와 특징에서 구별됨에 따라서 그것은 [22]더욱 대규모화되고 비싸지며, 생산하는 데 더 많은 시간이 필요해지고 그것의 절대적 가치는 상승한다. 그렇다 해도 그것은 상대적으로는 저렴해지고, 즉 성능이 좋은 기계류는 성능이 덜 좋은 것보다 성능에 비해 더 적은 비용이 들고, 기계류 자체의 생산에 필요한 노동시간의 양이 기계류가 대체하는 노동시간의 양보다 훨씬 적은 비율로 증가한다. 그러나 어떤 경우에든 기계류의 절대적인 고가(高價)는 점점 상승하고 그것에 의해 생산된 상품에 절대적으로 더 큰 가치를 추가하며, [23]이것은 특히 생산과정에서 기계류가 대체하는 수공업 도구에 비하면, 또는 분업에 기초한 도구나 단순한 도구에 비하면 그러하다. 기계류라는 더 비싼 생산도구에 의해 생산된 상품이 기계류 없이 생산된 것보다 저렴하다는 것, 기계류 자체에 포함된 노동시간이 기계류에 의해 대체된 노동시간보다 적다는 것은 다음 두 가지 사정에 달려 있다.

1) 기계류의 효과가 클수록, 그것이 노동생산력을 높일수록, 즉 그것이 수많은 노동자의 작업을 한 명의 노동자가 수행할 능력을 부여하는 데 비례해서, 기계류의 도움으로 동일한 노동시간에 생산되는 사용가치의 양, 따라서 상품의 양도 증가한다. **그리하여[24] 기계류의 가치가 재현되는 상품의 수가** 증가한다. 기계류의 총가치는 그것이 노동수단으로서 생산을 지원한 상품 전

340

체에서 재현될 뿐이다. 이 총가치는 개별 상품, 즉 그것들의 총합이 총량을 이루는 개별 상품 사이에 비례분할[25]로서 배분된다. 요컨대 이 총량이 클수록 개별 상품에서 재현되는 기계류의 가치 부분은 작다. 기계류와 수공업 도구 또는 단순한 노동도구 사이의 가치 차이에도 불구하고 기계류의 가치가 더 많은 생산물, 상품 총액에 분배되는 데 비례해서, 기계류가 대체하는 노동도구와 노동능력의 가치 부분보다 기계류의 가치 부분이 더 적게 상품으로 들어갈 것이다. 동일한 노동시간을 면화 1,000파운드에 흡수하는 방적기는 면사 1파운드에서 $\frac{1}{1000}$의 가치 부분으로 재현될 뿐이지만 다른 한편 방적기가 동일한 시간에 면화 100파운드만 방적하는 것을 돕는다면 면사 1파운드에 방적기 가치의 $\frac{1}{100}$이 재현될 것이고, 이 경우에 면사 1파운드는 전자보다 10배의 노동시간, 10배의 가치를 포함할 것이며 전자보다 10배 비쌀 것이다. ||194| 요컨대 기계류는 오로지[26] 일체의 대량 생산, 대규모 생산이 가능한 상황(자본주의적 토대 위)에서만 이용될 수 있다.

/201/ [27]"분업과 강력한 기계의 사용은 모든 부류의 노동자에게 작업이 충분히 제공되고 높은 수익이 발생하는 기업에서만 가능하다. 생산물이 많을수록 **그에 비례해서** 도구와 기계류에 대한 **지출**은 적어진다. 같은 힘을 내는 두 대의 기계가 같은 시간에 같은 직물을 하나는 10만 미터, 다른 하나는 20만 미터를 생산한다면 전자는 후자보다 가격이 2배일 것이고, 첫 번째 기업에서는 두 번째 기업보다 2배 많은 자본을 투입했다고 말할 수 있다."(로시,『경제학 강의』, 334쪽)[28]

/194/ 2) 수공업적 산업 등에서도 볼 수 있는 것이지만 이미 분업에 기초하는 매뉴팩처에서도 노동도구들은 (건물과 같은 노동조건의 또 다른 부분도 마찬가지로) 직접적으로 노동수단으로서 또는 간접적으로[29] 노동과정이 진행되기 위해서 필요한 조건(예컨대 건물)으로서 그 **전체 범위**가 **노동과정**에 들어간다. 그러나 그것들은 **부분적으로**, 일부분씩[30]만 ─ 즉 그것들이 노동과정에서 소모되어 그 사용가치가 소비되는 것과 동시에 그 교환가치가 노동과정에서 소비되는 만큼만 ─ **가치증식과정**에 들어간다. 노동수단으로서 그것들의 사용가치는 노동과정에 전부 들어가지만 이 사용가치는 노동과정의 총합을 포괄하는 기간 동안 보존되고,[31] 이들 노동과정에서 그것들은 반복적으로 같은 종류의 상품을 생산하는 데 기여하는, 즉 언제나 새로운 노동의 노동수단으로서 새로운 재료를 가공하는 데 새롭게 기여하는 것이다. 그러한 노동수단으로서[32] 그것들의 사용가치는 동일한 노동과정이 언제나 새

G298

롭게 반복되었던 그러한 길고 짧은 기간의 끝에서 비로소 모두 소모된다. 요 컨대 그것들의 교환가치는 단지 이러한 기간 ─ 그것들이 노동과정에 진입 할 때부터 이 과정을 나갈[33] 때까지의 전체 기간 ─ 동안에 생산에 기여했던 상품들의 총액[34]에서 모두 재현될 뿐이다.[35]따라서 각각의 상품에는[36]그것 들의 가치의 특정한 비례분할적 부분만이 들어간다. 도구가 90일 동안 기여 했다면 매일 생산되는 상품에는 이 도구의[37] 가치의 $\frac{1}{90}$ 이 재현될 것이다. 여 기에서는 반드시 관념적인 평균계산이 들어선다. 그 까닭은 이 도구의 가치 는 그것이 완전히 마모되기까지 노동과정의 전체 기간에서 ─ 요컨대 이 기 간에 그것의 도움을 받아 생산된 상품들의 총액에서 ─ 만 전부 재현되기 때문이다. 즉 그것의 사용가치에서 이런저런 만큼의 비례분할적 부분이 매 일[38] 평균적으로 마모되고(이것은 허구이다), 따라서 그 가치의 이런저런 만 큼의 비례분할적 부분이 이 하루 생산물에[39]재현되는 것처럼 계산된다.

　기계류의 도입과 함께[40] 노동수단이 큰 가치크기를 갖게 되고 대량의 사 용가치로 나타나며, 그와 함께 노동과정과 가치증식과정의 이러한 차이가 증가하고, 생산력 발전과 생산의 성격에서 중요한 계기가 된다. 예를 들면 12년 동안 돌아가는 역직기를 쓰는 작업장에서 하루의 노동과정 동안 이루 어지는[41] 기계류 등의 마모는 사소하고, 따라서 개별 상품에 재현되거나 또 는 1년의 생산물에 재현되는 기계류의 가치 부분[42] 조차도 상대적으로 사소 한 것으로 나타난다. 여기에서 대상화된 과거 노동은 노동과정에 대량으로 들어가는 반면에, 이 자본 부분에서 상대적으로 사소한 부분만이 동일한 노 동과정에서 마모되고, 요컨대 가치증식과정에 들어가고, 따라서[43] 가치 부 분으로 생산물에 재현된다. 따라서 노동과정에 들어가는 기계류와 그것과 함께 주어진 건물 등이 나타내는 가치크기가 얼마나 크든, 이 총가치액과 비 교할 때 언제나 상대적으로 작은 부분만이 매일의 ||195| 가치증식과정에, 따라서 상품가치에 들어간다. 이 부분은 상품을 상대적으로 비싸게 만들지 만 사소한 정도일 뿐이고, 기계류로 대체된 손노동이 상품을 비싸게 만드는 것보다는 훨씬 적은 양만큼일 뿐이다. 따라서 자본 중에서 기계류에 지출된 부분이 이 기계류를 생산수단으로 사용하는 살아 있는 노동에 지출된 부분 에 비해서 얼마나 크게 나타나든, 이 비율은 개별 상품에 재현되는 기계류의 가치 부분을 동일한 상품에 흡수된[44] 살아 있는 노동과 비교하면 극히 작은 것으로 나타나고, 둘 ─ 기계류와 노동 ─ 에 의해서 개별[45] 생산물에 추가 된 가치 부분은 ─ 원료 자체의 가치에 비해서는 ─ 작은 것으로 나타난다.

342

기계류와 더불어 비로소 [46]대규모의 사회적 생산이, 대량의 과거 노동, 따라서 큰 가치량을 나타내는 생산물들을 전부[47] 생산수단으로서 노동과정에 들어가게 하는 힘을 얻으며 한편으로 그중에[48] 상대적으로 작은 비례분할 부분이 개별 노동과정 동안에 진행되는 가치증식과정에 들어간다. 이 형태로 개별 노동과정에 들어가는 자본은 크지만 그것의 사용가치가 이 노동과정에서 활용되고 소비되는 비율, 따라서 그 가치가[49] 대체되어야 하는 비율은 상대적으로 작다. 기계류는 노동수단으로서는 온전히 그대로 작용하지만 노동과정이 그 가치를 하락시키는 데 비례해서만 생산물에 가치를 추가한다. 그리고 그 가치 하락은 노동과정 동안 기계류의 사용가치의[50] 마모도에 의해서 제약되는 것이다.

비싼 도구로 생산한 상품이 값싼 도구로 생산한 상품보다 저렴하다는 사실, 또는 기계류 자체에 포함된 가치가 기계류가 대체하는 노동능력의 가치보다 작다는 사실은 위의 1)과 2)에 열거된 조건에 좌우되는데, 이 조건들은 요컨대 다음으로 귀결된다. 첫 번째 조건은 대량생산이다. 노동자 한 명이 **동일한 노동시간에** 생산할 수 있는 상품량이 기계류 없이 생산하는 상품량에 비해 얼마나 많은가에 좌우된다. 다른 말로 하자면 그것은 **노동이 기계류에 의해 대체되는** 정도, 요컨대 어떤 양의 생산물을 생산하는 데 사용되는 노동능력의 양이 가능한 한 **단축되는** 정도, 노동능력이 가능한 한 많이 기계류로 대체되고 노동에 지출된 자본 부분이 기계류에 지출된 자본 부분보다 상대적으로 작게 나타나는 정도에 좌우된다. 두 번째 조건은 기계류로서 존재하는 자본 부분이 얼마나 크든 개별 상품에 재현되는 기계류의 가치 부분, 즉 기계류가 개별 상품에 추가하는 가치 부분은 동일한 상품에 포함된 노동과 원료의 가치 부분에 비해서 작다는 것이다. 더 자세히 말하면, 주어진 노동시간에 노동과정에는 기계류 전체가 들어가지만 가치증식과정에는 기계류의 상대적으로 사소한 부분만 들어가기 때문, 즉 노동과정에는 기계류 전체가 들어가지만 (가치증식과정에는 — 옮긴이) 언제나 기계류의 가치크기의 비례분할적 부분만 들어가기 때문이다.

따라서 리카도에 대한 다음과 같은 비판을 정정해야 할 것이다.

"리카도는" 예를 들면 양말 한 켤레에 포함된 "'기계를 만드는 엔지니어의 노동의 일부'에 대해 이야기하지만 양말 한 켤레를 생산하는 **총노동**은,[51] 단지 한 켤레에 대해서만 이야기한다 해도, 엔지니어 노동의 일부가 아니라 **전체**를 포함한다. 그 까닭은 기계 한 대는 수많은 양말을 만들지만 그중 어

느 한 켤레도 기계의 어느 한 부분이라도 없다면 만들어질 수 없기 때문이다."(『경제학에서 몇몇 용어상의 논쟁에 대한 고찰』, 런던, 1821년, 54쪽)|[52]

/196/[53] 원료에 지출된 자본 부분은 임금에 지출된 자본 부분에 비해서 단순한 분업일 때보다 훨씬 더 빨리 증가한다. 여기에 노동수단, 즉 기계류 등에 지출된 자본이라는 새로운, 비교적 대량의 자본이 추가된다. 요컨대 산업이 발전함에 따라서 자본 중에 보조적인 부분[54]이 살아 있는 노동에 지출되는 부분에 비해 증가한다.|

———

|197| 새로운 기계류가 그 생산영역에서 지배적이 되기 전에 그것을 도입했을 때 일어나는 한 가지 결과는 낡고 불완전한 생산수단으로 계속 노동하는 노동자들의 노동시간을 **연장하는 것**이다. 기계류로 생산되는 상품은 그것의 개별 가치 **이상으로** 즉 그것 자체에 포함된 노동시간의 양 이상으로 판매될지라도 동일한 생산물 종류의 지금까지 일반적인 사회적 가치 **이하로** 판매된다. 따라서 이 특정 상품을 생산하기 위한 사회적 필요노동 시간은 **하락**했지만 낡은 생산도구로 노동하는 노동자들의 노동시간은 하락하지 않았다. 요컨대 그의 노동능력을 재생산하는 데 10시간의 노동시간으로 충분하다면 [55]그의 10시간 생산물은 이미 **필요노동시간**, 즉 [56]새로운 사회적 생산조건 아래서 이 생산물을 생산하는 데 필요한 노동시간 **10시간**이 아니라 아마도 [57]6시간밖에 포함하지 않을 것이다. 따라서 그가 14시간 노동한다면 그의 이 14시간은 **10시간의 필요노동시간**만을 나타내고 이 14시간에는 10시간의 필요노동시간밖에 실현되지 않았다. 따라서 생산물도 일반적인 사회적 필요노동 10시간의 생산물가치를 가질 뿐이다. 그가 독립적으로 노동한다면 노동시간을 연장해야 할 것이다. 그가 임노동자로서 노동한다면, 요컨대 반드시 잉여시간도 노동한다면, 절대적 노동시간이 연장되는 경우에도 자본가를 위한 평균적인 잉여노동은 노동자의 임금이 이전의 평균 이하로 하락함으로써만, 즉 그가 노동하는 시간은 증가하지만 그중에 그 자신이 전유하는 부분이 감소해야만 나올 것이다. 이것은 그의 노동이 생산적이 되었기 때문이 아니라 비생산적이 되었기 때문, 즉 그가[58]더 적은 노동시간에 동일한 양의 생산물을 창출하기 때문이 아니라 그에게 귀속되는 양이 감소하기 때문이다.

G301

자본이 기계류를 사용하여 산출하는 잉여가치 = 잉여노동 ― 절대적이든 상대적이든 ― 은 기계류가 **대체하는 노동능력**이 아니라 기계류가 사용하는 노동능력에서 유래한다. "베인스에 따르면 기계류를 갖추고 증기기관과 가스 제조소를 설치한 일급 면방적공장은 100,000파운드스털링 이하로는 지어질 수가 없다. 100마력짜리 증기기관은 방추 50,000개를 돌릴 것이고 이는 하루에 62,500마일의 고급 면사를 생산할 것이다. 그러한 공장에서는 기계류가 없이는 250,000명이 겨우 뽑을 수 있을 만큼의 실을 1,000명이 뽑을 것이다."(**S. 랭**, 『**국민적 빈곤**』, 런던, 1844년, 75쪽)[59] 이 경우에 자본의 잉여가치는 250명의 절감된 노동에서가 아니라 그들을 대체한 1명의 노동에서, 다시 말해 대체된 인력 250,000명이 아니라 고용된 인력 1,000명에서 유래한다. 잉여가치에 실현된 것은 그들의 잉여노동[60]이다. 기계류의 가치를 결정하는 것은 기계의 사용가치 ― 그리고 기계가 인간노동을 대체하는 것도 그것의 사용가치이다 ― 가 아니라 기계 자체를 생산하는 데 필요한 노동이다. 그리고 기계가 사용되기 전에, 생산과정에 들어가기 전에 보유한 이 가치가, 그것이 기계류로서 생산물에 추가하는 유일한 가치이다. 이 가치를 자본가는 기계를 매입하면서 지불했다.

상품이 가치대로 판매된다고 전제하면, 자본이 기계류를 매개로 해서 창출하는 **상대적 잉여가치**는 노동생산력을 증대하는 동시에 개별[61] 생산물의 가격을 떨어뜨리는 다른 모든 수단을 사용할 때와 마찬가지로, 단지 노동능력을 재생산하는 데 필요한 상품을 저렴하게 하고, 따라서 노동능력을 재생산하는 데 필요한 노동시간을, 임금에 포함된 노동시간의 등가물에 지나지 않는 노동시간을 단축하는 데 있다. 따라서 총노동일의 길이가 ||198| 그대로라면 잉여노동시간이 연장될 뿐이다. (이를 수정하는 몇 가지 상황이 발생하지만 이에 대해서는 후술한다.) 필요노동시간의 이러한 단축은 결과적으로 자본주의적 생산 전체에 이익이 되고 노동능력 일체의 생산비용을 감소시킨다. 그 까닭은 전제에 따라서 기계류에 의해 생산된 상품이 노동능력의 재생산 일체에 들어가기 때문이다. 그렇지만 이것이 개별 자본가에게 기계류를 도입하는 동기가 되는 것은 아니다 ― 그것은 일반적인 결과이고 개별 자본가에게는 특별히 이익이 되지 않는다. G302

첫째로, 기계류의 도입은 (예컨대 방적에서처럼) 그것이 수공업직 산업을 대체하든, 요컨대 어느 산업영역 일체를 비로소 자본주의적 생산양식에 종속시키든, 또는 (기계공장에서처럼) 단순히 분업에 기초했던 이전의 매뉴팩처를 혁신하든, 또는 그것이 이전의 기계류를 완성된 기계류로 몰아내거나 한 작업장에서 전에는 아직 기계류가 장악하지 못했던 부분작업으로 기계류 사용을 확대하든 — 이 모든 경우에 기계류는 위에서 말한 바와 같이 아직 낡은 생산양식에 포섭되어 있는 노동자들의 **필요노동시간**을 연장하고 그들의 총노동일을 연장한다. 그러나 다른 한편으로 기계류는 새로 도입된 작업장[62]에서 필요노동시간을 상대적으로 **단축한다**. 역직기가 도입된 이후 수직공(Handweber)의 2 노동시간＝1 사회적 필요노동시간이라면 지금 역직기공의 1노동시간은 [63]역직기가 이러한 종류의 방직업에 일반적으로 도입되지 않은 동안에는 필요노동 1시간보다 크다. 역직기공의 1노동시간 생산물은 (사회적 필요노동의 — 옮긴이) 1노동시간의 생산물보다 더 높은 가치를 갖는다. 이는 마치 단순노동이 더 높은 증식력을 갖는 것 [64]또는 더 높은 종류의 방직노동이 그 노동시간에 실현된 것과 같다. 즉 역직기를 사용하는 자본가가 1시간의 생산물을 비록 이전 노동시간의 수준 이하로, 그것의[65] 지금까지의 사회적 필요노동시간 이하로 판매할지라도 그것의 개별적 가치 이상으로, 즉 그가 역직기를 사용하여 이 생산물을 생산하기 위해 투입해야 했던 노동시간 이상으로 판매하는 범위에서는 그렇게 되는 것이다. 따라서 노동자는 자신의 임금을 재생산[66]하기 위해 더 적은 시간을 노동하면 되고, 그의 필요노동시간은 그의 노동이 동일한 영역에서 더 높은 노동이 되는 것과 같은 비율로 단축되었다. 요컨대 그의 [67]1노동시간 생산물은 어쩌면 아직 낡은 생산방식이 지배하는 작업장에서의 2노동시간 생산물보다 비싸게 판매될지도 모른다. 따라서 이 경우에는 표준일이 불변이면 — 똑같은 길이라면 — 필요노동시간이 단축되었으므로 잉여노동시간은 증가한다. 이것은 임금이 상승하는 경우에조차도, 새로운 상황에서 노동자가 자신의 임금을 [68]대체하거나 자신의 노동능력을 재생산하기 위해서 1노동일 중에 이전과 **같은 크기의**[69] 비례분할적 부분을 투입하지 않는다는 전제하에서는 언제나 일어날 것이다. 필요노동시간의 이러한 단축은 당연히 일시적이고, 기계류가 이 영역에서 일반적으로 도입되어 상품가치를 그것에 포함된 노동시간으로 다시 인하하면 사라져버린다. 그렇지만 이것은 동시에 자본가에게는 언제나 새로운, 사소한 개량을 도입함으로써 그가 사용하는 노동시간을 동일한 생산영역에서 일반적인 필요노동시간의 수준 이상으로 끌어올리는 자

G303

극이다. 이것은 기계류가 어떤 생산영역에서 사용되든지 적용되며, 그것에 의해 생산된 상품들이 노동자 자신의 소비에 들어가는 것과는 무관하다.[70]

둘째로. 일반적인 경험으로 알 수 있듯이, 기계류가 자본주의적으로 사용되면 — 기계류가 그 유년 단계를, 즉 많은 영역에서 맨 처음에 나타나는 단계, 낡은 경영방식에서 ‖199│ 독립적인 노동자들과 그 가족에 의해서 아직 사용되는 낡은 수공업 도구의 단지 더 생산적인 형태로서 나타나는 것에 불과한 단계를 벗어나면 — 자본의 한 형태로서 노동자에 대하여 자립하게 되면 **절대적 노동시간** —총노동일 — 은 단축되지 않고 연장된다. 이 경우에 대한 고찰은 제3장[71]에 속한다.[72] 그러나 여기에서 요점을 말할 수는 있다. 여기에서는 두 가지를 구별해야 한다. **첫째로** 노동자들이 처하게 되는, 그리고 자본가들이 노동시간을 강압적으로 연장할 수 있게 해주는 새로운 조건들. **둘째로** 자본이 이렇게 하도록 영향을 미치는 동기들.

1)에 대하여. 먼저 노동의 전화된 형태, 모든 근육 긴장을 기계류로 옮기고, 마찬가지로 숙련도 기계류에 넘겨버리는 외관상의 용이함. 전자의 이유 (근육 긴장의 경감 — 옮긴이)로 인해 (노동시간의 — 옮긴이) 연장이 우선은 육체적 불가능에 부딪히지 않는다. 노동자의 반대는 후자의 이유(숙련을 기계로 이전함 — 옮긴이)에서 무너지는데, 노동자는 매뉴팩처에서는 아직 중요했던 그의 숙련이 이제는 소용없어졌기 때문에 이미 저항할 수 없게 되어버렸는데도 자본은 오히려 숙련노동자를 비숙련노농자로, 따라서 자본의 통제에 더욱 종속되는 노동자로 대체할 수 있게 되기 때문이다. 그러면 이제 하나의 규정적 요소로서 새로운 부류의 노동자들이 들어와 작업장 전체의 성격을 변화시키며, 그들은 본성적으로 자본의 전제(專制)에 더욱 순종적이다. 즉 여성과 아동 노동이라는 요소. 일단 전통에 의해 노동일이 강제적으로 연장되면, 영국에서 보는 바와 같이, 노동자들이 그것을 다시 정상적 한계로 되돌리기까지 몇 세대가 걸린다. 그러므로 자연적 한계를 넘어 노동일을 연장하는 것이나 야간노동은 공장제도의 도약이다. "장시간 노동은 수많은 극빈 아동이 전국 각지에서(노역소로부터) 공급되면서 장인들이 손들 (hands: 숙련노동자를 의미함 — 옮긴이)에게 의존하지 않게 된 상황에 의해 야기되었으며, 또한 이렇게 해서 조달된 비참한 재료에 의해서 장시간 노동의 관습이 일단 확립되면 이것을 이웃에게도 더욱 쉽게 강요할 수 있었다는 것은 분명하다."(J. 필든, 『공장제도의 저주』, 런던, **1836년**, [11쪽])[73]

"공장주 E씨가 내게 알려주기를 그는 자신의 역직기에 오로지 여성만을   G304

고용한다고 한다. 그것은 매우 보편적이다. 그는 기혼 여성, 특히 부양해야 할 가족이 있는 여성들을 선택한다. 그들은 미혼 여성보다 주의 깊고 온순하며 생필품을 구하기 위해서 전력을 다하지 않을 수 없기 때문이다.' 이처럼 여성 특유의 미덕이 오히려 그들에게 해가 되도록 악용된다. ── 그리하여 여성의 본성에 속하는 가장 순종적이고 온화한 모든 것이 여성을 속박하고 고통스럽게 만드는 수단이 되고 있다!"(『**10시간 공장법안. 애슐리 경의 하원 연설**』, 런던, 1844년, 20쪽)

앞서 인용한 필든은 이렇게 말한다.

"기계류의 개량이 계속됨에 따라 공장주들의 **탐욕**은 노동자들에게 선천적으로 할 수 있는 것보다 많은 노동을 강요하게 했다."(**필든**, 앞의 책, 34쪽)[74]

타인의 노동(잉여노동)에 대한 탐욕은 기계류 사용자에게 특유한 것이 아니라 자본주의적 생산 전체를 추동하는 동기이다. 공장주는 이 충동을 따르기에 더 나은 상황에 있으므로 그는 이 충동을 한껏 발휘한다.[++]

그렇지만[76] 기계류를 사용하는 경우에는[77] 이 외에도 이 충동에 [78]매우 특수한 자극을 주는 특수한 상황이 추가된다.|

|200| 기계류 등은 꽤 오랜[79] 기간에 걸쳐 이용되고, 이 기간에 동일한 노동과정이 새로운 상품을 생산하기 위해서 끊임없이 반복된다. 이 기간은 기계류의 총가치가 생산물로 옮아가는 평균 계산에 따라서 결정된다. 기계류에 지출된 자본이 총생산에 의해 대체되는 기간은 노동시간이 [80]표준노동일의 한계를 넘어 연장되는 것에 의해서 단축된다. 매일 12시간 노동할 때 이 기간이 10년이라고 가정하자. 매일 15시간 노동한다면, 즉 노동일이 $\frac{1}{4}$ 만큼 연장되면 연장된 부분은 일주일에 $1\frac{1}{2}$일 = 18시간이 된다. 전제에 따라서 전체 일주일은 90(노동시간 ─ 옮긴이). $\frac{18}{90} = \frac{1}{5}$ 주.[81] 그러므로 10년으로 계산하면 $\frac{1}{5}$,[82] 즉 2[83]년이 절약된다. 따라서 기계류에 지출된 자본이 8[84]년 만에 대체될 것이다. 기계류가 실제로 이 기간 안에 모두 마모된다고 하자. 그렇게 되면 재생산과정은 가속화된다. 모두 마모되지 않았다면 ── 기계류가 아직 작동할 수 있다면 ─[85]불변자본에 대한 가변자본의 비율은 커진다. 그 까닭은 불변자본이 아직 노동과정에는 동참하고 있지만 가치증식과정에는

[++] 다음 사실을 더 언급해두어야 한다. 동력은 그것이 인력(또한 축력이기도 한)인 한에서는 육체적으로 하루에 일정한 시간밖에 활동할 수 없다. 증기기관 등은 휴식이 필요하지 않다. 그것은 얼마든지 오래 계속될 수 있다.[75]

들어가지 않기 때문이다. 그럼으로써 잉여가치(이것은 노동시간 연장의 결과로 이미 증가했다)라고는 할 수 없을지라도 적어도 지출된 자본 총액에 대한 이 잉여가치의 비율은 — 그리고 따라서 이윤은 — 상승한다. 또한 새로운 기계류를 도입할 때 개량이 잇달아 나타난다는 상황이 덧붙여진다. 그리하여 낡은 기계류의 대부분이 [86]그 유통기간이 경과하기 전에, 또는 그 가치가 상품의 가치로서 재현되기 전에 끊임없이 부분적으로[87] 감가되거나 전혀 쓸모없는 것이 된다. 이러한 위험은 재생산기간이 단축될수록 [그만큼] 작아지고, 또 그만큼 자본가는 기계류의 가치를 더 짧은 기간에 회수한 다음에 새로 개량된 기계류를 도입하고 낡은 것은 싸게 판매할 수 있게 된다. 그리고 이 낡은 기계류는 다시 다른 자본가를 위해서 유용하게 사용될 수 있는데, 그 까닭은 그것이 그의 생산에 처음부터 더 적은 가치크기의 대표로서 들어가기 때문이다. (이에 대해서는 **고정자본**에서 상술한다. 그때 **배비지** 사례들도 인용할 것.)[88]

앞에서 설명한 것은 기계류뿐 아니라 기계류를 사용한 결과 수반되는, 또 이 사용의 조건이 되는 고정자본 전체에도 해당된다.

그렇지만 자본가에게 중요한 것은 단지 [89]고정자본으로 지출된 가치량을 되도록 빨리 회수하고 가치 하락을 막고 처분할 수 있는 형태로 다시 보유하는 것만이 아니라 [90]무엇보다도 이 자본 — 그것을 자기의 고정자본으로 하는 종류의 살아 있는 노동과 섭촉하지 않는 한 교환가치로서 쇠퇴할 뿐 아니라 사용가치로서도 쓸모없는 형태로 장치된 대량의 자본 — 을 유리하게 사용하는 것이다. 총자본에 비해서 — 특히 고정자본에 비해서도[91] — 임금으로 지출된 자본 부분은 매우 작아졌으므로, 잉여가치의 크기는 그 비율뿐 아니라 동시에 사용된[92] 노동일의 수에도 좌우되지만, 이윤은 총자본에 대한 이 잉여가치의 비율에 좌우되므로 이윤율 하락이 일어난다. 이를 저지하기 위한 가장 단순한 수단은 물론 [93]노동일의 연장을 통해 절대적 잉여노동을 가능한 한[94] 연장하고, 그래서 고정자본을 가능한 한 많은 양의 비지불노동을 전유하기 위한 수단[95]으로 만드는 것이다. 공장이 정지해 있으면 공장주는 그것을 마치 노동자들이 그에게서 훔쳐 가는 것처럼 생각한다. 그 까닭은 [96]고정자본으로서 그의 자본은 타인 노동에 대한 지시가 직접 들어 있는 형태를 갖게 되었기 때문이다. 이 모든 것을 시니어 씨는 극히 순진하게 표현하고 있는데, 그는 1837년에도 ||201| 기계류가 발달함에 따라 노동일 — 요컨대 절대적 노동시간 — 은 필연적으로 점차 증가한다고 생각

했다.

시니어는 이렇게 말하면서 존경스러운 애시워스를 자신을 뒷받침해주는 권위자로서 거론하고 있다.

G306 [97]"전 세계 면화공장에서 통상적인 노동시간과 다른 고용에서의 노동시간의 차이는 두 가지 이유에서 유래한다.[98] 1) 유동자본에 대한 고정자본의 높은 비율이며, 이는 장시간 노동을 바람직스럽게 한다."(**시니어,『공장법에 관한 서한집』**, 런던, 1837년, 11쪽)(제11권,[99] 4쪽) 고정자본이 유동자본에 비해 지속적으로 증가함에 따라 "고정자본의 큰 비율을 유리한 것으로 만들 수 있는 유일한 수단이므로 장시간 노동의 동기는 더 커질 것이다. 애시워스 씨는 내게 이렇게 말했다. '어떤 노동자가 자기 삽을 내려놓으면 그는 그동안에 18펜스의 자본을 쓸모없게 만드는 것이다. 만일 우리가 고용한 노동자 중 한 명이 공장을 떠나면 그는 10만[100] 파운드스털링이나 소요된 자본을 쓸모없게 만드는 것이다.'"(같은 책, 14쪽)[101] 그가 **쓸모없게 만드는 것이다!** 기계류는 ― 그렇게 많은 자본이 거기에 지출되었으니 ― 그에게서 노동을 짜내기 위해서 거기 있는 것이다. 사실상 그는 작업장을 떠나는 것만으로도 이미 10만 파운드스털링이 소요된 자본에 대해 무거운 죄를 저지르는 것이다![102] (따라서 처음 야간노동이 도입되어 "나중에 우리 공장은 통상 주당 80시간[103] 노동했다."(제11권,[104] 5쪽))

[105]"(하루에 ― 옮긴이) 몇 시간 또는 일주일에 며칠만 가동되는 증기기관 또는 그 외의 기계는 힘의 낭비다. 그것이 온종일 가동되면 더 많이 생산하고 밤낮으로 가동되면 더욱더 많이 생산한다."(J. G. **쿠르셀―스뇌유,『공업·상업·농업 기업의 이론과 실제』**, 제2판, 파리, 1857년, 48쪽)[106]

"튈을 생산하는 최초의 기계들은 매우 비싸서 처음 구매할 때는 1,000에서 1,200파운드스털링[107]이나 되었다. 이 기계의 보유자들은[108] 그것들이 더 많이 생산한다는 것을 알게 되었다. 그러나 노동자의 노동시간이 8시간으로[109] 제한되어 있었기 때문에 그는 가격 면에서 기존의 생산방법과 경쟁할 수 없었다. 이 단점은 기계를 최초로 설치할 때 들어가는 거액에 기인했다. 그러나 공장주들은 초기 자본을 그대로 지출하면서 운전자금에 지출을 약간 추가하면 같은 기계류를 24시간 가동할 수 있다는 것을 알아차렸다." (**배비지**, 279쪽)

/206/ [110]"**건물과 기계류에 대한 추가지출 없이도 원료의 추가량을 가공할 수 있다면**[111] … 시장이 변동하고 수요의 수축과 팽창이 교차하는 상황에서

공장주가 고정자본을 추가로 사용하지 않으면서도 유동자본을 추가로 사용할 수 있는 기회가 부단히 발생할 것이라는 점은 자명하다."(R. 토런스, 『임금과 단결에 관하여』, 런던, 1834년, 64[112]쪽)

이것이 바로 노동시간 연장의 한 가지 장점 — 건물과 기계류를 위한 추가지출의 절약.[113]

/201/ **셋째로.** 기계류 사용이 동일한 상품이 생산될 수 있는 노동시간을 단축하는 한에서 그것은 상품가치를 감소시키고 노동을 더 생산적으로 만드는데 그 까닭은 이 노동이 동일한 시간에 더 많은 생산물을 산출하기 때문이다. 그만큼 기계류는 정상적인 노동생산력에만 영향을 미친다. 그러나 특정한 양의 노동시간은 여전히 동일한 가치크기로 나타난다. 따라서 경쟁이 기계류로 생산되는 상품의 가격을 그것의 가치로까지 하락시키면[114] 기계류 사용은 **잉여가치**를, ||202| 자본가의 이윤을 단지 상품의 저렴화를 통해 임금의 가치 또는 노동능력의 가치 또는 그것을 재생산하는 데 필요한 시간이 감소하는 한에서만 증대할 수 있다.

그렇지만 여기에서 노동일을 연장하지 않고도 기계류 사용이 절대적 노동시간을 증대하고, 따라서 절대적 잉여가치를 증대할 수 있는 상황이 추가된다. 이것은 각각의 시간 부분이 더 많은 노동으로 채워짐으로써, 노동강도가 증가함으로써, 즉 기계류의 사용을 매개로 해서 노동생산성(요컨대 질)이 증가할 뿐 아니라 주어진 시간 내의 **노동량**이 증가함으로써, 말하자면 **노동시간**[115]**의 응축**에 의해서 가능하다. 시간 공백[116]이 말하자면 노동의 압축을 통해 축소된다. 그럼으로써 1노동시간이 기계류가 사용되지 않았거나 동일한 정도로 완벽한 기계류가 사용되지 않은 평균노동의 $\frac{4}{4}$ 노동시간과 동일한 노동량을 나타낼지도 모른다.

즉 기계류가 이미 도입된 곳에서는 생산된 상품량[117] 및 사용된 기계류의 수량과 관련하여 노동자 수를 감소시킨 개량들은 다음과 같은 상황이 수반되었다. 즉 1명이나 2명을 대체하는 개별 노동자의 노동이 기계류 개량과 더불어 증가하는 상황, 요컨대 기계류가 개별 노동자에게 이전에는 2명이나 3명이 하던 것을 할 수 있는 능력을 주지만 이는 단지 기계류가 개별 노동자로 하여금 그의[118] 노동을 증가시키고 각각의 시간 부분을 더 집중적으로 그의 노동으로 채우게 하는 것일 뿐인 상황이다. 그리하여 노동능력은 동일한 노동시간에 더 빨리 소모된다.

먼저 첫째로, 상이한 시기에 공장노동자에 관한 보고자들이 기계류 개량과 더불어 노동이 증가한다고 말하는 것을 보게 된다. 이 증가는 한편으로는 노동자가 따라가야 하는 기계 속도가 더 빨라진 데 기인한다. 다른 한편으로는 예를 들면 뮬 방적기의 방추 수가 증가하고, 이를 위해 방추 열이 이중으로 되거나(double decking) 방직공 1명이 역직기 1대가 아니라 2대 또는 3대를 통제해야 한다면, 개별 노동자[119]가 감독해야 하는 기계의 가동량이 더 증가하는 데 기인한다.

G308   "30년, 40년 전과 비교할 때 현재 공장에서 수행되는 노동은, 아동들이 주의를 기울여야 하는 기계류에 주어진 속도가 크게 증가했기 때문에 더한층 주의와 활동이 요구되면서 지금까지보다 훨씬 더 많아진다."(J. 필든, 『공장제도의 저주』, 런던, 1836년, 32쪽)[120] 요컨대 이것이 1836년의 일이다. 존 필든은 그 자신이 공장주였다.

애슐리 경(지금은 샤프츠버리 백작)은 1844년 3월 15일 10시간 공장법안에 관한 연설에서 이렇게 말했다.

"제조업 공정에 종사하는 자들의 노동은 이러한 작업이 시작되던 때에 비해 3배에 이른다. 기계류가 인간 수백만 명의 힘줄이 필요할 작업을 수행해 온 것은 의심할 여지가 없지만, 그것은 또한 그 가공스러운 운동에 지배당하는 자들의 노동을 놀랄 만큼 증가시켜왔다."(같은 책, 6쪽) "1815년에 40번수 면사를 잣는 뮬 방적기 1쌍을 따라다니는 노동은 —1노동일을 12시간으로 계산하면— 8마일이나 걸어야 했다. 1832년에는 같은 번수의 면사를 짜는 뮬 방적기 1쌍을 따라다닌 거리는 20마일이었고 때로는 더 늘어났다. 그러나 방적기를 따라다니는 자들이 수행하는 노동량은 단지 보행 거리로 국한되지 않는다. 그 외에도 할 일은 훨씬 많다. 1835년에 방적공들은 하루에 뮬 방적기 1대당 820번 실을 걸어야 했으므로 (1쌍에는 —옮긴이) 총 1,640번이 된다. 1832년에 방적공들은 뮬 방적기 1대당 2,200번 실을 걸었고 총 4,400번을 했다. 1844년에는 숙련된 방적공의 보고에 따르면 노동자는 같은 시기에 뮬 방적기 1대당 2,400번, 하루에 ||203| 총 4,800번 실을 걸었다. 경우에 따라서는 요구되는 노동량이 더 크다."(6, 7쪽)

"나는 맨체스터 방적공 22명이 서명한 서류를 가지고 있는데,[121] 그들은 보행 거리가 최소한 20마일은 된다고 하며 실제로는 그보다 더 길 것이라고 믿고 있다. **1842년**[122]에 내가 받은 다른 서류에는, 노동이 **점차 증가하고**[123] 있지만 이는 단지 보행 거리가 더 늘어나기 때문만이 아니라 생산되는 재화의 양이 증가하는데도 일손은 상대적으로 감소하기 때문이고, 이제는 작

352

업하기 어려운 불량 면화로 방적할 때가 있기 때문에 더욱 그렇다는 것이다."(같은 책, 8, 9쪽)

"소면공장(Cardirstube)에서도 **노동이 크게 증가하여**,[124] 예전에는 두 사람이 나눠서 하던 일을 이제는 한 사람이 한다. 방직공장에서는 수많은 사람이 고용되어 있고 이들은 주로 여성인데 … 기계류 속도가 빨라졌기 때문에 지난 몇 년간 노동이 10퍼센트 증가했다. 1838년에는 매주 방직된 타래 수가 18,000개였는데 1843년에는 21,000개에 달했다. 1819년에는 역직기에서 씨실 북이 오가는 횟수가 분당 60번이었는데 1842년에는 140번이었다. 이는 작업하는 데 더한층 섬세함과 주의가 요구되었기 때문에 노동이 크게 증가했음을 보여주는 것이다."(9쪽)

〔기계류가 공장주로 하여금 상품을 그 **개별적** 가치 이상으로 판매할 수 있게 해주는 한에서 입증되는 사실은 이 경우에조차 잉여가치는 필요노동시간의 단축에서 유래하며 그 자체가 상대적 잉여가치의 한 형태라는 것이다. "어떤 사람의 이윤은 그가 다른 사람의 노동**생산물**을 지배하는 것이 아니라 그 **노동 자체**를 지배하는 것에 좌우된다. 노동자가 받는 임금은 불변인 반면에, 그가 자신의 재화를 (상품의 화폐가격이 상승했으므로) 더 높은 가격으로 판매할 수 있다면 다른 재화들의 상승과 상관없이 그는 분명히 이익을 볼 수 있다. 노동자가 노동하게 하는 데는 그가 생산한 것 중에 더 작은 부분으로도 충분하고 따라서 더 큰 부분이 그를 위해 남게 된다."(어느 맬서스주의자,[125] 『경제학 개론』, 런던, 1832년, 49, 50쪽)〕

[126]공장 보고서가 증명하는 바로는 (1860년 4월까지) 공장법이 적용되어 요컨대 법적으로 주당 노동시간이 60시간으로 단축된 산업부문들에서는 임금이 하락하지 않고 오히려 (1839년과 1859년을 비교한다면)[127] 증가한 반면에, 당시에 아직 "아동, 청소년, 여성의 노동이 제한되지 않았던" 공장들에서는 임금이 명확히 하락했다.[128] 이 후자에는 "날염 작업장, 표백 작업장, 염색 작업장이 있는데, 이들 작업장에서는 1860년 현재 노동시간이 20년 전과 다르지 않으며 공장법에 의해 보호되는 부류가 하루에 14, 15시간도 일하고 있다."× 전자의 공장들에서는 생산이 이전보다 더욱 증가[했고], 동시에 공장의 급속한[129] 확산이 보여주는 바와 같이 공장주의 이윤도 증가했다. "모든 종류의 기계류가 크게 개량됨으로써 기계류의 생산력은 크게 개선되었다. 노동시간의 제한들이 이들의 개량에, 특히 주어진 시간 내의 **기계의 가속화**[130]와 관련하여 자극을 주었다는 것은 의심할 여지가 없다. 이들 개량

과 노동자들의 **작업강도 강화**[131]로 인해 … 단축된 노동시간 동안에 이전에
는 더 긴 시간에 생산된 것과 같은 양의 제품을 생산할 수 있게 되었다."(『**공
장감독관 보고서. 1858년 10월 30일까지의 반기 보고서**』, 10[132]쪽)(『공장감독관 보
고서. 1860년 4월 30일까지의 반기 보고서』, 30쪽 이하를 보라)|

|204| 10시간 노동법이 노동일 단축에도 불구하고 영국 공장주들의 이윤
을 감소시키지[134] 않았다는 현상은 두 가지 이유로 설명된다.

1) 영국 노동시간이 대륙 노동시간보다 우위에 있고, 그것에 대하여 복잡
노동으로서 관계한다는 것. (요컨대 영국 공장주와 외국 공장주의 관계는 새로
운 기계를 도입한 공장주와 그의 경쟁자들의 관계와 같다는 것.) "사정이 모두 같
다면 영국의 공장주는 외국의 공장주에 비해 일정한 시간에 훨씬 더 많은
일을 해낼 수 있는데 그것은 여기의 주당 60시간과 외국의 72 또는 80시간
의 노동일 차이를 상쇄할 수 있을 정도이다. 그리고 영국의 운송수단에 의
해서 공장주는 재화를 공장에서 철도로 인도할 수 있고, 수출용 재화를 거의
직접 선적할 수 있다."(『**공장감독관 보고서. 1855년 10월 31일까지의 반기 보고
서**』, 런던, 1856년, 65쪽)

2) 절대적 노동시간의 단축으로 잃은 것을 노동시간의 응축에서 얻으므
로 사실상 1노동시간이 지금은 §노동시간 또는 그 이상과 같다. 일정한 한
계(자연적 하루)를 넘어서는 노동일의 절대적 연장이 여러 가지 자연적 장애
에 부딪히는 것과 마찬가지로 노동일의 응축에도 한계가 있다. 현재 10시간
법 아래 있는 공장들에서 제공되는 노동량이 같은 강도로 예를 들면 12시간
동안 가능할지는 의문이다.

× /204/[133] 다음 표(203쪽)는 지난 20년간 산업의 발전과 더불어 임금이 다양한 공장부문에
서 현저하게 하락했음을 보여준다.

캘리코 날염, 염색, 표백 | | | **퍼스티언 염색. 주당 61시간** | |
주당 60시간 | | | | |

	1839년	1859년		1839년	1859년
색 배합공	35실링	32실링	푸새공	18	22
기계 날염공	40	38	표백공	21	18
조장	40	40	염색공	21	16
목판 재단공	35	25	마감공	21	22
목판 날염공	40	28			
염색공	18	16			
세척공과 잡역부	16 및 15	좌동			

(『공장감독관 보고서. 1860년 4월 30일까지의 반기 보고서』, 32쪽)|

354

"사실상 공장주들(그들은 6시간 노동하는 13세 미만의 아동 2개 조를 고용하고자 하지 않으므로)의 한 부류인 양모 방적업자들이 오늘날 13세 미만의 아동을 반나절 고용하는 경우는 드물다. 그들은 다양한 종류의 새롭고 개량된 기계류를 도입했는데 이것이 아동노동의 고용을 불필요하게 만든다. 예를 들면 기존의 기계에 **피싱 기계**(*piecing machine*)[135]라는 장치를 추가함으로써 각 기계의 특성에 따라서 4명 또는 6명의 반나절 노동을 소년 1명이 수행할 수 있다. … 반일제는 피싱 기계의 발명을 자극하는 데 한몫했다."(**공장감독관 보고서**. 1858년 10월 31일까지의 반기 보고서』, 런던, 1858년, 42, 43쪽)

어쨌든 절대적[136] 노동시간의 단축에 따른 이러한 결과는 공장주들이 상대적 잉여노동시간[137]을 연장하고 필요노동시간을 단축하기 위한 수단에 얼마나 골몰하는지를 우리에게 보여준다. 동시에 기계류가 어떻게 해서 개별자로 하여금 많은 이의 노동을 수행할 능력을 부여할 뿐 아니라 그에게 요구되는 노동량[138]을 증가시켜 노동시간에 더 많은 가치를 부여하고, 그럼으로써 노동자 자신을 위한 임금을 재생산하기 위해 필요한 시간을 상대적으로 감소시키는지를 보여준다.

G311

|205| 앞서 설명한 바와 같이, 이는 기계의 속도를 높이고, 개별 노동자가 감독해야 하는 작업[139] 기계류의 규모를 늘림으로써 이루어진다. 이는 부분적으로는 동력을 산출하는 기계의 구조 변경[140]을 통해서 같은 무게의 기계가 상대적으로,[141] 종종 절대적으로 감소한 비용으로 더 큰 규모의 기계류를 더 빨리 움직임으로써 달성된다.

"그러므로 보고서에 의해 밝혀진 사실은 공장제도가 급속하게 증가하고 있다는 것, **마력에 대한 비율로는 이전과 같은 수의 직공이 사용되지만 기계류에 대한 비율로 보면 전보다 더 적은 직공이 사용된다**[142]는 것, 증기기관은 힘의 절약과 그 외의 방법들을 통해 더 무거운 기계류를 가동할 수 있게 되었다는 것, 증가한 작업량은 기계류 및 제조 방법의 개량과 기계류 속도 제고와 여타 다양한 원인들에 의해 수행할 수 있다는 것으로 보인다."(**공장감독관 보고서**. 1856년 10월 31일까지의 반기 보고서』, 20쪽) "1852년 10월 제출된 보고서[143]에서 호너 씨는 … 맨체스터 부근 패트리크로프트(MEGA에는 Paticroft로 되어 있는데, 마르크스가 Patricroft를 잘못 쓴 것인지 아니면 MEGA 편집자가 잘못 판독했는지 불확실하다. ─ 옮긴이) 출신의 유명한 토목기사 제임스 네이즈미스 씨가 보낸 편지를 인용하고 있다. 그는 이 편지에서 최근 증기기관의 개량에 대해 설명하면서, 이것에 의해서 같은 기관이 연료 소비는

r) 기계류. 자연력과 과학의 이용(증기, 전기, 기계작용과 화학작용) **355**

줄이면서 더 많은 작업을 수행할 수 있게 되었다고 말한다. … '이들 개량의 일부 또는 전부가 적용된 같은 기관이 수행한 작업이나 실적의 향상에 따른 정확한 수익을 계산하기는 그리 쉽지 않을 것이다. 그러나 우리가 정확한 수익을 계산할 수 있다면 같은 무게[144]의 증기기관이 현재 평균적으로 적어도 **50퍼센트** 많은 업무나 작업을 하고 있다는 것, 그리고 … 분당 220피트로 속도가 제한되었던 시절에는 50마력을 내던 같은 증기기관이 이제는 많은 경우에 100마력 이상을 낸다는 결과를 보여줄 것이라고 확신한다.'"

호너는 이렇게 말하고 있다(『1856년 10월 31일 보고서』). "1838[145]년 보고서는 증기기관과 수차의 수를 사용된 마력의 크기와 함께 알려주었다. 당시에 이들 수치는 실제 사용된 마력에 관해 **1850년**이나 **1856년**[146] 보고서의 수치보다도 훨씬 더 정확한 평가를 나타냈다. 보고서에 주어진 수치는 모두 실제로 사용되거나 사용될 수 있는 마력이 아니라 증기기관과 수차의 **명목** 마력에 관한 것이다. 100마력짜리 증기기관은 구조 개량, 보일러 용적 및 구조 개량 등의 결과로 전보다 훨씬 더 큰 힘으로 가동될 수 있다. 그러므로 근대의 공업용 증기기관의 명목 마력은 단지 그 실제 역량을 계산하는 데 쓰이는 지표로만 간주될 수 있다."[147](같은 책, 13/14[148]쪽)

넷째, 기계류에 의한 단순협업의 대체.

기계류는 분업으로 발전한 협업을 제거하거나 혁신하듯이 마찬가지로 많은 경우에 단순협업도 그렇게 한다. 예를 들면 많은 사람들을 동시에 고용할 필요가 있는 풀베기, 파종 등의 작업이 제초기와 파종기로 대체되는 경우. 압착기가 발로 밟기를 대체하는 포도 눌러 짜기에서도 마찬가지이다. 건축 자재를 건물 꼭대기까지, 또는 그것이 ||206| 사용될 높이까지[149] 들어 올리는 데 증기기관이 사용되는 것도 그러하다. "랭커셔 건축노동자의 파업(1833년)은 증기기관의 기묘한 사용을 도입했다. 이 기계류는 지금 몇몇 도시에서 다양한 건축 자재를 그것들이 사용될 건물 꼭대기까지 들어 올리는 데 손노동 대신 사용되고 있다."(『노동조합의 성격, 목적, 영향』, 런던, 1834년, 109쪽)[150]

다섯째, 파업 등, 임금 인상 요구에 맞서는 기계류의 발명과 사용.

파업은 대부분[151] 임금 인하를 저지하거나 임금 인상을 강제하기 위해, 또는 표준노동일의 한계를 확정하기 위해 일어난다. 파업에서는 언제나[152] 잉여노동시간의 절대적이거나 상대적인 길이를 제한하는 것 또는 잉여노동시간의 일부를 노동자 자신이 전유하는 것이 문제가 된다. 이에 맞서 자본가는 기계류 도입을 이용한다. 여기에서 기계는 필요노동시간을 단축하기 위한 수단으로 직접 등장한다. 마찬가지로 [153]노동의 어떠한 자립성 요구도 분쇄하기 위한, 자본의 형태 — 자본의 수단 — 자본의 권력 — 노동에 대한 자본의 권력으로서. 여기에서 기계류는 **의도에서도 노동에 적대적인 자본형태로서 승부에 들어온다.** 방적업에서 자동방적기,[154] 소모기(梳毛機),[155] 이른바 "응축기"(condenser) — 손으로 돌리는 "시방기"(始紡機)를 대신하는 것(양모직업에서도 마찬가지) — 등의 기계는 모두 파업을 분쇄하기 위하여 발명되었다.[156]

/207/ [157]그리하여 염색과 세척 공정을 위한 자동장치도 "이러한 전제적 동맹"(즉 노동조합)"의 압력하에" 발명되었다[158](여기에서 말하는 것은 면직물 날염업으로, 무늬가 새겨진 실린더가 증기로 움직이면서 네 가지 또는 여섯 가지 색깔을 동시에 염색한다). 방직에서의 새로운[159] 기계의 발명과 관련해서 유어는 이렇게 말한다. "그리하여 분업이라는 낡은 보루의 뒤에 숨어 안전하게 보호받는다고 믿었던 불평꾼 무리는 측면 공격을 당하고 기계 설계자들의 현대적 전술에 의해 그들의 방어수단은 무력해졌다. 그들은 무조건 항복할 수밖에 없었다."(같은 책, 142쪽)   G313

/206/ 이 새로운 기계가 가져오는 결과는 이전 노동을 완전히 쓸모없게 만들어버리든지(자동방적기로 방적공이 쓸모없어지듯이) 아니면 필요한[160] 노동자의 수를 감소시키고 이 새로운 노동(예컨대 소면기를 사용하는 소면공의 노동)을 이전 노동에 비해 단순화하는 것이다. "면직업에서 파업의 가장 빈번한 원인은 개량된 기계의 도입이었으며, 특히 뮬 방적기의 확산이었다. 그 결과 방적공 1명이 감독할 수 있는 방추 수는 계속 증가했다. … 공장주는 이러한 개량된 기계를 자신의 공장에 도입할 때 제품 단위당 더 적게 지불하기로 방적공들과 계약하지만, 기계의 힘이 증대된 결과 이러한 비율로도 그들의 주급은 감소하지 않고 증가한다. … 그러나 이러한 협상은 개량된 기계가 도입되지 않은 공장에서의 공장주와 노동자에게는 해롭다."[161](『**노동조합의 성격, 목적, 영향**』, 런던, 1834년, 17, 18쪽) "1829년에 심각한 파업. 그 직전에는 몇몇 공장주가 400∼500개 방추가 있는 뮬 방적기를 설치한 결과 여기에서 노동하는 방적공들은 일정량의 제품에 대하여 3 대 4[162]의 비율로 전보다 적은 금액을 받고 동시에 구식 기계로 일하는 사람들과 **적어도**[163] 같은 금액을 벌 수 있었다. 이 파업의 결과 21개 공장이 휴업하고 1만 명이 6개월 동안 실직했다."(같은 책, 19쪽) "하인즈 앤드 더럼 공장(요크셔의 웨스트라

이딩)에서 일어난 파업(1833년)은 소모기의 발명을 초래했는데 그것은 이 사건의 핵심 주모자였던 사람들의 노동을 완전히 대체했다. 그것은 그들의 단결에 다시는 회복할 수 없는 타격을 주었다."[164] (61, 62쪽)|

|207| (여기에 본문보다 작은 글씨로 "So as"라고 쓰여 있음 — 옮긴이) "인력**에 대한 적대자로서 증기의 도입.**"[165] (P. 개스켈(외과의사), 『직공과 기계』, 런던, 1836년, 23쪽) "잉여 인력은 공장주로 하여금 임금률을 [166]낮출 수 있게 해준다. 그러나 현저한 인하는 곧바로 파업이나 휴업의 증가, 그 외에도 그들을 방해하는 여러 장애를 초래하고 그 결과 막대한 손실을 입게 되기 때문에, 그들은 오히려 생산을 3배 증대하지만 새로운 사람이 조금도 필요하지 않은 기계 개량을 완만히 진행하는 과정을 선호한다."[167] (같은 책, 314[168]쪽)

"공장노동자들은 자신들의 노동이 저급한 숙련노동이라는 것, 이렇게 손쉽게 익히는 노동은 없으며 또 그 질에 비해서 그만큼 보수가 좋은 노동은 없다는 것, 또한 다른 어떤 노동도 이처럼 최저 수준의 숙련자를 조금만 훈련시켜도 그렇게 짧은 기간에 그토록 풍부하게 공급할 수 없다는 것을 분명히 알아두어야 한다." "생산 업무에서 고용주의 기계류는 공장노동자의 노

G314 동이나 숙련보다 훨씬 더 중요한 역할을 하는데, 이 숙련은 6개월이면 배울 수 있고 평범한 노동자도 배울 수 있다."(『**방적업자와 제조업자의 방위기금. 이 기금의 수령과 배정을 위임받은 위원회가 방적업자·제조업자 중앙협회에 보내는 보고서**』, **맨체스터, 1854년**, 17, 19쪽)

"철인"[169] (자동 뮬 방적기)[170]과 관련하여 유어는 이렇게 말한다. "자본은 언제나 과학을 자신에게 봉사하게 함으로써 노동자의 반항적인 손이 순종하게끔 가르친다."[171]

[172]"방적기를 확대할 필요는 노동조합의 결의에 의해 생겨났지만 그것은 최근 기계학에 각별한 자극을 주었다. … 소유주는 **자신의 뮬 방적기의 크기를 배가**함으로써 평범하고 반항적인 노동자들을 해고하고 다시 자신의 공장에서 주인이 될 수 있으며 이것이 그에게는 큰 이익이 된다."(유어, 제2권, 134쪽) 이러한 방법은 다음과 같은 경향을 지닌다. "**각 방적공의 임금**을 인상하거나 적어도 유지하는 것이 동일한 노동 성과를 위해 **필요한 노동자 수**를 감소시킨다. 그로 인해 취업자는 복지를 누렸지만 노동자 대중은 가난해졌다."(같은 책, 133, 134쪽) "철인 … 노동자계급 내에서 **질서를 회복한다**는 사명을 맡은 피조물."(138쪽)[173]

"손노동에 전적으로 의지해야 했던 초기의 제조업자들은 주기적으로 직

공들의 반항으로 인해 심각한 직접적 손실을 겪었다. 직공들은 특히 시장 상황이 급박할 때를 노려 요구를 밀어붙일 기회를 잡았다. … 제조업자들의 전진을 방해했을 위기가 급속하게 다가오고 있었지만 그때 증기와 그것을 기계에 응용하는 것이 직공들에게 불리한 쪽으로 흐름을 즉시 바꾸어놓았다."(개스켈, 앞의 책, 34, 35쪽)|

|208| **여섯째. 기계류가 야기한 노동생산성을 일부 전유하려는 노동자들의 자만심.**

"노동조합은 임금을 유지하려는 열망에서 **기계류의 개량이 가져다주는 이윤**[174]을 **공유하려고 노력한다**. … 그들은 노동이 단축되었다고 임금 인상을 요구한다. … 달리 말하자면, 그들은 **매뉴팩처의 개량**[175]에 과세하고자 한다."(『직인들의 단결에 대하여』, 신판, 런던, 1834년, 42쪽)[176] "기계류 개량에 의한 보수의 인상 요구에는 임금을 고용주의 예상 이윤에 맞추어 조정하는 원칙이 포함되어 있지만 이것은 전혀 수용될 수 없다. 그렇지만 이 원칙의 적용은 어떤 한 종류의 이윤에 국한되는 것이 아니다. 1824년 8월 7일 염색공들이 파업을 했다. 그들은 고용주가 염색가격 상승으로 인해 자신들이 요구하는 임금 인상보다 **더 많은 것을** 얻었다고 현수막에 썼다. … 그러므로 임금은 그 성격이 완전히[177] 바뀌어, 이윤을 흡수하거나 이윤에 대한 일종의 종가세(從價稅)가 된다."(같은 책, 43, 44쪽)[178]

일곱째. 노동의 연속성 증가. 폐기물 활용 등. 기계류의 도움으로 더 많은 원료가 공급되면 최종 단계에서 더 많은 노동이 이루어질 수 있다. G315

노동의 연속성은 대체로 기계류(고정자본 일체) 사용과 더불어 증가한다.

더욱이, 기계는 그것의 생산물이 원료로 기여하는 산업부문을 위해 노동재료를 더욱 풍부하게 공급한다. 예를 들면 18세기에 수직공들은 항상 노동재료(실)의 공급 부족에 시달렸다. 그 때문에 상당 기간에 걸쳐 휴업이 자주 발생했고 그러면 그들은 "궁핍"에 빠졌다.[179] "그때 방적기 개량을 통해 얻어진 것은 **노동에 대한 지급률이 증가했기** 때문이 **아니라**[180] 시장이 일반적으로 공급 부족 상태이고 실 생산이 끊임없이 증가해서 그들이 **전체 노동일을 최대로 노동할 수 있게** 되었기 때문이다."(개스켈, 앞의 책, 27[181]쪽)[182] 이것이, 즉 "같은 부문에서 계속해서 최대 시간을 노동할 수 있는 가능성"이 기계류의 주요 결과이다. 스스로 노동하는 영세사업자(kleiner Mann)에게는 그것이 최대로 노동할 가능성일 것이다. 자본가에게는 그것이 타인들을 최대로 노동시킬 가능성이다.[183]

여기에서 방적기가 방직업에 대해 갖는 것과 같은 의미를 1793년 일라이 휘트니(코네티컷 출신)가 발명한 조면기(繰綿機)가 갖고 있었다 ― 방적기가 방직업에 실을 공급한 것과 마찬가지로 그의 조면기는 방적공에게 면화를 공급한 것이다. 농장주가 소유한 흑인은 면화를 대량 파종하는 데는 충분했지만 면화씨를 분리해내는 데는 충분하지 않았다. 따라서 이것이 원료 생산물 양을 현저히 감소시키고 예컨대 면화 1파운드의 비용을 증가시켰다. "면화 섬유 1파운드에서 씨를 완전히 분리하는 데는 평균노동일 하루가 필요했다.[184]… 휘트니의 발명으로 조면기 소유주들은 1인당 하루에 섬유 [100]파운드에서 면화씨를 완전히 분리할 수 있게 되었고, 그 이후로도 조면기의 효율성은 증가했다."[185]

|209| **인도**에서 같은 현상.

"인도의 또 다른 폐해는, 아마도 중국과 영국을 제외하면 세계의 다른 어느 나라보다 노동을 더 많이 수출하는 나라에서 설마 일어나리라고는 생각하기 힘들지만 ― **면화씨 빼기에 충분한 일손을 조달하지 못한다**는 것이다. 그 결과 대량의 면화가 수확되지 못한 채로 버려지고, 또 한편으로는 땅에 떨어진 것들이 수집되는데 당연히 변색되고 일부는 썩어 있다. 이렇게 **적절한 시기에 노동이 부족하기 때문에** 경작자는 영국이 그토록 간절하게 구하는 작물의 대량 손실을 감수할 수밖에 없다."(《**벵갈 후르카루. 격월 해외정보 요약**》, 1861년 7월 22일 자)[186] "보통의 **추르카**(*churka*, 조면기의 일종 ― 옮긴이) 1대를 써서 남자 1명과 여자 1명이 하루에 28파운드를 생산했다. 포브스 박사의 추르카를 쓰면 남자 2명과 소년 1명으로 하루에 250파운드를 생산한다."(『**봄베이 상업회의소 보고서. 1859~60년**』, 171쪽)[187] "수소가 움직이는 이것들(방금 말한 기계)[188] 16대는 매일 면화 1톤을 조면하는데 이는 750명이 통상 하루에 하는 노동과 같았다."(기술협회 발표 논문, 1861[189]년 4월 17일)[190]

G316

질이 너무 좋지 않아서 손노동으로는 가공하기 어려운 재료도 기계로는 가공할 수 있다. "값싼 (요크셔 웨스트라이딩의 모직물) 상품에 대한 수요는 이러한 종류의 제조업에 엄청난 자극을 주었는데, 이 제조업의 경제적 의의는 기계류 개량이나 노동 절약적 공정보다는 질 낮은 섬유와 모직 넝마의 활용에 있었다. 그것들은 강력한 기계류에 의해서 원래의 양모 상태로 재생되어 저급 의류용 실이 되거나 새로운 양모와 혼합되어 고급 의류용 실이 되었다. 이러한 제조업은 벨기에에 많지만 영국에서만큼 광범위하게 이루어지는 곳은 없다."(『공장감독관 보고서. 1855년 10월 31일』, 런던, 1856년, 64쪽)

"판자를 만들 때 자귀(adze)를 쓰다가 톱을 쓰는 식으로 바뀌면서 재료의 엄청난 절약이 자주 이루어진다. 그리고 무가치하다고 버려졌을 많은 물건이 지금은 자연력이 수행하는 노동이 매우 저렴하기 때문에 주목할 만한 가치가 있게 되었다. 그것들은 이제 어떤 형태의 가치를 부여받아 이익을 남길 수도 있기 때문이다."(F. 웨일랜드,『경제학 요강』, 보스턴, 1843년, 72, 73쪽)[191]

나아가 폐기물은 대규모 생산에서 많이 생기기 때문에 농업이나 다른 산업부문에서 다시 쉽게 상품이 될 수 있다.|[192]

|210| 여덟째.[193]노동의 대체.

"기술이 개량된다는 것은 어떤 제품을 **이전보다 더 적은 사람에 의해서** 또는 (같은 말이지만) **더 짧은 시간**에 만들 수 있는 새로운 방법의 발견을 의미할 뿐이다."(갈리아니,『화폐에 대하여』, 쿠스토디 엮음, 근세 편, 158, [159]쪽)[194]

이것 — 어떤 제품을 생산하기 위해서는 **더 적은 사람**(meno gente)이나 **더 짧은 시간**(minor tempo)이나 마찬가지라는 것 — 은 단순협업에도,[195]분업에도, 마찬가지로 기계류에도 적용된다. 어떤 사람이 이전에는 2시간에 하던 일을 이제는 1시간에 할 수 있다면 그는 이전에 두 사람이 하던 것을, 따라서 이전에는 이틀의 동시적 노동일이 필요하던 것을 이제는 혼자서 하루에 할 수 있다. 요컨대 개별 노동자의 필요노동시간을 단축하는 모든 수단은 동일한 효과를 낳기 위해 필요한 노동자 수의 감소를 포함한다. 이제 기계류를 사용할 때 [196]이러한 감소는 단지 정도의 차이에 불과한가, 아니면 뭔가 특유한 것이 추가되는가?

스튜어트(제임스 경)는『경제학 원리 연구』, 제1권, 제19장에서 이렇게 말한다. "나는 기계를 사람에게 부양될 필요가 없는 노동자의 수를 (실질적으로) 늘리기 위한 수단이라고 생각한다."[197] 마찬가지로 그는 같은 곳에서 이렇게 묻는다. "기계가 미치는 영향과 새로 늘어난 노동자가 미치는 영향에 어떤 차이가 있는가?"(같은 책)[198]

〔**상품가격**과 **임금**. 프루동의 허튼소리에 대해서는 다른 곳에서 이야기하겠다.[199] 그러나 프랑스 최고의 경제평론가 중 한 사람인 **외젠 포르카드** 씨가 프루동에게 반박한 것은 P의 주장만큼이나 잘못되었고 우스꽝스럽다. F.는 이렇게 말한다.

"만일 '노동자는 자신의 생산물을 되살 수 없다'(그 생산물에는 이자가 포함되어 있으므로)는 P의 반론[200]이 옳다면, 그것은 자본의 이윤에 타격을 줄 뿐 아니라 **산업의 가능성 자체를 완전히 없애버릴 것이다.**[201] 노동자가 80밖에

받지 않는 것에 대해 100을 지불해야 한다면, **임금으로는 한 생산물에서 그가 추가한 가치만을 되살 수 있다면**[202] 이는 노동자가 아무것도 되살 수 없다는 것, 〔요컨대 노동자가 자신이 생산물에 추가한 **총가치**를 다시 받는다고 할지라도, 즉 이윤도 존재하지 않고 잉여노동을 표현하는 잉여가치의 다른 어떤 형태도 존재하지 않을지라도. 그러한 생각으로도 포르카드는 경제학에 대해 무언가를 이해한다고 믿는다! 프루동의 어리석음은, 그가 이윤 등이 판매에서 실현되기 때문에 노동자는 자신이 (임금으로) 받는 화폐로[203]이 화폐에 포함된 것보다 더 많은 상품가치를 되사야 한다고, 다시 말해 상품이 그 가치 **이상으로** 판매된다고 믿는다는 점이다. 그러나 포르카드는 임금이 하나의 생산물에서 노동자가 추가한 가치만을 되살 수 있다면 산업은 **불가능**하다고 선언한다. 반대로 임금이 어떤 생산물에서 노동자가 추가한 총가치를 되사는 데 충분하다면 자본주의적 산업은 불가능하다. 이 경우에는 잉여가치도 이윤도 이자도 지대도 자본도 없다.[204] **사실상 F가 말하는 것은** "노동자"만이 아니라 생산자 일체와 연관된다.〕 임금으로는 아무것도 [205]**지불**할 수 없다는 것을 의미한다. (요컨대 실제로 일반적 명제: **생산자**가 자신이 어떤 생산물에 추가한 가치만을 되살 수 있다면 그는 아무것도 지불할 수 없다. 왜냐하면 상품은 추가된 노동 외에 불변자본을 포함하기 때문이다.) 사실 **원가에는** 언제나 임금 이상의 것(이는 지극히 천박하다. 포르카드가 말하고자 하는 바는 마지막 노동에 의해 추가되어 상품에 실현된 이상의 것이다)이 포함되어 있다. 예를 들면 **종종 외국에 지불되는 원료 가격** … (외국에 지불되지 않을지라도 사태의 본질에는 아무런 변화도 없다. 이러한 반론이 ||211| 조야한 오해에 기초한다는 것도 변함이 없다. (포르카드의 ― 옮긴이) 재치는 다음과 같다. 총생산물에서 임금으로 지불되는 양은 원료 등의 가치에 기인하는 가치를 조금도 포함하지 않는데도, 각각의 상품을 그 자체로서 고려하면 추가된 마지막 노동에 기인하는 가치와 그 노동과는 무관한 원료 등의 가치로 구성된다는 것이다. 이는 생산물 중에서 잉여가치(이윤 등)로 분해되는 부분 전체에도 적용된다. 불변자본의 가치에 관하여 말하자면 그것은 그 자체에 의해 현물로 대체되거나 다른 형태의 불변자본과 교환됨으로써 대체된다.) … P.는 국민적 자본이 끊임없이 증가한다는 것을 망각했고, 이 증가가 모든 노동하는 사람들, 노동자뿐 아니라 기업가에게도 확실하다는 점을 망각했다."《**레뷔 데 되 몽드**》, **제24권, 파리, 1848년**, 998, 999쪽. **외젠 포르카드**) 그리고 이러한 상투적인 말로 F.는 문제 해결에서 빠져나오려 한다. 그래도 그가 "가장 비판적인" 경제주의자(Oekonomist) 중 한 사람이라

는 데는 이론의 여지가 없다!

이 자리에서 우리는 프루동의 모든 쓰레기를 곧 요약하고자 한다.)[206]

[2항과 3항에 대한 추가 보충설명]

/I-A/[1] 〔잉여노동과 필요노동의 초기 비율＝10시간 : 2시간＝5 : 1이고 이제 12시간이 아니라 16시간을 노동한다면, 즉 4시간 더 노동한다면, 비율이 불변이려면 이 4시간 중에서 노동자가 $3\frac{1}{3}$을 받고 자본가는 $\frac{2}{3}$시간을 받아야 할 것이다. 그 까닭은 $10 : 2 = {}^{2}3\frac{1}{3} : \frac{2}{3} = \frac{10}{3} : \frac{2}{3} = 10 : 2$이기 때문이다. 그러나 "부등식의 두 항에 어떤[3] 수를 더하면 더 큰 항의 비율은 감소하고 더 작은 항의 비율은 증가한다"[4]는 수학 법칙에 따라서 임금과 잉여가치의 비율은 초과시간[5]이 위의[6] 비율로 분할될지라도 불변이라는 것이다. [7]예전에는 [필요][8]노동과 잉여노동의 비율은 $10 : 2 = 5 : 1$(5배). 이제는 $13\frac{1}{3} : 2\frac{2}{3}$ $= \frac{40}{3} : \frac{8}{3} = 40^{9}[: 8 = 5 : 1.]$〕[10]|

/IV-138a/[11 12]1) 자본이 생산력 발전에 의해 획득하는 잉여가치는 동일한 노동으로 창출된 생산물 또는 사용가치의 양이 증가하는 데서 유래하는 것이 아니라 **필요노동이 감소**하고 그와 같은 비율로 잉여노동이 **증가하는** 데서 유래한다. 자본이 생산과정을 통해 획득하는 잉여가치는 필요노동을 넘는 잉여노동의 초과분이나 다름없다.

잉여가치는 **잉여노동**과 정확히 같은 것으로, 잉여가치의 증대는 필요노동의 감소에 의해 정확하게 측정된다. **절대적 잉여가치**에서는 필요노동의 감소가 **상대적**이다. 즉 필요노동은 초과노동이 **직접** 증대됨으로써 상대적으로[13] 하락한다. 필요노동＝10시간, 잉여노동＝2시간이고, 이제 잉여노동이 2시간 증대되어도, 즉 총노동일이 12시간에서 14시간으로 연장되어도 필요노동은 여전히 10시간이다. 그러나 이전에는 필요노동이 잉여노동에 대하여 $10 : 2$, 즉 $5 : 1$의 비율이었지만 이제는 $10 : 4 = 5 : 2$, 바꿔 말하면 이전에는 필요노동이 노동일의 $\frac{5}{6}$였으나 이제는 $\frac{5}{7}$일 뿐이다. 요컨대 여기에서는 총노동시간, 따라서[14] 잉여노동시간이 **절대적으로** 증가했기 때문에 필요노동시간이 **상대적으로** 감소했다. 반면에 표준노동일이 주어져 있고 생산력 증대에 의해 **상대적** 잉여가치가 증대한다면 **필요노동시간은 절대적으로 감소**하고, 그럼으로써 잉여가치는 생산물의 **가치**가 증대되지 않아도 절대적으로도 상대적으로도 증대된다. 따라서 절대적 잉여가치에서는 잉여가치의 절대적 증대와 비교하여 임금의 **가치가 상대적으로 하락한다**. 상대적 잉여가치에서는 임금의 **가치가 절대적으로 하락한다**. 그럼에도 불구하고 노동자에게는 언제나 첫 번째 경우가 더 불리하다. 첫 번째 경우에는 노동의 **가격**

이 절대적으로 하락한다. 두 번째 경우에는 **노동의 가격**이 상승할 수 있다.

2) 자본의 잉여가치는 생산력의 배수만큼이 아니라 노동일에서 필요노동시간을 나타내는 부분을 생산력의 배수로 나눈 만큼 증대된다.

3) **생산력의 새로운 증대 이전의** 잉여가치가 클수록, 즉 하루 중 무상으로 노동이 이루어진 부분이 이미[15] 클수록, 따라서 하루 중 지불된 부분이, 즉 노동자의 등가물을 구성하는 부분이 작을수록 자본이 생산력의 새로운 증대에 의해 획득하는 잉여가치의 증대는 그만큼 작다. 자본의 잉여가치는 증가하지만 그 증가율은 생산력 증대에 비해 갈수록 작아진다. 그 제한[16]은 여전히 하루 중 **필요노동**을 표현하는 부분과 하루 노동일 전체 사이의 비율[17]이다. 자본은 이 한계 내에서만 운동할 수 있다. 필요노동에 속하는 부분이 이미 작을수록, 요컨대 잉여노동이 클수록 이 부분의 분모가 그만큼 커지므로 생산력 증대가 필요노동시간을 감소시키는 **비율**은 점점 작아진다. 따라서 자본의 자기증식 **비율**은 자본이 이미 증식된 만큼 느리게 증가한다. 그러나 이는 임금이 증가했거나 생산물에서 노동자의 몫이 증가했기 때문이 아니라 노동일에서 필요노동을 나타내는 부분이 노동일 전체에 대한 비율에서 이미 그만큼 크게 하락했기 때문이다.

|II-89|[1] **분업에 대하여**[2]

Th. 호지스킨, 『대중 경제학』, 런던, 1827년.

"발명과 지식은 반드시 분업에 선행한다.[3] 미개인들은 활과 화살을 만들고, 짐승과 물고기를 잡고, 토지를 경작하고 옷을 짓는 것을 배운 다음에 그들 중 일부가 이들 도구를 만들고 수렵, 어로, 농경, 직포에 전념하게 되었다. … 금속, 가죽 또는 목재를 세공하는 기술이 대장장이, 제화공, 목수가 있기 이전에 어느 정도 알려져 있었다는 것은 의심할 수 없다. 극히 최근에 증기기관과 방적기가 발명된 것은 사람들이 방적기와 증기기관을 만드는 것을 자신의 주되거나 유일한 사업으로 삼기 이전의 일이다."(79, 80쪽)

"중요한 발명들은 노동을 위한 필요와 자연적 인구 증가의 결과이다. 예를 들어 자연발생적 결실을 먹어치웠다면 인간은 어부 등이 된다."(85쪽)[4]

필요는 발명의 어머니이다. 그리고 필요의 계속적인 존재는 계속적인 인구 증가로만 설명될 수 있다. 예를 들면 소 가격의 상승은 인구 증가와 이들의 공업생산물이나 다른 생산물의 증가에 의해서 야기된다. 소 가격의 상승은 가축 사료의 재배와 비료의 증가를 초래하고 이 나라에서 거의 $\frac{1}{3}$에 달할 정도의[5] 생산물량의 증가를 야기한다.(86, 87쪽) "이 나라의 상이한 부분들 사이에[6] **신속한 통신**이 지식과 부의 증가에 기여한다는 것은 아무도 의심하지 않는다. … 하나의 암시만으로도 금세 **다수의** 두뇌를 움직이게 하고 어떤 발견도 즉각 평가되어 거의 그와 동시에 개량된다. 개량의 기회는[7] 어떤 특정한 주제에 관심을 기울이는 **사람들이 배가되는** 데 비례해서 커진다. 인구의 증가는 **통신**과 동일한 효과를 낳는다.[8] 그 까닭은 통신이 많은 사람들로 하여금 동일한 주제에 대해 생각하도록 함으로써만 작용하기 때문이다."(93/94쪽)

분업의 원인들. "먼저 가족 내에서 성별 사이의 분업. 다음으로 연령 차이. 다음으로는 체질의 특성들.[9] 성별, 연령, 신체적·정신적 능력의 차이, 또는 신체 구조의 차이가 분업의 주요 원천이고, 그것은 사회가 진보하면서 개인들의 다양한 취향, 기질, 재능에 따라, 그리고 상이한 작업에 대한 그들의 상이한 적성에 따라 계속 확대된다."(111쪽 이하) "노동하는 자들의 적성의 차이 이외에[10] 그들이 노동하면서 이용하는 자연적 도구의 적합성과 용량의 차이가 존재한다. 토양, 기후, 환경의 다양성, 토지의 자연발생적 산물의 특

성과 땅속에 매장된 광물의 특성은 특정 지점을 특정 기술에 적응시킨다. …

지역적 분업."(127쪽 이하)

분업의 한계들. 1) "시장 규모" … 어느 노동자에 의해 생산된 상품은 … 현실에서 궁극적으로 다른 노동자에 의해 생산된 상품을 위한 시장을 구성한다. 그리고 그들과 그들의 생산물은 서로가 서로를 위한 시장이다. … **시장 규모**는 노동자의 수와 그들의 생산력을 의미하는데, 후자보다는 전자를 의미한다는 것은 틀림없다.[11] 노동자의 수가 증가함에 따라 사회의 생산력은 이 증가에 분업의 효과와 지식의 증가를 곱한 것에 복비례해서 증가한다. … 철도, 기선, 운하와 같은 **개량된 운송 방법**,[12] 멀리 떨어진 나라들 사이의 교류를 촉진하는 수단은 모두 **인구수의 실제적 증가**[13]와 마찬가지로 분업에 영향을 미친다.[14] 그것들은 점점 더 많은 노동자들을 서로 소통시키거나 또는[15] 점점 더 많은 생산물을 교환시킨다.(115쪽 이하)

두 번째 한계. 상이한 작업의 성격. "과학이 발전함에 따라 이 외견상의 한계는 사라진다. 특히 기계류가 이 한계를 이동시킨다.[16] 역직기의 가동에 증기기관을 응용하면 한 사람이 여러 명의 작업을 수행할 수 있다. 또는 서너 명이 수직기를 사용하여 방직할 수 있는 만큼의 직물을 혼자서 할 수 있게 된다. 이것은 작업의 복잡화이다. … 그러나 그 후에 다시 그 결과로서 단순화가 뒤따르고[17] … 그리하여 분업을 위한 기회의 영속적인 갱신."(127쪽 이하)|

"자본가들의 탐욕 등에 의해서 **노동시간 수를** 연장하고 그리하여 노동의 공급을 증가시켜 보수를 축소하려는 **항상적인 경향.**[1] … **고정자본의 증가도** 동일한 결과로 나아간다.[2] 기계류, 건물 등에 매우 큰 가치가 저장되어 있는 경우 제조업자는 그 많은 자본을 놀리지 않으려는 강한 욕구에 사로잡히고, 따라서 하루 종일 장시간 노동할 것을 약속하지 않는 노동자는 고용하지 않을 것이기 때문이다. 그리하여 일부 공장에서 시행되는, 노동자 한 조가 일을 떠나면 다른 조가 들어가는 야간노동과 같은 두려운 것이 생겨나는 것이다."(**G. 램지,『부의 분배에 관한 고찰』, 에든버러, 1836년, 102쪽**)[3]

———

절대적 잉여가치에서는 노동에 지출된 자본인 **가변자본**은 그 가치의[4] 크기가 변하지 않지만 총생산물의 가치는 증가한다. 그러나 이 증가는 생산물에서 [5]가변자본의 재생산을 나타내는 가치[6] 부분이 증가하기 때문이다. 이 경우에 그에 더해서 (이는 잉여가치가 아니라 이윤으로서의 잉여가치와 관련된다) 불변자본 가운데 원료와 보조재료가 되는 부분은 필연적으로 증가한다. 극히 적은 정도는 제외하고 기계류, 건물 등의 지출(**계산된** 것이기는 하지만 **실제의** 마모분)이 그럼으로써 증가한다고 생각할 수는 없다.

상대적 잉여가치에서는 [7]생산물에서 가변자본이 재생산되는 가치 부분은 변하지 않지만 그 부분의 분배는 변한다. 잉여노동을 나타내는 부분은 더 커지고, 필요노동을 나타내는 부분은 더 작아진다. 이 경우에 주어진 **가변**[8]자본은 감소된 임금의 금액만큼 감소한다. 불변자본은 원료와 보조재료에 관련된 것을 제외하고는 변하지 않는다. 이전에는 임금에 지출되었던 자본 부분이 풀려나면서 기계류 등으로 전화할 수 있다. [9]우리는 다른 곳에서(이윤에서) 불변자본의 여러 가지 변화에 대해 연구했다. 그러니 여기에서는 가변자본의 변화만을 고찰하기 위해 이것은 논외로 한다. 구자본은 C(불변자본)+1,000[10]파운드스털링이라 하자. 이 1,000[11]은 가변자본을 나타낸다. 말하자면 노동자 1,000[12]명의 주급. 이제 두 가지를 구별할 수 있다. 가변자본은 다른 산업부문에서 생산된 생필품(예를 들면 곡물, 육류, 구두 등) 가격이 하락하기 때문에 감소한다. 이 경우에 C는 변하지 않으며 고용된 노동자의

G322

수, 노동의 총량도 변하지 않는다. **생산조건**에는 아무런 변화도 일어나지 않았다. 가변자본이(즉 그 가치가) $\frac{1}{10}$ 감소했다고 가정하면 그것은 1,000에서 900으로 감소한다. 잉여가치가 500, 즉 가변자본의 절반이었다고 가정하자. 그러면 1,500이 노동자 1,000명의 총가치를 나타낸다[13](가정에 따라서 그들의 노동일은 **그대로**이므로 그 크기는 변하지 않는다)는 것은 이 1,500이 자본과 노동 사이에 어떻게 분배되든 변함이 없다.

이 경우에 구자본은 1) C+$\overbrace{1,000}^{V}$+$\overbrace{500}^{잉여가치}$이었다. 요컨대 잉여노동 = 노동일의 $\frac{1}{3}$.

신자본은 2) C+$\overbrace{900+600}$. 요컨대 잉여노동 = 노동일의 $\frac{2}{5}$. 잉여노동은 $\frac{5}{15}$에서 $\frac{6}{15}$으로 증가했을 것이다. 노동일이 12시간이면 $\frac{1}{3}$=4시간이고 그것의 $\frac{2}{5}$=4$\frac{4}{5}$ 노동시간.[14] 이 생산부문에서 생산되지 않는 생활수단이 저렴해진 결과 가변자본(임금)이 $\frac{1}{10}$만큼 다시 하락한다고 가정하자. 그러면 900의 $\frac{1}{10}$=90. 가변자본은 810으로 하락할 것이다. 따라서

G323

신자본은[15] 3) C+$\overbrace{810}^{V}$+$\overbrace{690}^{잉여}$. 요컨대 잉여노동은 $\frac{23}{50}$노동일, 또는 이전보다 $\frac{3}{50}$이 더 많다. 동시에 자본이 첫 번째 경우에는 100, 두 번째 경우에는 90, 합하면 190파운드스털링이 자유로워진다. 자본의 이러한 방출(Freisetzung)은 축적의 형태이고 동시에 [16]이윤을 고찰할 때 다시 보게 되는 것처럼 **화폐자본**의 방출이기도 하다. C+V+S는 생산물이다. V+S는 크기가 일정하다. 이제 다른 사정은 변하지 않고 임금이 하락한다면 공식은 C+$\overbrace{(V-x)}$+$\overbrace{(S+x)}$[17]가 된다.|

|91| 반면에 상대적 잉여노동이 상품 자체의 저렴화의 결과라면, 요컨대 상품의 **생산조건의 변화**, 예를 들면 기계류 도입의 결과라면, 예컨대 가변자본 1,000 중에서 $\frac{1}{2}$이 기계류로 전화해야 한다. 남는 가변자본은 500, 또는 노동자 1,000명의 노동 대신에 500명의 노동이다. 이들 노동의 가치는 1,000명의 노동의 가치가 1,500파운드스털링이므로 750이다. 요컨대 이러한 변화 후에는 다음과 같다.

구자본. C+$\overbrace{1,000}^{V}$/$\overbrace{500}^{S}$.

신자본. (C+500), 또는 C+$\frac{V}{2}$, 이를 C′으로 부르기로 하자.

$$\overset{V}{C' + \overbrace{500/250}}.$$

그렇지만 기계류를 도입한 결과 잉여가치가 증가한다고 전제했으므로 가변자본은 예컨대 $\frac{1}{10}$ 감소한다. 이제 우리는 500명이 이전과 **같은 양만큼** (원료를) 가공한다[18]고 가정하거나 더 많이 가공한다고 가정할 수도 있다. 단순화를 위해서 같은 양을 가공한다고 가정하자. 500의 $\frac{1}{10}$ = 400.[19] 따라서 다음과 같이 된다.

구자본. $C + \overbrace{1,000}^{V} + \overset{S}{500} = (C + 1,000 + \overbrace{\frac{V}{2}}^{V}).$[20]

신자본. $(C + 500), = C' + \overbrace{400}^{V} + \overset{S}{350}. = (C + \underbrace{\frac{1}{2}V}_{C'}) + \overbrace{400}^{V} + \overbrace{\frac{7}{8}V}.)$

그리하여 100파운드스털링이 자유롭게 될 것이다. 그렇지만 이렇게 자본이 풀려나는 것은 적어도 이 정도까지는 원료와 보조재료를 위한 추가가 필요하지 않은 경우뿐이다. 이러한 경우에 한해서 기계류의 도입 결과 이전에는[21] 임금형태로 지출되었던[22] **화폐자본**이 방출될 수 있다.

절대적 **잉여가치**에서는 노동의 절대량이 증가한 것과 동일한 비율로 원료와 보조재료가 증가해야 한다.

G324 　**구자본.** $C + \overbrace{1,000}^{V} + \overset{S}{500}.$ 여기에서 S는 1,000노동일만큼의 $\frac{1}{3}$노동일. 노동일이 12시간이라면 그것은 4시간이다. 이제 S가 500에서 600으로 $\frac{1}{5}$ 증가했다고 가정하면, 12시간×1,000의 가치는 1,500파운드스털링이므로 100파운드스털링의 가치는 1,000명의 800노동시간, 또는 1인당 $\frac{4}{5}$잉여노동시간을 나타낸다. 노동조건이 동일하게 유지되므로 이제는 1명이 $\frac{4}{5}$시간에 원료 등을 얼마나 가공하는지 알기 위해서는 그가 1시간에 얼마나 많은 원료 등을 가공하는지가 문제이다. 이것을 x라 부르기로 한다. 그러면,

신자본. $C + \overset{C'}{x} + \overset{V}{1,000} + \overbrace{500}^{S} + \overbrace{100}^{S'}.$ 여기에서 지출된 자본은 증가하고 생산물은 이중으로[23] 즉 지출된 자본과 잉여가치만큼 증가한다.

제2노트 91쪽

중요한 것 ─ 기초는 변함없이 가치규정 자체이다. 요컨대 토대는 가치가 [24]노동생산성의 수준에 상관없이 필요노동시간에 의해 규정된다는 것, 따라서 예를 들어 화폐는 불변의 가치가 있는 것으로서 제외되어 언제나 동일한 화폐액으로 표현된다는 것이다.

───────

헝가리에서 본래적인 농노제를 폐지한 마리아 테레지아의 봉토등기부 (Urbarium)에 의해서 농민들에게 주어진 세션(각 보유지(estate)에서 [25]농노의 생계를 위해 배정된 토지, 35~40에이커)의 대가로 그들에게 부과된 것은, 지주들에게 해마다 104일의 **무상노동**, 닭과 달걀 등의 공납은 제외하더라도 지주가 제공한 양모나 대마 6파운드 ||92| 짜리, 그 밖에 그들의 생산물 가운데 $\frac{1}{10}$을 교회에, $\frac{1}{2}$ (??)(이 물음표는 마르크스가 붙인 것이다. 이 문단의 해설에서 제시된 존스의 원문에는 $\frac{1}{9}$로 되어 있다. ─ 옮긴이)을 지주에게 바치는 것이었다. 1771년에도 헝가리에서는 인구 800만 중에 $\frac{1}{21}$이 지주였고 수공업자는 30,921명에 불과했다. 바로 이러한 사실들이 중농학파 이론을 역사적으로 뒷받침해주는 것이다.[26]

───────

영국 탄광에서는 주당 평균 15명의 노동자가 살해되었다. 1861년까지 10년 동안 약 1만 명이 살해되었다. 대부분 탄광 소유주의 부도덕한 탐욕 때문이었다. 이것은 일반적인 형태로 언급할 만하다. 자본주의적 생산은 ─ 우리가 그 기초인 교환에서의 가치에 의해 초래되는 엄청나게 복잡한 상업적, 화폐적 거래와 전체 유통과정을 사상한다면 어느 정도는 ─ **실현된 노동**, 상품에 실현된 노동에서 가장 경제적이다. 그것은 인간의, 살아 있는 노동의 다른 어떤 생산양식보다 더 큰 낭비자(Spendthrift), 살과 피와 근육뿐 아니라 뇌와 신경의 낭비자이다. 사실 인류의 사회주의 구성체에 선행하는 역사적 시대들에 일반적 인간의 발전이 보장되는 것은 오로지 개인 발전의 엄청난 낭비를 치르면서만 가능하다.[27]

G327

　　　　"이 고통이 우리를 괴롭힌다면,

　　　　그것이 우리의 욕망을 키웠으므로

티무르의 지배도 무수한 영혼을
집어삼키지 않았던가?"[28]

———

우리가 **생산물의 가치**[29]에서 구별해야 하는 부분은 선대자본의 **가치**에서 구별해야 하는 부분보다 많다. 후자는 C+V이다. 전자는 C+A. (생산물에서 새로 추가된 노동을 포함하는 부분.) A = V+S = 가변자본의 가치 + 잉여가치.

———

상대적으로 — 다수의 노동대중과 비교할 때 — 소수의 수중으로 생산수단의 **집중**은 본래 자본주의적 생산의 조건이자 전제인데, 왜냐하면 그것이 없으면 생산수단이 생산자로부터 분리되지 않을 것이고, 따라서 [30]생산자들이 임금노동자로 전환되지 않을 것이기 때문이고, 한편으로 이 집중은 자본주의적 생산양식 및 그와 더불어 사회적 생산력을 발전시키기 위한 기술적 조건이기도 하다. 간단히 말해 대규모 생산을 위한 **물적** 조건. ‖93‖ 이 집중에 의해서 **공동**노동이 — 결합, 분업, 기계류, 과학, 자연력의 응용이 발전한다. 이것과 관련된 또 하나의 사항이 있는데, 그것은 **이윤율**에서 고찰할 것이고 **잉여가치** 분석에서는 아직[31] 고찰하지 않을 것이다. 노동자와 노동수단의 좁은 공간으로의 집중 등 동력의 절약, 그것들을 사용하는 사람들 수에 비례해서 비용이 증가하지 않는 수단들(건물 등, 난방 등)의 다수에 의한 공동 사용, 끝으로 생산의 불필요비용(faux frais)인 노동도 절약된다. 이는 특히 농업에서 드러난다.

"경작이 발전함에 따라[32] 한때 500에이커의 토지에 분산적으로 사용되던 자본과 노동이 이제는 모두, 어쩌면 그 이상으로, 100에이커를 더욱 집약적으로 경작하는 데 집중되어 있다."(R. 존스, **『부의 분배에 대한 고찰』**, 제1부 「지대에 대하여」, 런던, 1831년, [190,] 191쪽)[33] "1에이커에서 24부셸을 수확하는 비용이 2에이커에서 24부셸을 수확하던 비용보다 더 적다. 농사일이 수행되는 **집중된 공간**〔이러한 공간 집중은 매뉴팩처에서도 중요하다. 그렇지만 G328 여기에서는 역시 공동 동력기 사용 등이 더 중요하다. 농업에서는 사용된 자본과 노동의 양에 비하면 공간이 집중되지만 [34]예전에 한 명의 독립된 생산

주체가 작업하던 생산영역에 비해서는 생산영역이 확장되어 있다. 이 영역은 절대적으로 더 크다. 따라서 말을 이용할 가능성 등)은 몇 가지 이익을 가져다주고 얼마간 비용을 절감하게 해준다. 울타리 치기, 배수, 파종, 수확 작업 등은 1에이커에 국한할 때 더 적게 든다 등등.″35 (같은 책, 199쪽)

10시간 노동법안과 초과노동

"**주민의 건강**은 국가 자본(national capital)의 매우 중요한 부분인데도 노동고용주 계급은 이 보물을 지키고 존중하려는 의지가 없다고 말하지 않을 수 없다. '웨스트라이딩 사람들은 (《타임스》는 1861년 10월 **호적본서장관**의 보고서를 인용하고 있다) 인류의 직물 제조자가 되어 이 일에 매우 몰두했기에 노동자들의 건강이 희생되고 몇 세대 후에는 퇴화해버릴 지경이었다. 그러나 반응이 일어났다. 샤프츠버리 경의 법안이 아동의 노동시간을 제한한 것이다.' **직공**의 **건강**에 대한 고려가 (《타임스》에 따르면) 사회에 의해서 **공장주들에게 강제되었다**."[1]

런던의 규모가 큰 재봉공장에서는 예를 들면 바지나 상의 한 벌 등을 만드는 일정량의 노동을 1시간, 반 시간이라 부른다. (1시간=6펜스.) 여기에서는 1시간의 평균생산물이 몇 개인지가 당연히 경험적으로 알려져 있다. 새로운 양식[2]이 유행하거나 특수한 개량, 수선 등이 등장하면 특정한 노동량이 1시간에 해당하는지 등을 둘러싸고 고용주와 노동자 사이에는 경험이 사안을 결정할 때까지 분쟁이 일어났다. 런던의 많은 가구 제조공장 등에서도 비슷했다.

(견습기간을 위한 몇몇 사람들을 제외하면 계약된 노동자는 평균적인 숙련을 보유하고 하루 동안 평균 수량을 공급할 수 있는 노동자들뿐이라는 것은 자명하다. 노동의 연속성이 없는, 경기가 좋지 않을 때에는 이 후자의 사정은 고용주에게는 당연히 상관없는 것이다.)|

MEGA 한국어판의 출판에 부쳐

마르크스 엥겔스 저작의 유일한 정본 전집 MEGA(Marx Engels Gesamtausgabe) 한국어판을 이제 세상에 낸다. 가장 먼저 밀려오는 감회는 한국 사회가 이 분야에서 문명 후진국이라는 오명을 드디어 벗을 수 있게 되었다는 안도감이다. 이미 세계 10위권 경제 대국이 되었다고는 하지만 2013년 '세계기록유산'(Memory of the World)으로까지 선정되어 인류사적 관점에서 그 정신 문화적 가치를 인정받은 마르크스 엥겔스 저작 출판에서 우리 역사와 현실은 초라하다 못해 비참하다고 할 수밖에 없는 수준이다.

한글로 된 최초의 마르크스 엥겔스 저작은 1921년 출간된 『공산당 선언』으로 알려져 있다. 모두 세 가지 판본으로 영어판, 러시아어판, 일본어판을 대본으로 한 것이었다고 한다. 하지만 지금까지 실물이 확인된 적이 없어 사실상 풍문으로만 전해지고 있을 뿐이다. 초라한 출발이었다고밖에 표현할 수 없다. 이후 이어진 이들 저작의 출판도 굴절과 왜곡의 연속이었다. 이들 저작을 금기시하는 일제 강점기를 거쳐 해방 공간에서 숨통이 잠시 트이긴 했지만, 곧바로 이어진 분단과 내전은 굴절된 역사의 격랑 속으로 이들의 저작을 구겨 넣었다.

내전이 빌미가 되어 이후 남한 사회에서 이들의 저작에는 금서 낙인이 찍혔고 출판은 당연히 꿈도 꿀 수 없는 상황이 지속되었다. 야만의 시대였다.

1987년 조그만 출판사 하나가 야만에 맞서는 과감한 도전을 감행하였고 법정으로 이어진 싸움 끝에 간신히 족쇄를 깨뜨릴 수 있었다. 하지만 아직 갈 길이 멀었다. 출판은 합법화되었으나 문헌적 정본에 대한 인식에 도달하기까지는 다시 긴 시간이 필요하였다. 합법화 이후 출판은 대부분 검증되지 않은 판본에 기초한 것이었고 그나마도 개별 저작에 그쳐서 사상의 전모를 보여줄 전집 출판은 생각조차 하기 어려운 상황이 이어졌다.

2008년 필자가 연구년을 베를린에서 보내게 된 것이 우연한 계기가 되었다. 베를린에 체류하던 당시 MEGA 팀과 교류를 갖게 되었고 MEGA 한국어판 출판이 피할 수 없는 과제라는 것을 절감했다. 연구년을 마친 후 2010년 국내에 최초로 MEGA를 소개하는 국제 학술대회를 개최하였고 2012년 작업을 수행할 기관으로 동아대학교에 맑스엥겔스연구소를 설립하였다. 출판은 필자와 오랜 인연이 있는 도서출판 길이 나섰다. 2011년 5월 국제마르크스엥겔스재단 이사회는 MEGA 한국어판에 대한 지적 소유권을 허락하였고 이 허락에 근거하여 도서출판 길은 2012년 6월 18일 독일 아카데미 출판사(Akademie Verlag)와 출판권 계약을 맺었다. 그리하여 MEGA 한국어판을 출판할 준비가 모두 갖추어졌다.

하지만 넘어야 할 현실적인 장벽이 또 기다리고 있었다. 먼저 번역 작업을 수행할 인력 문제였다. 애초에 자격과 조건을 갖춘 연구자 수가 매우 적은 데다 열악한 학술 출판 여건상 원고료를 충분히 지불할 수 없는 조건 때문에 그나마의 연구자도 확보하기 어려웠다. 이를 해결하기 위한 재정 기반도 또 하나의 현실적 장벽이었다. 재원을 확보하기 위해 노력했지만 대부분 수포로 돌아갔다. 학술 출판에 대한 일반적 무관심에 더해 우리 사회가 이들 저작에 오랫동안 덧씌워둔 야만의 낙인이 함께 작용한 결과였다.

필자의 정년이 다가오면서 전망이 닫혀가던 즈음 2018년 아마도 마지막이었을 기회가 기적처럼 찾아왔다. 한국연구재단의 지원을 받게 된 것이다. 이 지원으로 우선 2023년까지 17권을 발간하게 되었다. 이후 후속 작업이 이어진다면 전집은 모두 80여 권으로 완성될 것으로 보인다. MEGA 원본 전체는 114권으로 구성되어 있지만 방주와 인용 문헌을 담은 제4부는 한국어로 번역할 필요가 없어 보이고 제2부 『자본』의 갖가지 판본들 가운데 중복되는 판본은 피해야 할 것이기 때문이다. MEGA 원본 작업이 아직 70권도 채우지 못한 채로 계속 진행되고 있고 매년 3~4권씩 진도가 나가고 있다는 점에서 한국어판의 후속 작업은 적어도 20년 이상 지속되어야 할 것으로 보인다. 따라서 후속 작업은 당연히 필자의 손을 떠나 후속 세대의 몫으로 남게 될 것이다. 마르크스가 변증법적 유물론으로 발견했던 인간의 의지와 현실의 자연법칙 사이의 거리를 필자인들 어찌 피해 갈 수 있겠는가?

2008년 피할 수 없는 과제로 받아들인 이후 꼬박 13년이란 시간을 들여 이제 겨우 첫선을 보이게 된 MEGA 한국어판 발간은 어떤 의미를 지닐 수 있을까? 여러 우여곡절을 겪으면서 그동안 뇌리에서 계속 맴돌던 물음이었다. 대학에 전임 교원 자리를 가진 사람들에게 그다지 가치가 높지 않은 번역 작업이고, 문헌 연구 성격이 짙은 작업 자체도 지루할뿐더러 경제적으로도 별다른 소득이 없는 데다 거꾸로 터무니없는 기회비용까지 요구하기 때문이다. 게다가 혼자서는 도저히 엄두를 낼 수 없는 방대한 분량 때문에 개인이 완성할 수 없고 후속 연구자들이 이어받아야 하는 일이다. 하지만 이런 후속 연구자 양성과 집단적 협력의 운영에 들어가는 비용과 수고는 물론 그에 필요한 재원은 또 어떻게 마련할 것인가?

꼬리를 무는 물음에 대한 답은 사실 매우 단순하다. 문헌에 의존해야 하는 인문사회과학 분야 연구에서는 검증된 정본이 토대가 되어야 한다는 사실, 한 가지다. 그것은 이 분야 연구가 과학적 체계를 갖추기 위한 가장 일차적인 전제. 마르크스 엥겔스 저작의 첫 한국어판 『공산당 선언』이 출간된 지 100년이 지나서야 비로소 이들 저작의 정본이 첫선을 보인다는 사실은 부끄럽게도 그동안 한국 사회에서 이들에 대한 연구가 미개한 단계를 벗어나지 못했다는 것을 방증한다. 이 분야 연구자 가운데 한 사람으로서 이보다 더 절박한 과제가 어디 있겠는가? 출간을 맞이하여 돌아보는 감회가 안도감인 이유가 여기에 있다.

세부 작업과 편집 원칙은 일반 독자들과 공유하기 어렵다. 그것은 내부 작업자들에게만 해당되는 문제들이다. 정본화 작업과 관련된 상당히 복잡하고 기술적인 문제들(이 책 부속자료를 보면 이 문제들이 어떤 것인지를 참고할 수 있을 것이다)이기 때문이다. 하지만 독자들에게도 꼭 알릴 필요가 있는 일반적인 문제도 있다. 가장 먼저 용어와 편집방식 통일 문제가 있다. MEGA 한국어판을 완성하기까지는 앞으로 적어도 20년 이상이 예상되기 때문에 현재의 작업자(편집자 포함)들이 마칠 수 없고 후속 작업자들이 이어서 작업을 해야 한다. 하지만 이들이 작업과정에서 만나게 될 학술적 · 문헌적 문제를 미리 짐작할 수 없는 지금 상황에서 미래에 적용할 용어와 편집 방침을 모두 정해둘 수는 없는 노릇이다. 그것은 미래 작업자의 재량에 맡기는 것이 마땅하다. 따라서 전집 전체에서의 용어와 편집방식 통일은 현실적으로 불가능하다. 결국 용어와 편집방식 통일은 각 권별로 국한할 수밖에 없었다.

또한 경제학 영역이 분명한 제2부를 제외한 나머지 원고들은 다양한 전공 내용이 뒤섞여 있어서 각 권 내에서도 다양한 연구자들이 결합해야만 작업이 가능하다는 문제가 있다. 전공 분야만이 아니라 언어도 기본적으로 독일어, 영어, 프랑스어 외에 그리스어, 라틴어, 러시아어 등이 함께 쓰였기 때문에 다수의 외국어 번역자가 별도로 작업에 참여해야 한다. 각 권별로 여러 작업자가 작업에 참여하다 보니 각 권별 용어와 편집방식 통일도 쉬운 일이 아니다. 그래서 일부 단행본 구조를 갖춘 경우를 제외하고는 각 권별로 책임편집자 한 사람을 지정하여 통일을 기하도록 작업할 수밖에 없었다. 이것은 결국 각 권 책임편집자의 재량에 따라 편차가 발생하는 것을 감수해야 한다는 뜻이다.

따라서 전집 전체는 물론 각 권별로도 독자들은 다양한 편차를 만나게 될 것이다. 이 점에 대해서 독자들에게 넓고 깊은 양해를 구한다. 모두가 작업의 특수성에서 비롯되었기 때문이다. 사실 MEGA 원본 작업 자체도 이미 백여 년간 여러 세대를 거치면서 이루어지고 있고 각 권별로 무수히 많은 편집진이 참여하고 있어서 이와 비슷한 문제와 한계를 안고 있기도 하다. 이런 문제들로 출판사의 편집자와 작업팀의 책임편집자, 그리고 개별 작업자 모두가 일반 단행본 편집에 들어가는 것보다 훨씬 큰 수고를 감당해야만 했다. 이들 모두에게 이 자리를 빌려 감사를 표한다.

사실 고백하자면 MEGA 한국어판은 처음 기획이 시작되었을 때 불가능할 것이라고 염려하는 사람들이 많았고 이후 진행된 상황은 이런 염려를 그대로 반영하였다. 이처럼 아무런 전망도 보이지 않는 10여 년 동안에도 이 작업에서 손을 뗄 수 없었던 것은 무엇보다도 이 작업을 후원해준 다수의 조그만 정성이 이어졌기 때문이다. MEGA 한국어판 후원회원들이다. 이들의 마음을 배신할 수 없었던 것이 지금까지 이 작업을 중단하지 못한 가장 큰 이유였다. 후속 작업자와 다음 세대 독자들이 이들의 정성을 잊지 않도록 MEGA 한국어판에는 이들의 이름을 남긴다. 기껏해야 30년도 채 활동하기 어려운 인간이 수천 년 문명을 이룩할 수 있었던 것은 세대와 세대가 서로 손을 맞잡아 '우리'를 이루어 개인의 한계를 넘어섰기 때문이다. 마르크스의 변증법적 유물론에 담긴 역사적 개념이다. 그런 점에서 MEGA 한국어판 후원회원들은 역사를 만들어가는 분들이다. 이들에게 경의와 감사의 마음을 표한다.

첫 한글본이 출간된 때로부터 정본의 발간이 이루어질 때까지 꼬박 100년이 걸렸다. 미개를 벗어나 문명으로 가는 길은 참으로 멀다는 느낌이다. 하지만 그동안 많은 이들의 숨은 노력이 한 걸음씩 쌓이지 않았다면 그 길은 아직도 그대로 멀리 남아 있었을 것이 분명하다. 바로 변증법적 유물론의 함의이다. 가장 중요한 첫 발자국은 단연 이론과실천사 고(故) 김태경 대표이다. 그의 용기가 없었더라면 한국 사회에서 마르크스 엥겔스 저작 출판의 역사는 아예 열리지 않았을 것이다. 또 하나의 발자국은 지금까지 우리나라 유일의 MEGA 연구자 고 정문길 교수이다. 정 교수는 생전에 MEGA 한국어판을 힘껏 응원하고 평생 모은 문헌자료 일체를 동아대학교 맑스엥겔스연구소에 기증해주셨다. 두 분 모두 MEGA 첫 출간을 기다리지 못하고 유명을 달리한 것이 못내 아쉽고 슬플 따름이다. 하지만 이들의 발자국은 지워지지 않고 이 책을 통해 역사로 남을 것이다.

MEGA는 국제적이고 역사적인 협력 작업이다. 한국어판도 당연히 그런 작업의 연장선 위에 있다. 일일이 거명하지는 못하지만 이 작업과 관련하여 많은 외국 학자들의 도움을 받았다. 하지만 그중에서도 따로 거명해야 할 두 분이 있다. 일본의 MEGA 팀을 처음으로 이끌었던 고 오타니 데이노스케(大谷禎之介) 교수, 독일 MEGA 진흥재단 이사장 롤프 헤커(Rolf Hecker) 교수이다. 그동안 두 분이 기울여준 진심 어린 협조에 깊이 감사를 드린다.

마지막으로 도서출판 길에 대한 감사를 빠뜨릴 수 없다. 도서출판 길은 단순히 출판을 맡는 역할을 넘어서 그동안 필자와 함께 이 작업이 좌초하지 않도록 온갖 노력을 함께 쏟아주었다. 그 비용과 수고는 동지애가 아니고는 달리 설명하기 어렵다. 앞으로도 이 전집이 완성될 때까지 이어질 수고와 함께 깊은 감사와 연대의 격려를 함께 보낸다. 다른 책에 비해 몇 배의 노력이 요구되는 이 책의 편집 작업을 맡아주신 편집자들에게 한국어판 필자 전체를 대표하여 깊은 감사를 드린다. 특히 첫 번째 편집을 담당하며 편집 작업의 선구자 역할을 해준 편집자 이현숙 씨, 여느 책보다 까다로운 조판으로 수고한 한향림 씨께 감사를 표한다.

부디 후속 작업이 무사히 이어져서 언젠가 MEGA 한국어판이 모두 완성되기를 간절히 바란다. 후속 작업을 맡을 다음 세대 연구자들의 건투와 행운을 함께 기원한다. 오늘이 끝이 아니라 내일의 시작이라는 사실, 그리하여 항상 오늘 속에서 미래를 함께 보는 시선이야말로 야만에서 문명으로 넘어가는 지평이다. MEGA 한국어판이 그 지평을 우리 사회에 열어주는 하나의 디딤돌 역할을 해준다면 그것이 바로 이 작업에 참여한 모든 사람의 수고가 가장 값지게 보상받는 일이 될 것이다.

2021년 2월
MEGA 한국어판 작업에 참여한 연구자들을 대표하여
동아대학교 맑스엥겔스연구소 소장 강신준

---

* 혹시 독자들 가운데 연구소 이름에서 '마르크스'가 아니라 '맑스'인 것에 의구심을 갖는 분들이 계실지 모르겠다. 전자는 1986년 이후 정부에서 고시하고 있는 국립국어원 외래어표기법에 따른 것이고 후자는 남한에서 금서로 지정되기 전에 한글로 출판된 대부분의 책들에서 표기하던 명칭이다. MEGA 한국어판이 역사적인 판본 작업이라는 점을 감안하여 'Marx'의 한글 표기에 역사적으로 두 가지가 있다는 것을 독자들이 참고했으면 한다. 다만 연구소 명칭 이외의 모든 곳에서는 '마르크스'로 표기를 통일했다.

카를 마르크스 프리드리히 엥겔스 전집(MEGA) 한국어판이 출간될 수 있도록
후원한 분들의 이름을 여기에 남깁니다.

김석언
강수돌
퇴경 조용범 교수 문하생
전국금속노동조합 대우버스 사무지회
전국금속노동조합 S&T 모티브 지회

강광선	강남욱	강대복	강대선	강대준	강명숙	강선양	강주용	강진아
강현숙	강현영	고도란	고소혜	고영라	공철호	곽삼영	구영지	구자행
권경희	권대성	권수정	권우정	권은혜	권자현	김경해	김남영	김남정
김 달	김명선	김명선	김명숙	김미선	김미숙	김미숙	김미자	김미정
김민수	김민신	김병립	김병조	김보현	김복중	김상봉	김선영	김성수
김성연	김세록	김수현	김 영	김영숙	김영환	김용준	김은정	김종현
김지숙	김지연	김차름	김현정	김혜숙	김호룡	김희경	김희찬	남귀연
남막례	노부영	노옥희	도영화	류명주	류은주	류주미	문성권	문원준
문윤희	문준섭	박경숙	박기헌	박미자	박산천	박소영	박숙자	박영미
박유경	박유순	박유영	박이현숙	박종선	박주상	박준석	박지아	박태진
박태환	박해진	박형민	반일효	배영미	배우나	백영기	백점단	변영철
서창호	석경숙	선동초	선정애	설남종	성고은	손용호	손정순	손정옥
송민정	신남정	신미경	신옥진	신용우	신정혁	신현희	신홍철	아이쿱김해생협
안신정	안영숙	안정옥	안정화	안진숙	양원정	양윤복	양재권	양정임
오귀선	오수진	오유진	오인숙	오항녕	왕승민	윤미라	윤영석	윤인식
윤정호	윤 희	이강욱	이대명	이노환	이둘선	이문정	이미신	이미홍
이범수	이선화	이성진	이승주	이애경	이영숙	이영훈	이윤주	이은임
이의섭	이재환	이정규	이정아	이정형	이종진	이종학	이주현	이지운
이지현	이진희	이창주	이현주	임창민	임현석	임회록	장명재	장문재
장용성	장은희	장일화	장정표	전복순	전순덕	전정순	정경희	정고운
정소현	정수희	정순계	정연봉	정원태	지봉화	정옥엽	정유리	정재인
정진영	정현성	정현주	조명숙	조정임	조형희	조혜정	주서호	주영선
주인숙	진민숙	채교순	천영화	최경옥	최동진	최미경	최병일	최연주
최영섭	최영옥	최은미	최인숙	최일규	최지수	최찬호	최현옥	최현혜
커피로스터스수다	프레시안협동조합		하경아	하영주	한은영	한지영	함학림	
허 정	허정애	홍갑복	황 국	황규희	황부상	황혜선	황희정	

알라딘 북펀드 후원자 명단

Chinyong Chong	jay kim	강건영	강대혁	강문식	강성국	강연수	강의연
강재구	강정원	강준하	고관영	고병기	고준우	고형일	공신성	곽병철
곽재욱	구아림	구정모	권용신	금동혁	기승국	김건하	김경준	김규도
김기수	김나래	김대영	김동건	김동규	김동학	김동현	김동환	김두리
김미애	김민수	김민재(2)	김민정	김보경	김 북	김사현	김상민	김상철
김성용	김성재	김세연	김수경	김수미	김수정	김수희	김슬기	김아루
김영용	김영주	김영한	김영후	김우성	김원조	김원준	김은영	김인우
김재덕	김재원	김정목	김정현	김정회	김종승	김지현	김지희	김진주
김진호	김창규	김철수	김태준	김태희(3)	김한상	김 헌	김 현	김현정
김현주(2)	김형우	김효진	김희경	김희정	나윤상	남광우	남준혁	남지은
남혁우	노원각	노은영	노희정	문세진	문장원	박경주	박광국	박광수
박기호	박도희	박래중	박리라	박미숙	박병남	박선희	박세진	박세현
박윤정	박정준	박주현	박지애	박지윤	박창순	박충범	박태웅	박현주
박형준	박혜인	박훈덕	박홍수	배민근	배용현	배우나	배진모	배진선
배 훈	백승훈	백종훈	변성훈	서기호	서동진	서민성	소준철	손민석
송민석	송인재	신경윤	신동민	신동훈	신우성	신윤호	신창균	신하나
신현정	심재수	안강회	안분훈	안주희	안준호	안태환	양우혁	양윤복
양정열	연제호	오승주	오찬휘	오화랑	우형권	유준성	유호준	윤나웅
윤동환	윤미진	윤성준	윤세정	윤형덕	이건우	이경배	이경은	이광호
이나경	이대화	이도형	이도환	이동건	이동근	이동섭	이동엽	이동현
이동훈	이문정	이상호	이승재	이영원	이영진	이용권	이윤호	이은이
이인경	이재의	이정옥	이종진	이지영	이진승	이창훈	이하나	이한결
이항재	이혁민	이현재	이호영	이호준	이회진	임경아	임성식	임승민
임정애	임창민	임채현	장광호	장민성	장민호	장병호	장시우	장 욱
장은애	장준영	장춘규	장태순	전다운	전민수	전세환	전재오	전현진
전혜원	정길영	정남기	정남두	정대성	정미경	정선호	정세호	정요한
정지원	정현진	정형기	정혜윤	조건효	조규희	조민우	조재현	조정호
조주영	조지환	지동섭	채효정	천영서	최금선	최다희	최동현	최문석
최수정	최승은	최영송	최영신	최유준	최윤정	최은혜	최재원	최정배
최정아	최혁규	최형준	최혜선	최호천	추병훈	하재형	하태근	한강민
한나진	한제봉	한태식	허필두	홍기표	홍성후	홍지원	황유경	황정곤
황진홍	황태영	황현정	황혜선					